TROUBLEMAKERS

SILICON VALLEY'S COMING OF AGE

Leslie Berlin

トラブルメーカーズ

「異端児」たちはいかにして シリコンバレーを創ったのか?

レスリー・バーリン［著］
牧野 洋［訳］

TROUBLEMAKERS
by Leslie Berlin

「ノース・トゥエンティフォース・ライターズ」
ワークショップの女性たちへ本書をささげる
あなたたちがいなければこの本はない

リック・ドッドに本書をささげる
あなたがいなければ私はいない

クレージーな人たちがいる。はみ出し者、反逆者、トラブルメーカー（問題児）——。四角い穴に打ち込まれた丸い杭と同じ。普通の人たちとは違う視点で物事を見る。ルールを嫌い、現状を肯定しない。あなたならクレージーな人たちをどう見るだろうか。すごいと思ってもいいし、反論してもいい。たたえてもいいし、けなしてもいい。何をするのも自由だ。ただし、自由にできないことが一つだけある。無視することだ。彼らは世界を変えて、人類の進歩に貢献している。確かに時にクレージー呼ばわりされるが、われわれにしてみたら紛れもない天才だ。なぜなら、世界を本当に変えられると信じているクレージーな人たちこそが、本当に世界を変えているのだから。

——アップルのテレビコマーシャル「シンク・ディファレント（Think Different）」（1997年）

インディ・ジョーンズ「トラックを追い掛ける」
サラー「どうやって？」
インディ・ジョーンズ「分からない。とにかくやってみて、どうにかするさ」

——『レイダース／失われたアーク《聖櫃》』（1981年）の脚本家ローレンス・カスダン

トラブルメーカーズ　目次

第4部 勝利 1979〜81

序章　ちょっと愛のようなもの

スティーブ・ジョブズのスタンフォード大学でのスピーチ

2005年6月、晴れ上がった朝。スティーブ・ジョブズがスタンフォード大学の卒業式で行ったスピーチは動画になって数千万人の胸を打ち、多くの経営者やジャーナリストに刺激を与えた。抜粋版はロンドンのビクトリア&アルバート博物館で展示されている。生誕地カリフォルニア州パロアルト市では、住民がジョブズの写真と言葉――多くはスピーチから引用――を使い、サイクリングコース沿いの街路樹を毎年飾り付けしている。ジョブズは卒業生を前に14分以上にわたって自分の人生を振り返り、養子縁組やがん宣告、仕事、家族、インスピレーションについて語っている。本当に素晴らしいスピーチだ。

スピーチを始めて6分経過したところで、ジョブズは30歳でアップルを解雇されたときのことを語っている。「大人になって全身全霊をささげてきたものを一瞬にしてすべて失いました。ひどく落ち込みました」。これに続く言葉は見逃されやすい。だが、シリコンバレーがどのように機能しているのかを知るうえで極めて重要だ。「1世代前に活躍した先輩起業家の期待を裏切ったのです。彼らからバトンを手渡されようとしていたのに、ちゃんと受け取れずに落としてしまいました。デビッド・パッカード（ヒューレット・パッカード共同創業者）とロバート・ノイス（インテル共同創業者）に会い、自分の失態をわびました」

ジョブズはキャリアを通して古い起業家世代との付き合いを大切にしていた。インテルのロバート・ノイスやアンディ・グローブのほか、レジス・マッケンナ（シリコンバレーを代表するPR会社の創業者）とも親しくしていた。２００３年、私はジョブズに会い、ノイスら半導体業界パイオニアのアドバイスを仰ぐ理由について尋ねたことがある。すると、こんな答えが返ってきた。「半導体メーカーがコンピューターへ進出し、シリコンバレーは第二次黄金期を迎えました。半導体世代が築いた時代の香りを味わいたいと思いました。しかも、歴史を理解しておかなければ現在を理解できませんよね」

スピーチの中でジョブズが触れなかったことが一つある。アップルへ復帰した後、彼も新世代の起業家へバトンを手渡したのである。グーグル共同創業者のセルゲイ・ブリンとラリー・ペイジはスタートアップ時代にジョブズにアドバイスを仰ぎ、フェイスブックのマーク・ザッカーバーグはジョブズのことを「私のメンター」と公言している。

私はパロアルト市内のメキシコ料理店を訪ねたとき、店内の一角で夕食中のザッカーバーグを見掛けたことがある。何年も前に同じ店内で見掛けたジョブズとイメージが重なった。ザッカーバーグはまるでジョブズをまねたかのように同じテーブルを選び、同じ座席に座り、同じように一人でディナーを食べ、同じように背中を窓に向けていたのだ。

過去150年間で最も重大かつ多様なイノベーション

本書が対象にしているのは、シリコンバレーで初めて大規模に世代間のバトンタッチが起きた時期だ。新進気鋭のイノベーター世代が半導体のパイオニア世代からバトンを手渡され、やがてわれわれの日常生活を一変させるほどの驚くべき大変革を起こすのである。[1] 1969年から1976年までの7年間はとりわけ衝撃的だ。過去150年間で最も重大かつ多様な技術イノベーションが起きたと言ってもいい。舞台はサンフランシスコ南側の細長い半島で、直線距離にして60キロメートルにも満たない。ここを拠点にして、イノベーター世代はマイクロプロセッサー、パーソナルコンピューター（パソコン）、遺伝子組み換え（組み換えDNA）技術を世に送り出したのである。わずか7年間で。

ほかにも特筆すべき出来事は枚挙にいとまがない。第一に、起業家の手によってアップルやアタリ、ジェネンテックなどの会社が次々と誕生した一方で、アメリカ初のベンチャーキャピタルも姿を現した。セコイア・キャピタルとクライナー＆パーキンス（K＆P）――現クライナー・パーキンス・コーフィールド＆バイヤーズ（KPCB）――だ。第二に、パソコン、ビデオゲーム、高度ロジック半導体、近代的ベンチャーキャピタル、バイオテクノロジーという

５つの新産業が生まれた。第三に、スタンフォード研究所（ＳＲＩ）内のラボは、インターネットの前身であるアーパネット（ＡＲＰＡＮＥＴ）から初めてデータを受信した。第四に、スタンフォード大は大学の研究成果を商業化するモデルを世界に先駆けて築いた（これによって累計で20億ドル近い収入を得ている）。第五に、ソフトウエアが独立した産業として誕生した。[2]第六に、ゼロックスを親会社にしてパロアルト研究所（ＰＡＲＣ）が発足し、グラフィカル・ユーザー・インターフェース（ＧＵＩ）やアイコン、イーサネット、レーザープリンターの生みの親となった。第七に、新世代の最高経営責任者（ＣＥＯ）が未来を見据えて、シリコンバレーとワシントンの政治的連帯の礎を築いた。

この時期にシリコンバレーの土台が形成されたのだ。もともとシリコンバレーはマイクロチップ――集積回路（ＩＣ）と同義――産業を主力にした一地方にすぎず、経済的にもあまり目立たない存在だったのに、今では世界中のお手本として羨望の眼差しを向けられている。現代社会を支える新産業を数多く生み出し、過去５年間で全米平均の２倍のペースで雇用を増やすほどの一大成長センターになっている。

主要プレーヤー７人の人生を通してシリコンバレーの劇的形成期を描く――これが本書のテーマである。始まりはベトナム戦争の真っただ中で大転換が始まった１９６９年、終わりは革命的イノベーションが実際に社会にインパクトを与え始めた１９８３年。このころまでには新しいイノベーター世代へのバトンタッチが完了し、いくつもの新産業が勃興していた。

シリコンバレーがプラムとアンズの果樹園で知られた時代

1969年、現在のシリコンバレーはシリコンバレーとさえ呼ばれていなかった。主にプラムとアンズの栽培で知られる農業地帯であり、シリコンバレーという呼称が初めて使われるまであと2年待たなければならなかった。パロアルト市内では現在200万ドル近いファミリー向け住宅物件がたったの6万ドルで売買されていたし、当時のコンピューターは値段が何十万ドルにも上る高額商品だった（にもかかわらず演算処理能力は現在250ドルで手に入るサーモスタットよりも低かった）。「バイオテクノロジー」という言葉はまだ存在せず、異なる生物の遺伝子を組み合わせてハイブリッド種をつくり出すような話はSFの世界に限られていた。

コンピューターはあまりに巨大で部屋全体を占有し、デスクトップ（卓上）コンピューターはあり得なかった（スマートフォンやスマートウォッチは言うまでもない）。シリコンバレーが作る製品はプロのエンジニア向けであり、一般消費者を念頭に置いていなかった。平均的なアメリカ人がコンピューターについて考えるとすれば、小切手帳の帳尻が合わずに銀行にクレームを入れたら、担当者から「コンピューターのせいです」と言われたときくらいだった。

今でこそシリコンバレーは世界の情報技術（IT）ハブと見なされているが、1969年当時は違った。主要産業は製造業であり、地元のエレクトロニクス産業で働く人の60％はブルーカラー労働者で占められていた。ハイテク企業はロッキードやシルバニアなど防衛関連に限られ、高度な世界的サプライチェーンもまだ築かれていなかった。一方で、年金基金は高リスク・高リターンの新興企業へ投資できなかった。連邦法で禁じられていたのだ。そもそも起業家は真面目なサラリーマンとして出世できない変人・奇人と思われ、信用されていなかった。

それから10年余りでシリコンバレーは大きく変わった。いくつか例を挙げてみよう。まず、アップルやアタリといった企業が画期的製品を生み出し、人々の働き方や遊び方に大きな影響を与え始めた。次に、遺伝子組み換え技術によるインスリン合成が実現し、最高裁による司法判断で遺伝子組み換え生物は特許対象になった。さらには、新たに誕生したソフトウエア産業を舞台にして新規株式公開（ＩＰＯ）が相次ぐようになった。そんななか、年金基金がベンチャーキャピタルと組んで、高リスク・高リターンの「アーリーステージ（初期段階）」投資に何億ドルもの資金を投じるようになった。

アメリカ経済全体のマクロ的変化も見逃せない。経済構造が製造業から情報・サービス中心へ転換し始め、自動車最大手ゼネラル・モーターズ（ＧＭ）を筆頭にした巨大製造業の存在感は薄れた。結果として「ＧＭにとって良いことはアメリカにとっても良いこと」と主張する政治家もいなくなった。要は、アメリカ経済をけん引するヒーローは大企業経営者から起業家へ交代したのである。

シリコンバレーが大転換に向けて離陸する条件は１９６０年代に出来上がっていた。この時期にエンジニアや科学者は世界初のマイクロチップ開発に成功するだけでなく、起業家として次々と会社を立ち上げていた。社員向けストックオプション（株式購入権）やフラットな組織を導入するなど、近代的スタートアップの原型を作っていたのだ。それから10年余り――本書が光を当てている時代――で現在のシリコンバレーの土台が形成されたといえる。

シリコンバレーが現在世界に及ぼしている影響には目を見張るものがある。第一に、地球上で最も価値ある企業（株式時価総額が大きい企業）を見ると、上位6社中の5社はハイテク企業であり、このうち3社はシリコンバレー企業だ。第二に、ハイテク産業は全米雇用者数の9％を占めるにすぎないのに、国内総生産（ＧＤＰ）の17％、輸出額の60％をたたき出している。第三に、動画が毎分400時間相当のペースで一つのプラットフォーム（ユーチューブ）上へアップロードされ、電子メールが1日当たり2千億通以上も送受信されている。第四に、産業規模でビデオゲームは映画を上回り、バイオテクノロジー産業はアメリカだけで3250億ドルの売り上げを生み出している。第五に、アメリカでは自動化の進展を背景に製造業での雇用減少が止まらなくなっている。第六に、エレクトロニクス関連産業はロビー活動に年間6千万ドル近くを投じている。第七に、（当時）アメリカの現職大統領バラク・オバマがテクノロジー誌ワイアードのイノベーション特集にゲスト編集者として参加した一方、後任大統領ドナルド・トランプは偽情報を拡散するなどソーシャルメディアを巧みに利用して大統領選挙に勝利した。第八に、テクノロジーが日常生活にあまりに深く浸透したため、アメリカ人の46％が「スマホなしでは生活できない」と言い、成人の3分の1が「スマホとセックスのどちらか一つを選ぶとしたらスマホを選ぶ」と回答している。

スター起業家を支えた「見えざるヒーロー」

要するに、現代社会を理解するためには、シリコンバレーのブレークスルー期（土台形成期）を理解しなければならないのだ。ブレークスルー期をつぶさに観察するとはっきりと分かることがある。一握りの天才がそれぞれ単独で大成功し、シリコンバレーを生み出したわけではないのだ。確かに脚光を浴びるのは個々のスター起業家であるものの、周辺にいる「見えざるヒーロー」の存在を忘れてはならない。シリコンバレーで働いたことがある人ならば誰でも知っているように——もちろんシリコンバレーで働いたことがなくても知っている人は知っている——彼らがいたからこそスター起業家は大成功できたのだ。何年も昔に参加したパーティーを今でもよく覚えている。有力シリコンバレー企業のスター起業家を支えたナンバーツーが現れ、短い歌を口ずさんだのである。「仕事はすべて私がやったけれども、手柄はすべて彼のもの」

イノベーションは、メンバー全員が情熱とドラマを共有するチームスポーツと同じだ。アラン・ケイは「小さなチームが本当に難しいプロジェクトに取り掛かっているとき、メンバー同士が刺激し合ってシナジーを発揮できる。シナジーをうまく表現するのは難しい。ちょっと愛のようなもの……いや、愛と言ってもいい。チームの中に愛を育むことが何よりも大切だ」と語っている（ケイはゼロックスＰＡＲＣ、アップル、アタリ各社で働き、コンピューターの世界ではビジョナリーとして知られている）。

シリコンバレーの成功は過去何十年にもわたり、企業や業界、世代を超えた人的なつながりによってもたらされてきた。人的つながりの代表例がブレークスルー期の「見えざるヒーロー」だ。それぞれが従来の枠に収まらずに何度も挑戦し続けた「トラブルメーカー（問題児）」であり、お互いに直接・間接につながりながら小さな半島内で一大技術イノベーションを起こすのだ。ペンタゴン（国防総省）や大学で生まれたテクノロジーを社会還元する先駆けにもなっている。彼らを軸にしたシリコンバレー史は、スター起業家のサクセスストーリーを基にして語られる歴史よりもずっと奥深くて複雑である。シリコンバレーを理解するうえで不可欠であるのに、これまできちんと語られることはなかった。

既存秩序に反発して挑戦するトラブルメーカーは若手起業家に限られない。第一にスーツ姿の弁護士やベンチャーキャピタリスト、エンジェル投資家。自分自身のキャリアを懸けて、はだし姿のヒッピー起業家を支えた。第二にＰＲ専門家。巧みなマーケティングで「ハイテク起業家」というイメージをつくり出し、消費者にとって複雑なテクノロジーをより身近な存在にした。第三に企業経営者。業界を超えて団結し、政治を変えようとしてロビー活動を展開した。第四に科学者や投資家。世の中からの反発を覚悟で、生命をいじるＤＮＡ（遺伝子）ビジネスにチャンスを見いだした。

彼らこそ本書の主人公である。本書中で何人かのスター起業家も紹介されているとはいえ、物語の中心はトラブルメーカーであり、人生も含めて深く掘り下げて描かれている。本書に登場するトラブルメーカーは全員で7人。1人目はボブ・テイラー。インターネットの前身であるアーパネットを始動させ、パソコンの誕生を主導した。2人目はマイク・マークラ。アップルの初代会長であり、持ち株比率で共同創業者スティーブ・ウォズニアックとスティーブ・ジョブズの2人と並ぶ大株主として経営に深く関わった。3人目はサンドラ・カーツィッグ。ソフトウエア業界のパイオニア的起業家であり、女性起業家として初めてハイテク企業のIPOに成功した。4人目はボブ・スワンソン。ジェネンテックの共同創業者で、世界初のバイオテクノロジー企業の生みの親である。5人目はアル・アルコーン。ゲーム会社アタリを舞台に世界初のビデオゲーム〈ポン（PONG）〉を開発し、大ヒットさせた。6人目はフォーン・アルバレス。工場の生産ラインを振り出しにして、最後には経営幹部に上り詰めた。7人目はニルス・ライマース。大学の研究成果を社会還元する仕組みを築き、バイオテクノロジー産業の誕生を後押しした。

私は7人を選ぶときに「彼らが何をしたか」だけでなく「彼らは誰なのか」も基準にした。7人それぞれの魅力的な物語はもっと注目されるべきだ。シリコンバレー誕生に直接関係しているばかりか、現代社会にとってもなお大きな意味合いを持っている。

7人は生い立ちも含めて多様であり、個性的だ。それでも二つだけ共通項を持っている。一つは粘り強いということ。もう一つは恐れを知らないということ。だからこそ壁に突き当たっても諦めずに、変化を起こせたのである。新たな未来を切り開くとなると、大変な困難に直面するものだ。旧世代は新しいテクノロジーを目の当たりにして戸惑い、トラブルメーカーにバトンタッチした。トラブルメーカーは未来への青写真を持っておらず、海図なき航海にチャレンジしなければならなかった。それでも決してうろたえなかった。前へ進みながら考え、未来をつくり上げていったのだ。

1　シリコンバレーでは1930～40年代にハイテク企業の第1世代が生まれている。ヒューレット・パッカード（HP）やバリアン・アソシエイツだ。ただしHPやバリアンの元社員は、第1世代に続く半導体世代と直接関わることはあまりなかった。

2　1969年、IBMは独禁当局の圧力を受けてハードウエア、ソフトウエア、サービスの抱き合わせ販売を取りやめた。結果として、独立系ソフトウエア会社の売り上げ合計が2千万ドルから4億ドルへ急増した。

第1部

出現

1969～71

１９６８～69年にかけてアメリカは大混乱していた。数カ月の間にマーティン・ルーサー・キング牧師とロバート・ケネディ上院議員が相次いで凶弾に倒れた。シカゴで開催された民主党全国大会周辺では、警察がデモ隊と衝突して警棒と催涙ガスを使った。大会そのものも大揺れで、民主党の分裂が懸念されるほどだった。[1] ベトナム戦争は泥沼化し、毎月１２００人のアメリカ兵が命を落としていた。死者のうち80％は18～25歳の若者。写真週刊誌ライフは「どこを見ても問題だらけ」と嘆いていた。

しかし、スタンフォード大学近くで10年前に勃興したエレクトロニクス産業は違った。途方もない楽観主義で満ちあふれていたのだ。舞台は長さ64キロメートルのサンフランシスコ半島。ここで生まれたテクノロジーは宇宙探査に生かされ、アメリカ人宇宙飛行士が大気圏外から映像を地球へ送信するという快挙を成し遂げた。さらには、ロッキードやＩＢＭ、シルバニアといった名門企業は半島内に研究拠点や製造拠点を設けていた。一方で、地元のエレクトロニクス大手ヒューレット・パッカード（ＨＰ）はすでに30年近い社歴を誇り、何千人にも上る雇用を生み出していた。半島内では過去４年間だけで８社のマイクロチップメーカーが誕生していたことも見逃せない。

要するに、地元エレクトロニクス産業は急成長中で、活況に沸いていたのである。この時期について「エレクトロアクエリアスの時代（Age of Electro-Aquarius）」と表現する雑誌もあった「1969年の大ヒット曲「輝く星座」に出てくる有名なフレーズ「アクエリアスの時代（Age of Aquarius）」に引っ掛けてある」。

そんななか、半島の人口は爆発的に増えていた。1950年には30万人にすぎなかったのに、それから20年間で3倍以上に膨らんで100万人を突破。15分ごとに1人のペースでシリコンバレーの住民が増えていた計算になる。新規流入者の大半は教育水準の高い若者。出身地は南カリフォルニアやボストン、シカゴ、ユタに加えて中西部の田舎町にも及んでいた。地元の北カリフォルニアばかりか、州内他地域や全国各地から人口流入が起きていたわけだ。一人でやって来る人もいれば、家族連れでやって来る人もいた。車のトランクは衣服や書籍、家財、アルバム――シーツやタオルの間にきれいに挟まれている――でいっぱいになっており、ドアもきちんと閉まらないほどだった。

大学への入学やヒッピー文化への憧れなど目的もさまざまだ。もちろん仕事探しを目的にする人も大勢いた。たとえ非熟練労働者であっても、豊富な就職口があるエレクトロニクス産業であれば、チャンスに巡り合えると分かっていたからだ。新規流入者は古参組と力を合わせ、創造力と技術力を全面開花させた。最終的には半島内で前例がないほどの一大イノベーションを引き起こし、現在でも世界の先頭を走っている。

新規流入者によって1969年までに現在のシリコンバレー一帯は様変わりしていた。もともとは香り豊かな果樹園が全面に広がり、「悦びの渓谷」と呼ばれるほど牧歌的な農村地域であったのに、広大な郊外と巨大なショッピングモールで特徴付けられる都会になっていた。人口急増を受けて地元自治体は次々と学校を新設し、公園を整備していった。それでも住宅地になお多くの果樹が残り、毎年春になるときれいな庭や歩道に果実を落として汚したものだ。新住民はそれを嫌がり、果樹に向けて熱心にホースで水を放つのだった。

最初のうち街の変化はあまり目立たなかった。スタンフォード大教授で小説家のウォーレス・ステグナーは次のように回想する。

「まるでマッシュルームが生えてくるかのごとく、エレクトロニクス工場がレッドウッドシティーからサンノゼまであちこちに出現していました。それなのに、われわれは大転換が起きているということにまったく気付いていませんでした。ある春のことです。ドライブに出掛けて変化に気付きました。花が咲き誇る果樹園が延々と続く風景は消え去り、果樹園を見つけるのも難しくなっていました。ある夏のことです。ドライブに出掛けて果物を買おうと思いました。ところが、昔のようにわずかの代金でバケツ一杯のアンズを売ってくれるような直売所は皆無でした」

1969年までに新規流入者は新たなビジネス文化を築いていた。中心はシリコン製のマイクロチップだ。シリコンが現在のシリコンバレーに初めて登場したのは、ノーベル物理学賞受賞者ウィリアム・ショックレーが「ショックレー半導体研究所」を設立し、トランジスタ開発に乗り出した1956年のことだ。翌年になって同研究所で働く若くて優秀な科学者やエンジニア8人が独立し、フェアチャイルド・セミコンダクターを創業。同社こそ、シリコンバレーで成功したシリコン企業第1号である。

それから10年以上にわたってフェアチャイルドは急成長した。トップクラスの研究者やエンジニア、マーケティング専門家を雇い入れてイノベーションを先導し、収益を大きく伸ばしたのだ。1965年にはフェアチャイルド株が1カ月で50ドルも上昇し、ニューヨーク証券取引所の急成長銘柄ナンバーワンに躍り出た。同社の大成功に多くの起業家が感化され、シリコンバレーで最初の起業ブームが起きるのだった。

サンフランシスコ半島では多くが失われた一方で、新たに多くが生まれ始めていた。牧歌的な楽園が破壊されるなか、「不可能なことなんて何もない」という楽観主義が支配する世界が出現しつつあった。

1　1968年の民主党全国大会は民主党にとって大きな転換点だった。同党は1933〜68年の選挙で9戦7勝であったのに、1968〜2008年の選挙では10戦7敗に甘んじている。

第1章　ペンタゴンのプロメテウス
——ボブ・テイラー

インターネットの誕生日

最初はクラッシュだった。１９６９年10月29日、カリフォルニア大学ロサンゼルス校（ＵＣＬＡ）が70万ドルを投じて導入した巨大コンピューター「シグマ７」がコマンドを送信した。送信先はスタンフォード研究所（ＳＲＩ）［ＳＲＩは当時スタンフォード大の付属機関］にあるコンピューターで、シグマ７よりも小ぶりな「ＳＤＳ９４０」。

シグマ７はモンスターマシンだ。冷蔵庫サイズの装置6、7台で構成され、特別仕様の部屋を占有している。部屋の中央に置かれているのはタイプライターのような制御卓だ。そこに１人の専門家が陣取り、モンスターマシンを操作している。

カリフォルニア西海岸の南側から北側へ送信されるコマンドは「login」だ。ところが、ＵＣＬＡ側で「l」と「o」に続いて「g」を送信しようとしたとき、ＳＲＩのＳＤＳ９４０がクラッシュした。プログラム修正後に再び同じコマンドが送信されると、今度はちゃんとスタンフォード大側で受信できた。世界最初のコンピューターネットワーク「アーパネット（ARPANET）」の誕生だ。

この日にUCLAとSRIの間で行われた通信は「インターネットの誕生日」と見なされ、会議や書籍、講演、記事などで取り上げられている。「誕生日」を記念する飾り板も掲げられている。UCLA側で通信に携わったプログラマーの一人はその後、不完全な「lo」に新たな意味合いを与えている。「つまり、インターネット上で最初に送信されたメッセージは『Lo!』なのです。『Lo and behold!（驚くなかれ！）』の『Lo!』ですよ。なんて予言的なメッセージなのでしょう」

もちろん「lo」は意図して送られたわけではない。メッセージがちゃんと届いたかどうかを確認するために「login」というコマンドが使われ、コンピューターの不調で「lo」になったにすぎない。そこには深い意味合いは何もない。電話の発明家アレクサンダー・グラハム・ベルが最初の通話実験で使った言葉「ワトソン君、ちょっと来たまえ！」と実質的に同じである。

「login」メッセージは今でこそ歴史的なイベントとして捉えられているものの、1969年当時はまったく注目されなかった。UCLAとSRIでは研究者やスタッフが胸をなで下ろし、控えめに拍手しただけで、対外的にプレスリリースも出さなかった。歴史的瞬間を伝えようとしてキャンパスで待ち構える記者も見当たらなかった。歴史的瞬間は、UCLAの日誌に書かれた短いメモ「22時30分、ホスト間でSRIと通信」で確認できるだけだ。

スタンフォードとUCLAの両大学に加えて、アーパネットの構築に関わった政府機関や民間企業も歴史的瞬間に反応しなかった。アーパネットに資金を出したペンタゴン（国防総省）も無関心だったし、機器製造とソフトウエア開発を担ったボルト・ベラネク&ニューマン（BBN）も無関心だった。アーパネットの立ち上げで中心的役割を果たしたボブ・テイラーでさえも、である。

ケネディ元大統領に似たIPTO責任者

3年前の1966年、シリコンバレーから5千キロメートル近くも離れた首都ワシントン。34歳のテイラーは新しい部下バリー・ウェスラーとの昼食を終え、一緒にオフィスに向かって歩いていた（正確には、23歳のウェスラーは速足のテイラーに追い付くのに必死で、半ば走るような格好になっていた）。スリムな体形を保ち、パイプを愛用しているテイラー。煙で顔の輪郭が少しぼやけると、数年前に暗殺された大統領ジョン・F・ケネディにうり二つに見えた。何事もさっさとこなすのを信条にしており、毎朝の通勤も例外ではなかった。メリーランド州郊外の自宅からレア物の愛車BMW503を猛スピードで走らせ、タイヤをキーッと鳴らしながら巨大なペンタゴン駐車場内へ突っ込んでいった。

ビル内に入ってももたもたしない。重たい革製ブリーフケースをつかみ、パイプを口にくわえたままで廊下を大股で歩き、Dリングにある自分のオフィスへ向かった［ペンタゴンビルは五つのリングで構成されており、内側からA、B、C、D、Eとなっている］。ビル内で郵便を配っている大型三輪車に前方をふさがれても、ひょいと脇に寄って歩き続けた。オフィスに向かわずに空港へ直行することもあった。ボストンやピッツバーグ、パロアルトへ出張し、研究の進展状況をチェックする。独自の予算を与えられ、コンピューター分野の研究を支援していたのだ。

テイラーとウェスラーの職場は、「ARPA（アーパ）」として知られる高等研究計画局（現DARPA（ダーパ））。国防総省が最先端技術の軍事転用を目指して発足させた研究開発機関だ。テイラーはARPAの情報処理技術部（IPTO）責任者であり、年間1500万ドルの予算を握っていた。ARPA全体の予算2億5千万ドルからすればほんの少しの予算を与えられていたにすぎないとはいえ、全額をコンピューター分野に投じることができた。

アメリカがソ連に対して軍事的に優位に立つためには最先端のコンピューター技術を手に入れなければならない、と国防総省は考えていた。テイラーもコンピューターの潜在力に大きな期待を抱き、「人間活動に与える影響度の大きさでコンピューターに匹敵する技術分野はほかにない」「アメリカがこれほど圧倒的な技術優位性を築いている分野はコンピューターだけ」といった意見を持っていた。さらには、「コンピューターをテコにしてアメリカは冷戦に勝利する」と信じていた。

ペンタゴンビル内を歩いていたテイラーは突然立ち止まり、ウェスラーに向かって言った。

「バリー、ちょっと回り道をしていこう」。もともと性格的にせっかちなのだ（相手にきつく当たる傾向があるのも、怒っているからではなくせっかちだから）。ぐるりと回り、自分のオフィスと反対方向へ歩き始めた。ウェスラーも後に続いた。

数分後、2人は最短距離で目的地に行こうと考え、最も外側のEリングに入った。Eリングはペンタゴン最高幹部用のオフィススペースであり、各オフィスは分厚い木製ドアと専用秘書によってしっかり守られている。テイラーは国防次官補のオフィスを訪ねた。気軽に「こんにちは！　ちょっと彼と話をしたいので」と言いながらするりと秘書の横を抜け、ドアを開けてオフィスの中に入った。秘書には立ち上がる余裕さえ与えなかった。

官僚主義をはね返してARPA局長と直談判

ウェスラーはびっくりしながら一緒にオフィスに入り、テイラーの横に座った。オフィスに入る直前に、旧態依然としたペンタゴンルールについて愚痴を聞かされたばかりだった。部下Aが上司Bと話をしたいとしよう。最初に、Aの秘書がBの秘書に電話して電話ミーティングの時間を設定する。続いて、電話ミーティングの時間になったら、Aの秘書がBの秘書に電話したうえで、Aに電話を代わってもらう。最後に、Bの秘書がBを呼び出し、電話に出てもらう。「単に上司と話をするだけでこんな具合だ。とんでもない」

ペンタゴン内の序列で数階級上位の国防次官補のオフィスにいきなり入り込んだテイラーは、確信犯でこのペンタゴンルールを無視したわけだ。一方、国防次官補は驚いて立ち上がり、かんかんに怒っていた。秘書は国防次官補に向かって平謝りしていた。

テイラーは国防次官補を前にして、IPTOが資金支援しているプロジェクトの将来性や不安材料についていろいろ語り始めた。ウェスラーはすぐに変化に気付いた。国防次官補は再び座り、秘書に戻るよう指示。そして熱心にテイラーの話に耳を傾け始めたのだ。

官僚主義最大の特徴は組織内コミュニケーションの遮断、とテイラーは考えていた。アイデアを共有したりフィードバックを得たりしようとして障害にぶつかると、心底いらいらするのだった。多くのテキサス人と同様にアメフトの大ファンであり——体格が小さくて大学時代にアメフトをプレーできずに悔しい思いをした——官僚組織に邪魔されるとアメフト選手よろしくいつも新戦略に思いを巡らせるのだった。国防次官補のオフィスに入り込んだときのように正面から猛スピードで突っ走るべきなのか？　それとも巧妙な策略を練って官僚組織を出し抜くべきなのか？　通常はどちらのやり方でも目的を達成できた。

運も味方した。ARPA局長のチャールズ・ハーツフェルドも、ペンタゴンの官僚体質を苦々しく思っていたのである。ウィーン出身でシカゴ大学博士の彼は、書籍の中では「とんでもないたわ言を直ちに見抜き、恐れずに指摘するワシントンの古株」と紹介されている。だからこそ、テイラーがアポなしでオフィスに飛び込んできても、ざっくばらんに意見交換に応じるのである。

このようにして実現した意見交換が世界を変える起点になった。10月29日に「login」メッセージが送信され、アーパネットが誕生するのだ。

テイラーはハーツフェルドのオフィスに飛び込むと、前置きをせずに単刀直入に本題に入った。

「ネットワークを築きたいのです」

「そうか。詳しく教えてくれ」

テキサス大のキーパンチマシンにいらいら

ボブ・テイラーは普通とは異なるルートを歩んで自称「コンピューター信者」になった。そもそもコンピューターとの出合いと呼べるような経験を持っていなかった。

テキサス大学修士課程で生理心理学を専攻し、論文を書き上げようとしていたときのことだ。脳がどのように音源を見つけ出すのか研究しているうちに、膨大なデータを分析しなければならなくなった。指導教授のアドバイスで大学のコンピューターセンターを訪ねた。大学が誇る大型コンピューターに手持ちのデータを入力し、統計プログラムを走らせようと思ったのだ。

コンピューターセンターはまるで洞穴のようだった。真ん中に間仕切り壁が立てられ、片方に一部屋ほどの大きさのコンピューター、もう片方にスタンディングデスクが置かれていた。スタンディングデスクで作業中なのは、実験用白衣を着込んだ学生だ。テイラーが中に入ったとき、コンピューター自体はほとんど見えなかったものの、学生の背後からはブーンという鈍い音は聞こえていた。

テイラーは学生から使用許可を得て、早速操作方法を教えてもらった。最初に、まっさらなパンチカード一式を用意する。個々のパンチカードは1ドル紙幣とほぼ同じ大きさだ。次に、パンチカードを1枚ずつキーパンチマシン（穿孔機）に入れ、特定のパターンに従って手作業で穴をあけてデータ入力する。それぞれの穴が一つのディジット（0か1）を表し、パンチカード1枚当たり最大72ディジットまで入力可能だ。最後に、入力済みパンチカードをコンピューターに読み込ませる。

ここまで聞いてテイラーは「ちょっと待って」と言い、学生の説明を遮った。ちゃんと理解しているかどうか確認したかったのだ。「僕はここに座ってパンチカードに穴をあけてデータを入力する。それが終わったら、コンピューターの操作担当者にカードを手渡して、データの読み込みを依頼する。いったん退散する。後日戻ってプリントアウトされた用紙を受け取り、結果を確認する。こういうこと？」

「間違いありません。その通りです」と学生は答えた。こんなやり方であると、結果をプリントアウトしてもらうまでに数時間、場合によっては数日かかるかもしれない。テイラーはばかばかしいと思った。「分かった。僕はやめておくよ」

テイラーはいらいらしながらコンピューターセンターを後にした。もっといいやり方がないものかと考えているうちにピンときた。研究室に置いてある機械式計算機「モンロー計算機」を使い、手作業でデータ入力するのだ（モンロー計算機は押すとカタカタと音がなる数字キーを100個以上備え、タイプライターと同じくらいに大きくて重い）。それでもコンピューターセンターに見劣りしない速さでデータ入力できるはずだ、とにらんだ。実際、その通りだった。

リックライダーの論文に出合ってひらめく

テキサス大を卒業後、テイラーはグレン・L・マーチン・カンパニー（後の航空機大手マーチン・マリエッタ）にエンジニアとして入社し、弾道ミサイル「パーシング」のシステム設計を担当した。コンピューターによるテストや点検などのデスクワークを手掛けたほか、防護服を着て実験室内で部品の冷却テストを実施することもあった。そのときには「目が凍ってしまう恐れがあるから頻繁に瞬きするように」と警告されたそうだ。

マーチン・マリエッタ時代、休憩中に「人間とコンピューターの共生」をテーマにした論文を読み、キャリアチェンジにつながるほどの影響を受けた。この論文は7ページほどの長さで、アメリカ無線学会が新たに刊行した技術専門誌に掲載された。筆者は「リック」の愛称で知られるJ・C・R・リックライダー。計量的手法を採用する心理学者であり、個人的感情のニュアンスよりも「知覚の物理学」に軸足を置く研究を進めていた。

論文はどちらかと言えば「レポート」というよりも「ビジョン」だった。「それほど遠くない未来に、人間の脳とコンピューターマシンは密接に結び付き、パートナーシップを築くだろう。パートナーシップは人間の脳とはまったく違う思考法を取るし、現在の情報処理機では不可能なやり方でデータを処理する」。コンピューターは単なる計算機を超えた存在となり、使いやすくて反応が良ければ人間の思考力と創造力の向上に大いに役立つはず、とリックライダーは考えていた。

「論文を読んでひらめきましたね」とテイラーは回想する。「これこそキーパンチのジレンマを解消するカギであり、もっと探究する価値があると思ったんです」。それまで何年にもわたって「コンピューターは巨大な頭脳のようなもの」と聞かされながらも、内心にわかに信じられなかった。実際、テキサス大コンピューターセンターにある巨大計算機も——世界中にある類似マシンも——人間の脳とは似ても似つかなかった。それと比べるとリックライダーが描く対話型（インタラクティブ）コンピューターは人間の脳に近いように思えた。人間の思考力と創造力を高めるツールなのだから。

リックライダーの論文に出合ってから2年後、テイラーはリックライダー本人と面会した。そのころにはアメリカ航空宇宙局（NASA）へ職場を移し、コンピューター研究への資金助成などを担当していた。一方、リックライダーはARPAのIPTO部長を務めていた（数年後にテイラー自身がＩＰＴＯ部長になる）。２人はすぐに意気投合した。リックライダーの妻ルイーズは後になってテイラーに向かってこう言うのだった。「私たちにとってあなたは特別な息子と同じ。愛しているわよ」

２人はよく仕事で一緒に出張した。仕事を終えた後に地元のバーに立ち寄り、お互いのキャリアについて語り合ったものだ。リックライダーのビジョンに賛同する研究者をめぐって情報交換することもあった。もちろんプライベートな会話でも盛り上がった。ギリシャ出張の際には、歌とギターがうまいテイラーがステージに上がり、地元フォークバンドと一緒に朝まで演奏を続けた。大喜びしたリックライダーから「もっと続けて」と声を掛けられ、帰れなくなったのだ。

ＩＰＴＯ部長として全米各地のキャンパス巡り

１９６５年、テイラーはＡＲＰＡへ転職してアイバン・サザランドの補佐役になった。サザランドはリックライダーからＩＰＴＯ部長ポストを引き継いでおり、対話型コンピューターの熱心な提唱者として知られていた。秘書を除けばほかにスタッフがいなかったこともあり、２人は二人三脚でよく働いた。

ＡＲＰＡ入り後、テイラーは全米各地の大学キャンパス巡りにいそしんだ。ＡＲＰＡが資金支援するコンピューターサイエンス（コンピューター科学）プロジェクトがうまくいっているのかどうか、視察するためだった。楽しくて仕方がなかった。ARPAの資金が回り始めたことで、コンピューターサイエンスの研究環境は様変わりしており、変化を実感できたからだ。

1960年以前では、コンピューターサイエンス専門の学科を設ける大学は皆無であった。そのため、コンピューターに興味を持つ人材は工学や数学、物理学といった学科へ散らばらざるを得なかった。そんな状況が1960年代に入って大きく変わり、各大学に単独のコンピューターサイエンス学科が生まれるようになった。同学科を新設したのはマサチューセッツ工科大学（MIT）やカーネギーメロン大学、ユタ大学、イリノイ大学、カリフォルニア大学バークレー校（UCバークレー）、スタンフォード大学などだ。リックライダー、サザランド、テイラーの3人がARPAの資金を上手に使って大学を支援した結果である。

各大学のコンピューターサイエンス学科の屋台骨になっていたのは、やはりARPAの助成金で導入された新型コンピューターだ。新型コンピューターは時分割を意味する「タイムシェアリングシステム（TSS）」と呼ばれ、複数のユーザーが1台のコンピューターを同時に利用できるように設計されている。異なるプログラムが順番に従って瞬時に切り替わるため、個々のユーザーはタイプライターのような端末前に一人で座り、あたかもコンピューター全体を占有しているような錯覚に陥る。TSSであればパンチカードも不要だし、計算結果も直ちに表示できる。

結局、テイラーはまるで日課のように各地の大学キャンパスを訪問するようになった（ARPA入りからの4年間で、累計飛行距離はユナイテッド航空だけで50万キロメートル以上に達した）。現地では格安のレンタカーを借りてキャンパスへ行った。コンピューターサイエンス学科の研究室を支援するだけでなく、コンピューターに興味を抱く大学院生を見つけ出すことにも精を出した。彼の見立てでは、コンピューター分野で最も興味深い研究をしているのは大学院生だった。

テイラーは多くの大学院生から「TSSを使うと友人や同級生を簡単に見つけられる」と聞かされ、驚いた。誰かがTSSにログインし、前回のログイン以前の修正を調べるためにディレクトリーを見たとしよう。新しいプログラムやコードが加えられていれば、修正者をたやすく特定できる。コードの出来の良さに感激すれば、「ビールでも一杯どう？」と誘えるわけだ。

リックライダーが思い描いたコンピューターは人間の思考力と創造力を刺激し、人間とコンピューターの共生への道を開く。テイラーはコンピューターにそれ以上の可能性を見いだした。人と人をつなげるコンピューターの誕生である。ある意味でTSSは車輪の中心にあるハブだ。ハブから外周に向かって無数のスポークが放射状に伸びている。個々のスポークの先端にいるのが人間に相当する。

テイラーは価値観を共有するコミュニティーの強さに引かれていた。臨床心理学者ならば「テイラー自身がそのようなコミュニティーの中で育ったから」と指摘するかもしれない（テイラーは自分が臨床心理学者と混同されるのを嫌がっていた)[1]。

では、テイラーはどんな環境で育ったのか。1932年生まれで、生後28日でメソジスト派牧師夫妻の養子になった。父親は「かなりのインテリ」であり、説教壇をたたきながら声を張り上げる牧師とはちょっと違った。1940年代後半にテキサス州南西部のメソジスト派に実存主義を教えたこともある。大恐慌のあおりで、当時のテキサス州では失業者があふれていた。テイラーにとって3歳のころの記憶が最も古い。祈祷会後に両親と一緒に教会を後にし、車に乗り込むと、後部座席が食べ物でいっぱいになっているのに気付いた。食べ物はその月に父親が得た稼ぎだった。

12歳になるまでにテイラーは合計で6回引っ越した。どこへ引っ越しても小さな住居で暮らすという点では同じだった。同じだったのは住居に限らなかった。教会の親睦会、教会の食事会、教会の礼拝、教会のキャンプ――。どこへ引っ越しても教会中心の生活を送ったのだ。毎年夏になると、テキサスヒルカントリー(テキサス州中央部の丘陵地帯)のキャンプに参加したものだ。全員がメソジスト派牧師と同行家族だった。

テイラーはあちこちを転々としながらも、地元にしっかり根を下ろした少年時代を送ったわけだ。ここから重要な教訓を得た。コミュニティーにとって重要なのは地理的区分ではなく共通の信仰や興味、と学んだのである。だからこそ、世界中の人々を結び付けるネットワークの潜在性にいち早く気付いたのだ[2]。

研究代表会議をリゾートイベントに変える

テイラーは「誰でもいいから人と人をつなげればいい」と思っていたわけではない。「相互につながるべき人たちのコミュニティーをつくる」という信念を抱いていた。牧師の家庭に生まれて自らも一時「いつか牧師になる」と考えていただけに、時に極端な考え方をすることもあった。例えば、自分の周りにいる人間については「天才かまぬけのどちらか」と決めつけていた。「天才」を見つけたら同じレベルの「天才」につなげるのを自分の使命と考えていた。

この目的を達成するためにどうしたらいいのか。ARPA入りしたテイラーがまずメスを入れたのは会議形式だった。IPTOが資金支援する研究室のリーダー──「研究代表」と呼ばれる──は会議を開いて集まり、意見交換するよう義務付けられていた。リックライダーとサザランド体制下では、研究代表会議はコンピューター業界の主要会議「秋季（あるいは春季）合同コンピューター会議」に事実上組み込まれていた。合同コンピューター会議には必ず研究代表も参加するので、「合同コンピューター会議中についでに研究代表会議もやってしまえばいい」という発想からだ。そのため1回当たりの研究代表会議は短く、通常は数時間で終わった。

テイラー体制になって研究代表会議は時期的にも場所的にも工夫を施され、リゾートイベントの形式を採用した。例えば、スキーシーズン中にユタ州のスキーリゾート地アルタで開かれたり、カーニバル「マルディグラ」開催中にルイジアナ州ニューオーリンズで開かれたり、冬の真っただ中に常に温暖なハワイで開かれたりした。リゾートイベントであるから、アルタであれば雪質がベストな時間帯は避けられたし、ニューオーリンズであればパレードが進行中の時間帯は避けられた。研究代表は会議テーブルに座って意見交換するだけでは駄目で、一緒にチェアリフトに乗ったりビーチで寝転んだりしながら交流してこそ相互につながる、とテイラーは考えていた。

研究代表会議では、テイラーは各研究代表に対して「自分が聴衆なら聞きたいと思うようなプレゼンをしてほしい」と依頼した。もちろんプレゼンだけでは終わりにせずに、研究代表同士による活発な議論も促した。「プレゼン後に議論を深めるのはとても有意義でした。弱みも強みも同時に分かるから」と回想する。

会議中、テイラーは研究代表から一定の距離を置き、アウトサイダー的な立ち位置を保つようにしていた。オーケストラでいえば奏者というよりも指揮者の役割を担っていたといえよう。

特に難しくはなかった。研究代表は例外なく物理学や工学、数学分野の博士号を保持していたうえ――当時コンピューターサイエンスはまだ新しい分野であり、第1世代への博士号授与が始まったばかりだった――一流大学が集中するアメリカ東海岸か西海岸で教育を受けていた。テイラーはまったく違う。大学で心理学を専攻したうえに修士止まり。しかも南部のテキサス大出身だ。研究代表を前にしてテキサス時代を面白おかしく振り返れたのも、アウトサイダーだったからこそだ。テキサスなまりで「夏になると牧場や油田でアルバイトをしたんだ。単なる好奇心から重さ900キロのブラマ牛の上に乗っかったことだってある」と自慢げに語っていた。

何年も後になり、テイラー体制に一部の研究代表が不満を抱いていたことが判明した。博士号を持たない唯一のIPTO部長であるとともに、コンピューター分野で大きな功績を残していない唯一のIPTO部長――こんな状況を不愉快に思う研究代表がいたのだ。

テイラー自身は「サザランドの後任部長として自分が最適任者だったとは思わない」としながらも「ARPA時代に劣等感を持ったことは一度もない」と語っている。「こいつには絶対にかなわない、と思えるような研究代表は一人もいなかった。もちろんリック（リックライダーの愛称）は特別で、対等に渡り合えるとは思わなかった」

決してうぬぼれていたわけではない。飛び級して16歳で高校を卒業。子どものころに知能指数（IQ）テストで154をたたき出し、地元紙で取り上げられたこともある。大学時代は心理学と数学のダブルメジャー（複数の専門分野を同時専攻すること）であったうえ、宗教、国語、哲学の各分野で広範に専門科目を履修していた。コンピューターサイエンス分野の知識力で研究代表に匹敵していなくても、教養の深さでは決して負けなかったし、ずうずうしい態度でも際立っていた。会議中には機関銃のように研究代表を質問攻めにするのもいとわなかった。半ば挑戦的に振る舞うことによって、研究代表が自分の思考を明確化するのに一役買ったのである（部下のバリー・ウェスラーは「ボブは必ずしも技術的な会話の細部まで把握していたわけではなかったけれども、会議を有意義にしたのは間違いありません。どんな問題に対しても必ず解決策を示せたのです」と語る）。

テイラーは一般的な研究代表とはまったく違う経歴を持っていたことで、技術的な意味でも社会的な意味でも特定の信念に縛られなかった。どの研究代表の同僚でもなかったし、どの研究代表の教え子でもなかった。研究代表の研究室で働きたい学生を指導する立場にもなかった。だからこそ多くの研究代表と一定の距離を保ちながら、客観的な立場で全体の方向を決めることができたのだ。

コンピューターのネットワーク化に進む

研究代表会議を主宰したり大学キャンパスを訪ねたりしているうちに、テイラーはひらめいた。ほとんどの研究代表はTSSを使って仕事をしているのだから、TSSそのものを相互につなげてみたら面白いのではないか、と思ったのだ。各地の大学キャンパスでは、1台のTSSに複数のコンピューター端末がつながることで、多様なユーザーが集まるコミュニティーが出来上がっていた。それぞれの大学キャンパスが保有するTSS――1台当たり数十人のユーザーが集まるコミュニティー――が相互につながったら、コミュニティーは格段に大きくなるはずだ。最終的にはネットワーク化された「スーパーコミュニティー」あるいは「メタコミュニティー」となるのではないか！　テイラーは1968年に書いた論文の中で、次のように書いている。

「学生、科学者、兵士、政治家――。共通の利害を持つ人たちは力を合わせて目標に向かいたいと思うものだ。しかし、これまでは地理的な制約に縛られて、相互につながることができなかった。ネットワークを使えば地理的な制約を乗り越えて、コミュニティーを大きくできるだろう」

テイラーがこのようなネットワークを築こうと決意したのは、ペンタゴンのオフィスに隣接する小部屋で長時間過ごすようになってからだ。小部屋には3台のコンピューター端末が置かれていた。一つはMITのTSSにつながり、一つはUCバークレーのTSSにつながり、一つはシステム・ディベロップメント・コーポレーション（SDC）のTSSにつながっていた（SDCはカリフォルニア州サンタモニカに本拠を置くソフトウエア企業）。各TSSは独立しており、相互に接続されていなかった。

テイラーはMITとUCバークレー両大学のコンピューターセンターはもちろんのこと、SDCのコンピューターセンターも訪問したことがあり、それぞれのビジョンや課題が共通していることを理解していた。後年、複数のTSSをつなげてネットワーク化する構想を描いた当時を思い出して、こう語っている。「そんなに賢くなくても、進むべき道は見えるはずです。たった一つの端末を使うだけで、どこでも好きな所へ行けるようになるべきなのです」

テイラーは「大きなことを一つやりたかったからARPAを職場に選んだ」と言う。結局、コンピューターネットワークの構築に「大きなこと」を見いだした。「こんなことができたらすごいと思わない？」という次元のネットワーク構想ならば以前から存在した。例えば、リックライダーは1963年に研究代表宛てに書いたメモの中で「銀河系宇宙間ネットワーク」構想を示している。

1966年秋までにテイラーは小部屋のコンピューター端末3台に関心を抱き、リックライダーとは何年にもわたる友人関係を築いていた。にもかかわらず、自分のネットワーク構想とリックライダーの「銀河系宇宙間ネットワーク」を関連付けることはなかったし、アーパネット稼働以前にコンピューターネットワークについてリックライダーと語り合うこともなかった。あるとき、リックライダーの前でネットワーク構想を初めて口にすると、間髪入れずに賛同を得られた。「それまで2人で特に意識せずにいろいろ議論しているうちに、コンピューターのネットワーク化が可能という意見ですでに一致していたのかもしれない。はっきり口に出して言わなかっただけで」

テイラーは「こんなことができたらすごいと思わない？」という次元から「今ならできる」という次元へ一段上がった。新しいコンピューターサイエンス分野にはすでに数百人に上る人材がそろっており、彼らの力を借りればネットワークを構築できると分かっていたのだ。

ネットワーク構築が技術的に可能であると証明するために、まずは小さな実験を行った。具体的には、相互互換性を欠くコンピューター同士を電話線で接続し――通信速度は遅い――数ビット（ビットは0あるいは1で表示される数字）の情報を送受信してみたのだ。接続したコンピューターは、MITリンカーン研究所にある「TX－2」とSDCにある「Q－32」の2台だ。実験で明らかになったのは、異なるコンピューター間の長距離通信は可能であるけれども、大変な労力が必要になるということだった。すばやい作業が求められると同時に、信頼性とスケーラビリティ（拡張性）の確保も欠かせなかった。

ARPA局長の説得に成功する

実は、ネットワークプロジェクトを今やらなければならない理由はもう一つあった。ARPAによる資金助成だ。仮にプロジェクト全体が複数の小プロジェクトに分割され、それぞれの小プロジェクトがさまざまな政府機関や大学から個別に支援を受けるとしよう。こうなると、シェアをめぐって争いが起きたり、手続きや仕様の違いが表面化したりして、作業が困難を極めるのは必至だ。

すでに述べたように、テイラーは1966年秋にARPA局長チャールズ・ハーツフェルドのオフィスにアポなしで飛び込み、一気呵成（いっきかせい）に問題を解決した。なぜARPAがネットワークプロジェクトを支援しなければならないのかを力説し、了解を取り付けたのである（このときの会話についてテイラーもハーツフェルドも正確に覚えていないし、記録も残していない）。ARPAから支援を受けた研究者が相互につながれば、研究者同士が化学反応を起こしてブレーンパワー（知力）が最大化されるのではないか――ここにテイラーの関心はあった。

ハーツフェルドのオフィスでテイラーは主に二つのメリットを挙げた。一つは無駄の削減。コンピューターネットワークが出来上がっていれば、研究代表は地理的制約に縛られずに各地のコンピューターにアクセスし、自由にプログラムやデータを利用できる。同じシステムに重複投資する必要がなくなるわけだ。もう一つは国防総省のコンピューター体制強化。ネットワーク上でつながるさまざまなタイプのコンピューターを利用できるため、職員は自分自身の仕事にぴったりの専用コンピューターを購入できる。職員全員がたった一つのコンピューターシステムに依存する状況がなくなる。

テイラーはハーツフェルドに対して「スピードが確保できなければネットワークを築く意味はありません」とも指摘している。ネットワークが遅いと、ユーザーは「物理的にコンピューターのすぐ近くで作業している」という感覚を持てなくなるのだ。2人の間の会話ではもう一つ重要なポイントがあった。インターネットの起源についての通説と異なり、国家安全保障上の利点が話題にならなかったのだ。ハーツフェルドをはじめ歴代ARPA局長は後年、アーパネットへの予算継続を議会に求める際に「このようなネットワークを築いておけば、たとえ核攻撃されても通信機能を維持できます」とアピールしたものだ。だが、国家安全保障はアーパネット誕生の動機にはなっていなかった。

ハーツフェルドは30分近くほとんど無言でテイラーの話に耳を傾けていた。IPTOの予算は自由に使えるわけではない、と2人は認識していた。単年度主義に基づいて予算は作成されており、今年度の使途はすでに決められていたからだ。もっとも、年度途中で既存予算の一部を使って別のプロジェクトを立ち上げ、翌年度以降も継続案件として扱うことも不可能ではなかった。議会対策の面では、まったく新しい予算を策定するよりも既存予算を継続するほうがずっと簡単だ。

一通り話し終わると、テイラーは眉を上げた。相手に対して「あなたが話す番ですよ」と伝える合図である。

ハーツフェルドはうなずいた。ネットワークについて聞いたのは初めてではなかった。何年も前に、「銀河系宇宙間ネットワーク」構想を描くリックライダーの話を耳にしたことがあったのだ。「銀河系宇宙間」という言葉が象徴するように、当時は夢物語でしかなかった。だが、テイラーの見立てでは今度は本物だ。

「やってみようじゃないか」とハーツフェルドは答えた。「少なくとも50万ドルは使えるようにするよ」

人を説得するのは、ネットワークプロジェクトそのものを進めるよりも大変なことだった。このようなプロジェクトはIPTOとARPAにとって前代未聞だったから、なおさらだった。通常であれば、大学の研究者がプロジェクトを発案して、IPTOに対して助成金を申請する。多くの場合、テイラーが研究者の大半をよく知っていたことから、申請は会話形式になった。実のところ、プロジェクトへの助成金支払いから数カ月後に正式な申請書が作成されることも珍しくなかった。

MITのローレンス・ロバーツに白羽の矢

ネットワークプロジェクトはスタートからして異例だった。発案者は外部の研究者ではなくARPA。正確には、ネットワーク化に大きな思い入れを持つボブ・テイラーだ。テイラーはまずアル・ブルーをスタッフに加えた。ブルーはARPAで何年もの経験を積んでおり、内部の法律・契約・財務事情に詳しかった。

ブルーはIPTOへ異動して驚きを隠せなかった。ARPA全体と比べて別世界であり、にわかに信じられなかった。ARPA全体はパンチカードを一括処理するコンピューター——テイラーがテキサス大で修士論文を書いていたときに使用を拒否したシステムと同じ——に依拠していたというのに、IPTOは最先端のTSSに加えて新しいネットワークプロジェクトも支援しようとしていたのだ。

ブルーは日ごろ、IPTOのオフィス内で最新式コンピューター端末を使い、プログラミングやネットワーキングなど高度な技術をめぐって議論していた。ところが、一歩オフィスの外に出た途端にキーパンチの世界へ逆戻りするのだった。例えば報告書作成のためにデータ入力するときだ。手書きの指示書を用意してキャメロンステーション——国防総省文書センターの所在地——へ持参し、キーパンチマシン担当者にパンチカードを渡さなければならなかった。

「それまで長年使っていたシステムが突如として原始的に見えた」と当時を振り返る。

テイラーはネットワークプロジェクトを絶対に成功させたかった。そのためにも事務手続きなどのお役所仕事を大量に引き受ける覚悟でいた。となると、ブルーに加えて新たなスタッフを雇い入れなければならなかった。プロジェクト全体を主導するプログラムマネジャーだ。そもそもネットワークプロジェクトは、テイラーが助成しているプロジェクト——全部で17件に上った——のうちの一つにすぎなかった。それでありながら大変な作業になるのは確実だった。何しろ、オペレーティングシステム（OS）やプログラミング言語、ワードサイズなどに何の統一基準もないなかで、相互互換性を欠いているコンピューターシステム間でメッセージのやり取りをしようとしていたのだから。

テイラーはネットワーク構築に必要な技術的ノウハウを専門的に学んでいなかったし、プロジェクトの進行を日常的に管理できるほどの時間的余裕も持ち合わせていなかった。誰かの助けを借りなければ、立ち往生してしまうのは明らかだった。どんな助っ人がいいのかは分かっていた。天性の技術的才覚に恵まれ、多くの研究代表から尊敬を勝ち取れるような研究者だ。

彼が狙いを定めたのは、MITリンカーン研究所の主任研究員ローレンス・ロバーツだ。MITで工学博士号を取得し、コンピューターグラフィックスの分野で大きな実績を残していた。コンピューターのネットワーク化で小さな概念実証（PoC）プロジェクトを手掛けていたことから、テイラーの目に留まった。粘り強くて生産的な科学者であり、29歳にしてすでに自分の専門分野では第一人者の評価を得ていた。

ただし一つ問題があった。ロバーツはMITでの仕事に満足していたし、テイラーが上司となる職場にも魅力を感じなかったのだ。個人的にテイラーを嫌っていたわけではない。それまで自分自身が学び働いてきた世界を基準に考えると、テキサス大の心理学修士のボスの下でMITの工学博士が働くという構図にどうしても前向きになれなかった。そんなわけで、テイラーから「ARPAで新たなコンピューターネットワークの責任者になってもらえないか？」と声を掛けられると、丁重に断った。数カ月後の2度目の誘いも断り、3度目の誘いも断った。

しかしテイラーは頑固である。何としてでもネットワークを完成させる決意であり、諦めなかった。そこで新たな方法を考えた。脅すのだ。

テイラーはARPA局長のチャールズ・ハーツフェルドに頼み込み、MITリンカーン研究所に電話を入れてもらった。ハーツフェルドはテイラーの指示に従って所長に対して「リンカーン研究所の活動資金の51%はARPAの助成金です」と指摘。そのうえで、「ロバーツには『ARPA入りはあなたのためにもリンカーン研究所のためにもベストの選択になる』と伝えてください」と要請した。

何日か経過し、ロバーツはリンカーン研究所の所長に呼び出された。「ARPAの誘いを前向きに検討してくれないかな。そうしてくれると、みんなにとってハッピーな結果になると思う」。結局ロバーツは、12月にワシントンへ引っ越し、翌月にはARPAのネットワークプロジェクトを率いるプログラムマネジャーに就任した。

もっとも、ロバーツはプログラムマネジャーにとどまるつもりはなく、次期IPTO部長含みで暫定的にプログラムマネジャーに就いたにすぎないと考えていた。いったん組織内の事務や報告手続きになじんだら、すぐにでもIPTO全体を仕切るつもりだった。そもそもテイラーは、正式なトップ交代が起きるまでの中継ぎ的存在ともいえた。前任者のサザランドが思い描いていたのは、初代リックライダー、2代目サザランド、3代目ロバーツという順番だったのである。

アナーバー会議で研究代表の協力を取り付ける

お互いにキャリアを大きく異にしながらも、テイラーとロバーツの2人は仲たがいすることはなかった。それどころか家族ぐるみの付き合いもした（ロバーツ家はボストンからワシントンへ引っ越すと、最初のクリスマス休暇をテイラー家と一緒に過ごした）。プライベートな交流を長く続けたわけではないものの、オフィスではいつも和気あいあいとしていた。そのうちロバーツは主任科学者に任命され、ARPA副局長の指揮系統に入った。さらには「IPTOを運営しているのはテイラーではなく自分」と思わせるような振る舞いを見せるようになった。それでも2人は良好な関係を保っていた。

IPTOでロバーツは何でも好きなことを言えた。テイラーにしてみれば何の問題もなかった。最優先事項はネットワークの構築であり、その仕事を担う最適任者はロバーツだったのだから。テイラーは後年「私はアーパネットの誕生に絡んでいろいろやったけれども、おそらくロバーツの採用が一番大変で一番重要だった」と述べている。

テイラーよりも5歳若いロバーツは、ほっそりしていて上背がある。割れ目のある顎と情熱的な黒い瞳がチャームポイントだ。頭髪の生え際が後退しているのは、鋭い頭脳がフル回転している証しなのだろうか。彼にとってスピードは2段階しかない。完全停止かアクセル全開のどちらかだ。前者を目撃した人は一人もいない。アル・ブルーは当時について次のように語る。「ラリー（ロバーツの愛称）と働いているときは大変だった。オフィスに足を踏み入れた途端に全力疾走しなければならなかったからね。ホイッスルが鳴るまで走り続ける。しかも、いったん止まってまた走る。とにかくラリーは四六時中動き回っていた。食事中も同じで、まるで石炭をシャベルですくってボイラーに放り込むかのように食べるんだ。ネットワークという大仕事をやるうえで彼以上の適任者はいなかった」

1967年3月、ミシガン州アナーバー。ロバーツとテイラーはARPAの助成金をもらっている研究代表全員を集めて全体会議を開き、「ARPAはこれからコンピューターネットワークを築きます。皆さん全員がこれにつながることになります」と宣言した。研究代表の多くはあまり気乗りしなかった。自分の研究室を運営しているだけで忙しく、ネットワークプロジェクトに関わる意義を見いだせなかったのだ。強力なコンピューターを所有している研究代表はなおさらだった。「強力なコンピューターに恵まれない研究者がネットワークに頼り、われわれのコンピューターのパワーを吸い取ってしまうかもしれない」と不安を口にした。

テイラーは後になって「ARPAの資金を使っている研究代表をどうにかして説得し、より高い目標に向かわせなければならなかった。研究代表同士が『ネットワーク経由でうちのコンピューターにアクセスし、メモリーサイクルの次の10％を盗むのは誰だ？』という議論をしている限りは、ネットワーク構築は無理だった」と書いている。ロバーツも同意見で、「研究代表は自分用に高性能コンピューターを買って、どこかに雲隠れしようとしていた」と語る。

大勢の研究代表が消極的なのを見て、テイラーとロバーツは圧力をかけた。「既存コンピューターがネットワークにつながり、ネットワークのリソースを使い切らない限り、ARPAは新しいコンピューターの購入費を出しません」とくぎを刺した。そのうえで、「ネットワーク化によってコンピューターパワーが奪われると心配しているなら、そうならないようにするためのシステム設計に協力するべきです」と提案した。

その後、アナーバー会議の雰囲気は徐々に変わり始めた。当初後ろ向きの反応を示した研究代表も、議論を進めていくうちにネットワーク構想に興味を見せるようになった。不安を抱きながらも、ネットワーク化の潜在的魅力を無視できなくなったようだ。ネットワークプロジェクトに参加したエンジニアのロバート・カーンは後年「アーパネットを実際に構築するというのは、極めてハードルの高い知的活動でした。初めてミサイルを上空へ打ち上げたり、初めてロケットを宇宙空間に送り込んだりするとき、成功するかどうかまったく分かりませんよね。それと同じでした」と振り返る。最新の知見を駆使してシステム全体を設計し、何か新しいものを創り出すというのは、研究代表の多くにとって魅力的に見えたのだろう。

会議中、ロバーツはプロジェクトの技術面に焦点を当てて議論を盛り上げていた一方で、テイラーは全体に目配りしながら良いアイデアを聞き逃さないように努めた。良いアイデアがあれば、必ず実際のプロジェクトに取り入れようと考えていたからだ。MITの研究代表として会議に参加していたウェス・クラークは次のように語る。

「例えば、会議中に参加者の一人が『こうなると、いろいろな機器を買いそろえなければなりませんね』と言うのです。すると、ボブ・テイラーが『そうか。別のプログラムから資金を引き出せばいいかもしれない』と反応します。少し考えて、ARPAの内部事情に詳しいアル・

ブルーに顔を向け、『アル、大丈夫だよね？』。アルは直ちに『はい、大丈夫ですよ』と答えるんです」

会議は技術的な議論で白熱したことで大幅に長引き、会議のさなかにテイラーは参加者の多くを車で空港まで送り届けなければならなかった。車中でウェス・クラークは提案した。「コンピューター同士をネットワークで直接接続するのではなく、基本となるバックボーンとしてルーターネットワークを築くのはどうでしょう？　これによってコンピューター同士の接続を簡素化し、ネットワークの信頼性を高めるのです」。これが決定的に重要なアドバイスになるのだった。

アーパネットは「テイラーのベイビー」

ネットワーク始動の立役者はテイラーだ。必要な資金を出し、プロジェクトに協力するよう研究者を説得したのだ。だからこそ、「パケット交換の発明者」であるポール・バランはアーパネットのことを「テイラーのベイビー」と呼ぶのである。とはいえ、アナーバー会議後にネットワークの構築がいよいよ始動する段階になると、テイラーは第一線を退いてロバーツにバトンタッチしている。

ロバーツは持てる時間を集中的に使ってネットワークの構成を練りつつ、研究代表とのミーティングを重ねた。ソフトウエアプロトコル、ハードウエアデザイン、適切な帯域幅割り当て、パケット容量、パケットルーティング——。研究代表とのミーティングではテーマは多岐にわたった。1967年夏までには重要問題の多くは解決された。結局、クラークが提案したようなサブネットシステム上でパケット交換のネットワークを築くことになった。ネットワークをつなぐ4つのノード（拠点）はUCLA、SRI、カリフォルニア大学サンタバーバラ校（UCサンタバーバラ）、ユタ大学に決まった。このような決定は通常コンセンサスに基づいたものの、技術面での最終決定権は実質的にロバーツが握っていた。

1967年半ばまでにテイラーはもっぱら報告係に徹するようになっていた。ARPA首脳陣にアーパネットの進捗状況を報告し、「すごいことが起きる」と思わせる役割を担っていた。ネットワークプロジェクトへの資金支援が途切れないようにするためだ。同年のクリスマス休暇にはリックライダー家で多くの時間を過ごした。休暇中にビジネス界にネットワーキングの概念を紹介する論文を彼と共同執筆し、業界誌サイエンス&テクノロジーへ寄稿した（掲載は翌年春）。

「コミュニケーションデバイスとしてのコンピューター」と題した論文の中で、テイラーとリックライダーは「数年内に人間は対面ではなくマシンを通じてより効率的にコミュニケーションができるようになっているだろう」と予測。ネットワークによって人間は生きた情報をやり取りし、まったく新しいやり方で相互につながるようになるという世界を描いている。論文の最後にはネットワークについて予言的なメッセージを書いている。「社会にとってネットワークは吉と出るのか凶と出るのか。『オンライン』が社会の構成員全員に与えられた権利であれば前者、『オンライン』が社会の一部に限定された特権であれば後者、となる。特権階級だけが『インテリジェンス増幅』の恩恵を享受するとしたら、ネットワークは知的機会という意味で不平等社会を生み出して分断を招くだろう」

テイラーの言葉を借りれば、論文を読んだ人は「実質的にゼロ」だった。論文掲載から間もなくしてサイエンス&テクノロジー誌は廃刊になった（同誌は主な読者として「技術系の企業経営者」をターゲットにしていた）[3]。

アナーバー会議後、テイラーはネットワークプロジェクトに一度だけ介入している。1968年7月のことだ。IPTOはプロジェクトを入札にかけた。プロジェクトは大掛かりになるのは必至で、プロジェクトに参加した業者は複雑なソフトウエアの開発のほか、「インターフェース・メッセージ・プロセッサー（IMP）」と呼ばれる特殊なルーターの設計・製造なども手掛けなければならなかった。12社が応札したところ、入札業者選定委員会は巨大軍需企業レイセオンを選んだ。テイラーの考えではレイセオンは最悪だった。軍隊的な上意下達の企業文化に染まっており、「これはやれません」と平気で言うような自由主義が根付いたアカデミア文化とは正反対だからだ。「水と油の関係です。絶対にうまくいかないと思いました」とテイラーは回想する。

結局、テイラーは選定委員会の決定を覆し、マサチューセッツ州ケンブリッジを本拠地にする小企業BBNをプロジェクトの発注先に選んだ。同社社員の大半はMITの卒業生であり、リックライダーも一時期スタッフとして働いたことがあった。BBNならきっとアカデミアと息がぴったり合うはずだ、とテイラーは思った。問題は技術面ではなく人間関係であり、ここでの最終決定権はエンジニアではなく心理学者（テイラー）にあった。

エンゲルバートのデモンストレーションにいたく感動する

テイラーはアーパネット――このころにはアーパネットと呼ばれるようになっていた――以外にも多くのプロジェクトを抱えていた。例えば、ユタ大学コンピューターグラフィックス学科の立ち上げを支援していた（同学科の卒業生は後にピクサー・アニメーション・スタジオやアドビシステムズ、シリコングラフィックス、ゼロックス・パロアルト研究所、アタリの創業などに関わるようになる）。優秀な人材のネットワーク化に熱を上げていたこともあり、全米各地の研究代表の下で働く大学院生を一堂に集める会議も主宰するようになった。ここで知見を深めた大学院生の多くは将来的にコンピューターサイエンスの分野でパイオニア的な業績を残すことになる。

テイラーはなおも全米各地へ出張して研究代表とのミーティングを続けていた。研究代表はネットワーク以外にもARPAの助成金で始まったプロジェクトを手掛けていたから、フォローアップしなければならなかったのだ。ミーティングを重ねるうち、研究代表の一人ダグラス・エンゲルバート——いかつい顔をした42歳のSRI所属エンジニア——が研究室で見せてくれたデモンストレーションに深い感銘を受けた。

実は、テイラーはかねてエンゲルバートの研究に注目しており、NASA時代の1961年にも助成金を出して対話型コンピューターシステムの構築を支援している。同コンピューターシステムは世界初のコンピューターマウスをはじめ多数の画期的機能を備えていた（テイラーは後年「当時のNASAは文明社会へ大きく貢献したとして、宇宙飛行士用のオレンジ風味飲料「タング」を宣伝していました。本当はもっとすごい宣伝材料を持っていたのに、その存在すら認識していなかった」と語っている）。1965年にNASAからARPAへ移籍してもエンゲルバートへの研究支援を継続した。具体的には50万ドル（2016年価格で360万ドル）を助成している。

だからなのだろうか、エンゲルバートはアーパネットをテーマにした初ミーティングの席で真っ先に協力を表明。実際に行動に移し、SRIでアーパネット関連文書を一括して保管し、プロジェクト関係者が自由に文書にアクセスできる体制を整えた（最初は複写機によるコピーで、その後はネットワーク経由で）。そんなこともあり、テイラーはエンゲルバートにますます信頼を寄せるようになっていた。

エンゲルバートが穏やかで控えめであるのをいいことに、テイラーはどんどんプレッシャーをかけた。1966年に彼と夕食を共にしたとき、やぶから棒に尋ねた。「ダグ、君の問題は大きく考えないことなんだよ。本当は何をしたいんだい？」

エンゲルバートはまごつきながら答えた。「もっと資金をもらえるなら、100万ドルのタイムシェアリング型コンピューターを買いたい。それを使って自分のアイデアを検証して進化させたい」

「そうか。ならば申請書を書こうじゃないか」

その後、実際に2人で申請書を書いた。

1967年10月、テイラーはSRIを訪ね、エンゲルバートによる招待者限定の説明会に顔を出した。タイムシェアリング型の最新鋭コンピューターシステム「NLS（オンラインシステムの略）」のデモを行うというのだ。そこには多数のコンピューター端末が置かれていた。エンゲルバートはそれぞれの端末前に招待者を集めると、デモを始めた。片手に最新式のマウス、もう片方の手に特殊なコードキーボードを持っていた。リックライダーとテイラーが思い描いた未来型コンピューターが実際にどのように動くのか、これから実演するのだ。

エンゲルバートは見事なデモを見せた。第一に、マウスによるポイント&クリックを駆使して、スクリーン上に表示した文書を編集してみせた。当時のコンピューターの大半が連続用紙の印刷を唯一の情報表示方法にしていたのに、である。第二に、スクリーン上に複数のウィンドウを開き、ウィンドウ間を行き来してみせた。第三に、招待者に対して「目の前の端末を使ってスクリーン上の文字をクリックして情報を引き出してみましょう」と指示。世界最初のハイパーリンクを体験させたのだ。第四に、初歩的な対話型パワーポイントを使ってプレゼンを実演した。彼が自分の端末上で行うキーボード操作はすべての端末上で表示され、招待者が自分の端末上で行うマウス操作はすべての端末上で表示された。

テイラーはデモを見て深く感動した。何年にもわたって対話型コンピューターのビジョンを語ってきたなかで、はじめてビジョンではなく実物を見たのだ。エンゲルバートから逐次報告を受けていたため、どんなデモになるかはある程度予想できていたのに、実際のデモを見て圧倒されたのである。

コンピューター業界に地殻変動を起こしたい

しかもスタートラインに立ったばかりだ。エンゲルバートによれば、ネットワーク技術が十分に高度化されれば、彼がデモで行ったことはアーパネットで再現できるというのだ。例えば、高度にネットワーク化されていれば、カリフォルニアの研究者が自分の端末上でカーソルを動かせば、何千キロも離れたＭＩＴで働く研究者の端末上にも同じカーソルの動きを表示できる。

テイラーはリックライダーにデモのことを語り、彼と共同執筆した論文「コミュニケーションデバイスとしてのコンピューター」の中でも詳しく取り上げている。「もしダグラス・エンゲルバートのデモから推論できる未来が実際に訪れれば、コンピューターの力を借りたテレビ会議が一般化して、対面でのミーティングは不要になっていくだろう」

テイラーはさらに先へ進みたかった。研究室のコンピューターシステムをもっと多くの人々に見せるべき、とエンゲルバートに提案した。「当時はエンゲルバートだけではなくて、コンピューター業界全体と仕事をしていました。多数のプロジェクトに関与していたんです。その中で彼のプロジェクトは突出していました。広くみんなに見てもらうべきだと思ったのです。私が知る限りでは、それこそコンピューターの未来形でした」

もちろん、人間とコンピューターの相互関係については年ごとに世の中の関心が高まっていた。それでも実物を目にして可能性を実感した関係者はほんの一握りに限られていた。エンゲルバートの研究室メンバーと招待者限定の説明会参加者だ。しかも、彼らは実物を目にしたとはいっても限定的な形で見たにすぎない。コンピューターサイエンスの世界でパラダイムシフトを起こすには、テイラーは格段に大規模で格段に劇的な方法を選ばなければならなかった。

招待者限定の説明会が終わったとき、テイラーはエンゲルバートに「招待者限定ではなくて大勢の人々に広く公開するべきじゃないかな」と進言した。それに対してエンゲルバートは「実はそれも考えました」と答えた。「でも、広く呼び掛けて人が集まらなかったら、どうなったでしょうね。ARPAから支援打ち切りを宣告されたかもしれません。それが不安でやめたんです」

驚嘆に値する「あらゆるデモの母」

その後、テイラーとエンゲルバートは大勢の関係者を集めて大々的なデモを行う方策を議論し、最終的に「秋季合同コンピューター会議」を利用してみることで一致した。同会議は若いコンピューター業界にとって重要な二大会議の一つであり、次回は１９６８年12月にサンフランシスコで予定されていた。研究者を中心に千人以上の参加が見込まれていた。

エンゲルバートは合同コンピューター会議の利用に賛同したとはいっても、実行面では不安を抱いていた。デモは高コストになるのは間違いなかった。というのも、研究室にある最新鋭コンピューターシステム――購入の申請書はテイラーの協力を得て用意した――は物理的に動かせないからだ。大きな会場でデモを行うならば、サンフランシスコの会場に巨大スクリーンを設置し、50キロメートル南にあるＳＲＩのマシンにどうにかして接続しなければならない。

テイラーはひるまなかった。「大丈夫。資金はこちらでどうにかするから」。先端研究というよりも啓発活動を支援する格好になり、ＡＲＰＡとの約束を反故にする行為だった。それでも「大規模なデモをやれば絶対にコンピューターサイエンスの世界を動かせる」と確信し、デモのための資金を捻出した。[4] ほかにも問題があった。エンゲルバート研究室の主任エンジニア、ビル・イングリッシュがデモ用プロジェクターを探したところ、NASA所有のプロジェクターでなければ狙った効果を出せないと判明したのだ。テイラーはNASA出身の立場を使って、NASAからプロジェクターの利用許可を得られるように動いた。

1968年12月9日、秋季合同コンピューター会議でデモが行われた。このデモは後に「あらゆるデモの母（Mother of All Demos）」として知られるようになる。当時のコンピューター業界で世界最先端のシステムを扱っていた科学者にとっても、エンゲルバートのコンピューターシステムは驚嘆に値したのだ。

本当にすごいデモだった。サンフランシスコの会場は2千人の聴衆で埋まり、エンゲルバートのプレゼンは90分間の枠を割り当てられた（通常は90分間の枠を複数人のプレゼンターで分け合う）。壇上の右側に座って聴衆と向き合うエンゲルバートは、ロマンスグレーの頭部左側にヘッドセット（マイク付きヘッドホン）を装着し、両手で独特なワークステーションを操作。ワークステーションは①標準的なキーボード、②5個のキーで構成される特製キーセット、③テイラーが招待者限定説明会で見たマウス――などを備えていた。背後に掲げられた高さ6メートル以上の巨大スクリーンは、彼自身の顔のイメージを表示したり、ワークステーションのモニター上の出力情報を表示したりしていた。その両方を同時に並べたり、重ね合わせて表示したりすることもあった。

「両手で稲妻を操る雷神」が現る

照明が消えるのを待ってエンゲルバートはプレゼンを始めた。ヘッドセットのマイクから流れる声はラウドスピーカーで増幅され、時々途切れながらも自信に満ちていた。「自分自身がオフィスで働く知的労働者であり、コンピューターを使って仕事をしていると想像してください。コンピューターにつなげられたディスプレーを目の前にしています。コンピューターもディスプレーも一日中稼働しています。だから、あなたが何かアクションを起こせばいつだって直ちに反動――」

エンゲルバートはここで話を中断した。ヘッドセットを通じて「反動ではなく反応ですよ」という声が聞こえてきたからだ。デモの進行係を務めていたビル・イングリッシュから言葉を訂正するよう促されたのである。少しほほえみを浮かべて再開した。「――直ちに反応してくれるのです。ここからどれだけの価値を生み出せると思いますか？　こんな特別なオフィス環境でわれわれ全員が働けるようになるといいですね。これで生産性を高められれば、非常に興味深い展開になります」。続いて自分自身にささやくようにして「おそらく」と付け加えた。

ここからデモに入った。エンゲルバートは90分間の枠を目いっぱいに使って、テイラーを魅惑したテクノロジーと同じものを見せた。ただし格段に大規模かつ大音響で。そのため聴衆はデモにもろ手を挙げて感嘆し、「人間の知力を増大させるシステム」というエンゲルバートの言葉を信じないわけにはいかなかった。しかも、プレゼンの間ずっと彼のコンピューターがブンブンうなったり、ピーっと鳴ったりしていたため、まるで未来の研究ラボが実演するSFショーを見ているかのような錯覚を抱いた。

どれほどSF的だったのか。エンゲルバートは架空の買い物リストを表示したうえで、マウスをクリックしながらリスト内の順番を入れ替えてみせた。このほか、リンク先をクリックして地図へ飛んでみせた。プレゼンの中間に差し掛かると、メンローパーク市にあるSRIの研究チームとつながると宣言。それまで遠隔でSRIのコンピューターを操作していた――それだけでも偉業といえる――のだが、今度はビデオ会議で研究室とつながるというのだった。

「こんにちは、メンローパーク」とエンゲルバートは言った。会場に流れる音で彼が息を吸い、止めるのが分かった。SRIとつながるためには、2本のカスタム仕様モデム回線と2本のビデオ用マイクロ波回線が完全にシンクロしなければならず、緊張する瞬間だった（マイクロ波回線の中継局は、サンフランシスコの会場とメンローパークのSRIの中間地点に位置する丘の上に駐車してあるトラックだった）。きれいに手入れしてある若い男性の右手がマウスをつかんでいるイメージがスクリーン上に映し出された。ここでエンゲルバートは息を吐き、再び話し始めた。「OK。これはメンローパークにいるダン・アンドリューの手です」

デモも再開した。まずエンゲルバートはマウスを紹介。「なんでこれをマウスと呼ぶのか分かりません。混乱させて謝らなければならないときもあるほどです。でも、最初からこれが呼び名であり、誰も変えようとしませんでした」。システムを動かすハードウエア全体も見せた。続いてスクリーン上に文書を表示し、編集してみせた。ここでもサンフランシスコの会場とメンローパークのSRIはつながっていた。メンローパークの研究者は自分のコンピューターモニター上で、エンゲルバートによる文書編集作業をリアルタイムで確認できた。逆もまた然り。メンローパークの研究者が自分のマウスを動かすと、エンゲルバートのコンピューターを経由してサンフランシスコ会場の巨大スクリーン上でもマウスが動いたのだ（カーソルはエンゲルバートの言葉を借りれば「トラッキングスポット」か「バグ」と呼ばれていた）。

エンゲルバートはアーパネットへの賛同も示した。彼のSRI研究室はアーパネットをつなぐ4ノードのうち2番目のノードになり、図書館の役割も担うとしたうえで、「アーパネットの設計者は全国的な高速ネットワークを計画しているので、たとえ私がケンブリッジでコンピューターシステムを動かしていても、ここと まったく変わらないレスポンスを得て快適に作業できるでしょう」と語った。

プレゼンが終わりに近づくと、エンゲルバートは謝辞を述べ始めた。彼の研究室で働く研究者やスタッフ17人、会場に来ている自分の妻と子どもたち、それにビル・イングリッシュ――。完璧な実演を行えたのは、すべてを準備し、プレゼン中もフル回転していたイングリッシュのおかげ、と念を押していた。

エンゲルバートが名前を挙げて感謝した人物はもう1人いた。ボブ・テイラーだ。「何年にもわたって途方もない夢を追い掛けていました。その間ずっと私を支えてくれたのがボブでした」プレゼンが終わると盛大な拍手が沸き起こった。すぐに参加者は総立ちになってエンゲルバートをたたえた。デモ中のエンゲルバートについて「まるで両手で稲妻を操る雷神のようだった」と表現する参加者もいた。会場に集まった多くの人々にとって彼のデモはおそらく宗教的体験に近かったのだろう。テイラーはデモを振り返り、満足げに「誰もこんなデモを見たことはなかったはず」と語る。

アメリカ陸軍准将になってベトナム戦争に幻滅

1969年春、テイラーのオフィスに良い知らせが届いた。彼がプロジェクト発注先としてレイセオンの代わりに選んだBBNが期待に応えてくれたのだ。IMPによるルーターネットワークを使い、ノードとして機能している2台のコンピューター間でデータの送受信に成功したのである。アーパネットが実際に機能するという確かな証拠だった。バグの修正もありアーパネットは直ちに稼働することはないにしても、最終的には必ず稼働する、とテイラーは思った。「ARPA時代に大きなことを一つやりたい」という目標を達成できたのである。

となると、いよいよ次の段階へ進むタイミングだ。テイラーはすでにARPAに平均を上回る5年間も在籍しており、ＡＲＰＡの基準では古参になっていた。しかもロバーツという素晴らしい後任者もすでに見つけていた。

もう一つ理由があった。ベトナム戦争が混迷を深めるなか、テイラーは国防総省との関わりを断ちたいと思うようになっていた。多くの同僚と同じように、最初のうちはベトナム戦争にそれほど懐疑的ではなく、むしろ「南ベトナムは支援を必要としている」と考えていた。

そのため、１９６７年に「各基地のコンピューターから送られてくる報告書の内容が食い違っているので調べてほしい」と依頼されると、何のためらいもなく引き受けた。バージニア事務所へ出向いてコレラワクチンを打ってもらい、アメリカ陸軍のＩＤカードを受け取った。ＩＤカードに書かれた肩書「アメリカ陸軍准将」を見て、ばかばかしいと思った。高校時代を最後に銃を撃ったことがなかったのに、いきなり「陸軍准将」となったからだ。それでもＩＤカードが身分を保障してくれる点は気に入った。バージニア事務所では2枚のＩＤカードを手渡され、係員から「一つは敵に捕らわれたときに見せるように」と言われた。

数週間後、テイラーはアメリカ統合参謀本部の友人3人を同行者としてベトナムへ飛び立った。幸先は良かった。まずはハワイで一泊。現地の飛行場に降り立つと、ぴかぴかの車が出迎えてくれた。タラップの下から車までレッドカーペットも敷かれた。

同行者の一人がテイラーをつついた。「すべて君のためだよ」

「何のために？」とテイラーは聞いた。

「君は陸軍准将なんだから。ここに集まっている人たちは君の世話をするように言われている。滞在中ずっと面倒を見てもらえるよ」

「それはやり過ぎじゃないかな。なんかおかしいよ」とテイラーは笑った。

結局、テイラーは同行者の一人に頼んで「車もレッドカーペットも不要」と伝えてもらった。代わりに同行者3人と共に格安のレンタカーを借りた。「ちょっとクレージーなことをしたかった」と言う。

ベトナム到着から最初の数日間、テイラーはベトナム戦争に何の問題も感じなかった。南ベトナムは息をのむほど素晴らしかったし、地元女性もきれいだった。実のところ、地元女性の一人は若くてハンサムな陸軍准将を気に入り、同行者の一人に「どうか一晩を共にできるようにしてもらえないかしら」と何度も頼み込んでいた。もっとも、何日もかけて南ベトナムの各基地を訪問しているうちに、テイラーは疑念を抱くようになった。ホテルに戻り、首を横に振った。あれほど美しかったサイゴンは防壁用砂袋と軍用車両で埋め尽くされているではないか！

完全に幻滅するまでにそれほど時間はかからなかった。ベトナム滞在が比較的長い関係者から聞いたところでは、南ベトナム政府内ではえこひいきや縁故主義がはびこっていた。南ベトナム・アメリカ連合が戦場で勝利するたびに、新たな腐敗官僚組織が生まれるのだった。これを目の当たりにし、テイラーはベトナム戦争の意味そのものを疑い始めた。本来内戦であるはずなのにアメリカがなぜ何年も軍事関与しているのか？　何のために大勢のベトナム人とアメリカ人が命を落としているのか？　戦争に勝っても腐敗政権を生み出しているだけで南ベトナム人のためになっていないのではないのか？　サイゴンへの旅は国防総省でのテイラーのキャリアに終止符を打つ決定打になるのだった。

アメリカ国内でベトナム戦争への反対が勢いづくなかで、ＡＲＰＡの助成金を受け入れることにためらいを感じる研究代表も出てきた。それでもほぼ全員がＡＲＰＡの資金に頼り続けた。テイラーが率いるＩＰＴＯは国防総省の一部というよりもアカデミアの一部、という意識が研究者の間で共有されていたからだ。多くは「ＩＰＴＯが一般市民の殺害に本当に興味を持つはずがない」と結論した。１９６０年代の終わりになると、外部の研究プロジェクトを支援するとき、ＩＰＴＯは必ず「これは軍事目的にかなう」という趣旨の文書を用意しなければならなくなった。しかし、アカデミア内では「ＩＰＴＯは適当なストーリーをでっち上げている」というのが一般的認識だった。アル・ブルーの言葉を借りれば「文書のほとんどはフィクションだった」。

ユタ大学へ転職を決意、西へ向かう

それでもテイラーは居心地の悪さを感じた。ＡＲＰＡで働き続ける限りは、ベトナム戦争を何らかの形で支援している格好になる、と思わざるを得なかったのだ。事実、すでにＩＰＴＯ

は国防総省の国家軍事指揮システム支援センター向けに、TSSの開発プロジェクトを資金支援していた。TSSの開発が終われば、同支援センターは自動的にアーパネットに組み込まれるはずだった。

1968年半ば、テイラーはついに転職を決意し、オレゴン州選出の上院議員ウェイン・モースに頼った。国防総省から出てキャリアを築くつもりなので、いいポストがあれば紹介してほしい、と伝えた。モースはトンキン湾決議に反対を表明した上院議員2人のうちの一人だった（1964年にアメリカ議会が採択したトンキン湾決議によって、大統領は宣戦布告なしでベトナムで軍事行動を起こせるようになっていた）。

同じころ、ユタ大の研究代表デイブ・エバンス――同大にコンピューターグラフィックスセンターを設立している――がテイラーに声を掛けた。同大の各種コンピュータープロジェクトを統括するポストに興味はないか、と打診したのだ。想像力をかき立てられるようなポストには思えなかったものの、テイラーは前向きになった。自分の興味分野であるし、友人からの誘いでもある。ペンタゴンから遠く離れているうえ、スキーができるのも魅力的だった。何よりも同大は素晴らしいコンピューターサイエンス学科を誇り、数カ月後にはアーパネット4番目のノードとしてネットワーク化される予定になっていた。

アメリカ西部であるのも大きな魅力だった。ユタ州の光はテキサス州の光にそっくりで、空気はきれい。西部特有のオープンさもあり、よそ者に優しい。出身がどことというよりも、今何をしているのかで判断される土壌がある。アーパネットをつなぐ4つのノードがすべて西部（カリフォルニアとユタの両州）にあるのも偶然ではない、とテイラーは思った。西部人は新しいアイデアに寛容であり、MITをはじめとする東海岸で働く同僚のように保守的ではないのだ。

1969年10月、UCLAからエンゲルバートのSRI研究室へ「login」メッセージが送信されたとき、テイラーは首都ワシントンからユタ州ソルトレークシティーへ移動中だった。妻と3人の子どものほか、家族用ステーションワゴン、自慢の愛車コルベット、家財を詰め込んだ段ボール箱、それにローロデックス（卓上回転式名刺整理機）も一緒に。ローロデックスは、コンピューターサイエンス分野で最高の仕事をしていると思われる研究者の連絡先でいっぱいだった。

もう一つ大切な持ち物があった。陸軍准将の肩書を示すIDカード2枚のうちの一つだ。勤務先であるユタ大の近くに軍事基地があり、同基地内のバーで酒を買いたかったからだ。「敵に捕らわれたときに見せるように」と指示されていたもう一つのIDカードは？ ペンタゴンのオフィス内に置いたままにしておいた。彼の基準では、不当なベトナム戦争を展開中のペンタゴンは敵に相当したのだ。

ボブ・テイラーは西へ向かった。

1　博士号取得に動かなかったことについて、テイラーは「心理学で博士号を取得するとなると、児童心理学のようなソフト学科もやらなければならなかったから」と説明している。彼に言わせればソフト学科は「たわごと」だった。

2　テイラーは両親から「普通の親は生まれてきた子どもを自動的に受け入れるけれども、私たちはあなたを息子として選んだ。だからあなたは特別」といつも聞かされながら育った。おかげで、自分の中に絶対的な自信を育むことができたという。アップルの共同創業者スティーブ・ジョブズも養子であり、両親から同じようなことを聞かされたと語っている。

3　「コミュニケーションデバイスとしてのコンピューター」と題した論文は「OLIVER(オリバー)」と呼ばれる人工知能(AI)についても触れていた。オリバーはネットワーク時代の個人アシスタントであり、テイラーによればリックライダーのアイデアだ。論文は「ナードユートピア(nerdutopia)」というビジョンで締めくくられている。ナードユートピアの世界では失業問題は消えてなくなっているという。「世界中の全人口がオンラインで双方向につながり、デバッギングに取り組む」を理由に挙げている。

4　エンゲルバートによるデモに必要な資金について、テイラーは次のように回想している。「国防総省の契約担当官は奇妙な機材購入リストを見て疑念を抱いたようで、エンゲルバートに連絡を入れたのです。『一体全体、これは何なの?』。説明を受けると、『ばかげているとしか思えませんね。一つ忠告しておきます。もしうまくいかなかったら、私は何も聞かなかったことにしてください』。こんなやり取りがあったなんて私は何も知りませんでした。デモが終わった後エンゲルバートから話を聞き、初めて知りました」

第2章　ナードのパラダイス
――アル・アルコーン

目の前の通りに巨大なデモ隊が出現

１９６９年5月15日、ボブ・テイラーがユタ大からの誘いを受け入れたころ、ＵＣバークレーの工学部学生アル・アルコーンは、電器店ハバード・ラジオ&テレビジョン・リペアの作業台でテレビの修理に集中していた。電器製品に詳しくなり、授業料を稼ぐためにアルバイトをしていたのだ。

この日の午後、遠くから叫び声や歌声、シンバルの音が聞こえてきたので、アルコーンは外に目を向けた。ここテレグラフ通りでは珍しいことではない。大学キャンパスから南へ数ブロックしか離れておらず、ベトナム戦争に反対する抗議デモといつも隣り合わせなのだ。再び仕事に戻った。

１分後、再び外に目を向けた。何かがいつもと違った。電器店前の歩道上で生活を送る大道芸人は楽器を演奏してもいなかったし、流行歌を歌ってもいなかった。いつもなら騒音をまき散らす自動車の往来もなかったし、キーキーと音を鳴らすショッピングカートの往来もなかった。遠くから聞こえてくる騒音を除けば、周辺は静寂そのものだった。

一体どうしたんだろう？　アルコーンは作業台から離れると、外に出てほとんど誰もいないテレグラフ通りを見回した。遠くで巨大な集団が行進しているではないか！　驚いた（後になって2千人前後と判明した）。こちらに向かって進んでいるのは間違いなかった。

南側に目を向けてみて、なぜテレグラフ通りに人影がないのかようやく理解できた。通りの南端には、バークレー警察署、アラメダ郡保安官事務所、カリフォルニア交通警察の警官159人が肩を並べて無言で立っていたのだ。全員が対暴徒用装備を着込み、背後に高さ3メートルほどの金網フェンスを立てていた。

金網フェンスの後ろは緑豊かな公園ピープルズパークだ。ほんの1カ月前までコンクリートのがれきや腐臭を放つごみ、放置された車でカオスに陥っており、とても公園と呼べるような状態ではなかった。数百人に上る活動家が結集して清掃・植樹を行い、本物の公園に造り替えたのだった。「ここは西側世界にとっての文化・政治・幻覚・ラップの中心地」と表現する活動家もいた。

敷地を所有するカリフォルニア大学（UC）は公園の造成を「不法侵入」と見なした。カリフォルニア州知事のロナルド・レーガンは「UCバークレーは共産主義シンパ、デモ隊、性的倒錯者の聖地」と決めつけ、「公園の造成は資本主義を打倒するための計画的政治行動」と断じた。一方、黒人解放運動を展開するブラックパンサー党の幹部エルドリッジ・クリーバー——過去にUCバークレーの学生ら5千人を率いて「クソ食らえ、ロナルド・レーガン」とヤジを飛ばしながらデモ行進したこともあった——はUC理事でもあるレーガンに対して決闘を申し込んだ。

アル・アルコーンはピープルズパークを気に入り、趣味である写真の題材にしていた。公園内の清掃に励む活動家の写真も撮ったし、公園に滑り台や砂場、ベンチ、樹木、低木、草花を持ち込む活動家の写真も撮った。ソフト帽をかぶったジョン・レノン風眼鏡を掛けた男性も、フラワードレスを着てはだしで歩き回る女性も、カメラに収めた。そうそう、新品のたき火台に置かれた大鍋の中でぐつぐつ煮立つベジタリアンシチューも忘れてはならない（おなかをすかせた人であれば、誰でも食べるのは自由だった）。興味深い題材には事欠かなかった。

週の前半のことだ。UCはピープルズパークの封鎖に踏み切った。公園内で寝泊まりしていた活動家70人以上を追い出すとともに、公園を金網フェンスで囲んだのだ。このような強硬手段に対する反発は大きかった。だからこそ、今では数千人が抗議デモに参加して、ピープルズパークを目指しているのだ。シンバルを鳴らして歌を口ずさみながら。公園を開放しようとしているに違いない、とアルコーンはにらんだ。

このままでは危険な状況になるのは必至だった。店内に急いで戻り、オーナーのミセス・ハバードに警告した。「店の裏手へ待避しましょう」

電器店の裏手で凍り付く「爆発物マニア」

次にテレグラフ通りで何が起きたのか、数十年たっても詳細は分からないままだ。デモ隊が警察と対峙する、誰かがれんがや石を投げ付ける、誰かが車の窓ガラスを割る、誰かが消火栓を開ける、警察が応援を呼ぶ、最後に爆発音が聞こえる——。電器店の裏手でアルコーンは凍り付いた。

アルコーンは爆発についてはは人一倍よく知っていた。高校時代に友人数人とつるんで「爆発遊び」に高じ、TNT（トリニトロトルエン）やプラスチック爆弾、ニトログリセリンなどを自作した経験があるからだ。高校2年生時のクリスマス休暇は特に忘れられない。現像タンクいっぱいのラカロックを作り、サンフランシスコの南側にある古い墓地で爆発させたのだ（現像タンクの設置場所に1メートル近い穴をあけ、その日の午後には地元警察署に呼び出された）。大学キャンパス内のチャニングサークルのど真ん中で、おけに入れたチョコレートプディングを爆発させたこともある。「爆発物マニア」として知られるようになり、学生社交クラブ「アルファ・シグマ・ファイ」の仲間から糾弾される羽目になった。[1]

電器店の裏手でミセス・ハバードと一緒のアルコーン。テレグラフ通りでの爆発音を聞いて、すぐに何が起きたのか分かった。催涙ガスキャニスターだ。ミセス・ハバードをビルの2階へ連れていき――催涙ガスは地上近くにとどまると知っていたから――中2階から通りを見下ろした。デモ参加者の多くは逃げ出していた。数分後、催涙ガスは消え去った。

最悪期は脱したようだった。「もう外に出ても大丈夫だと思いますよ」とミセス・ハバードに言い、階段を下りて通りに出た。店の鍵をしっかりかけて。彼女と一緒にテレグラフ通りを急ぎ足で歩き、ピープルズパークからできるだけ離れようとした。ここでふと思った。カメラを持って公園へ戻るべきではないのか？　これまで何週間もかけて公園内の様子をカメラに収めてきたのだ。なぜ続けないのか？

アルコーンは躊躇した。冒険心旺盛ながらも常に用心深かったからだ。例えば、薬物のLSDを試しても数回にとどめていた。「LSDをやると世界が見えるけれども、自分自身は基本的に何も変わらない。だったら無意味」と判断した。長髪にしていたものの、大学卒業時には切るつもりだった。ピープルズパークに足しげく通っていたときには、公園内で作られるベジタリアンシチューは絶対に食べなかった。病気になりたくなかったのだ。[2]

そんなわけで、アルコーンはピープルズパークへ戻るメリットとデメリットをてんびんに掛けてみた。戻ればけがを負うかもしれない。でも自分は大男だ。体重90キロ、身長178センチメートル。高校時代の実績を買われてUCバークレーでもアメフト部へスカウトされている（高校時代は若いランニングバックのO・J・シンプソンを相手に戦ったこともあった）。そのうえ足も速かった。体調が良ければ50ヤードを6秒で走れた。

ピープルズパークへ戻ることにした。

ヘリコプターがデモ隊の上に強力なガスをまく

最悪期は脱したと判断したのは間違いだった。最初に衝突現場から音が聞こえてきた。サイレンが鳴り、人々が叫んでいた。続いて現場が見えた。火を点けられて焼かれたパトカーがひっくり返されていた。焦げた臭いが漂ってきた。

アルコーンは望遠レンズの焦点を合わせ、クローズアップして写真を撮ろうとした。その瞬間に銃を撃つ音が聞こえた。振り向くと自分と同年代の男が腹部に手を当て、ひざから崩れ落ちるところだった。誰が撃ったのか！　警官だった。なおも銃を手にしたまま、周囲を見回している。

アルコーンはおびえた猫のように逃げ出した。

5月15日の大混乱が収束すると、ジェームズ・レクターという男が致命傷を負ったというニュースが駆け巡った。彼はビルの上から警察とデモ隊の衝突を見ているとき、銃弾の直撃を受けたのだ。[3] 別の男はバックショット弾を撃たれて失明した。軽いナイフ傷を負った警官をはじめ、警察側では合計20人以上が負傷した。一方、市民側では63人のデモ参加者と傍観者が重傷を負って入院し、院内で逮捕されかねない状況に置かれていた。合計で数百人以上が負傷したというのに、治療を受けられずにいた。

レーガン州知事は緊急事態宣言を再発動するとともに——厳密には2月の学生デモ勃発時から緊急事態宣言を発動したままだった——戒厳令を敷いて2500人の州兵を送り込んだ。グレン・C・エームズ少将は後に「ヒッピー風の女性たちがLSD入りのブラウニーとジュースを用意し、州兵に配っていた。一種の化学兵器だ」と言い、厳しくデモを糾弾するのだった。外出禁止令も出た。

そんななか、数千人に上るバークレー市民がデモ行進を続けた。拡声器を通じて一日中流れる警告「大集会は厳禁」を公然と無視しながら。偽の爆弾予告が出回り、大学は授業を一斉に中止し、ビルから住民は避難した。街中が落書きであふれ、至る所で手書きのプラカードが掲げられていた。「母たちと子どもたちは軍事占拠に反対」「あなたの公園を守ろう」——。5月の後半だけで警察はバークレー市内で900人を逮捕した。

アルコーンは1969年春のバークレーを舞台にして印象的な写真を撮った。苦しみで覆われたバークレーの一場面を見事に捉えたのだ。写真の中にいるのはもみ上げを伸ばし、ブルージーンズをはいた長身の若者。ウエストラインでシャツを結び、腹筋を露出させている。彼と対峙しているのは兵服とヘルメット姿の州兵。ずっと小柄であり、先端に銃剣が付いたライフルを手にしている。ライフルによって2人の間には対角線が描かれている。再び衝突が起きるのは確実のように見える。

5月20日、テレグラフ通りの衝突から5日後のことだ。「レーガンの占拠」に反発し、ざっと3千人——多くが黒い腕章を着けている——が抗議デモに参加した。そのうち700人はUCバークレーキャンパス内のスプラウルプラザまで進み、行進を終えた。プラザの両端に陣取っている州兵と警官はあまり気にならないようだった。州兵と警官はプラザ内にデモ参加者を閉じ込めようとしていたというのに……。

州兵はガスマスクを装着し、晴れ渡った上空を見上げた。州兵のヘリコプターが上空に現れ、プラザを見下ろしていた。そのうちヘリコプターの腹部から白煙が流れ出てきた。最初は小さかった白煙は徐々に大きくなり、最後には飛行機雲のようになって、プラザに集まった700人の上に舞い降りてきた。白煙は吐き気を催させる強力なガス、CSだった。

にわかにパニックが起きた。嘔吐する人、咳き込む人、気を失う人——。CSから逃げるのは不可能だった。

大学中退も徴兵も免れる妙案は体験学習

アルコーンはUCバークレーを中退できなかった。もし中退すれば徴兵されてしまうからだ。絶対に嫌だった。ベトナム戦争に行った知人は大勢いる。高校時代のクラスメートやチームメート、隣人だ。負傷して帰国した知人もいれば、二度と帰国しなかった知人もいる。彼自身は戦争に反対してデモに参加したし、家庭内でも戦争反対の立場を明確にしていた。船員である父親が戦地にナパーム弾を届ける仕事をしていたにもかかわらず、である。父親からM16自動小銃を譲り受けたときには――父親は帰還兵からどうにかして入手したもよう――練習用の標的としてリンドン・B・ジョンソン大統領のポスターを選んだ。

大学に在籍したままでUCバークレーから逃れる方法はないものか。アルコーンはあれこれ思案するうち、妙案を思い付いた。用心深い冒険家であれば間違いなく賞賛するはずだ。体験学習プログラムへの応募である。同プログラムに入れば、半年間にわたってキャンパスを離れて仕事に集中しつつ、学生の身分も維持できる。つまり徴兵猶予を認めてもらえるのだ。しかも小遣い稼ぎになる。

どこで体験学習したらいいのか。レッドウッドシティーに本社を置くエレクトロニクス企業アンペックスはどうだろうか、とアルコーンは思った。

バークレーからサンフランシスコ湾を越えて南下すると、レッドウッドシティーにたどり着く。目抜き通りのアーチ門に書かれたメッセージ「最高の気候は政府のお墨付き」が同市のモットーだ。レッドウッドシティーはバークレーから遠く離れているだけに、アルコーンにとって魅力的だ。彼がアンペックスに注目した理由はもう一つあった。母親の上司がアンペックス社員の一人と知り合いだったのだ。

アンペックスは1944年、ロシア人移民のアレクサンダー・M・ポニアトフによって設立された。社名は、彼の名前のイニシャル「AMP」に「優秀」を意味する「excellence」の「ex」が付いて「AMPEX」となった。1948年に初の実用的オーディオテープレコーダーを世に送り出し、8年後には初の実用的ビデオテープレコーダーを発表している。そんななか、太字で「AMPEX」と書かれた屋外広告が新設のベイショアフリーウェイ沿いに出現し、ドライバーにとってなじみの光景になった（ベイショアフリーウェイは国道101号の一区画で、サンフランシスコ湾沿いにサンフランシスコ半島の南北を結ぶ海岸道路）。

アンペックスはアメリカ文化に深く浸透していた。1948年、大スターのビング・クロスビーが自身の人気ラジオ番組を継続することで合意したのだが、「アンペックス製オーディオレコーダーのテープディレイシステムを使って放送する」という条件をのんでもらえたからだった。1959年にはアンペックス製ビデオレコーダーが米ソ首脳による有名な「キッチン討論」を録画した（モスクワで開催された「アメリカ博覧会」のオープニングでアメリカ副大統領リチャード・ニクソンとソ連首相ニキータ・フルシチョフが会談）。数年後には再びアンペックス製ビデオレコーダーが注目を集めた。月を周回する有人飛行船アポロ8号から送られてきた地球のイメージを捉えたのだ。

母親のツテを頼ってアルコーンはアンペックスで面接に臨んだ。すぐに採用が決まった。サンフランシスコ湾の反対側にあるサニーベール市――いずれシリコンバレーとして知られる地域のど真ん中――のサテライトオフィスで6カ月間エンジニアとして働くことになった。

UCバークレーとは別世界の職場アンペックス

サニーベール市内のキファー通り沿いにある職場は、数字とT定規を中心とした世界であり、極めて秩序立っていた。UCバークレーとは別世界だった。

UCバークレーでは毎日のように学生デモが起きていたのに対し、アンペックスのエンジニアはまずいコーヒーに対してもあからさまに文句を言わなかった（コーヒーはあまりにもまずかったので、「誰かが大だるの中に入れてカヌーのパドルで混ぜ合わせて作ったのではないか」といううわさまであった）。UCバークレーでの合言葉は「30歳以上の大人を信用するな」だったのに対し、アンペックスでは若手エンジニアは——髪の毛とひげを伸ばしていたとはいえ——ネクタイとスーツ姿の年配者に敬意を払っていた。年配のベテランエンジニアからきっちりと技術を教えてもらっていたからだろう。いろいろな意味で職場は古いヨーロッパのギルドに似ていた。

そんな職場環境に身を置けてアルコーンはホッとした。彼の言葉を借りれば「ナード（技術オタク）のパラダイス」だった。

アルコーンが加わったグループは、20人以上のエンジニアに加えて150人前後の工場労働者と管理職で構成されていた。文書を撮影し、2インチ（約5センチ）の磁気テープに保存する商品の開発に取り組んでいた。最終的には「ユーザーは文書を見たければ、テレビ画面のようなモニター上に表示したり、プリントアウトしたりできる」というニーズに応えようとしていた。

現在ではスマートフォンを持っていれば、誰でもこのような作業を瞬時に行える。だが、1969年当時は違った。①コピー機サイズのマシンで文書のイメージを取り込む、②上部にオープンリールを備える冷蔵庫サイズのマシンで保存する、③机サイズのマシンでスクリーン上に表示する——という具合だった。このシステムはアンペックスでは「ビデオファイル」と呼ばれた。

アルコーンがアンペックスに入社したころ、さまざまな団体・企業がビデオファイルシステムの購入を検討していた。ハードウエアだけで100万ドル、マイクロ波伝送インフラで追加的に100万ドルもの出費を強いられるというのに、である。ロンドン警視庁とロサンゼルス郡保安局は指紋や顔写真の保存、サザンパシフィック鉄道は乗客者名簿など事務処理の効率化に役立てたいと考えていた。一方、民間保険会社は保険金請求や苦情処理などの記録保存・閲覧に期待を寄せていた。

結局のところ、アンペックスは数台のシステムを納入しただけでビデオファイル事業から撤退した。それでも実りある撤退といえた。新興産業——データベースとビデオゲーム——で二大企業を生み出すのに寄与したからだ。そのうちの一つはデータベースの巨人オラクル。同社共同創業者のラリー・エリソンは1970年代初め、アンペックスに籍を置いてビデオファイル事業に関わっていた。もう一つは「世界で最初に大成功したビデオゲーム会社」アタリ。アルコーンはアンペックスで未来のアタリ共同創業者に出会い、人生を大きく変えることになるのだ。[4]

隣で働いているのは未来のアタリ共同創業者の2人

アンペックス入りしたアルコーンはすぐに2人の社員と親しくなった。テッド・ダブニーとノーラン・ブッシュネルだ。アルコーンに割り当てられた机のすぐ横で、2人は小さなオフィスをシェアしていたからだ。風変わりな組み合わせだな、とアルコーンは思った。

ダブニーは標準的なアンペックスエンジニアだ。アメリカ海兵隊時代に電子工学を学んでいる。穏やかに話し、心ここにあらずといった様子をよく見せる。あたかも何時間も瞑想にふけっていたかのように。32歳。アルコーンの基準では「本物の大人」だった。

同僚のブッシュネルはまだ20代。うるさくて気が強い。後になって「僕は大衆のために神の言葉を解釈する詩人。神とはテクノロジーのことだよ」と豪語するのだった。皮肉で言っていたのではない。

ブッシュネルはペテン師のように振る舞うこともあった。例えば大学の学部生時代、うまいことやって大学院生用オフィスを確保している。勝手にオフィスに入り込み、後からやって来た大学院生に対して「ここでオフィスはシェアしないはずですが」と言ってごまかしたのだ。ユタ大を卒業したばかりで、同大のコンピューターグラフィックス学科で学んでいた。ちなみに同学科は、ボブ・テイラーの世話になってARPAから助成金を得ていた。

アルコーンでもすぐに分かったのだが、ブッシュネルはエンジニアとしては特段に優れているわけではなかった。本人もエンジニア的な素養を欠いていると認識しており、そのことを隠そうともしなかった。むしろ自慢げに「工学部のクラス最下位で卒業した。効率がいいことの証しだよ。学位取得のために必要最低限のことしかやらなかったからね」と語るのだった。

ブッシュネルは常に注目を浴びていたいタイプだったが、意図しなくても目立っていた。193センチの長身で、くしゃくしゃの縮れっ毛をトレードマークにしていたし、まずいコーヒーに我慢できずに自分のコーヒーメーカーを職場に持ち込んでいたから。社内で株式投資クラブも発足させていた。有志を募って資金を集め、株式市場に投資するのだ。投資経験のないアルコーンの目には、知的ギャンブルにいそしんでいるとしか見えなかった。

そもそもブッシュネルは「一流のエンジニアリング会社で働きたい」と思ってアンペックスを選んだのではなかった。「カリフォルニアに住みたい」「工学部のクラスメートの誰よりも多く稼ぎたい」という思いからアンペックスを選んだのだ。大学時代に遊園地の客引きなどでアルバイトしながら、苦労して学費を稼いでいたからなのだろう。

ダブニーとブッシュネルはまったく違うタイプだったのに、職場ではうまくやっていた。ダブニーは優秀な実践的エンジニアである一方、ブッシュネルは経験不足ながらも何でもすばやくのみ込めた。共通項もあった。そろって日本の伝統的ゲームである囲碁が好きだったのだ。好きが高じてダブニーは自ら木を削って囲碁盤を作り——裏面にはビデオファイルのロゴを入れ——オフィスの壁に掛けた。こうしておけば好きなときにいつでもブッシュネルと勝負できるからだ。もう一つ共通項があった。2人とも幼い娘がいたのだ。そんなこともあり、週末には家族同士で一緒に過ごすことが多かった。

アルコーンは6カ月間アンペックスで働いた後、UCバークレーで1学期過ごして必要な単位を取得。その後、迷うことなくアンペックスに復帰した。職場に戻るなり真っ先にダブニーとブッシュネルのオフィスに顔を出した。ダブニーしか見当たらなかった。

「ノーランはどこですか?」と聞いてみた。

ダブニーは声を落として答えた。「辞めたよ」

「辞めた? アンペックスを辞めるなんて信じられない」

「ノーランはすごい物を作ろうとしているんだ。だから僕も手伝っている。今のところとてもうまくいっているよ。だから、実を言うと、僕も辞めようかと思っている」

「何を作っているんですか?」

「テレビ画面上でプレーできるゲーム」

とんでもないやつらだ、とアルコーンは思った。

1　アルコーンによれば、彼が入会してからたったの2年後に学生社交クラブは機能不全に陥った。ベトナム戦争が激化し、抗議デモが大規模化するなか、学生社交クラブに興味を持つ学生はほとんどいなくなったという。

2　このようによく考え抜かれた用心深さは、初期の抗議デモの特徴でもあった。例えば、UCバークレーでフリースピーチ（言論の自由）運動を当初は嫌々ながら主導していたマリオ・サビオ。わざわざ靴を脱いでパトカーの上に登り、学生デモ参加者の前で演説したのである。

3　検視解剖結果によると、ジェームズ・レクターの死因は「ショットガンの弾丸を複数撃ち込まれ、大動脈が損傷したことに伴うショックと出血」だった。レーガン知事への公式報告書は警察の行動を正当化しようとして、次のように書いている。「レクターは学生ではない。住居侵入窃盗とマリファナ所持の罪を犯し、保護観察下に置かれている。さらには、警察が彼の車の中を調べたところ、ばらばらの状態になったレミントン製22口径セミオートマチックライフルのほか、電話用誘導コイルが置かれていたことが判明した。誘導コイルは通話を録音したり、盗聴したりするために使われる電子機器の一種である」。注記の中で「1963年に空軍に入隊」とも記している。

4　シリコンバレーの歴史をひもとくと、アンペックスは「最も見逃されやすい偉大なシリコンバレー企業」の一つといえる。音響システム「ドルビーシステム」で知られるレイ・ドルビーもアンペックスで働いたことがある。

第3章　ポケットには8枚の25セント硬貨
――フォーン・アルバレス

スタートアップで封筒詰めのアルバイト

アンペックスのサニーベールオフィスから8キロほど離れたクパチーノ市で、12歳のフォーン・アルバレスは紙を折りたたんで封筒に詰める作業で忙しくしていた。詰めたら湿ったスポンジで閉じ口を濡らして封をする、の繰り返しだ。1時間で1・66ドルの小銭――法定最低賃金――を稼ぎ、45回転レコードのコレクションを増やすためにアルバイトをしている。1969年暮れ、ビートルズ、シュープリームス、ピーター・ポール&マリーが音楽ヒットチャートの上位を競い合っていた。

フォーンが働いていたのは、歯科医院やデリカテッセンが出店するストリップモール（小規模ショッピングモール）内のオフィスだ。そこにスタートアップ企業のロルムが入居していた。同社はほんの2カ月前、かつてプルーン乾燥のために使われていた廃屋で誕生したばかりだった。彼女の母親を新戦力として雇い入れ、アメリカ軍向けコンピューターの開発に取り組んでいた。フォーンは「コンピューター」と聞いても何もイメージできなかった。

父方をたどると、フォーンはカリフォルニア人として5世に相当し、カリフォルニアがメキシコ領であった時代にまでさかのぼれる。

母親のビネータは6年前の1963年——当時26歳——にロサンゼルスからサンタクララバレー（現在のシリコンバレー）へ引っ越している。当時6歳のフォーンら4人の娘も一緒に（別れた夫はロサンゼルスに残った）。娘たちの言葉を借りれば「家族で田舎に住みたかった」からだ。サンタクララバレーに住む祖父母からは「こちらにはたくさん仕事があるよ」とも聞かされていた。

ビネータにとって母方の祖父母はサンタクララバレーでデルモンテの缶詰工場に勤めていた。もともとオクラホマ州ショーニーに住んでいたのだが、ダストボウル（1930年代にアメリカ西部の大平原地帯を襲った砂嵐）から逃れるために西へ向かった。1933年、荷台を家財でいっぱいにしたピックアップトラックに乗り、国道66号（ルート66）を走ったのである。到着地はサンフランシスコ半島のサニーベール。そこは想像していたようなオレンジ畑とヤシの木でいっぱいの世界ではなかった。しかし仕事はいくらでもあった。砂嵐ですべてが吹き飛ばされるような土地には見えなかった。これなら大丈夫と思い、祖父母は家を買った。場所は缶詰工場のすぐ近く。前庭に立てば、風が吹く日に桃の香りを楽しめるとみたからだ。

ロサンゼルスからサンフランシスコ半島に移住して間もなく、ビネータは航空・防衛大手ロッキードの生産ラインで働くようになった。サンタクララバレー最大の雇用主（社員数1万7千人）の一員になったのだ。娘たちにはこう言った。「あまりにも社員数が多いから、ロッキードはサニーベール市当局から『社員の帰宅時間を分散させてくれませんか』と依頼されたのよ。夕方の通勤ラッシュで大渋滞が起きかねないから」

ビネータは高校1年を最後に中退しており、生産現場の経験も十分に積んでいなかった。ロサンゼルス時代にベビーカー工場でリベット作業員として2年間働いただけだった。幸いにも、常時人手不足に直面していたロッキードの研修プログラムを利用できた。同プログラムに2週間にわたって参加し、はんだ付け技術のほか、作業指示書や設計図、色コードの読み方を学んだ。サンタクララバレーでは何千人もの労働者が大企業に勤めながらスキルを磨き、スタートアップの立ち上げに生かしていた。彼女もそのうちの一人になるのだった。

ロッキード入社から1年後、ビネータはフェアチャイルド・セミコンダクターへ転職し、再び生産ラインで職を得た。ショックレー半導体研究所を辞めた「8人の反逆者」によって設立された同社はマイクロチップメーカーだ。彼女はプリント基板の組み立てラインへ配属された。とはいうものの、プリント基板が何であるのか、誰からも説明を一切受けなかったし、興味がなかったので誰にも質問をしなかった。

同社入社から6カ月後、今度は軍需・エレクトロニクス企業のシルバニアに転職した。

母親はシングルマザーで一日中不在

転職するたびにビネータは小幅の賃上げを勝ち取っていた。それでも生活費を賄うには十分ではなかった。月130ドルの家賃に加えて、フォーンを含め4人の娘の衣食費を払わなければならなかったのだ。

対策として副業を始めた。自宅に帰ってもキッチン台の上にはんだごてと部品を並べ、組み立て作業に精を出すようになった。本当は1・5倍の割増賃金で残業したかったものの、「女性は1日8時間を超えて働いてはならない」と定めたカリフォルニア州法に従わなければならなかった。当時を振り返り「女性を守らなければならないというのが建前でしたが、とんでもない。単に男性が残業代を独占したかっただけ」とみている。

1966年——フォーンが小学3年生のとき——一家はクパチーノ市ランチョリンコナーダ地区へ引っ越した。公立学校が州内ナンバーワンと聞いていたからだ。ここでは小学校、中学校、高校がそろっており、いずれも娘たちが毎朝歩いて登校できる距離にあった。

ビネータが働いている間、フォーンら娘たちは買い物や洗濯、掃除、芝刈りを手伝った。芝刈りは重労働だった。普通は姉妹2人掛かり。斜面の上から重たい芝刈り機を押す、下まで刈ったら斜面の上に戻る、再び下に向かって刈る、を繰り返すのだった。そもそも「女の子はこんな仕事をしてはいけない」といった発想を持ち合わせていなかった。ただし、女の子がしてはいけないことが一つあるということは知っていた。母親から「足を広げて座ってはいけません」と注意されていたのだ。

フォーンが知る限り、ランチョリンコナーダで母親が一日中不在なのは自分の家庭だけだった。友達の大半は両親と一緒に暮らしていた。父親は一家のあるじとして工場で十分に稼いでおり、母親はフルタイムで働く必要はなかった。実際、友達の母親はサービス業でパートとして働いているか、まったく働いていないか、そのどちらかであった。

ランチョリンコナーダの周りに広がる果樹園は、フォーンも含めた子どもたちにとって重要な役割を担っていた。第一に目印。待ち合わせのときはこんな具合だった。「プルーン畑は分かるよね。悪さするとソルトガン（食塩を発射する銃）で撃たれちゃう所。畑の前に背の高いくいがあるでしょう。そこで会おう」。第二に遊び場。廃墟になった納屋や倉庫はかくれんぼをするには絶好の場所だった。第三に常時開店のマーケット。甘くておいしい果物がタダで食べ放題。低くぶら下がっているから簡単に手が届いた。

冬になると、子どもたちにとって果樹園は恐ろしい場所にもなった。園内は静寂に包まれ、薄霧が立ち込めて冷たくなるのだ。からし色の草が子どもたちの腰の高さにまで伸びているうえ、ごつごつした果樹の枝が上部に広がっていたため、園内の視界は極めて悪くなった。

ロルムで封筒詰め作業を始める前、フォーンはもっぱら果樹園で小遣い稼ぎをしていた。果実が重くなるころ、果樹園前に明るいオレンジ色の旗が掲げられ、プラムを中心とした果物の収穫時季に突入する。するとランチョリンコナーダの子どもたちはそわそわし始めたものだ。果樹園が収穫のためにアルバイトを雇うと知っていたからだ。収穫箱を一ついっぱいにして50セントが相場だった。調子が良い日であれば、フォーンは8枚のクオーター(25セント硬貨)をポケットに入れて帰宅できた。

しかし今週末は違った。フォーンはロルムに行き、封筒詰めの仕事をしていた。そこではもっとたくさん稼げた。しかも屋内で働けた。

生産現場責任者としてスカウトされる母ビネータ

母ビネータがロルムで働き始めたのは1969年11月。きっかけは数週間前にもらった一本の電話だった。

シルバニアの生産ラインで作業中のことだ。ビネータは上司から「電話だよ」と声を掛けられ、立ち上がった。工場内で電話がある場所は一つだけ。上司のオフィス内だ。彼女がシルバニアで働いていた5年間で、生産ラインの女性が作業中にもらう電話は、夫が交通事故に遭った、子どもが腕の骨を折った——など、すべて悪いニュースと相場が決まっていた。

電話の主はロン・ディールだった。シルバニアに雇われていた技術者で、同社を辞めてロルムへ転職したばかり。ロルムで「生産現場に強い人を探してほしい」と依頼され、ビネータに電話してみたのだった。

ディールがビネータに電話したとき、ロルムの社歴はたったの1カ月だった。4人の共同創業者はそろってシルバニアの元エンジニアで、それぞれの名字の頭文字を取って社名にしていた（ユージン・リッチソンのR、ケン・オシュマンのO、ウォルター・ローウェンスターンのL、ボブ・マックスフィールドのMでROLM）。

このころまでにビネータはエレクトロニクス業界の生産現場で7年間の経験を積んでいた。顕微鏡を使って極小の鉛をはんだ付けしたり、プリント基板を組み立てたり、ブレッドボードを作ったり（エレクトロニクス製品の主要部品として大量生産されるのがプリント基板、プリント基板の大型プロトタイプがブレッドボード）。シルバニアでは生産ラインの作業員50人を監督し、セキュリティクリアランス（企業機密にアクセスできる資格）も有していた。ディールの判断によって、機密保持が必要な製品を開発中のチームに加わっていたからだ。

ビネータはディールのことは気に入っていたし、ロルムへ転職したと聞いてうれしく思った。とはいえ、女手一つで4人の娘を育てているシングルマザーであり、従業員9人・製品ゼロのスタートアップを選んでリスクを取るわけにはいかなかった。シルバニアのような大企業勤めで得る安定収入を必要としていたのだ。だからディールの誘いを丁重に断り、仕事に戻った。同僚には「すべて今まで通りで心配無用」と言いながら。

数日後、ビネータはディールから再び電話をもらった。その後も何度も、1カ月にわたって週2回のペースで。いつも上司のオフィスに出向いて電話を取り、話を聞かなければならなかった。彼の熱心さに感心しながらも、しまいには困惑するようになった。

ディールは電話のたびに新たな理由を挙げてロルム入りを勧めるのだった。現在よりも高い給与をもらえる、1株50セントでロルム株を買える、自宅からストリップモール内のオフィスまで数ブロックで歩いて通勤できる、4人の共同創業者は人間として素晴らしい、開発中の製品は革命的——。それでもビネータは首を縦に振らなかった。娘たちのためにそれまでずっと闘い続けてきたのだ。ベビーカー工場で働いていたロサンゼルス時代も、月末を迎えるたびに「時給を5セント上げてくれなければ辞める」と宣言して頑張っていた。小さなスタートアップに加わって娘たちの将来を危うくするようなリスクは取れない、と思った。

だが、最後には心を動かされた。ディールから「ロルムに入ったら生産現場の責任者にしてあげるよ」と言われたからだ。そんなことはそれまで想像もできなかった。シルバニアに勤めた5年間で、生産現場の責任者に女性が就いたケースは一度も目にしなかった。15年間も生産現場で経験を積んだ女性が何人かいたにもかかわらず、である。女性でも能力的には間違いなく責任者になれるのに、男性責任者が辞めると後任は必ず別の男性——通常は社外出身者——になった。ロッキードでもフェアチャイルドでも同じだった。ビネータは「生産現場の組み立て作業員は全員が女性で、作業員以上の役職になると女性は一人もいなかった」と振り返る。

1969年11月、ビネータは婚約者に意見を聞いてみた。

「ロルムに興味があるんだけれども、倒産したらどうしよう？　娘たちの面倒を誰が見たらいいの？」

「大丈夫。君が新しい仕事を見つけるまでの間、僕が資金支援するから」と婚約者は答えた。

次にディールから電話をもらったとき、ビネータは「イエス」と返事した。

バミューダパンツの創業者にかわいがられる

ロルムのオフィス内で秘書席の横に座り、封筒詰めに精を出しているとき、12歳のフォーンは社内で何が起きているのか何も知らなかった。同社はシードマネー（起業支援のための種銭）の7万5千ドル（共同創業者4人それぞれから1万5千ドル、投資家のジャック・メルコーから同額）を元手にして、戦場での利用を想定したコンピューターを作ろうとしていたのだ。

具体的には、ロルムはデータゼネラル製の市販ミニコンピューターを作り変え、極暑・極寒を含めてどんな天候にも耐えられ、何時間にもわたって手荒く扱われても壊れない「強化コンピューター（タギッド）」の製品化を計画していた。納入先は、データ収集やミサイル・レーダーシステム用に頑丈なコンピューターを必要としていたアメリカ軍だ。同社独自の試算で市場規模は1億ドルに達すると予想された。

にもかかわらず、社内ではコンピューター事業の経験者は元IBM社員のボブ・マックスフィールドに限られていた。そんなわけで、彼は自分一人で製品開発の全責任を負っているかのように感じていた（後年「実はコンピューターについてまったく詳しくなかった」と打ち明けている）。

ビネータは入社直後から必要なエレクトロニクス部品の製作を任され、新戦力としてフル回転した。夕方までにプリント基板やアレイなどの部品を作り、ディールかマックスフィールドにテストしてもらう。問題点を指摘されると翌朝までに新デザインを考案し、改めて夕方のテストに間に合うように作り直す。このような日々を送るようになるのだった。

そんななか、ロルムでコピーや書類整理などの単純作業があると、フォーン（あるいは姉のボビー）は助っ人として駆り出されるようになった。小さな会社であるだけに社内の全員と顔見知りになるのも自然の成り行きだった。彼女が特に好きだったのは共同創業者の一人ケン・オシュマンだ。事実上の経営トップでありながら、毎日のように「調子はどう？」と声を掛けてくれるなどかわいがってくれた。バミューダパンツで出社することもあった29歳のオシュマン。フォーンにはにわかに信じられなかったのだが、彼のおかげで母親のビネータは副業をやめることができたのだ。

フォーンはもうすぐティーンエージャーで「親が夜も週末も不在であればいいのに」と願う年頃に近づいていた。近い将来、子ども時代に果樹園でかくれんぼをして遊んでいた友達と同様に、農場の廃屋でマリファナを吸うようになる。それでもロルムへの感謝は忘れないのだった。朝から晩まで働き詰めだった母親の負荷を軽くしてくれたのだから。

第4章　フェアチルドレン——マイク・マークラ

「君にとって完璧な仕事がある」と誘われる

１９６９年春、暖かい日のことだった。フォーン・アルバレスがプラムを摘んだ果樹園からそれほど離れていない場所で、27歳のマイク・マークラは元上司ジャック・ギフォードの起業を手伝っていた。

マークラは3年前にギフォードに誘われてフェアチャイルド・セミコンダクター入りしたのに続き、今回もギフォードに誘われてスタートアップの立ち上げに協力していた（フェアチャイルドの生産現場では一時期、フォーンの母親が目的も分からないままでプリント基板を組み立てていた）。ギフォードは退社・独立して、同社と競合するマイクロチップ会社を創業しようとしていたのだ。

半導体業界のパイオニアであるフェアチャイルドは、10年間で社員数1万1千人、最終利益１２００万ドルを達成するほどの急成長を遂げていた。これを目の当たりにしたギフォードは、新会社――アドバンスト・マイクロ・デバイセズ（ＡＭＤ）として知られるようになる――でもフェアチャイルドに匹敵する急成長を実現できるとにらんでいた。元部下のマークラを創業チームに加え、万全の体制を敷いておこうと考えたのだ。

マークラがギフォードの目に留まったのは3年前のことだった。当時のマークラは、サンフランシスコ湾から５００キロメートルほど南下したカリフォルニア州カルバーシティー――ロサンゼルスに近い――に住んでいた。地元の巨大軍事請負会社ヒューズ・エアクラフトでエンジニアとして働いていた。

ヒューズでは、マークラは南カリフォルニア大学の卒業を待たずに採用されており、24歳でありながらすでに熟練エンジニアとして認められていた。フェアチャイルド製プリント基板やマイクロ波アンプを購入する仕事をしていたところ、フェアチャイルド販売担当のギフォードと接点を持つようになった。

小柄で穏やかに話をするマークラは愛煙家であり、職場では自分の机を常にピカピカにしていた。いつも秩序立って物事を考え、事実に基づいた推論を得意にしていた。

工学部の学生時代には、トランジスタで動く計算機を作るために起業を考えたこともあった。一般的な20歳の若者と違って向こう見ずな行動に出ることはなかった。一歩踏み出すごとに綿密な計画を立て、決して事を急がなかった。大学でビジネスコースを選択したことはなかったし、起業について正式な指導を受けたこともなかった。それでも不安にならなかった。工学上の難題を解決するときに使う手法を応用してビジネスプランを練れば大丈夫、と確信していたからだ。

起業できるか見極めるために、マークラは個々の問題を分解し、疑問に答えられるかどうか試してみた。部品はどこで調達するか？　調達費はいくらになるか？　誰が計算機を買うか？　顧客はいくらまでなら喜んで払うか？　郵便で計算機を販売できるか？　物理的な店舗で売るべきか？　結局、起業を諦めた。部品の調達費だけで300ドルに上り、顧客が喜んで払う価格を上回ってしまうと判明したためだ。弱冠20歳でありながら、どのみち落胆するならば起業後よりも起業前がいい、と理解していたのだ。

マークラは表面上温和に振る舞っており、心の中に潜む野望をめったに見せなかった。それだけに、彼をよく知らない部外者にしてみたら「個性に欠ける人間」に見えてもおかしくなかった。しかしギフォードはマークラの本性を見抜いていた。そんなわけで1966年夏、フェアチャイルド社内に空きポストが出ると、直ちにマークラに電話したのである。

「空港で会おう！」とギフォードは命令口調で言った。「君にとって完璧な仕事がある」

当時、フェアチャイルドは怖いものなしだった。設立後10年もたっていなかったというのに、半導体市場ではすでに業界の巨人テキサス・インスツルメンツとモトローラに次ぐ存在に躍り出ていた。手元に多額のキャッシュをため込み、マイクロチップ市場全体のイノベーションを主導する立場にあった（初期イノベーションの20％近くは同社関連だった）。

新婚の妻と一緒に新天地で新たなスタート

マークラはフェアチャイルドへの誘いを断るところだった。無理もない。ギフォードから電話をもらった当日の朝、別の会社からの誘いを受け入れたばかりだったのだ。別の会社とは、ヒューズと同じように南カリフォルニアを本拠地にする軍事請負会社スペース・テクノロジー・ラボラトリーズ（ＳＴＬ）だ。

マークラはＳＴＬのエンジニアリング部門で部長ポストに就任予定だった。好条件で迎えてもらえるのでわくわくしていた。「ＳＴＬではアメリカ海軍向け衛星技術を手掛けます」と電話口でギフォードに説明した。「そこでは総勢４００人に上るエンジニアや物理学者を率いるチームの部長になります。しかも4週間の有給休暇に加えて、信じられないほどの高給を約束してもらっているんです」

ギフォードは戸惑いながら「空港で会おう！」と繰り返すだけだった。

マークラは思わず笑ってしまった。「本当に来てほしいなら、かなり分厚い財布が必要ですよ」

ギフォードは月額１８００ドルの給与を提示した。ＳＴＬの水準には達していなかった。それでもマークラにとって魅力的な点が二つあり、給与格差を補って余りあるように見えた。

一つ目は、フェアチャイルドが連邦政府と直接取引関係にないということだった。同社に行けば、マークラは軍需産業と縁を切れる。ヒューズの仕事は楽しかったとはいえ、政府から受注したプロジェクトの事務作業や官僚主義にはいつもいらいらしていた。セキュリティクリアランスにもうんざりしていた。国家機密級の情報にアクセスできたため、いったん会社の外に出ると自分の仕事について一切何も語れなかったのだ。婚約者に対しても、である。

さらには、政府文書を作成するたびに嫌な思いをさせられた。本名は「アーマス・クリフォード」なのだが、日常生活では（同名の父親と同じく）「マイク」で通していた。ところが、政府文書に「マイク」と書くと、いつも「偽名」と分類されてしまうのだった。まるで犯罪者であるかのように。

二つ目は、フェアチャイルドで用意されるのはマーケティングのポストということだった。つまり、同社を選べばマークラはエンジニアリング部門から抜け出せる。ヒューズに勤務しながら大学で工学修士号を取得し、若くしてエンジニアとして一本立ちできる能力を身に付けたと自負していた。次は違う分野でも可能性を試したいとかねて思っていたのだ。

ロッキードで働く工場主任の息子として生まれたマークラ。10代前半からアルバイトしてカネをため、グレンデール短期大学に続いて南カリフォルニア大へ進学している。友達に自作のステレオを売る、ガソリンスタンドで給油係をやる、スーパーのセーフウェイでレジ係をやる、車を塗装する、映画の撮影現場でケータリングする——。カネのためならどんな仕事もやった。

ヒューズ入社直前時点では、最後のアルバイトとしてリサーチ・クラフトのレコードプレス工場で働いていた。同工場ではエンジニアとしての才覚を発揮し、特殊な機械を考案してプレス時間の半減に成功したという。

マークラはマーケティングにも興味を寄せていた。もしマーケティング部門で楽しめなかったり、うまくやれなかったりしたら、エンジニアリング部門に戻ればいい、と考えていたのである。そのようにできる自信もあった。心の奥底では常に「自分は技術屋トミー」と思っていたのだ。

1966年9月、ギフォードの誘いを受け入れた。となると、結婚したばかりの妻リンダを連れて南カリフォルニアを離れなければならない。購入したてのシルバーのスポーツカー「コルベット」に乗り、高速道路（フリーウェイ）を北上してサンフランシスコのベイエリア（サンフランシスコ湾の湾岸地帯）へ向かった。広大な郊外を抜けると、オレンジやアンズの果樹園が広がる世界が目に飛び込んできた。サンノゼに近づくと再び住宅街の中に入った。目指していたのはマウンテンビュー市ウィズマン通り、フェアチャイルドの本社所在地だ。

会社を辞め、結婚し、家を引き払い、新たなキャリアを始める――。これで目の回るような1カ月が終わりになるのだった。マークラはベトナム戦争に徴兵されるには年を取り過ぎていた。だが、希望を胸に新天地でスタートを切り、新たな冒険を始めるには十分に若かった。

小オフィスをシェアした若手2人と和気あいあい

フェアチャイルドは当時急成長していたことから、十分なオフィススペースを確保できていなかった。そのため、最初の9カ月間、マークラは極小スペースで働かざるを得なかった。クローゼットくらいの小さなキュービクル（パーテーションで区切った仕事スペース）を若手2人とシェアしていたのである。

キュービクルでオフィス仲間となったのは、リニア集積回路（IC）マーケティング部のマイク・スコットとジーン・カーターの2人だ。マークラ、スコット、カーターの若手3人は職場のボスから「何でも自分で仕切りたがるタイプA」と呼ばれていた。「3人とも未来しか見ていなかったから」（カーター）。もっとも、技能的スキルを除けば、カーターとスコットはマークラとは随分違った。

ジーン・カーターはスコットとマークラよりも6カ月早くフェアチャイルド入りしていた。もともとは精肉工場で働いていたのだが、ホワイトカラー労働者になるためにエレクトロニクス業界への転身を夢見ていた。応用科学と電気通信の準学士号をわずか15カ月で取得し、夢を実現させた。ニューメキシコ州アルバカーキ市にあるサンディア国立研究所（SNL）に就職したのである。仕事内容が国家機密に関係していたことから、SNLの敷地を取り囲むフェンスの外で面接に臨まなければならなかった。

「スコッティ」の愛称で呼ばれていたマイク・スコットはカリフォルニア工科大学（カルテック）卒業生で、人並外れた集中力を持っていた。例えば、両手で頬づえをついて技術マニュアルを読み始めると、周囲がどんなに騒がしくてもページをめくり続けるのだった。読み終わると、マニュアルごと空（そら）で覚えていた。ページ番号やパラグラフはもちろん、読んだ単語もすべて。マークラによれば「めちゃくちゃ聡明でエネルギーに満ちあふれていた」、カーターによれば「エキセントリック」。太り過ぎをからかわれ、職場の同僚を殴ったこともあるとうわさされていた。

いろいろ相違があったとはいえ、3人は和気あいあいとしていた。1人がオフィスを出ようとすると、ほかの2人が立ち上がらなければならないほど窮屈なスペースだったというのに、である。そんなわけで、マークラは10年後にアップル創業に関わったとき、スコットとカーターを雇い入れたのだ。

キュービクルはともかく、当時のフェアチャイルドはテクノロジー業界の「よく働け・よく遊べ」文化のパイオニアだった。例えば、毎日のように電話営業の予行演習に精を出し、深夜までオフィスに居残っていた営業チーム。悪行を理由に複数のリゾート地への訪問を禁じられていた（マークラが入社してからの1週間、営業チームのほぼ全員が下痢で病欠していた。メキシコのリゾート地で1週間にわたってどんちゃん騒ぎに明け暮れていたためだ。同地では多数のジープが運転不能な状態になっていた）。

典型例は移り気なボブ・ウィドラーだ。天賦の才に恵まれたエンジニアであり――時々生産的にもなる――フェアチャイルド製オペアンプ（演算増幅器）の多くを生み出した発明家でもある。それでありながら、「手を使わずに酒を飲む」という特技にはまっていた。具体的には、グラスのふちを上下の歯で挟んで持ち上げ、顎を上に向けて中身――大抵の場合ジン――を口の中に流し込むのだ。夜が更けると酒が回ってコントロールが効かなくなり、強くかみ過ぎてグラスを割ってしまうこともあった。別のエンジニアは「裸の女性モデルを特別ゲストに招いて、男性社員がボディーペイントするパーティーをやろう。ストレス解消のために」と提案。パーティーは実現しなかったが、「ペイントするときはブラシを使うべきか、それとも指を使うべきか」をめぐって侃々諤々（かんかんがくがく）の議論が繰り広げられた。

スタートアップを蹴ってフェアチャイルドにとどまる

マークラはこのような悪ふざけとは縁がなかった。「休まずにこつこつやれ」をモットーにし、一生懸命に働いて前に進むことにしか関心がなかった。

そのため、業界関係者が集まる飲み屋ルーディーズやシェイヴォンヌ、ワゴンホイールに仕事後に立ち寄ることもなかった。10代後半には「あの大学では学生はあまり勉強しない」と聞き、カルテックへの進学をあえて避けている（カルテックを見学した日には学生が水風船を投げ合って遊んでいた）。ヒューズを辞めると決断したときには専門家を雇って履歴書を作成し、直後の週末に新聞に求人広告を出していた90社すべてに郵送している。中途半端は大嫌いな性格だったのだ。

目標に向かって一途であったからこそ、マークラは１９６９年春にギフォードに対して「ＡＭＤの創業を手伝う気はない」と伝えたのだ。

まず、ＡＭＤの社内政治に巻き込まれるのはまっぴらだった。創業者６人の間で権力闘争がいずれ起きて――本当にその通りになった――仕事に集中できなくなると思った。さらには、業界全体でスタートアップやスピンオフ（分離・独立）が大ブームになっており、過熱状態にあるとみていた。実際、フェアチャイルドで働いた3年間で、大勢の同僚がスタートアップを立ち上げたり、競合会社へ引き抜かれたりするのを見てきた。

過去2年に限っても、フェアチャイルドでは少なくとも8回のスピンオフが起きていた。スピンオフによって誕生した新会社はまとめて「フェアチルドレン」と呼ばれていた。フェアチャイルド共同創業者8人も例外ではなかった。８人のうち実に7人が社外へ飛び出していた。

前年の１９６８年7月には共同創業者ロバート・ノイスとゴードン・ムーアがスピンオフして「インテル」と呼ばれるスタートアップを立ち上げ、フェアチャイルドから一流研究者を相次ぎ引き抜いていた。その前の年にはフェアチャイルドの製造部門責任者チャーリー・スポークが半導体大手ナショナル・セミコンダクターにスカウトされ、最高経営責任者（CEO）に就任。それから半年間でフェアチャイルドからナショナルへとセールスマンやエンジニアら人材がどっと流出した。ナショナルへの移籍組はマークラの元同僚ジーン・カーターも含めて合計36人に上った。マークラも誘われたものの、断っている。「わくわくしなかった」という。

フェアチャイルドからあまりにも多くの人材が流出したため、マークラはむしろ社内にとどまることにメリットを感じた。それまでにも順調な出世街道を歩んできた。過去3年間で3回昇進し、今では集積回路マーケティング部の責任者だ。スコットとカーターとシェアしていたキュービクルを抜け出したのはずっと昔のことだ。いつかは自分で会社を興す（あるいは誰かの会社に加わる）けれども、まだそのタイミングではない、と思った。

「リニア集積回路」のシェア倍増に成功する

フェアチャイルドで働き始めた当初、マークラはエンジニアとして高いスキルを身に付けていたものの、カスタマーリレーションズにはまだ詳しくなかった。そんなことから、顧客の目の前で「こうやればもっと良くなりますよ」と指摘し、回路デザインを批判したことがある。この顧客は家電大手ゼニスのエンジニアだった。批判されて怒り心頭に発し、顔を真っ赤にして「二度と私の回路デザインにケチをつけるな！」と言いながら、マークラと同行セールスマンを残したままビルから出ていったという。[1]

この失敗後、マークラは顧客の心を読み、自社製品を魅力的に見せるすべを覚えた。全米マネジメント協会が用意する研修プログラムに参加し、マーケティングの一般原則を詳しく学んだのだ。一般原則には、①ターゲットにするべき顧客グループを特定する（大手ビールメーカーは24本入りケースを毎日消費する男性をターゲットに絞り込み、全広告を打っている）、②問題点を強みに切り替える（洗口液メーカーは巧妙な広告キャンペーンによって「リステリン」ブランドのまずさを覆い隠している）、③市場を定義する（一番手になり、「まっさらの壁に弾を撃って穴をあけ、その穴を中心に円を描いてターゲットを作る」ようにして市場を創造する）――などが含まれていた。マークラは研修プログラムを振り返り、「研修では一秒たりとも無駄な時間はありませんでした。そこで学んだ教訓は職場でも毎日生かしていました。アップルでも」と語る。

1968年、マークラは彼らしく周到に練った計画に従って、フェアチャイルド製「リニア集積回路」向けに、新たなマーケティング戦略を打ち出した。これによって集積回路市場でのシェアを倍増させるのだった。

この戦略を導入する際には、いつものようにいくつかの疑問に答えることから始めている。集積回路を購入するエンジニアにとって最大のモチベーションは何か？　機械をいじくり回すこと。どうしたらいじくり回す機会をエンジニアに与えられるか？　製品サンプルと使用説明書を無償提供する。製品サンプルと使用説明書をどうやってエンジニアに届けるのか？　ここは一筋縄でいかず、工夫が必要だ。集積回路は複雑であり、一部は新型だ。郵便で送り付けたらすべて完了というわけにはいかない。

そこでマークラは無料の研修セミナーを開催することにした。競合他社が郵便や広告、戸別訪問に頼ったのに対して、フェアチャイルドではマーケティングチームが動員されて全米各地へ飛び立った。スライドやバインダー、製品サンプルを携えてさまざまな企業を訪ね、セミナーを行うためだ。2時間のセミナーを終えると、聴衆として集まったエンジニア全員に5つの製品サンプルと大型バインダーを手渡した。3個のリングを備えた大型バインダーには使用説明書が入っており、集積回路を基にしてシステムを構築する手順を示していた。セミナー作戦によってフェアチャイルドはライバル勢を大きく引き離し、たった1年で市場シェアを17%から35%へ大きく引き上げることに成功した。

1969年末——アル・アルコーンがアンペックス入りしたころ——マークラは再び昇進した。経営陣に加わるにはあと数回昇進しなければならないというのに、特に不安を覚えなかった。自分のキャリアには楽観的で、今後も急ピッチで昇進すると信じて疑わなかった。

多額のストックオプションをもらってインテルへ

もっとも、1970年半ばになるとマークラはフェアチャイルドにとどまることに疑問を感じ始めた。マークラのチームを除くと、社内は問題山積だったのだ。研究開発、エンジニアリング、製造、販売、マーケティングの各部門は激しい人材流出に見舞われて、実質的にもぬけの殻になっていた。同年の第2四半期（4〜6月）に業界全体が苦境に見舞われていたことも、フェアチャイルドの先行きに暗い影を落としていた。

マークラはAMDとナショナルからの誘いを断っている。しかし、1970年秋は違った。フェアチャイルドを辞めてインテルのマーケティング責任者になっていたボブ・グラハムから連絡が入ると、興味を見せた。フェアチャイルドが内部崩壊のさなか、インテルは急成長の真っただ中だった。社歴2年で社員数300人弱、売上高400万ドル企業になっており、本社兼工場ビル（広さ2300平方メートル）には収まり切らなくなっていた。しかも、広く普及していたメモリーチップの高速版を開発したことで、すでに黒字化していた。メモリーチップはそれほど高度な部品ではなかったものの、新技術開発まで同社の経営を資金的に支える役割を担っていた。

グラハムがマークラに連絡を入れる数週間前、インテルは「1103MOSメモリー」を発表していた。「1103」は業界標準となり、それから何年にもわたって同社の利益の90％をたたき出すのだった。1年以内にマイクロプロセッサーを発表する予定でもあった（現在でもマイクロプロセッサーを基幹事業にしている）。これだけ多くの戦略製品を投入するなかで、マーケティング部門をテコ入れする必要に迫られていた。マークラの記憶によれば、1970年末時点で同社マーケティング部門はグラハム、製品マーケティングマネジャー、発送係の３人だけで成り立っていた（販売担当役員もグラハムの指揮下に入っていた）。

インテルはマークラにとってとんでもなく魅力的に見えた。第２四半期の苦境からいち早く抜け出そうとしていたし、世界最高の頭脳集団で経営陣を構成していたからだ。マークラは同社経営陣――特に未来の友人で共同創業者のロバート・ノイス――を尊敬していた。当時のインテルについて「トップは誠実で、何も隠し事はなかった。私が理想とする職場がそこにありました」と語っている。

ノイスは細心の注意を払って新しい人材を増やしていた。それもそのはず、口を酸っぱくして次のように語っていたのだ。「少人数だけれども誰もが自分の仕事をよく理解している小チームがある一方で、大人数だけれども何も分かっていない社員ばかりの大企業があるとしよう。小チームは人数で大企業に負けていても、大企業以上に大きな成果を出せる」。マークラはインテルという小チームに魅力を感じ、北米マーケティング責任者というポストを受け入れた。

採用条件をめぐって交渉しているとき、マークラは「給与水準はどうでもいいんです」と言い、グラハムを仰天させた。多額の現金よりもストックオプション（株式購入権）が欲しかったのだ。フェアチャイルドでもヒューズでも受け取っていなかったが、インテルでは全エンジニアがストックオプションを付与されていると話に聞いていた。フェアチルドレンの間ではストックオプションは標準になっていたのだ。

標準的な付与数は1人当たりで千個であったものの、マークラは2万個を要求した。とんでもなく多額であったことから、グラハムは社内で特別許可を得なければならなかった。付与可能なストックオプションが足りなくなっていたから、なおさらだった。

1970年末になってストックオプションの許可が下りた。翌年の1月、マークラは車に乗って新しい職場に向かった。整備が行き届いたフェアチャイルド本社キャンパスのすぐ横を通り抜け、数ブロック先を目指した。そこにあるのはまったく飾り気のないコンクリートの建物で、その中のオフィススペースには旧テナントが使い古した家具がそのまま置かれていた。これがインテルの世界本社だった。

1　何十年も後になり、マークラはこのエピソードについて若さゆえの過ちとして笑い飛ばしている。「親切心で言ったのですがね」と言うと、少し間を置いて「私は回路設計者としてはずば抜けていましたから、明らかに私のデザインが勝っていましたよ」と付け加えた。

第5章　これをどうしたらいい？
――ニルス・ライマース

SRI研究所を狙った抗議デモ

バークレー市の公園ピープルズパークでデモ隊と警察が衝突した翌日、1969年5月16日のこと。朝7時半までに、スタンフォード大学生を中心に300人前後がSRIのサテライトオフィス前に姿を現した。ずっと大きいSRI本部施設は6キロメートル以上南のメンローパーク市にあり、そこでは6カ月前にダグラス・エンゲルバートが「あらゆるデモの母」を披露したばかりだった。

スタンフォード大キャンパス南端から数ブロックの場所に位置する工業団地内のサテライトオフィス。デモ参加者の間で「東南アジアで広がる共産主義反乱分子を監視するコンピューターがここに置いてある」とうわさになっていた。そんなことから、同大の急進派学生グループ「エイプリルサード運動」がデモ隊を主導してサテライトオフィス前に集結し、コンピューターによる監視活動――さらにはベトナム戦争に関係した政府活動すべて――をやめさせようとしていた。

デモ隊は多数のプラカードやソーホース（木びき台）のほか、近くの建築現場から持ち出した1本の鉄製クレーンをバリケードとして使い、東西に走る大通りオレゴンエクスプレスウェイをブロックした。さらには、1台のスクールバスを横にして2車線をふさぎ、すべてのタイヤの空気を抜いて運転不能にした。封鎖状態の大通りでは数人の学生が大声を上げ、旗を振っていた。ほかの学生は乗用車の列に近づき、抗議運動の意図を説明したビラを配っていた。ビラの一つには「エンジンを止めて、のんびりしてください」と書かれていた。

デモ隊はハノーバー通りへの進入を制限しようとしていた（オレゴンエクスプレスウェイと交差する通りで工業団地への近道）。スタンフォード大が「スモークレス（煙を出さない）産業」の誘致を目的にして12年前に造成した工業団地には、助成金の半分近くを国防総省から得るSRIに加えて、国防関連事業を大規模に手掛けるロッキードとアイテクの2社もオフィスを構えていた。2社が入居していた建物は何の変哲もない低層ビルであるうえ、きれいな芝生が広がる工業団地の一番奥に位置していたことから、ハノーバー通りから見つけるのは不可能だった。

朝の通勤ラッシュ時であったため、路上では100台前後の車が立ち往生していた。1台のトラックが急に方向を変えてバリケードを抜け、デモ隊の前で急ブレーキをかけて止まった。デモ参加者にフードをドンドンとたたかれると、トラックのドライバーはナイフを取り出して脅した。もっとも、ほとんどのドライバーはいらいらして「愚かな過激派！」「血に飢えた暴徒！」

などと罵声を浴びせるだけだった。女性ドライバーの一人は学生からビラを手渡されて言った。

「あなたの未来の子どもがかわいそうだわ」

やがて立ち往生していた車が動き出した。通りの両側に広がる平地に出て、クレーンとスクールバスのバリケードを迂回し始めたのだ。すると、100人近いデモ参加者はバリケードから離れてお互いに手をつなぎ、自らバリケードになってSRIサテライトオフィスへの進入を阻止した。

このころには大勢の警官が動員されていた。デモ開始当初はほんの一握りの警官しかいなかったのがうそのようだった。もっとも、50人の警官がデモ隊と対峙しても、サンフランシスコ湾対岸のバークレー市で起きたような暴力沙汰にはならなかった。一部の警官とデモ参加者――それに少人数の反デモ集団――はおしゃべりしていたほどだ。ただし、誰もが認識していたことだが、警察側はデモを終わらせるために増援を待っていただけだった。

午前11時までに増援部隊が到着し、警察側は総勢150人になった。催涙ガスキャニスターで武装してデモ隊に近づき、解散するよう命令した。それに対して学生側はSRIのビルに向けて石や下水管、鉄製プラカードを投げつけ、窓ガラスを壊した。

その日の朝、デモの主催者は「逮捕されたときにすること」と題した案内を配っていた。そこには「一つ目は、自分の肌に公設弁護人の電話番号を書き込んでおくこと。そうすれば警察署から電話できる。二つ目は、抵抗しないこと。三つ目は、自分の名前を大きな声で叫ぶこと。

そうすれば誰が連行されたのか仲間が把握できる」と書かれていた。案内は役に立った。デモ参加者のうち合計15人、現地の報道によれば「若い女性6人と若い男性9人」が逮捕されたからだ。

スタンフォード大キャンパスにベトコン旗

1時間以内ですべては終わった。警察側はバリケードを取り払い、大通りを開放して正常化した。学生側は住宅街を数ブロック歩いてキャンパスに戻れたが、多くは目抜き通りのエルカミーノレアルを進んだ。歌を口ずさみ、拳を突き上げ、友好的ドライバーから放り投げられるビールを受け取りながら。一部の急進派新聞によれば、友好的ドライバーは「デモ隊は見事に勝利した。これでSRIは反乱分子に対する監視活動をやめた」と信じていた。このような見方は現実というよりも願望にすぎなかった。[1]

キャンパスでは、一部のグループがエイプリルサード運動本部に戻る途中で、スタンフォード大の学長室の窓ガラスを2枚割った。

乱暴で挑戦的な抗議活動は——UCバークレーほどではないにせよ——過去数カ月にわたってスタンフォード大で起きていた。誰かがキャンパス郵便局の旗竿にベトコン旗を掲げたり、一部の学生グループが応用エレクトロニクス研究所を9日間にわたって閉鎖したりした。同研究所が狙われたのは、国防総省から助成金を得ていたためだ。

SRIバリケード事件の数日前には、エイプリルサード運動が学生に対して授業をボイコットし、代わりにホワイトプラザで開催するカーニバルへ参加するよう呼び掛けていた。カーニバルに参加すれば、①自分のフィンガーペインティングを専門家に分析してもらえる、②大学理事会をイメージしたターゲットに向けてテニスボールを投げつけられる、③「元パトカー」とのステッカーが貼られた車を野球バットで強打する「スマッシュ・ザ・ステート」を楽しめる――などとアピールしていた。カーニバル中には「東南アジア・反政府活動・帝国」や「帝国主義と大学」といったテーマでさまざまなプレゼンも行う予定でいた。デモよりも学問に関心を持つ学生にも参加してもらいたかったからだ。

抗議活動は時に滑稽に見えたり、逆効果になったりした。例えば、ケネス・ピッツァー学長に真っ赤なペイントを浴びせても、ほとんど支持を得られなかった（ピッツァーは抗議活動に辟易し、たったの19カ月で退任）。

もちろん実質的な改革ももたらした。第一に、入学事務局がマイノリティーに対する門戸を広げた。第二に、大学が学際的プログラムの拡大に乗り出した。第三に、大学側はSRIと予備役将校訓練課程（ROTC）との関係を断ち切った。

抗議運動をシニカルに見るライマース

36歳でスタンフォード大の契約管理室次長に就任してから1年間、ニルス・ライマースは学生運動をシニカルに見ていた。ベトナム戦争には賛同できないながらも、抗議運動も好きになれなかった。ノルウェー系電気工の息子としてカリフォルニアの田舎町カーメルで生まれ、ROTCのおかげでオレゴン州立大学へ進学して機械工学を学んだ。ROTCの支援を得られずにスタンフォード大で学べない学生を哀れに思っていた。18歳で水兵として海軍に入隊し、空母の尉官として除隊しており、自分の海軍歴を誇りに思っている。

除隊後はエレクトロニクス業界へ転身し、アンペックスとフィルコフォードの両社で働いた（アンペックスで働いたのは2年間で、アタリの共同創業者が入社する前）。国防関連分野で政府機関向けにコンサルティングを手掛け、この時期に出会った会社同僚や取引相手の多くを尊敬している。

スタンフォード大でライマースは年収1万3千ドルで雇われ、一部の学生が皮肉を込めて「邪悪な勢力」と呼ぶ政府機関を相手に仕事をしていた。同大に助成していた国立衛生研究所、国立科学財団、海軍研究局と二人三脚で動くことが多かった。入居していた建物エンシナホールでは、大学にとって重要な管理・財務部門と隣り合わせでもあった。そんなことから、彼のオフィスは学生運動の格好の標的にされた。

ＳＲＩバリケード事件の数日前のことだ。エイプリルサード運動の関係者がライマースのオフィスに押し入って内部をひっかき回し、一部の書類をフォルクスワーゲンビートルに放り込んで持ち去った。普段は温和なライマースも怒りを抑えられなかった（めったに怒らないため、相手をののしるときもせいぜい「あ〜あ」とため息をつくくらいだった。交通渋滞のときの「あ〜あ」と同じように）。若い女性が悪態をついているのにもショックを受けた。青い目をぎらぎらさせながら立ち上がり――身長１８８センチで筋張った体格をしていた――いつでも殴り掛かれる態勢を取った。

その後、大学の保険担当者が入ってきて、投げ込まれた石をひろって机の上にまとめるなど部屋の中をきれいにし始めた。ライマースは茫然と眺めているだけだった。

大学の発明がもたらす収入は年平均でわずか226ドル

過去数カ月にわたり、ライマースは自分の仕事に何の面白さも見いだせなかった。そこで勝手に自分用のポジションを新設し、副業にしていた。大学の発明を外部にライセンスして商業化するプログラムの責任者になったのだ。大学発の技術を産業界へ移転して高収益ビジネスに育てれば大学のためにもなる、と考えていた。すでにノウハウも持っていた。

技術移転のアイデアがひらめいたのは1年前の1968年5月、スタンフォード大にやって来て数週間後の朝のことだった。オフィスに届いた郵便物を開封したところ、ホルモンを合成する新手法を見つけた化学教授の発明開示書が入っていた。発明開示書とは、発明者が自分の発明の内容を詳しく記した文書のことであり、発明が特許に値するかどうかの審査に使われる。公開前であるから秘密扱いになっている。ライマースはフィルコフォード時代に業務の一環として発明開示書を扱うこともあったが、スタンフォード大で発明開示書を見たのは初めてだった。ほとんどの研究者は正式な発明開示書を大学に提出せずに、自分のアイデアを学術誌に発表していたのだ。

ライマースは職場の同僚に発明開示書を見せ、「これをどうしたらいい？」と聞いてみた。すると「リサーチ・コーポレーションへ送ったらいいんじゃないかな」と言われた。

リサーチ・コーポレーションは設立6年の民間非営利団体（NPO）で、ニューヨークのエンパイアステートビルに本部を置いていた。スタンフォードから5千キロメートル近くも離れている。全米各地の大学と関係を築いており、大学発のアイデアに特許化（あるいはライセンス化）の価値があると判断したときに事務処理を引き受けていた。特許取得に伴って生まれる収入のほんの一部が大学に回り、それよりもさらに少ない金額が発明者に回る。残りはリサーチ・コーポレーションが管理する奨学金に使われる仕組みになっていた。

ライマースが少し調べてみたところ、1954〜67年の期間にスタンフォード大はリサーチ・

コーポレーションから累計で3千ドル弱しか受け取っていなかった。正確には2944・91ドル。このうちのほとんど——44・40ドルを除いた残り全額——はウィリアム・ハンセン教授による特許「オートマチック・パワー・ブリッジ」で占められていた。信じられない！　スタンフォード大全体が生み出す発明が年平均でわずか226ドルの収入しか大学にもたらしていないというのか！

男前でやり手のフランク・ニューマンと組む

ライマースは大学発アイデアのリストに加えて、何らかの形で特許に関わる大学関係者のリストの作成に取り掛かった。3人しか見つけられなかった。1人目は、大学の業務室所属の弁護士。折に触れて特許の仕事をしていた。2人目は、新設のSLAC国立加速器研究所所属の弁理士（SLACは大学キャンパス南西部近くのサンドヒルロードに本部を置いていた）。特許を専門にしてフルタイムで働いていた。3人目は、外部の法律顧問。ハンセン実験物理学研究所を週1回のペースで訪れていた。

ライマースは法律家ではないし、特許についてもそれほど詳しくなかった。ただ、やり方次第で大学は持てる知的財産をもっと生かせるはず、と理解していた。例えばクレストブランドの歯磨き粉。インディアナ大学の研究室で歯磨き粉の研究が行われ、後に同大は多額の収入を得ている。スポンサーとして研究費を出したのは日用品大手のプロクター&ギャンブル（P&G）。多額の収入は、同大がP&Gに製品化の独占的ライセンスを与えた結果だった。失敗例もあった。フロリダ大学所属の医師が同大アメフトチームのためにスポーツドリンクを開発し、関連の権利をすべて大学側に譲渡すると申し出た。ところが大学側は申し出を拒否した。スポーツドリンクは後に大ヒットする「ゲータレード」だった。[2]

スタンフォード大は発明のライセンス化・商業化に特化する専門グループを設置するべき、とライマースは考えていた。当時の状況を踏まえれば、大胆な発想といえた。発明のライセンス化・商業化を担う組織があるのは、アメリカ全体でも9大学にとどまっていたのだ。ライマースは一歩先を行きたかった。研究者は大学にアイデアを提供するインセンティブを与えられ、大学は産業界へのアイデア移転を専門にする人材を雇うという構想を描いていた。企業に開発を任せてこそアイデアは一般大衆に届くと確信していた。

ここまで考えをまとめたら、次に誰に頼ればいいのか。フランク・ニューマンだ。長身で男前のニューマンはエンシナホールの上階で働いていた。特許ともライセンスとも無縁でありながらも、いつも新しいアイデアにあふれていた。

ニューマンは41歳で、ブラウンとオックスフォードの両大学で経済学を勉強し、コロンビア大学で経営学修士（MBA）を取得している。反戦を旗印にする共和党候補として連邦議会選挙に出馬して見事に落選したこともある。ベックマン・インスツルメンツでも実績を残している。ベックマンは1956年にウィリアム・ショックレーを資金支援して、「ショックレー半導体研究所」の設立を後押しした機器メーカーだ。

スタンフォード大でニューマンは大学の対外関係を統括しつつ、学長補佐も担っていた。重責といえたが、それでも物足りなかったようだ。仕事をしながら大学院でテクノロジー史を研究し、博士号の取得を目指していた。その後も順調なキャリアパスを歩む。高等教育に関する全国委員会で委員長を務め、最後にはロードアイランド大学学長に就任するのだった。

学内では比較的若かったにもかかわらず、ニューマンは最も活動的・効率的なスタッフの一人だった。少なくともライマースにはそのように見えた。学生デモが激しさを増し、仕事に集中できなくなったときのことだ。ニューマンはオフィスを飛び出し、自分の車をオフィス代わりに使うようになった（その間、秘書は助手席に座って彼を手伝っていた）。これによってデモに邪魔されることはまったくなくなった。

技術移転グループにアントレプレナーシップ文化

ニューマンはライマースとの初ミーティングで、特許・ライセンスを扱う専門グループを設置する案に賛同した。ニューマンがとりわけ面白いと感じたのは、大学が特許出願にカネを投じる前段階で企業にアイデアを評価してもらうという点だった。ここにはリスクもあった。特許取得前だから、悪徳企業がアイデアを盗んでしまうかもしれないのだ。しかしライマースはリスクを取るべきだとの立場だった。誰も欲しない発明を保護するためにカネと時間を投じ、特許を取得するという無駄を排除できるならば、リスクを取る価値はある、とみていたのだ。

ライマースの見立てでは、企業がスタンフォード大の発明を製品化すれば、アイデアを多くの人々に届けられる。これにニューマンは同意し、「私がベックマンに在籍していたときに、こんな考えを持つ大学が現れたら良かったのに」とぽろりと言った。それから2人は疑問をぶつけ合い始めた。アイデアを評価してくれる企業はどうやって見つけたらいいか？　企業内の誰に接触するべきか？　われわれがやっていることをどのように説明したらいいのか？

ニューマンは「コストの問題もある」と指摘した。大学には実験的プロジェクトに回せるような資金はなかったのだ。これに対してライマースは「とりあえずボランティアでやります」と申し出た。通常の仕事をこなしながら、空いた時間を使ってプロジェクトを走らせてみるというのだ。

ライマースとニューマンの2人は、産業界への技術移転を担う専門グループ──未来の「技術移転室（ＯＴＬ）」──をマーケティング部隊として位置付けることで一致した（ライマースは後になってＯＴＬについて「これが成功するために最重要な要素は三つある。①マーケティング、②マーケティング、③マーケティング──である」と書いている）。

まずは教授陣に対するマーケティング。アイデアを持つ教授陣に働き掛けて、発明開示書を専門グループへ提出してもらわなければならない。個々の教授が独自に特許取得に動き、自分のアイデアを実験ノートに書き残す（あるいは学会誌で発表する）という形で終わりでは困るのだ。次に企業に対するマーケティング。発明者のアイデアに興味を持つ企業を見つけ出し、特許のライセンスを受けるよう説得しなければならない。アイデアの多くは非常に先端的であり、実際の商業化までには何年もかかるかもしれない（あるいは未来永劫製品にならないかもしれない）。最後に政府機関に対するマーケティング。連邦政府発注のプロジェクトで生まれたアイデアを商業化するためには、関連政府機関を説得しなければならない。具体的には、発明の権利は連邦政府ではなく、発明者か大学に帰属すると認めてもらうのだ。

ニューマンとのミーティング中、ライマースは「新設する専門グループは起業家のようでなければなりませんね」と言った。大学周辺にはアントレプレナーシップ（起業家精神）の大きなうねりが押し寄せていると理解していたのだ。証拠は、ぼろぼろになった業界会員名簿「西部エレクトロニクス製造業者協会」――全米エレクトロニクス協会の前身――の中にあった。名簿は、ライマース自身によるバツ印や矢印、走り書き、かっこ書きでいっぱいになっていた。大企業の経営者やエンジニアが安定したポストを捨てて転職したり、スタートアップに参画したり、自らスタートアップを立ち上げたり――このような情報が満載だったのだ。

ライマースにしてみたら専門グループも大学発スタートアップに相当したから、そこにも同じようなアントレプレナーシップ文化を取り入れる必要があった。東海岸ニューヨークに位置して古い体質を引きずるリサーチ・コーポレーションであれば、アイデアを評価するだけで何カ月もかかる。対照的に専門グループはスピード第一で動く。リサーチ・コーポレーションであれば、いったん特許を出願すると消えていなくなる。対照的に専門グループはアイデアが多くの人々に届くようにするため、企業への協力を惜しまず市場創造まで支援する。

発明者の取り分を増やしてインセンティブにする

企業が大学側に支払うロイヤリティー（特許使用料）の配分はどうするのか。ここでもライマースは斬新な考えを持っていた。大学側の収入は、専門グループが経費として全体の15％を差し引いた後に残る部分だ。彼の案では、このうち大学側は3分の1を発明者に対して支払う（残りの3分の2については大学側が発明者の学部と折半する）。これは発明者に対して寛大なやり方だった。他大学での発明者の取り分を見てみると、MIT——1963年にリサーチ・コーポレーションとの契約を打ち切っている——で12％、カルテックとプリンストンの両大学で15％にとどまっていた。[3]

なぜ発明者（それに発明者の学部）の取り分を多めにしたのか。アイデアを専門グループへ持ち込むように促すインセンティブにするためだ。

同時に不安材料もあった。大学の根本的使命は「世界全体の知識蓄積に貢献すること」である。専門グループはこの使命にかなうだろうか？　研究者はアイデアの保護を気にし過ぎたり、専門グループ経由のマーケティングを優先したりして、特許出願まで発明の発表を控えてしまわないか？　ライマース自身の言葉を借りれば、「大学での研究を推し進める原動力は新しい知識の探究であって、特許取得につながるアイデアの探究ではない」。金儲けに走って科学を台無しにしたくない、と彼は思っていた。

大学の官僚主義を熟知していただけに、ニューマンも一筋縄ではいかないとみていた。そもそもスタンフォード大では産学の境界線があいまいだった。対外的には大学は「人類と文明のために影響力を行使し、公益に資する」という高尚な理念を掲げているというのに、1891年の大学創設寄付金は「学生が個人的に成功を収め、実社会で役立つ人生を送れるようにすること」を目的として挙げている。

境界線があいまいななか、スタンフォード大は産学連携に比較的積極的だった。一例は、デモ隊の標的にされた工業団地だ。大学側が産業界——未来のハイテク業界——との連携強化を打ち出し、その一環として工業団地を造成したのだ。思惑通りに産学連携は前進した。企業で働くエンジニアは会社補助を受けて、閉回路テレビ（CCTV）経由で大学の授業に参加。一方で、スポンサーとして大学の研究を支える企業はいち早く研究の進展状況を教えてもらえたし、卒業生ネットワークにもアクセスできた。

そんなスタンフォード大でもなかなか変われないのだった。それを一番よく分かっていたのがニューマンだ。彼の推測では、どんなにライマースが頑張っても、大学側はリサーチ・コーポレーションとの契約を打ち切るはずはなかった。リサーチ・コーポレーションに代わる専門グループは大学内の小部隊であり、本当に機能するのかどうか検証されてもいなかったから、なおさらだった。

ミーティングが終わりに差し掛かると、ニューマンは「試験的プログラムとして立ち上げてみてはどうだろう」と助言した。「とりあえず1年間やってみて検証してみるのがいいんじゃないかな」。大学当局への正式提案についてはライマースに任せるのではなく、「自分でやる」と言ったもよう。

ミーティングは終わった。ライマースは持ち物を手にして立ち去ろうとした。そのときにはすでにニューマンは次の仕事に取り掛かっていた。

1　スタンフォード大は1970年になってSRIとの縁を完全に断ち切っている。それでもSRIの国防関連研究を減らすという点ではあまり効果はなかった。5月16日の抗議デモは、大学当局がSRIの売却を発表した後に起きている。デモ隊が要求していたのは「平和研究センター」の設置だった。同センターは大学とSRIによって共同運営され、「国家機密に関わる研究をすべて停止する」「セキュリティクリアランスが必要な契約をすべて打ち切る」と想定されていた。SRIの売却によって大学側はSRIの研究を一切管理できなくなった。

2　1971年、フロリダ大はゲータレードの発明者を相手取って訴訟を起こした。発明者が製造権を民間企業へ売却したためだ。翌年に発明者と大学は和解。2015年時点で、同大はゲータレードから累計2億8100万ドルの収入を得ている。

3　ライマースとニューマンの考えでは、何もしなければスタンフォード大の発明者はリサーチ・コーポレーションを使い続けるはずだった。マーケティングに熱心な2人は学長に掛け合い、メモの配布を要請した。メモには「特許プログラムが生み出すロイヤリティーのうち学部へ回される部分は漸増的であるから、大学が学部予算を減らすことはない」と書くよう求めた。

第6章　一緒に来て、でないなら自分一人で行く
――サンドラ・カーツィッグ

まるで監獄のようなベル研究所キャンパス

1969年にスタンフォード大で抗議デモが頻発するなか、同大同窓生のサンドラ・カーツィッグは5千キロメートル近くも離れた所にいた。ニュージャージー州マレーヒル市のベル研究所で働いていたのだ。新婚の夫の職場も同じベル研だった。

ベル研は「アイデア工場」として知られていた。レーザーやトランジスタ、電波天文学などがすべてベル研の研究者によって発明されているように、アイデアの宝庫として名高いからだ。ベル研には異なる分野からさまざまな科学者やエンジニアが集まっており、マレーヒルのキャンパスも彼らが自然と交流できるように設計されていた。

だが、カーツィッグが間近で観察したところでは、キャンパスはまるで監獄のように見えた。ここには低層で何の特徴もない長方形ビルがいくつも建てられている。ビル内には血管のようにあちこちに廊下が伸びており、物理棟の廊下は2ブロック近くもある。一方で、壁には背の

高い窓が一定間隔で配置されている。要するに、ビルも窓も整然と並んでいるのだ。ビルの外では芝生が短く刈り込まれ、まるでベテラン研究者の頭髪のようだ。周囲の道路は車の往来がほとんどなくてがらがらであり、キャンパスの孤立感を高めている。

カーツィッグは夫のアリーと一緒にキャンパスに到着した。入り口ではいつものように、「常駐訪問者」と書かれた通行証を取り出して警備員に見せた（コンピューター用メモリーチップ部門に所属するアリーは社員バッジを見せた）[1]。過去4カ月にわたってベル研にはほぼ毎日来ている。少し前には空っぽのキュービクルを見つけ、占有するようになっていた。今では誰もが「ここはサンドラの場所」と思っている。

カーツィッグはベル研の社員ではなかった。ベル研の科学者や研究者を相手にして、ゼネラル・エレクトリック（GE）が製造するコンピューターを売る営業担当だ。より正確には、GEが運営するタイムシェアリングシステム（TSS）の時間を売る営業担当だ。

TSSと言えばボブ・テイラーだ。第1章で述べたように、1966年にTSSに出合って「コンピューターでコミュニティーがつくれる」という発想を得ている。TSSであれば、多数のユーザーが専用電話回線を通じて1台のマシンにつながる。個々のユーザーは目の前のコンピューター端末を操作するだけ。瞬時にプログラムが切り替わるため、ほかのユーザーと1台のコンピューターをシェアしているとは気付かない。

1966年、アメリカにあるTSSの大半は大学と軍需関連企業に設置されていた。しかし

3年後は違った。TSSの売り上げは毎年倍増のペースで拡大し、今では7千万ドル市場になっていた。大企業も含めて50社以上がTSS市場で競い合っており、カーツィッグの雇用主GEは40％の市場シェアを握っていた。各社ともプログラミング言語やアプリケーションを開発しつつ、自前のコンピューターの購入・リースに消極的な企業に狙いを定め、タイムシェアリングサービスの導入、つまりTSSの利用を働き掛けていた。顧客となった企業はコンピューター端末をレンタルして、ソフトウエア使用料やデータ保存料、コンピューター接続料を払う格好になる。

競争は激しかった。GEが印刷媒体に広告を出し、「100万ドルのコンピューターにアクセスしたいですか？」というキャッチコピーを使うと、IBM（子会社サービス・ビューローの市場シェア20％）は「500万ドルのコンピューターにアクセスしたいですか？」と反撃した。

21歳でとびきり魅力的で有能な営業担当

ベル研はカーツィッグが営業担当になる以前から、GEのタイムシェアリングサービスを導入していた。それなのに、キャンパス内に散らばるコンピューター端末はあまり使われないまま放置されていた。では研究者はどうしていたのか？　パンチカードの束を処理するキーパンチマシンを使っているのか、自分の研究室内で自力で計算しているのか、そのどちらかだった。

カーツィッグはベル研の研究者を説得し、コンピューター端末の利用に向かわせる役目を担っていた。端末は大き過ぎて不格好なベージュ色タイプライターに見えるけれども、実はとても便利なツール、と思わせるのだ。研究者がTSS上で1分でも多くの時間を使えば、その分だけGEの利益が増える仕組みになっていた。

カーツィッグはとびきり魅力的で明るく、有能な営業担当だった。弱冠21歳でありながらコンピューターには詳しかった。UCLA2年生時――17歳――に大学のコンピューターセンターでアルバイトを始めて以来、一貫してコンピューターに接してきたからだ。UCLA3年生時には航空宇宙大手TRWの流体物理部門で数値解析者として働き、学費を稼ぐようになっていた。実のところ、TRWでは彼女自身がコンピューターだった。数学専攻のスキルを生かし、15人のエンジニアグループ向けに計算業務を引き受けていたのだ。複雑な問題のときにはTRWの汎用（メインフレーム）コンピューターに頼ったものの、結果を得るまでに何週間も待たされるのは我慢ならなかった。この点ではテイラーと同じだった。

TRWがGE製の新型タイムシェアリングマシンを購入すると、カーツィッグはプログラミング言語「BASIC（ベーシック）」[2]でプログラムを書き始めた。瞬時にフィードバックを得られるのでわくわくしたものだ。新型タイムシェアリングマシンを使い始めて数週後、自分の人生のキャリアパスが見えた。彼女自身の言葉を借りれば、「コンピューターは自分の未来の一部になる」

とはっきりと感じたのだ。

すぐにというわけにはいかなかった。20歳でＵＣＬＡを卒業すると、カーツィッグはＴＲＷの勧めもあって大学院へ進んで航空宇宙工学を学ぶことにした。ＵＣバークレーかスタンフォード大を念頭に置いており、どちらにしても引っ越す必要があった（ＵＣＬＡ時代は両親と共にビバリーヒルズ市に住んでいた）。ＵＣバークレーについては、急進派や抗議デモを心配する両親から「絶対に駄目」と言われて断念するほかなかった。結局スタンフォード大の修士課程に入った。当時、工学系の女性大学院生は極めて珍しかった。工学系は全米で11学部あり、その合計の大学院生は８００人近くに上った。このうち女性はカーツィッグも含めて7人にすぎなかった。

学部生時代に工学を専攻しなかったことから――専攻は数学――スタンフォード大ではハンディを負う羽目になった。結果として、持てる時間の大半を授業や宿題、レポートに注ぎ、猛勉強しなければならなかった（後年「私は天才じゃない。でも猛勉強するすべは知っている」と語っている）。キャンパス内では抗議デモが絶えなかったが、彼女にとっては雑音でしかなかった。勉強していないときは、恋人のアリーと一緒に過ごした。アリーは当時、ノーベル物理学賞受賞者ウィリアム・ショックレーを指導教授にして博士課程を終えようとしていた。当時のショックレーはそれほど偏執狂的でもなかったし、優性思想に傾斜してもいなかった（後に彼が評判を落としたのは、「知性で黒人は白人に劣る」と宣言したり、精子バンクに自分の精子を提供した際に「利用はメンサ〔高い知能指数の持ち主だけを受け入れる団体〕の女性会員に限る」との条件を付けたりしたため）。それでもサンドラ・カーツィッグの目には「とんでもない変人」に見えた。

飛び込みでGEを訪ねて、その場で採用

結婚してニュージャージー州へ移住したとき、カーツィッグは夫婦間で一つの取り決めをした。ニュージャージーに住むのは３年をめどにすると決めたのだ。３年間住んであまり幸せに感じなかったら、夫婦でカリフォルニアに戻るということだ。カリフォルニアは彼女が愛してやまない土地であるし、そこには家族も住んでいる。

カーツィッグは飛び込みでＧＥに採用されている。履歴書を手にして予告なしでニュージャージー州ティーネックの事務所を訪ねると、何時間も待たされた。やっとのことで彼女が会えたのはＧＥの地区代表だった。

当時、ＧＥのタイムシェアリング部門は女性営業職の採用プログラムを設けており、すでに全国営業チームの半数を女性にしていた。地区代表もそのことをよく理解しているようだった。何よりもカーツィッグの経歴に好印象を抱いた。彼女は航空宇宙工学修士号を取得していたし、ＴＲＷ時代にＧＥ製タイムシェアリングマシンに情熱を抱いていたのだ。そんなわけで、ベル研担当としてその場で採用が決まった。

ベル研は不思議な場所だった。カーツィッグも次のような場面を目撃している。一人の科学者が物思いにふけりながら歩いている。途中、噴水式水飲み場にぶつかる。「ごめんなさい」と謝ると、再び歩き始める。無生物にぶつかって謝ったということに気付かないままで――。彼女は場違いな場所にやって来たと思ったのか？　むしろ逆であり、親近感を抱いた。大学時代に数学と工学を専攻して、似たような環境に身を置いていたためだ。マレーヒルのキャンパス内で彼女が出会う女性の大半は事務職やカフェテリア勤務だ。疎外感を覚えなかったのか？　ここでも問題なしだった。

そもそも、カーツィッグはスタンフォード大卒業後にベル研から採用通知をもらっていた。彼女がベル研行きを選ばなかったのは、居心地が悪いと思ったからではなく、環境にうまく溶け込み過ぎてしまうと思ったからだ。若い工学修士が新たに一人加わって、召使いのように「科学ＰｈＤ（博士）の王国」を支える――。これでは自分がまったく目立たなくなり、それまでに描いていたシナリオに合わないのだった。

カーツィッグの営業方針は至ってシンプルだった。ベル研のキャンパス内を歩き回ってたくさんの研究者に会い、「何か問題があるならお手伝いしますよ」と話し掛けるのだ。

研究者の多くは「何も問題はない」と思っていた。カーツィッグが売っているのはコンピューターであり、コンピューターであれば汎用コンピューターに違いない、と決めつけていたためだ。汎用機となれば、①ベル研の正規プログラマーとの打ち合わせをセッティングする、②

打ち合わせではプログラマーに問題解決に必要な手順と計算を丁寧に説明する、③プログラマーがプログラムを書き終えて汎用機上で走らせるまで何週間も待つ――という展開になるのだった。

そんなわけで、カーツィッグは研究者に会うたびに「これは違うんですよ」と切り出すのだった。そのうえで現在のプロジェクトについて聞き、「コンピューター端末を使って問題解決のデモをお見せしましょう」と申し出る。デモで彼女が見せるのは、TSS上で統計分析やグラフ作成、複雑なデータ処理を行うためのプログラムだ。

セールストークも抜群にうまかった。「自分でできるのに、何でベル研の正規プログラマーに頼らなければならないのですか？」「現状では、別棟に置いてある汎用機がパンチカードを処理するまで待たなければなりませんね。そんな必要はありますか？」「あなたの机の横を見てください。コンピューター端末があります。これを使ってデータ入力すれば直ちに結果を得られますよ」。存在しないプログラムを欲している研究者に出会うと、「私がプログラムを書いてあげます」と申し出た。

間もなくして結果が出た。

カーツィッグの回想によれば、「片っ端からセールストークを展開しているうちに、マレーヒルではいつの間にか数十人の研究者が自分の端末を通じてタイムシェアリングするようになっていた」。結果を出して手数料を稼ぐ、誰よりもうまく――。楽しかった。「コンピューター新時代へベル研を導くのに一役買っている」と思うと、なおさらだった。

断トツでいい結果を出したから罰せられる？

そんななか、上司から連絡が入り、GEのティーネック事務所に顔を出すよう命じられた。期待に胸を膨らませると同時に緊張した。もうボーナス？　少し早くないかな？　事務所への道中、有料道路ニュージャージー・ターンパイクの料金所に差し掛かると、幸運を祈って後ろの車の分まで通行料を払ってあげた。

幸運を祈って他人の通行料を払ったのに、事務所では期待を裏切られた。上司はあいさつを済ませると、何の前触れもなく言った。

「ベル研担当を外れてもらうよ」

「え、何でですか？」

「ベル研の汎用機はGE製なんだ」

ベル研に置いてある汎用コンピューターは、GEによって製造され、GEによって運営されていた。つまり、カーツィッグが「汎用機よりもタイムシェアリングが断然便利」というセールストークで実績を出せば出すほど、研究者は汎用機を使わなくなってしまうわけだ。彼女にとって不運なことに、汎用機の利幅はタイムシェアリングよりも大きかった。

問題はほかにもあった。ベル研が汎用機をあまり使わなくなったら、GEが高価な新型汎用機を勧めても、アップグレードしてもらいにくくなる恐れがあった。さらにはベル研のプログラマーチームが不満を募らせていた。研究者が自力でプログラムを書くのをカーツィッグが手伝っていたからだ（彼女の決めぜりふの一つは「自分の問題は自力で解決しましょう」だった）。プログラミングはプログラミングの専門家に委ねるべき、というのがプログラマーチームの言い分だった。

カーツィッグは絶句した。断トツでいい結果を出しているから罰せられる？　何かおかしくない？

いろいろな感情が湧き出てきた。第一に怒っていた（GEは何で汎用機のことを事前に教えてくれなかったのか？）。第二にバツが悪かった（自分で汎用機のことを尋ねておくべきだった！）。第三に疑念を抱いた（GEは「若くてかわいいだけが取り柄の女だから、私をベル研担当にしてもどうせ何も売れやしない」と高をくくっていたのか？）。

喉がからからになった。しかし、上司である地区代表の前では絶対に泣かないと決意し、こらえた。後で泣けばよかった（実際に後で泣いた）。ここで、母親がよく口にしている言葉「挫折したときにこそ自信を持って行動せよ」を思い出した。

「では、この後はどうなるんですか？」と上司に聞いた。クビにしないでほしいと願いながら。

結局、別の地区担当に回された。とはいっても、潜在顧客層を見ると、「科学の要塞に集まる博士集団」ベル研とあまり変わらないように見えた。新たに担当となる地区はニュージャージー州中北部。機械工場やキャットウォーク（工場内上部の狭い通路）、動力装置があふれる世界だった。コンピューターがあると期待してここを訪れようと思う人はおそらく一人もいないだろう。

3年目の終わりにホームシック、カリフォルニアへ

新しい地区に回されてもカーツィッグは結果を出した。巨大な気泡シートをプレスしてスポンジを作っているゼネラル・フォームという会社を訪ねたときのことだ。タイムシェアリングサービスの導入でスポンジ生産を最大化できると担当者を説得し、契約にこぎ着けた。製薬大手メルクでもタイムシェアリングサービスの契約を取れた。ＧＥの統計分析とグラフ作成のプログラムを使い、臨床試験や動物実験で得られたデータを容易に修正するデモを行い、アピールできたからだ。

カーツィッグは二重の意味で異例だった。第一に、女性なのに工場オーナーを相手に営業している。第二に、営業職なのにプログラミング知識を備えている。顧客の大半はそれまでコンピューターとはまったく接点も持っておらず、何も期待していなかった。プログラミング？　聞いたこともない。営業職が女性？　まあいい、そういうこともあるでしょう。

ニュージャージーで3年目の終わりになるころ、カーツィッグは明らかに仕事で成功していながらも、ひどいホームシックになっていた。仕事を除けば、ニュージャージーはなかなか好きになれなかった。じめじめした夏も、凍るような冬も嫌だった。鉄道のすぐ近くのアパートも嫌だった（まるで寝室の中を電車が通り抜けるようだった）。両親と弟が住む実家から5千キロメートル近くも離れているのも嫌だった。

しかも、夫アリーに約束したことをすでにやり終えていた。少なくとも3年間はニュージャージーに住むという約束を果たしていたのである。GEにはカリフォルニアへの転勤を依頼すればいいし、アリーにはカリフォルニアで別の仕事を見つけてもらえばいい。アリーにはスタンフォード大の博士号とベル研での実績があるのだから、難しくないはずだ。ニュージャージーを出れば、うるさくて狭いアパートで我慢する必要もなくなる。同じ家賃を払えば、当時物価が安かったカリフォルニアでは閑静な住宅街で立派なツーベッドルーム（寝室が二つある住居）に住める。ニュージャージーにとどまる必要はないのだ！

カリフォルニア行きをアリーに提案してみると、反対された。改めて説得を試みたものの、らちが明かなかった。ある夜に言い合いになり、ふてくされて小さなアパートを飛び出した。しばらくして引き返し、宣言した。「私はカリフォルニアへ行く。一緒に来たいならどうぞ。嫌なら私一人で行く」

翌日、アリーは降参した。すぐに2人はニューヨーク市内のニュースタンドへ行き、サンフランシスコ、サンノゼ、サンディエゴ、ロサンゼルス各都市の地元紙日曜版を手に入れた。日曜版はいつも大量の求人広告を載せているのだ。

1　夫のアリー・カーツィッグが集中的に取り組んでいたのは、磁気バブルを利用した記憶装置「バブルメモリー」だった。

2　カーツィッグはプログラミング言語「BASIC」について専門書で独学したのか、それともUCLAの授業で学んだのか、今ではよく覚えていない。別のプログラミング言語「FORTRAN(フォートラン)」も知っていた。

第2部

建設

1972〜75

1971年、酒飲みの記者ドン・ヘフラーが半導体業界の歴史について3連載をまとめた。「男たち、カネ、訴訟」に焦点を合わせ、業界誌エレクトロニック・ニュースで取材結果を発表した。3連載の共通タイトルは「シリコンバレーUSA」。業界内では何年にもわたって使われていた「シリコンバレー」という言葉がメディア上に正式に登場したのは初めてのことだった。エレクトロニック・ニュース誌の読者を除けば、サンフランシスコ半島の一角に新たなテクノロジー地域が誕生したとは誰も認識していなかった。個々の企業レベルでは外部から注目を集め始めていた。例えばインテルは1971年に新規株式公開（IPO）に成功している。全国的な主要メディアが「テクノロジー集積経済」としてサンフランシスコ半島を取り上げたのは、それから3年後。「シリコンバレー」がメディア上で広く使われるようになるまでには、さらに何年も待たなければならなかった。[1]

1970年代初め、シリコンバレーで生まれたスタートアップ企業は、アメリカ経済全体からすれば取るに足らない存在のように思われていた。アメリカ経済を支える基幹産業は金融センターを抱える東海岸のほか、製造業が栄えるデトロイトやピッツバーグ、シカゴといった都市に集中していた。ディジタル・イクイップメント（DEC）をはじめ新興ミニコンピューター企業は、ボストンを本拠にするマサチューセッツ工科大学（MIT）やハーバード大学周辺に集まり、テクノロジー集積地域「ルート128」を形成していた。経済誌フォーブスの西海岸担当編集者は「年商5千万ドル以上の上場企業にしか興味がない」と断言し、シリコンバレーのスタートアップには無関心だった。

スタンフォード大学は評価を上げつつあり、「西のハーバード」とも呼ばれていた。それでも全国的にはいまひとつで、在校生が州内出身者ばかりという状況を変えられずにいた。主要都市の評判もぱっとしなかった。サンフランシスコはもっぱらヒッピーの街として知られていたし、パロアルトはそれ以上の悪評に悩まされていた。「半島最大の性風俗街」との烙印(らくいん)を押されていたのだ。実際、パロアルト市内の目抜き通りエルカミーノレアルの一角、市の南側境界線近くで直線距離8ブロックほどには、複数のポルノ書店、X指定の成人向け映画館、いかがわしい店名のマッサージパーラーが立ち並んでいた。このような状況を見て「ここが将来アメリカ経済の成長エンジンになる」ことを予見するのは不可能だった。[2]

しかし、部外者にとっては気付きにくかったのかもしれないが、1972年時点ではシリコンバレー内部で地殻変動が起きつつあった。前年の1971年にはインテルがマイクロプロセッサーを発明していた。マイクロプロセッサーは近い将来、パソコンやビデオゲームといったエレクトロニクス製品の心臓部を担い、新時代を切り開くことになる。

同じタイミングでヒューレット・パッカード（HP）もイノベーションを起こした。シリコンバレー企業として初めて「高度な電子デバイスであっても一般消費者にアピールできる」と見抜いたのだ。翌年（1972年）には世界初の携帯型電卓「HP－35」を発表。ポケットサイズに加えて、四則演算（加減乗除）にとどまらない高機能を売りにして、初年度だけで10万台以上を販売した。[3] 395ドルという価格設定にもかかわらず。取扱説明書にはちゃめっ気を出して「胸ポケットパワー」と題した章を設け、こう書いている。「ジェームズ・ボンド、ウォルター・ミティ、ディック・トレイシー――。彼らのような想像上のヒーローの持ち物にはみんなが憧れるものです。だから私たちはあなたのために、この製品を用意しました」

多くの場合、以上のような出来事はそれぞれ相互に関係することもなく、個別に起きていた。しかし、河川であれば複数の支川が合流して本川となるように、個々の出来事はやがて合流して大きなうねりとなる。結果として出来上がるネットワークは人と人をつなげると同時に企業と企業をつなげ、現在のシリコンバレーとハイテク革命の基盤となるのだ。

1 「シリコンバレー」以外にもさまざまな表現が存在した。めぼしいところでは「シリコンガルチ」「半導体カントリー」「カリフォルニア版ルート128」「カリフォルニアの偉大な産業勃興地」などがあった。

2 1976年、パロアルトの市当局はようやく性風俗街の閉鎖に踏み切った。マッサージパーラー17店を排除したほか、ホルタートップ（肩や背中が露出する女性用衣服）と夜11時以降のマッサージを禁止した。

3 「HP－35」は世界初の科学用ポケット電卓である。35個のキーを備え、三角関数、対数関数、指数関数を扱えた。

第7章　この女性を見掛けましたか？
――サンドラ・カーツィッグ

起業して「指名手配」ポスター

　1972年の夏、ニュージャージーを離れて数カ月後のこと。サンドラ・カーツィッグは牧歌的なロスアルトス市郊外にある新居の中にいた。前かがみになってテーブルの上で作業中だった。カーツィッグ夫妻が10万ドルで購入した新居は広々としたファイブベッドルーム（寝室が五つある住居）。競売物件として売り出されていたこともあって、荒れ果てた状態のままだった。しかも急な坂の上に建てられていた。友人のサーブ――3気筒エンジン搭載車――は坂の途中で立ち往生してしまったほどだ。

　カーツィッグはテーブルの上で転写シートを懸命にこすっていた。かつてシカゴ市警担当記者をしていた母親がデザインした「指名手配（WANTED）」ポスターに文字を転写するためだ。IBM製電動タイプライター「IBMセレクトリック」を使って文字をタイプしていたのだが、イメージしていた太文字についてはお手上げだった。文房具店で購入した転写シートを使い、文字を一つずつこすり付けなければならなかった。

ポスターの出来栄えには満足した。こすり付けたばかりの太文字「**この女性を見掛けましたか?**」がタイトルで、そのすぐ下には自分自身の顔写真と身体的特徴(「女性、身長165センチ、体重52キロ、長い栗色の髪、緑色の目、色白」)。「**この女性に抵抗してはいけません!!**」で始まる警告も入っている。「**この女性は武装しています。**どうやって無駄を省き、経営効率向上を図れるのかを示す事実と数字で武装しているのです。**この女性は危険です。**あなたが現在使用中のコンピューター計画が完璧でないときに危険になるのです」。ポスターの下部は切り取り可能で、彼女への返信用になっていた。そこには二つの選択肢が用意されていた。一つは「ぜひアドバイスお願いします」、もう一つは「邪魔しないで! 世の中はいろんなサイコパスでいっぱい! この女性もそのうちの一人」だった。

カーツィッグは数カ月前の1972年初め、「ASK(アースク)コンピューターシステムズ」というスタートアップを立ち上げて起業家に転じた。ポスターは同社の広告キャンペーン第一弾であった。社名の由来は彼女と夫アリーの名前であり、2人のイニシャルを組み合わせてある(Arie & Sandy Kurtzig)。理由は二つあった。一つはアルファベット順のイエローページ(電話帳)では冒頭に記載される、もう一つは三つの大文字の組み合わせはIBMのように堅実・真剣に見える、だった。

起業のきっかけは、カリフォルニア移住後の新たな出会いだった。カーツィッグはカリフォルニア移住を機に、ゼネラル・エレクトリック(GE)を辞めたわけではなかった。当初は同社のサンフランシスコ半島地区への転勤扱いになり、それまで同様にGEのタイムシェアリングサービスの営業を続けていた。そのなかで起業家のラリー・ウィタカーに出会って刺激され、独立する決意をしたのだ。

ウィタカーは通信機器製造の会社を始めたばかりで、大きな計画を温めていた。当時の在庫管理システムを疑問に思い、コンピューターの導入を考えていたのだ。

それまでウィタカーはいらいらしてばかりだった。個々の部品や生産手順について知ろうとすると、昔ながらのカードシステムを使わなければならなかったからだ。引き出しの中にしまわれているカードをめくるなど、まるで図書館のカード目録システムを利用しているかのようだった。だからコンピューターを必要としていたのだ。だが、GEのタイムシェアリング経由の標準プログラムを使う気にもなれなかった。代替策としてカーツィッグにカスタム仕様のプログラムを書けないかと打診してみたのである。

「在庫品や注文品、仕掛品がどれだけあるのか、なかなか把握できない」とウィタカーは言った。「生産ラインに乗せる全部品のリストが欲しいし、部品を代用したらそれを直ちに部品票へ反映させたい」

カーツィッグは難色を示した。「GEにフルタイム勤務しながらでは、そんなに難しいプログラムは書けません」

「それなら会社を辞めて独立して、自分でカスタム仕様のアプリケーションを書けばいい」とウィタカーは提案した（当時の業界関係者は「ソフトウエア」の代わりに「アプリケーション」という言葉を使っていた）。「大丈夫。私自身が起業のお手本だから」

倉庫は空っぽ状態だったというのに、彼は自信にあふれていた。「私の会社はいずれ年商5千万ドル企業になる」

他人の助けを借りずに自分で事業を起こす――ここにカーツィッグは魅力を感じた。カスタム仕様のアプリケーションを開発する企業を創業し、自ら起業家になるというわけだ。夫アリーに相談すると二つ返事で賛同を得られた。

彼女の両親は驚くと同時に不安になった。起業がリスクを伴うから不安になったというよりも、孫に恵まれなくなるかもしれないと不安になったのだ。

「母親と企業経営を両立できるの？」

「うまくやるから心配しないで」

「黙っちゃいない女性」皆無の世界で起業

カーツィッグはそれから徹夜を繰り返し、起業プランを練った。ある夜のこと。午前2時にベッドから抜け出し、起業のメリットとデメリットを書き出して一覧にしてみた。メリットは①独立、②自分がボス、③キャリアチェンジ（それまでの全キャリアはGEだった）――の三つ。

GEに勤務し続けた場合、競争環境も考慮しなければならなかった。タイムシェアリング市場には全国でざっと100社が参入しており、競争は激しくなるばかりだった。GEは西海岸で強力なライバル会社としのぎを削るようになっていた。クパチーノ市に本拠を置くティムシェアだ。

デメリットは二つだけだったが、いずれも軽視するわけにはいかなかった。一つ目は収入の不安定化、二つ目は「女性は起業しない」という先入観。一つ目については下振れリスクを抑えれば大丈夫、とカーツィッグは思った。年末にはGEから営業成果として2千ドルの報酬を受け取る予定になっており、起業費用に充てられる。全額使い切ってもまったく売り上げを立てられなかったら、会社をたたんで再び営業職としてどこかで働けばいい。

厄介なのは二つ目だった。1970年代初め、女性は労働力の40%近くを占めていながらも、エンジニア職ではたったの1%、管理職では17%にとどまっていた。歌手ヘレン・レディが「私は女だけれども黙っちゃいない」と出だしで歌うヒット曲「私は女」は数カ月前にリリースされたばかりだった。しかし、カーツィッグが参入しようとしていた分野には「黙っちゃいない女性」は事実上皆無だった。

結局、カーツィッグはリスクを取ろうと決意した。何事もやってみなければ分からないではないか！　確かに女性はオーナー事業家全体の4・6%にすぎない。でも、自分の両親も祖父母も自力で会社をつくったオーナー事業家だ（父親は事業で大成功して高級住宅街ビバリーヒルズに家を建て、高級車ロールスロイスに乗っていた）。自分自身を振り返っても、スタンフォード大学大学院で男性ばかりの航空宇宙工学科に身を置いて成功したし、ＧＥでも男性ばかりの製造業者を相手にしたコンピューター営業で成功している。今回も同じことを続ければいいだけの話だ。

夜が明けようとするころ、カーツィッグはベッドに戻った。数時間後、ウィタカーに連絡を入れて「カスタム仕様の製造プログラムを書きます」と伝えた。そして１２００ドルの報酬を要求した。それまで彼が旧来型カードシステムの維持・管理に毎年投じていた費用――担当秘書への年間報酬――の半分を要求した形になった。このうち３００ドルは前払い、残りは納品後。これで起業家への転身は決まった。彼女は個人事業主としてプロジェクトを受託するソフトウエアプログラマーになるのだ（彼女が実際にソフトウエアという言葉を使って自分の職種や会社を表現するようになるのは何年も先のことだった）。

現在、企業がビジネスソフトウエアに使う金額は世界全体で３３２０億ドルに上る。一方で、ベンチャーキャピタル業界による投資額（２０１５年）のうちの半分はソフトウエア企業への出資に回っている。アップル、フェイスブック、グーグル、ツイッター、リンクトイン、オラクル、アドビシステムズ、イーベイ、ヤフー――。これらは本質的にはソフトウエア企業だ。シリコンバレー以外の有力ソフトウエア企業も忘れてはならない。シアトルのアマゾンやマイクロソフト、中国のアリババやバイドゥ（百度）だ。

テクノロジー業界を舞台にして現在起きている起業ブームの元をたどれば、すべてソフトウエアに行き着く。インターネットベースのサービスやオープンソース化されたコード、プログラミング用のツールなどだ。格安だから（あるいはタダだから）資金が乏しい起業家にとって強力な味方になる。

しかし1972年時点では、独立したソフトウエア業界はよちよち歩きの状態だった。ASK創業の3年前、つまり1969年に生まれたばかりであったから、仕方がない。

1969年、IBMは独禁法当局からの圧力にさらされ、ソフトウエアとハードウエアの一体販売を取りやめた。それぞれを切り離して販売する「アンバンドリング」に踏み切ったのだ。これによって独立したソフトウエア業者が続々と生まれ、IBM製マシン——特に人気の「IBMシステム／360」——向けにこぞってプログラムを書くようになった。[1]大企業に所属せずに仕事を請け負っていた大勢のプログラマーと同様に、カーツィッグもコンピューター用アプリケーションの開発者だ。自分自身のことを「サービスプロバイダー」と見なし、決してハイテク起業家とは思わなかった。

昼夜働き続けて納品し、独立後初の報酬

会社を興すに際し、カーツィッグは机、キャビネット、椅子を購入し、使っていない寝室の

一つに運び入れた。2本目の電話も引いた。所得控除を受けるためには、最低限これくらい経費として落とさなければならなかったのだ。

同時に、月額65ドルの手数料を払って、GEのタイムシェアリングサービスを契約した。GEからレンタルしたコンピューター端末——大型のタイプライターサイズ——を使い、プログラムを書くのだ。プログラムを書き終えたらモデム回線を通して、遠くのGE製マシンへ送る。1秒当たり15文字の通信速度で。

彼女の製造プログラムはコンピューターへの一連の命令で成り立っていた。これによってコンピューターは在庫品と部品票を表示するとともに、データベースから情報を引き出して関連付けるのだ（データベースにはウィタカーの通信機器製造に関する情報が入っていた）。

カーツィッグは次のように自問した。顧客はコンピューターから得られる情報をどのように使うのか？　何を知る必要があるのか？　請求書と部品票をどのように表示したいのか？　コンピューターを一度も使ったことがない工場責任者ならどうするか？　どのようにコンピューターとやり取りしたいと思うか？　スクリーン（あるいはモニター）がないなかで、キーボードとプリントアウト経由でコンピューターと意思疎通しなければならないとなると、戸惑わないか？

成功するかどうかはプログラムの使い良さで決まる、と彼女は結論した。そこで使い良さを第一に考えて特別仕様のプログラムを書いた。これを使えば、顧客は在庫にある（あるいは部品票にある）どんな部品についても詳細なレポートを引き出せる。部品番号や手持ち在庫、コスト、再発注点、発注リードタイムなどを一覧にして表示できるのだ。

このようなプログラムを書くのは骨の折れる仕事だった。作業中、彼女は自分にこう言い聞かせた。難題に取り組むときには集中力を保つと同時に常識を働かせよう！　レシピを書くつもりで順を追って論理的に進めていけばいい！

結局、５週間にわたって昼夜働き続け、１９７２年2月に納品できた。同時に残りの報酬９００ドルを受け取った。独立して初めての報酬だったので、入金前に記念として小切手を複写しておいた。

となると、次はウィタカーに続く顧客の開拓だ。カーツィッグは「指名手配」ポスターを何枚もコピーして封筒——フラップ（開け口）には真っ赤な色で**「警告！　危険な女性が野放しになっている」**とプリントしてある——に入れて郵便局へ直行した。図書館の住所録で見つけ出した中小製造業者35社にポスターを送付するのだ。

当時、汎用コンピューターを導入できるほどの大企業であれば、ＩＢＭやバロース（後のユニシス）が開発・販売する製造ソフトウエアに何万ドルも支払っていた。彼女の見立てでは、地元の中小企業のうち少なくとも1社は反応するはずだった。汎用機のコストをはるかに下回る代金を支払うだけで、強力なタイムシェアリングマシン上で動くプログラムを使えるわけなのだから。

ポスター送付に続いて電話攻勢

結局、ポスターに反応する地元企業は現れなかった。

奇抜なデザインが裏目に出たのか？　それともコンピューターサービスは不要と思われたのか？　カーツィッグには分からなかったし、原因を突き止める時間的余裕もまったくなかった。新たな顧客が現れなくても、タイムシェアリングマシンのレンタル費や備品調達などの出費は続いたからだ。彼女がスタートアップ立ち上げ時に用意した2千ドルは、見る見るうちに減っていった。

ここでさじを投げるわけにはいかなかった。カーツィッグはポスターを送付した35社全社に片っ端から電話した。どこに電話しても秘書に軽くあしらわれるだけだった。だが諦めなかった。夕方6時以降になれば非協力的な秘書は帰宅するはず、と読んだ。秘書がいなくなれば、責任者が自ら電話を取ってくれるかもしれない！

今度はうまくいき、1社が新たに顧客となった。地元のコミュニティー紙を発行し、配達員として1200人のティーンエージャーを雇っている企業だ。カーツィッグが書いたプログラムは配達員ごとに新聞を分類・ラベル貼りし、購読者リストを管理し、各配達員の給与を計算する仕様になっていた。

そのうちオーナーは「コンピューター上の記録を定期的にアップデートしたい」と言い始めた。ここから新たなビジネスが生まれた。購読者リストを常に更新し、毎週千枚以上のラベルを印刷する維持・管理業務である。作業が大規模になり、レンタル中のテレタイプ端末の処理能力を超えてしまった。

どうすればいいのか。維持・管理業務をアウトソース（外部委託）するのだ。カーツィッグが委託先として頼ったのは、パロアルト市内のオプティマム・システムズ・インコーポレーテッド（ＯＳＩ）だった。サンフランシスコ・ベイエリアに誕生したデータ処理センターの一つで、中小企業向けに汎用コンピューターとプリントサービスを提供していた。彼女はＯＳＩのコンピューター用にプログラムを書き換えた。その後、毎週のように洞穴のようなＯＳＩのオフィスへ行き、「キーパンチレディー」に更新データを渡すようになった。

ＯＳＩの施設はスタンフォード大キャンパスの向かい側に位置し、ショッピングセンターのタウン＆カントリー・ビレッジ内にあった。ここにはドラッグストアや熱帯魚店、レコード店のほか、バーベキューリブの専門店も入っていた。現在のテナントは子ども向けヘアサロン、高級自転車店、子ども用デザイナーブランド衣料店、アイスクリーム（コーン入りのアイスクリームを１本６ドルで売る）店が入っている。

顧客ベース倍増、でも妊娠

1972年夏までに、顧客ベースは倍増して4社になった。新たに加わったのは、マイクロ波通信システム業界の2社だ。カーツィッグは2社の要望に従ってカスタム仕様のプログラムを書き、パロアルトのＯＳＩで走らせた。ここでふと思った。ＡＳＫは企業として独り立ちできるかもしれない！

カーツィッグは抜群の営業センスを備えていた。だからといって女性らしさを消し去っていたわけではない。実際、ピンク色のアタッシュケースを購入し、ラベンダー色の紙を使って名刺を作っていた。

1973年、彼女は地元紙の取材を受けて「営業職では男性よりも女性のほうが有利になることはよくあります。男性——とりわけ役員——は女性営業担当に会うといつも興味津々。男性のような専門性を備えているのか確かめてやろう、と思うんです」と語っている。後年には「1970年代には、女性が男性のような格好をしたり、男性のような振る舞いをしたりすると、うまくいかなかったですね。男性側に拒絶されてしまうから」と補足している。要するに、潜在顧客の警戒を解こうとして、意図的に女性らしさを使ったのだ。優秀な営業担当であれば自分の強みを生かすのは当然だろう。

カーツィッグは起業家として独立するなかで、「女性経営者の条件」を実践するパイオニアになっていたのかもしれない。

ASK誕生から3年後の1975年のことだ。カリフォルニア大学ロサンゼルス校（UCLA）のマリオン・ウッズ教授は研究論文の中で「女性経営者の条件」を発表（論文はロサンゼルス市内で働く女性100人へのインタビューに基づいている）。それによれば、ビジネス界で成功する女性は「身なりが良く、話し方が穏やかで、体型がスリムで、若さがある」。さらには、管理職に求められる特性（競争心、教育、現実主義、自信、キャリア志向、戦略思考）はもちろんのこと、「挑戦者精神」と「女性らしさ」を同程度に備えている。

論文の中では一人の女性管理職が登場し、次のようにコメントしている。「女性らしくおしゃれし、女性らしく振る舞う。礼儀正しいと同時に知的で、男性をまねようとしてはいけない。男性エスタブリッシュメントは長期にわたって支配的な地位を維持しており、変えることは不可能。女性は男性エスタブリッシュメントの世界に適応するしかない」

当時、巨大なコンピューターは時に恐ろしくも見えた。その意味でも自分のジェンダーは役に立つ、とカーツィッグは思っていたようだ。

IBMもそうだった。ニューヨーク市のマディソン街590番地に建つ本社ビルにはコンピューターが展示され、外から窓ガラス越しに見えるようになっていた。コンピューターの前に座って仕事をしていたのは、IBMが雇った女性だった。このうちの一人は同社担当者から次のような説明を受けている。「ＩＢＭの営業部門にとってコンピューターが使いやすく見えるのは大事なこと。だからコンピューターで仕事をする女性を見せるのです。そんな女性を見た男性は『女性でもできるなら自分でもできる』と思うのです」

そんななか、転機が訪れた。１９７２年夏、カーツィッグは自分が妊娠していると分かり、「自分のジェンダーはキャリア上プラスに働く」という信念を揺るがされたのだ。１９７０年代前半、子育て中でありながら外で働く女性は5人中1人にも満たなかった。彼女の母親も子育てに集中するために仕事を辞めていた。[2] 子どもを産んだら専業主婦にならざるを得ないかもしれない、と思った。そうなったらＡＳＫは店じまいだ。

出産報告にも職業人としてのプライド

１９７３年2月、カーツィッグは手書きの出産報告を用意して投函した。そこには職業人としてのプライドも見事に織り交ぜていた。新製品発表の体裁を取っていたのだ。赤ちゃんについては「われわれの新モデルはアンドリュー・ポール」と紹介し、身長と体重については「床荷重は51センチ当たり３５００グラム」と説明。さらには「プロトタイプ第1号の製造元はアリー&サンドラ・カーツィッグ」としていた。

彼女はすぐに気付いた。自分は家に閉じこもって赤ちゃん言葉を使うようなタイプではない。

同時に二重の意味で罪悪感を覚えた。まず、いつもアンディと一緒というわけにはいかない。次に、本当はアンディといつも一緒にいたい。

ＡＳＫがまだほとんど利益を出していないなか、カーツィッグは夫アリーと相談のうえで住み込みの家政婦を雇うことにした。仕事で手いっぱいのときには赤ちゃんの面倒を見てもらうのだ（寝室は3室空いていたので、そのうちの一つを家政婦用にした）。息子が大きくなって歩くようになると、小さな足に踏まれてプリントアウトが汚れたり、プログラムやデータを保存してある穿孔テープがくしゃくしゃになったりして常時邪魔されるようになった。息子が寝入ると、パロアルトのＯＳＩへ行って何時間もそこで過ごしたものだ。午前過ぎまで帰宅しないことが多かった。

１９７３年8月、地元業界紙の記者がカーツィッグ家を訪ね、後日記事を書いた（この業界紙が属するコングロマリットは、自社コンピューターシステムの運営をＡＳＫに委託していた）。「エレクトロニクス業界の女性」と題した記事は「結婚・出産とキャリアの両立」をテーマにしていた。インタビューの中でカーツィッグは起業の経緯を説明しつつ、食料品の買い出しなどを進んで引き受けてくれたアリーに感謝するのを忘れなかった。家政婦がやって来るまでは信じられないほど慌ただしく、皿洗いの手間を省くため夫婦共に紙皿を使って食事をしていたほどだった。

記事で使われた写真の中では、笑顔のカーツィッグが片手に電話を持ち、もう片方の手で息子を抱えてポーズを取っている。記者に対しては「同じ働きをしているのならば女性は男性と同じ報酬を受け取るべき」とカーツィッグは主張した。一方、記者は読者に向かって「サンディ（カーツィッグの愛称）はウーマンリブ（女性解放運動）を主導しているわけではない」と書いている。

その後、ASKについて多くの記事が業界紙に載った。記事はカーツィッグのことを「ASKのCEO（最高経営責任者）」と紹介するだけで、私生活には一切触れていなかった。男性経営者を取り上げるときとまったく変わらなかった。幅広い読者を対象にした一般紙となると話は違った。彼女（あるいはASK）を取り上げるときにはほぼ例外なく「男性社会の中の女性」という切り口で書いていた。

何年も後になって全国メディアもシリコンバレーに注目し始めた。すると有力起業家それぞれに独自のレッテルを貼った。カーツィッグはこう言っている。「スティーブ・ジョブズならば最年少経営者、私ならば女性経営者。紋切り型だけれども、そういう時代だったのでしょう」

カスタムプログラムから汎用プログラムへ大転換

1974年に入り、カーツィッグはASKのビジネスモデルの転換に乗り出した。同社を成功に導くタネをまいたともいえる。きっかけはティムシェア幹部の提案だった。さまざまな製造業者に広く使ってもらえる汎用プログラムを書いてみたらどうかと提案されたのだ。それまでカーツィッグは顧客4社それぞれのニーズに応じたカスタム仕様のプログラムを書いていた。ティムシェア幹部から「顧客ごとに製品は異なるけれども、製造プロセスは似ていますよ」と指摘され、ハッとした。このように考えたことがなかったのだ。

確かに面白い。新聞、電子機器、炭酸飲料、テディベア、自転車——。製品は違っても、どの製造業者も部品（あるいは原材料）を在庫に持ち、いつ追加発注すればいいのか把握しようとしている。部品などの入荷状況を調べておかなければならないし、製品を組み立てる作業手順も決めておかなければならない。すべてをうまく管理して調和させるのだ。そうしなければ大混乱する。例えば大口注文が入ったとしよう。製造業者はどれだけの部品を発注し、どのような作業計画を立てるべきなのか。ここで対応を誤れば、ほかの発注とバッティングしてしまう。

カーツィッグが書く汎用プログラムを売るのはティムシェアだ。同社が扱っているソフトウエア製品は数十種類に及び、運用ポートフォリオの管理やレポートの作成、調査結果の分析、人件費の計算などさまざまな分野を網羅していた。このようなソフトウエア製品群の中の一つにASKの汎用プログラムも加えられるわけだ。

ティムシェアのタイムシェアリングマシン上で動くプログラムの大半は、ASKのような中小業者が開発するサードパーティー製品だった。利用可能なソフトウエア製品が多ければ多いほど、顧客のオンライン時間が増える（すなわち利用料収入が増える）。ティムシェアが顧客に課す利用料は1時間当たり20ドルで、これにCPU（中央演算処理装置）時間に見合った手数料が上乗せされる。カーツィッグから汎用プログラムの提供を受ける見返りに、ティムシェアはASKにどれだけの対価を払うのか？　ティムシェアが顧客から得る利用料のうち20％がASKの取り分だ。当時としてはこれが業界標準だった。

カーツィッグはここにチャンスを見いだした。業界大手のティムシェアと組めば、すでにタイムシェアリングサービスを導入している中小製造業者の多くを潜在顧客として取り込める、とにらんだのだ（1973年の同社売上高は2400万ドル、利益は200万ドルに上った）。彼女の推測では、在庫管理や在庫スケジュール用としてタイムシェアリングサービスを利用したい中小製造業者は多く、ASKが入り込む余地があるはずだった。

それまでカーツィッグはばらばらに顧客開拓していたことから、労働集約型ビジネスにどっぷり漬かっていた。そのため、1970年代のソフトウエア開発業者の大半と同様に、経費の半分をマーケティングに投じなければならなかった。ティムシェアを通じてプログラムを売ればマーケティング費用を節約できるに違いなかった。

もう一つ利点があった。ティムシェアとの連携をテコにして、ASKは「キーパンチマシンに依存する汎用機システム」から「すぐに結果を得られるタイムシェアリングシステム」へ一気に移行できるのだ。

タイムシェアリングを利用すれば、顧客は強力なコンピューターを遠隔操作できる。ただし、目の前のコンピューター端末を使ってデータ入力したり、プログラムを書いたりするのだから、遠隔操作しているようには感じない。これこそ未来型コンピューターシステムであり、ASKの目指す方向だった。そこでカーツィッグは3カ月契約で外部プログラマーを雇い入れた。ASKの製造プログラムを修正して、ティムシェアのプラットフォーム上で動くようにするためだ。

「MAMA」をやめて「MANMAN」を製品名に

カーツィッグは当時、シリコンバレー内で徐々に姿を現し始めていた互助ネットワークの末端に置かれていた。地元企業や起業家、専門家が緩やかにつながり、助け合う起業文化が育まれつつあったのだ。ASKも無縁ではなかった。同社が雇い入れた外部プログラマーは地元出身だったし、同社が採用する正社員第1号は地元のスタンフォード大卒業生になるのだった。

事例はいくらでもある。例えば、地元投資銀行ハンブレクト&クイスト（H&Q）の共同創業者ジョージ・クイストとビル・ハンブレクトだ。①ティムシェアはクイストの部分出資を受けてパロアルトで誕生、②クイストはハンブレクトと共同でH&Qを創業、③H&Qは引受主幹事として1970年にティムシェア、1980年にアップルとジェネンテック、1986年にアドビ、2004年にグーグルと次々にIPOを手掛ける（ほかにも主幹事案件は多数）――

といった具合だ。

法律事務所も忘れてはならない。ＩＰＯを得意とする弁護士ラリー・ソンシーニはティムシェアのＩＰＯを支援したとき、弱冠29歳。それでもすでに大きな構想を描き、所属事務所マクロスキー・ウィルソン・モシャー&マーティンを生まれ変わらせようと動いていた。一つの分野に特化するのではなく、「成長中のビジネスが直面する問題の80%を解決する」体制を理想にしていた。

最終的には、ソンシーニはシリコンバレーで間違いなく最も影響力のある弁護士になるのだった。所属事務所はウィルソン・ソンシーニ・グッドリッチ&ロサティへ名称を変え、今ではベンチャーキャピタル支援企業の法律アドバイザーとしてアメリカ最大手だ。めぼしいところだけでもアドバンスト・マイクロ・デバイセズ（ＡＭＤ）やアップル、グーグル、エヌビディア（NVIDIA）、パーム、シーゲートなどの創業に深く関わっている。

カーツィッグがこのような互助ネットワークを全面活用するのは――あるいはその存在に気付くのは――何年も先のことである。だが、彼女の周辺で変化が起き始めているのは明らかだった。10年以内にハンブレクトとソンシーニの2人がＡＳＫに近寄り、ＩＰＯを手伝うと申し出るのだ。

さて、カーツィッグはティムシェアと組むに際して、製造プログラムの製品名を決め、マニュアルを書かなければならなかった。ソフトウエアを売るうえで決定的に重要なのはマニュアルだ。ソフトウエアは目に見えないから、コンピューターにあまり触れない人にとって理解不能な世界だったのだ。

とりえあえずカーツィッグはバロース、ＩＢＭ、ＨＰ各社のマニュアルを入手し、内容を調べてみた。大手コンピューターメーカーがどのように自社ソフトウエアの取り扱い方法を説明しているのか、知る必要があったのだ。製品名については当初「コンピューター支援製造プログラム（computer-assisted manufacturing program）」の頭文字を取って「ＣＡＭＰ」を検討したが、「生産管理（manufacturing management）」を略して「ＭＡＭＡ」とすることに決めた。

マニュアルの草稿を書くと、密接な協力関係にある顧客企業ファリノン・エレクトリックのマネジャーに見せた。すると、マネジャーは表紙の文字を大きな丸で囲んで突き返した。ページをめくることもなかった。彼が丸で囲んだ文字は「ＭＡＭＡ」だった。

「これではまったく駄目でしょう」とマネジャーは言った。「堅物の企業経営者が取締役会の前に現れ、生産システムの新規導入を提案したとしましょう。システムの名称がＭＡＭＡ（ママ）だと言ったら、どう反応されますか？　どう考えても無理です！」

カーツィッグは侮辱されたように感じた。世の中の母親を嫌がるとはどういうことなのか！それでも考え直した。個人的な怒りに任せて判断してはいけない。製品名の由来をもう一度思い出してみよう。「生産管理（manufacturing management）」だ。ならば略し方を少し修正して「ＭＡＮＭＡＮ（マンマン）」にすればいい[3]。ファリノンのマネジャーに改めてマニュアルを見せ、「製品名を変えます」と伝えた。

結局MANMANで良かったのかもしれない、とカーツィッグは思った。男は頼りない。2人の男（MANMAN）が力を合わせて、やっと1人の母親（MAMA）と同じ仕事ができるのだから。

学校一番の人気者からプロムに誘われるようなもの

ティムシェアのプラットフォーム上でMANMANはヒット商品になった。コカ・コーラやボーデン・ケミカル、ゼネラル・ケーブルをはじめ合計50社がMANMANを利用し、一部は月額3万ドルもの利用料を払うほどの優良顧客になった。とはいえ、ASKの取り分はこのうちの一部にすぎなかった。そんなわけで、カーツィッグは1974年秋にHPから声を掛けられると、興味を示した。HP製ミニコンピューター向けのMANMANプログラムを書いてくれないか、と打診されたのだ。

後年、カーツィッグは当時を振り返り、「ミニコンピューターは登場したばかりで、すごく目新しかった。だから、ミニコンピューターという言葉がどのようなつづり方なのかも、分からなかったんですよ」と語る。現在の基準で言えば、登場した当初のミニコンピューターは初歩的なシステムだった。極小のスクリーン、単純なキーボード、マウスなし――。しかも、文字は緑色（あるいは白色）のゴシック体に限られ、１行ごとにしか表示されなかった。ユーザーがキーボードに文字を打ち込んでいくと、文章がどんどん上にスクロールしていって見えなくなってしまうのだ。

それでもミニコンピューターはビジネス界にとっては画期的な出来事だった。ミニコンピューター以前、コンピューターと言えば何百万ドルもする汎用コンピューターであり、エアコン装備の専用ルーム（非常に高度な仕様）と常駐の専用スタッフ（コンピューター操作とプログラミング担当）を必要としていた。対照的に、ミニコンピューターは汎用機の10分の１のコストで導入できるほど格安だった。専用ルームも不要。複数の端末が用意され、人事部や売店、営業店など敷地内外のあちこちに設置可能だった。

ミニコンピューター最大手はマサチューセッツ州ボストン近郊のＤＥＣであり、同じマサチューセッツ州のデータゼネラルが二番手に付けていた。三番手はシェア拡大中のＨＰだった。[4]

ＨＰがＡＳＫのソフトウエアに関心を寄せていると知り、カーツィッグは驚くと同時に興奮した。何しろ、ＨＰは１９７４年時点でシリコンバレーで最もよく知られ、最も大きく、最も尊敬されていた企業なのだ。35年前の１９３９年にスタンフォード大同窓生ウィリアム・ヒューレットとデビッド・パッカードの２人によって創業され、計測器から計算機へ、さらにはコンピューターへ業容を拡大していた。10億ドル近い年商を誇り、全世界で３万人の社員を抱えていた。彼女にしてみたら、ＨＰから誘われるのは学校一番の人気者からプロムに誘われるようなものだった（プロムは高校生活最後のダンスパーティーであり、学校一番の人気者は成績優秀の卒業生総代であると同時に学校代表アメフトチームのクォーターバック）。

ＨＰ営業担当によれば、ロサンゼルスの電源装置会社パワーテック・システムズがＨＰ製ミニコンピューターの購入に前向きになっていた。ただし、製造プログラムが使えることを条件にしていた。そんな経緯でカーツィッグはＨＰ営業担当から声を掛けられたのだ。具体的には、8万ドルのミニコンピューター「ＨＰ２１００」向けにＭＡＮＭＡＮプログラムを書いてくれないか、と依頼された。ＨＰ２１００のスペックを調べてみると、ＭＡＮＭＡＮを走らせるのに十分な計算能力とメモリーを備えていることが分かった。二つ返事でＨＰの誘いを受け入れた。[5]

カーツィッグはＨＰプロジェクトのために社員第1号を雇った。数学専攻のスタンフォード大卒業生で24歳のマーティー・ブラウンだ。ポニーテールでロック音楽が大好きだった。１９６０年代終わりから１９７０年代にかけてサンフランシスコで開催された主要ロックコンサート――後に伝説的になるコンサートばかり――のほとんどすべてに行っている。

「サンディの魅惑的営業」で危機回避

ブラウンとカーツィッグはＨＰ２１００向けＭＡＮＭＡＮ開発のために数カ月の予算を立て

た。しかし予想外の問題が相次いだ。第一に、最新鋭科学用ミニコンピューターHP2100がたびたびシャットダウンした。第二に、シャットダウンの原因が電源回路にあるということが分からなかった（HP2100は別の部屋にあるコピー機と電源回路を共有していたため、誰かがコピー機を使うたびにシャットダウンしていた）。第三に、HP2100の端末制御システムとデータベース管理システム「IMAGE」に互換性がないことが判明した（MANMANを組み込むために両システムが必要だった）。結果として、プロジェクトは遅々として進まなかった。

納品期限が近づいてきた。だが、カーツィッグとブラウンのASKチームはHP内で数週間もフル回転していたというのに、報告できるような具体的な成果を何も得ていなかった。もっと時間が必要だった。仕方なくHPの地区営業責任者ビル・リシオンに電話し、期限延長を求めた。すると、リシオンは期限延長を拒否したばかりか、プロジェクトからASKを外した。ASKの代わりにHP社内のチームが製造プログラムを書くというのだった。

カーツィッグは納得できなかった。すぐに営業モードに切り替わって「サンディの魅惑的営業」（カーツィッグを知る人の表現）を全開にした。電話口で「これからロサンゼルスへ飛び立ちます。会ってほしい」と要求したのだ。どうにかしてリシオンを説得し、ロサンゼルスで落ち合う合意を取り付けた。

ロサンゼルスではリシオンはゴルフを終えたばかりだった。「君が生産システムを売り付けようとしているお嬢さんなんだね？」

「そう。私がまさにそのお嬢さんですよ」とカーツィッグは答えた。続いて一巻の紙テープを取り出し、リシオンのコンピューターに読み込ませた。HP製マシン上でMANMANが実際にどのように見えるのか、デモを始めたのだ。

まずは「これからMANMANを使って、想像上の製品ビル・リシオンの製造プロセスを調べます」と宣言。製品概要には「1人の二枚目男」、部品票には「2本の腕、2本の足、ゼロ個の心臓（ハートなし）」と入力した。リシオンから笑いが漏れた。

デモが終わると、リシオンは「賢いやり方だね」とコメントした。それでも「もう時間切れ」と言い、ASKチームをHPの社内チームに置き換える方針を変えなかった。

元営業担当は粘った。「一緒に夕食はいかがですか？　ごちそうしますよ」

後年、カーツィッグは「必要なときには〝女性〟を使いました」と回想している。HPは女性社員の活躍を促すプログラムを導入するなど、当時としては先進的な企業だった。それなのに、管理職を見ると女性比率は7・5％にとどまり、大半の女性社員は専門性を伴わない単純作業に従事していた。デモを行ってASKの技術力を示してもらちが明かないのならば、〝女性〟を使う以外に方法はない、と彼女は判断したのだ。

判断は正しかった。夕食が終わるとリシオンはテーブル上の伝票をさっと取り上げ――カーツィッグがごちそうするはずだった――ASKにもう1カ月間の猶予を与えたのである。

その後、ASKではプロジェクトがようやく軌道に乗り始めた。ところが、顧客のパワーテックでトップが交代し、新社長がＨＰ・ＡＳＫ連合のシステムに拒否反応を示した。ＩＢＭのシステムを使いたかったのだ。汎用コンピューターで成り立つＩＢＭシステムはＨＰ・ＡＳＫ連合よりも10倍もコストがかかるというのに、である。１９５０年代のコンピューター業界では次のような言い伝えもあった。「ＩＢＭを選んで解雇される人はいない」

結局、パワーテックは注文をキャンセルした。これはＡＳＫにとって初めての大打撃であり、カーツィッグにとっては非常につらい展開だった。彼女が後に聞いたところによれば、パワーテック内では当初から「女が生産現場に詳しいはずがないし、この業界でうまくやれるはずもない」とささやかれていたという。

1　IBMが「アンバンドリング」に踏み切る以前、汎用コンピューターメーカーが自らカスタム仕様のソフトウエアを書き、顧客へ販売していた。価格は一つのプログラムで100万ドル前後に上った。

2　1970年、1歳未満の幼児を育てつつ働いている母親の割合は18%にすぎなかった。2015年、同割合は58・1%へはね上がっている。

3　MAMAという製品名はマニュアルの草稿段階で使われただけだった。最終製品としてはMANMANとしてリリースされ、その後数十年にわたってブランド名は変わらなかった。

4　1974年、ミニコンピューター市場をリードしていたDECは3万500台を販売した。データゼネラルは1万1800台、HPは8900台だった。

5　当時のHP製マシンで利用可能な最大メモリーは32キロバイトだった。アップルのスマートフォンで最も安いiPhone7は6万4千倍のメモリーを備えている。

第8章　コンピューターの従来型概念にとらわれるな！
――ボブ・テイラー

新たな職場はゼロックスPARC

高等研究計画局（ARPA）からユタ大学へ転職したボブ・テイラー。同大では1年しかもたなかった。ペンタゴンと同様に無意味な規則と官僚主義がはびこっていたため、大学事務局とたびたび対立していたからだ。例えば、グラフィックス研究所が運営するコンピューターへのアクセス権を有料で全学生に与えようとしたところ、まったく賛同を得られなかった。[1]

そんなわけで、ちょうどマイク・マークラがインテル入りしたころ、テイラーは再び家族用ステーションワゴンに家財を詰め込んで西へ向かった。今回はできる限り西へ進み、太平洋岸まであと30分というところで止まった。カリフォルニア州パロアルトだ。これから13年にわたってここを拠点にして働くことになる。

新たな職場はゼロックスのパロアルト研究所（PARC）、通称ゼロックスPARC。スタンフォード大工業団地内のガラス張り低層ビルに入居しており、3年前にデモ隊がスクールバスをバリケードに使った場所から徒歩圏内だ。ここで生まれた画期的イノベーション——パソコン、ネットワーク、プリンターなど——の起源をたどると、ほぼ例外なくテイラー主導の下で1970年にPARC内に立ち上がった「コンピューター科学ラボ」に行き着く。

PARCが2歳の誕生日を迎えたころ、ラボはテイラー自身と同じくらい型破りな組織になっていた。例えば会議室。通常のオフィス家具の代わりにビーンバッグチェア（椅子にもソファにもなるクッション）が置かれていた。ニューヨーク州ロチェスターにあるゼロックス本社の会議室内とは似ても似つかなかった。本社会議室内に置かれていたのは標準的なキャスター付きオフィスチェアと大型木製テーブルで、どれもぴかぴかに磨かれ、身だしなみの良い役員や部長、セールスマン、エンジニア——ひげをそり、襟首をきれいにし、保守的なネクタイを着けている——と見事に調和していた。本社以外のゼロックス事務所も大同小異。対照的にテイラーのラボ内ではビーンバッグチェアに加え、内壁に立て掛けられたままの自転車も日常的光景になっていた。出社・退社時間も完全自由で、深夜遅くまでオフィスの明りが消えなかった。

もちろんテイラーはラボ内がどうなっているか把握していた。だが、気にしていなかった。アメリカのビジネス界に根を下ろした官僚主義にうんざりしていたからだ。彼にしてみれば、官僚主義者は仕事をしているように見せているだけで、実際にはまったく仕事をしていない。

だからこそラボ内にはあえてビーンバッグチェアが置かれていたのだ。あるとき、誰かが「会議室はビーンバッグチェアにしよう」と提案すると、みんなが賛同した。しかも格安であることが判明したので、テイラーは喜んでゴーサインを出した。その後、カラフルなコーデュロイ張りの椅子も20脚以上購入し、オフィス内に配置した（コーデュロイは1970年代のレインボーフラッグを参考にし、バーントオレンジ、ゴールデンロッドイエロー、アボカドグリーン、ミッドナイトブルーといった色を使っていた）[2]。

アラン・ケイが理想とした小型コンピューター

1972年春、ステュアート・ブランドという若手記者がラボを訪ねた。「コンピューターサイエンスを主導する変人・奇人の若い情熱と確固たる反権力主義」をテーマに取材し、ローリングストーン誌上で発表するためだ（同誌は5年前に有力ベンチャーキャピタリストのアーサー・ロックの支援を受けて創刊された文芸誌）。

同誌はブランドと共に若い写真家アニー・リーボヴィッツもラボへ派遣していた。彼女はビーンバッグチェアの写真のほか、立派なひげを長く伸ばした研究者の写真も多数撮った。その中でテイラーが一番気に入ったのは、自分自身のポートレート写真だ。写真の中で彼はひげをきれいに剃り、前髪を丁寧に分けている。両耳の上部に軽く髪が触れている。顔の下半分はよく見えない。彼が左手に持ったパイプ――深いボウル（火皿）を備えている――から出ている煙のせいだ。

リーボヴィッツは未来型コンピューターの実物大模型（モックアップ）も写真に収めた。モックアップは、ＰＡＲＣ研究者の一人であるアラン・ケイが提唱したノートブックサイズの小型コンピューターに基づいていた。ほとんどスクリーンとキーボードのみで構成されるマシンで、大学ノートほどのサイズであるため子どもでも容易に扱えるデザインになっていた。

見事な口ひげを蓄えた男前のケイはもともとプロのジャズ演奏家で、自宅に自作のパイプオルガンを置いていたほど。コンピューター科学者として大きな実績を残し、最終的には「コンピューターサイエンス分野のノーベル賞」であるチューリング賞を受賞している。ＰＡＲＣ内では「システム科学ラボ」に所属していたが、テイラーのラボと二人三脚で動いていた。テイラーにスカウトされてＰＡＲＣ入りした経緯があったからだ。

ケイが理想とした小型コンピューターは「ダイナブック」と名付けられ、世界各地の企業や銀行、大学などで稼働している15万台のコンピューターとはまったく違った。ビーンバッグチェアの会議室が昔ながらの役員用会議室とまったく違ったのと同じように。

１９７２年当時、コンピューターはもはや汎用機である必要はなくなっていた。汎用機の場合、サイズは一つの部屋を占有するほど巨大なうえ、ユーザーは1台に数百万ドルも投じて、パンチカードプログラムを走らせなければならなかった。そんななかで登場したのが新型のミニコンピューターだ。性能は悪くなかった。大リーグ・レッドソックスの試合ではスコアボード操作、ブロードウェイのミュージカル『コーラスライン』では照明を担った。とはいっても、

「ミニ」と呼ばれながらも実際には複数のキャビネットをいっぱいにするほど大きかった。費用も1台5万ドル以上で、基本的には企業向けの高額システムだった。

そんな状況下では、子どもでも操作できるほど小さくて扱いやすいコンピューターという構想は、ばかげているように見えた。1969年のことだ。百貨店ニーマン・マーカスはクリスマス商品カタログに1万600ドルのハネウェル製「キッチンコンピューター」を入れた。ターゲットは「最高のスフレ料理を作れるけれども、献立が苦手な主婦」。カタログ内にはかわいらしくて親しみやすい赤ちゃん象も登場。コンピューターに付き物の「異質」「威圧的」「役立たず」といったイメージとは対照的だから、赤ちゃん象に決まったのだろう。エプロンと料理本付きでもあった。それなのに1台も売れなかった。

革命的コンピューター「アルト」の誕生

1972年当時、ダイナブックのようなノートブックサイズのマシンを開発するのであれば、テイラーのラボは最適な立ち位置にあった。コンピューターサイエンスの世界で最高の頭脳を集めており、MIT学長から「一流大学が優秀な教員を集められなくなっている」と苦情を言われるほどだった。しかし、結局のところ、ノートブックサイズのマシンはラボでも無理だと判明した。

代わりにＰＡＲＣが作ったのが、現在パソコン（パーソナルコンピューター）として認識されているマシンだ。実際、大型モニターとマウスを備えていたし、メニューや文書作成（ワープロ）プログラム、複数のウィンドウを扱えた。これによっていろいろな作業を行えた。第一に、文書を作成・編集し、ＰＡＲＣが開発したプリンターへ送信できる（プリントアウトされた文書はスクリーン画面上の文書と同じように見える）。第二に、ファイルや文書、画像を保存できる。第三に、ＰＡＲＣが開発したイーサネットを経由して、プリンターに加えて別のコンピューターにも電子メールやファイルを送信できる。

まさに革命的なコンピューターであり、テイラーはこれを「アルト」と名付けた。彼にとっては、ＡＲＰＡで始まったプロジェクトの延長線上にアルトがあった。つまり、彼とリックライダーの2人が何年も前に思い描いていたビジョンに沿って技術革新が進み、当然の結果としてアルトが生まれたのだ。コンピューターはいろいろな人間とアイデアをつなげるコミュニケーションデバイスになる、と2人は信じていた。だからこそＡＲＰＡ時代にそれぞれの権限を使い、アルトへの道を切り開く研究プロジェクトに助成金を優先配分していたのである。

ビジョン実現に向けて、ＡＲＰＡ時代のテイラーは具体的に何を資金支援していたのか。大きく2分野あった。一つはタイムシェアリングマシンの開発。ユーザーにとっての反応が速くなるなど、タイムシェアリングマシンの使い勝手はかつてないほど高まっていた。もう一つはアーパネット（ＡＲＰＡＮＥＴ）の立ち上げ。これによってコンピューター同士がつながり、結果としてコンピューターのユーザー同士がつながった。

では、ゼロックスＰＡＲＣでテイラーは何をしていたのか。システム科学ラボと協力しながら、ＡＲＰＡ時代の2分野を一つに統合して、アルトシステムを完成させようとしていた。当時世界で最も使いやすいコンピューターをネットワークに接続し、コンピューター同士を相互につなげる——これがアルトシステムだ。これによってコンピューターサイエンスの世界でＰＡＲＣはトップに躍り出て、向こう10年にわたって二番手以下に大差を付けることが可能になる。

「偉大な研究者を採用して放っておけ」

テイラーが最初にゼロックスＰＡＲＣのことを耳にしたのは１９７０年夏。ゼロックスの主任科学者ジャック・ゴールドマンが経営陣を説得し、新研究所の創設を認めてもらった直後のことだ。新研究所は年間６００万ドルの予算を持ち、①コンピューターサイエンス、②電気工学、③システム分析、④オペレーションズリサーチ・数学・統計、⑤生物物理学・生物化学の各分野で最高の人材を集める計画になっていた。目標は「未来のゼロックスを発見すること」であり、当初の名称は「ゼロックス高度科学・システム研究所」だった。おそらく不運な略称のせいでＰＡＲＣへ変更になったのだろう［英語の名称は「Xerox Advanced Scientific and Systems Laboratory」、略して「ゼロックスＡＳＳ研究所」となる。ＡＳＳは「ばか」「尻」といった意味を持つ］。

知的ナイトライフがある大学街に新研究所を創設すべきだ、とゴールドマンは提案した。知的ナイトライフがあれば優秀な人材を集めやすいと考えたのだ。研究所内には三つのラボがあり、それぞれ基礎科学、システム科学、コンピューター科学を扱う。三つのラボから生まれる製品として期待されていたのは、例えば「プリンターと計算機を足し合わせたマシン」だった。研究所構想の本質は7語で表現できた。「偉大な研究者を採用して放っておけ（hire great researchers and leave them alone）」。実際、彼はゼロックス本社首脳に対しては「少なくとも向こう5年間については何も具体的な成果を期待しないでほしい」と伝えていた。

テイラーはラボ設立から数カ月後にPARCにやって来た。いつものように「怖いものなんてない。前進あるのみ！」というスタイルのままで。彼を呼んだのは物理学者のジョージ・ペイクで、PARCの初代所長に就いたばかりだった。スタンフォード大物理学教授やワシントン大学セントルイス校学長を歴任し、全米科学アカデミーの会員でもあった。磁気共鳴分野の専門家で、ゆくゆくはアメリカ国家科学賞を受賞するのだった。

ペイクはテイラーを引き抜こうと思って声を掛けたわけではなかった。ラボ要員として誰をスカウトするべきなのか、助言してもらおうと思ったのだ。

「誰がいいと思いますか？」とペイクは聞いた。

「ラボが何をしようとしているのかによりますね」とテイラーは答えた。

「サイエンティフィック・データ・システムズを支援するのがラボの役目です」。略してSDS

として知られる同社は、ゼロックスが9億1800万ドルの大金を投じて買収したばかりのコンピューターメーカーだった。

「ゼロックスは買収先を見誤りましたね。SDSはコンピューターメーカーとして全然駄目です」

テイラーは一例としてSDS製「シグマ」コンピューターの最新モデルを取り上げ、「駄作」と一蹴した。「二流企業を支援するために別の研究所へ転職する？　まともな研究者なら決してそんなことはしないでしょう[3]」

博士号がなければトップになれない

テイラーはミーティングを終えて帰途に就いた。二度とペイク（あるいはPARC）から連絡をもらうことはない、と思いながら。ところが、後日ペイクから改めて連絡があった。「今度は仕事のことで話がしたい」

PARC内のオフィスで、ペイクはテイラーのARPA人脈をたたえたうえで、「PARCのコンピューター科学ラボに加わってほしい」と伝えた。ただし、トップである部長ポストを用意するつもりはなかった。

「君は博士号を持っていないからトップとしてふさわしくない」とペイクは説明した。「世界最高のラボを目指すのであればトップは博士号が原則だ。高度な研究実績を持っているトップでなければ、最高の頭脳が集まるラボは経営できない」

テイラーは「ラボの部長として不適格」との烙印を押された格好だ。ひどく侮辱された気分になり、許せなかった。PARCで正式採用になり、博士号を保有する部長の人選を任されても、やはり許せなかった（上司となる部長はジェリー・エルカインド。リックライダーの教え子で、アーパネット用ルーター製造を手掛けたBBN――ボルト・ベラネク&ニューマン――の上級マネジャーだった）。

PARCではテイラーはやりたいようにやらせてもらえていた。ラボの事務をエルカインドに丸投げして自ら研究チームを主導する体制を認めてもらったし、ラボ研究者の報酬を大幅アップする提案も認めてもらった（ゼロックスが運営する別の研究所――本部はニューヨーク州ウェブスター――に所属し、同程度の学歴を持つ研究者の報酬を15~20%上回る水準に設定した）。上司であるペイクのおかげだ。そのうちペイクは去り、後任のPARC所長は初代所長以上にひどかった。それでもペイクのことを許せなかった。

心の傷は深く、なかなか癒えなかったのだ。ペイクがテイラーに「君は博士号を持っていないからトップとしてふさわしくない」と言ってから40年経過していても、である。[4]

ペイクの侮辱に我慢ならなかったものの、テイラーは「主任科学者」という立場でPARCに加わることで合意した。加えて、「ラボの部長が正式に決まり次第、副部長に就任する」という条件ものんでもらった。

テイラーはPARCの可能性に加えて、サンフランシスコ・ベイエリアの気候と活気に魅力を感じた。ベイエリアにはARPA時代から思い入れがあった。スタンフォード研究所（SRI）のダグラス・エンゲルバートへの支援を始めて以来、何度もベイエリアに出張しており、なじみ深かった。優秀な「コンピューター信者」を多数輩出するスタンフォード大も気に入っていた。PARCのラボから広大な大学キャンパスの中心部までわずか1・6キロメートル。同大のランドマークであるフーバータワーの尖塔部分はベイエリアのどんな建物よりも高く、遠くからでもよく見えた。

テイラーは家族と共にパロアルトに引っ越した。新居はオールドパロアルト地区にあるクラフツマン様式の一戸建て。周囲の通りはロマン派の詩人にちなんで名付けられていた。住民には若い家族が多く、新居周辺には活気があった。テイラー家にも息子が3人いた。

ゼロックス本社がPARCに与えた使命は「情報アーキテクチャー」の探究だった。テイラーにとっては何の問題もなかった。彼にしてみたら対話型（インタラクティブ）コンピューターのネットワークを築くというビジョンは、「情報アーキテクチャー」を極めることと矛盾していなかったのだ。表現は違っても――後にラボは「未来のオフィス」というスローガンを掲げるようになる――やるべきことは同じだった。テイラーいわく「中央集権型マシンを取り除き、誰もが自分自身のマシンを持てるようにする」のだ。

では、やるべきことをやるのは誰か。テイラーは「誰がやるのかについてははっきりしたアイデアがありました。アメリカ国内で最高の若手コンピューター科学者は誰なのか、個人的にすべて把握していましたから」

傑出した人材がラボに集まる

テイラーは、コンピューターサイエンス分野で正式な教育を受けていなかった。だからビジョンについては明確の目標を持っていながら、目標に到達するために具体的にどうしたらいいのか分からなかった。そこで頼りにしたのが「グレイビアード（賢者）」と名付けたＰＡＲＣインナーサークル（研究者集団）だった。

インナーサークルの一人であるセベロ・オーンスタインに言わせれば、テイラーは「指のないコンサートピアニスト」だった（オーンスタインはテイラーを尊敬していた）。なぜなのか。まず、遠くから聞こえるかすかなメロディーも聞き分けられるのに、自分でメロディーを演奏できない。次に、音の高低差や音の誤りを認識できるのに、自分で曲を作れない。要するに、誰かに頼らなければならないということだ。

テクノロジー業界は偉大なビジョナリーを輩出してきた。しかし、偉大なビジョナリー主導の下であっても素晴らしいアイデアが開花するとは限らない。事例は多数ある。テイラーの時代も例外ではなかった。

PARCを中心にした半径数キロメートルの世界に限っても二つの事例がある。一つは1970年代のテッド・ネルソン。「ハイパーテキスト」の名付け親であり、「ザナドゥ計画」と呼ばれる複雑な情報アーキテクチャーを構想したことで知られる。ザナドゥ計画は現在のワールドワイドウェブ(WWW)を予見していたばかりか、ある意味ではWWWを超えていたにもかかわらず、現実には何も生み出せなかった。もう一つはダグラス・エンゲルバート。彼が唱えたアイデアは素晴らしかった。それなのに、PARC内の二つのラボ(コンピューター科学ラボとシステム科学ラボ)が具体的プロジェクトを開始するまで、多くは棚上げ状態にあった。

テイラーは違った。PARCに卓越した才能を持つ研究者一団をスカウトしたうえで、ビジョン実現に向けて何年もかけて具体的プロジェクトを推進していくのだった。彼の考えでは、「飛び抜けて優れた研究者」が1人いるだけで「優れた研究者」が数十人いるのと同じ。上司のジェリー・エルカインドも事務の大半を引き受けるなどで、側面支援した。テイラーとエルカインドの2人を尊敬する研究者の一人は「ボブがリーダーだとすれば、ジェリーはマネジャーだった」と語る。

ARPA在籍時の人的ネットワークがあったことで、テイラーはターゲットにすべき研究者を容易に挙げることができた。幸いにも、ターゲットの中心となる若い大学院生の間ではなおも慕われ、感謝されていた(ARPA時代には気前よく研究室を資金援助していた)。そんな背景もあって採用活動は思うがままであった。[5] ユタ大で研究者のリクルートを始めた一方で、BBNから複数の社員を引き抜いた。ハーバード大ではネットワーク研究の専門家ボブ・メトカーフをスカウトした（同大でメトカーフは博士号取得に失敗していたにもかかわらず）。[6] ゼロックス役員の一人は「テイラーがいくつか電話をかけるだけですべて終わり。ターゲットの研究者はすぐにサインしてくれた」と回想する。

地元ベイエリアでは、テイラーはマイクロチップやエレクトロニクス業界を意図的に避けて、アカデミアに絞り込んで採用活動をした。カリフォルニア大学バークレー校（UCバークレー）では、ARPAプロジェクトに参画し、キャンパス近くでバークレー・コンピューター・コーポレーション（BCC）を創業したチームをごっそり引き抜いた。BCCは倒産の運命にあったため、創業に関わった若手コンピューター科学者の多くはPARC入りを大歓迎した。そのうちの一人であるバトラー・ランプソン――後に「世界で最も偉大なコンピューター科学者の一人」との評価を得る――は「われわれがBCCを創業したのは、それが研究プロジェクトを実際に進める唯一の方法だったから」と説明している（研究プロジェクトとは、ARPAの助成金を得て始まった「プロジェクト・ジニー」のこと）。

ランプソンと共にPARC入りしたチームメンバーはそろって傑出していた。まずはチャック・サッカー（ランプソンやケイと同様に後にチューリング賞を受賞する）。次にピーター・ドイッチ（システムデザインの専門家）。次にリチャード・シャウプ（カラーグラフィックスへの貢献を評価されて後にエミー賞を受賞する）。加えてジム・ミッチェル（エリートプログラマー）。最後にチャールズ・シモニー（ＰＡＲＣ後に文書作成ソフトウエア「マイクロソフトワード」の開発者として有名になる）。テイラーはＰＡＲＣのＵＣバークレー組を「私が率いるコンピューター科学ラボの中核部隊」と呼ぶ。

対話型コンピューター信者の集団

ＰＡＲＣ本部ビルの近くでは、テイラーはＳＲＩに籍を置くエンゲルバートの研究室に目を向け、ビル・イングリッシュをスカウトした。イングリッシュはコンピューターマウスの試作品第1号を作成し、１９６８年の「あらゆるデモの母」の技術面を支えたエンジニアだ。見返りにイングリッシュはエンゲルバート研究室から同僚研究者をリクルートした。結局、同研究室から総勢15人がＰＡＲＣに加わることになった。大半はテイラーのラボではなく、もう一つのシステム科学ラボ要員だった。

テイラーはエンゲルバート本人を引き抜こうとは一度も思わなかった。理論派エンジニアではなく実践派エンジニアを求めていたからだ（エンゲルバートは完全な理論派）。「私のラボにとって最も不要だったのがもう一人のビジョナリーでした。エンゲルバートはビジョナリー。自分自身が何を求めているのかも説明できませんでした」。そもそもエンゲルバートはＰＡＲＣを訪問することにさえ抵抗を感じていたようで、次のように語っている。「PARCには人に会うために2度行きました。でも、行くたびにいろいろ見せられた。『ほら、実際にはこっちのほうがいいんですよ』とか言われてね」

テイラーが採用した研究者はそれぞれ違う重要使命を与えられた。コンピューターを「偉大な計算機」から「商業用ツール」へ大転換させるビジョンに向けて、一致協力することになったのだ。ハードウエア専門家、ソフトウエア専門家、エンジニア、コンピューター科学者、プログラミング言語第一人者、「人間と機械の相互作用」大家——。誰もが頭脳明晰で独自の人脈を持っていた。テイラーはラボメンバー20人に向かって「コンピューターの従来型概念にとらわれるな!」とハッパを掛けた。

ラボメンバーにはもう一つ共通項があった。テイラーのビジョンはラボメンバーのビジョンでもあるということだ。アラン・ケイはバトラー・ランプソンと一緒に当時を思い出し、「われわれは信仰を新たにした対話型コンピューター信者でした。ここにやって来る前から信者だったのです。テイラーは信者以外絶対に入れないようにしていました」。ランプソンも同意し、「信者になると誓約して入会したわけじゃなかった」。

ラボメンバーがPARC入りするうえでテイラーの存在は大きかった。だが、ほかにも魅力的な点があった。高い給与水準はもちろんのこと、素晴らしい研究環境もあったのだ。例えば、PARCの研究者はSRIやスタンフォード大の研究者（特にSAILとして知られるスタンフォード人工知能研究所）と日常的に交流できた。大学の講義に顔を出したり、スピーチをしたりしたほか、スタンフォード大のキャンパスを訪れるアカデミア関係者に会うこともできた。スタンフォード大で講義をするラボメンバーも何人かいた。要するにPARCに加われば、授業や論文のノルマを課されずにアカデミアの知的刺激を謳歌できるのだ。[7]

週に一度のビーンバッグ会議

ラボには一つだけ絶対的ルールがあった。週に一度、全員がビーンバッグチェア会議室のミーティングに参加するということだった。テイラーにとっては、ラボメンバーが何時に出社していようが、何を着て仕事をしていようが、どうでもよかった。いつランチに出掛けていようが、ひげを剃っていようがいまいが、それもどうでもよかった。ただし、毎週火曜日にはビーンバッグチェアに座って意見交換しなければならなかった。場合によっては何時間も。これによって研究者同士が刺激し合い、ラボ全体が同じ方向に向かっていくのだ。サッカーとランプソンの言葉を借りれば、テイラーはビーンバッグ会議を使って「魔法のようなリーダーシップ」を発揮するのだった。

会議で最初に話をするのはいつも主宰者のテイラーだった。通常は空きポストや来客予定などの事務連絡を行ったうえで、ラボメンバーに対して近況報告するよう促すのだった。

ラボメンバーは若くて独身が多かった。そのため仕事を離れて一緒に行動することも多く、話題に事欠かなかった。①広々とした丘陵で一緒にサイクリングする、②PARCから数キロ離れた田舎町ポートラバレーに行き、レストランのアルパインインで昼食を共にする（アルパインインは親しみを込めて「ゾッツ」と呼ばれていた）、③3連休の週末にみんなで海岸沿いの山の中へ繰り出し、霧が立ち込めてひんやりした林道をハイキングする、④自宅のバーベキューパーティーにお互いを招待し合う、⑤自宅地下室でやる日曜大工をお互いに手伝い合う――といった具合だ。

テイラーは競技テニスを趣味にしていたことから、テニスがうまい同僚と試合するのを楽しみにしていた。場所は隣人宅の裏手にあるテニスコート。真剣勝負だからみんな汗だくになったものだ。試合を終えると、全員がテイラー宅に集まった。「ドクターペッパーはよく冷えておいしかった。ドアは開けっ放しで、風が気持ち良かった。誰でも出入り自由でしたね」とボブ・メトカーフは振り返る。

テイラーは近況報告に加えて不平不満も聞いた。カフェテリアの食事がまずい、必要なオフィス機器がそろっていない、秘書が働き過ぎ――。不平不満リストの上位常連は、しょっちゅう動かなくなるゼロックス製コピー機だった。

テイラーは耳を傾けてきちんとメモするようにしていた。「真にクリエイティブなコンピューター科学者は頑固者」と理解しており、「頑固者」の意見を尊重するように努めていた。例えば、ラボチームが別のビルへ引っ越す準備を始めたとき、メンバー全員を対象にアンケート調査を実施した。どんな電話システムを採用するべきか、意見を聞いておこうと思ったのだ。アンケート結果によると、20人全員がダイヤル式ではなくプッシュホン式の導入を求めた。一致点はこれだけだった。1人が秘書不要論を唱えた一方で、9人はいわゆる「アラン・ケイ方式」を提案（同方式を使えば、電話係が外からの電話をすべて取るから、研究者を煩わせずに済む）。また、5人は留守番電話のメッセージライトを嫌い、7人はインターホンを望んだ。

一見するとカスタム仕様の電話システムは取るに足らない話だ。それでもテイラーは真剣だった。結果として、PARC内には「研究者がボスのために働いている」というよりも「ボスが研究者のために働いている」という雰囲気が生まれた。

「論戦は健全であり、避けてはいけない」

事務連絡や近況報告が終わると、テイラーは「さて、ここから生煮えのアイデアについて語り合おう」と言い、本題に入るのだった。すると、研究者の一人がプレゼンターとして黒板の前に立ち、ルールを決める。プレゼン中でも質問を受け付けるのか？　それとも一切の発言を認めないのか？[8]　1時間プレゼンして、後の2時間を質疑応答に使うのか？　それともいくつかアイデアを投げ掛けて、後は自由討論にするのか？　テイラーによればプレゼンターは「ディーラー」だ。ポーカーゲームではディーラーがルールを決めるように、会議ではプレゼンターがルールを決める。そのうちビーンバッグ会議自体が「ディーラー会議」と呼ばれるようになった。

「ディーラー」という言葉には対立や敵対といった意味合いが含まれている。テイラーが好きな本の一つに1962年出版のハウツー本『ビート・ザ・ディーラー（ディーラーをやっつけろ）』がある。カードゲームのブラックジャックの必勝法を示した同書によれば、プレーヤーはゲーム中に常にカード計算を行うことで、ディーラーよりも優位に立てる。ディーラー会議の参加者も同じように行動してほしい、とテイラーは思った。自らの知見を生かしてプレゼンの中に弱点を見いだし、プレゼンターを論破するのだ。

実際にほとんどのプレゼンは期待通りの展開になった。プレゼンターが誰であっても、ふわふわのソファに腰掛けた参加者からブーイングを浴びたり、大声で反論されたりしたのである。激しい議論が巻き起こると、批判の矛先がプレゼン内容というよりもプレゼンター本人に向かうこともあった。そうならないようにテイラーは必要に応じて介入していたが、必ずうまくいくというわけでもなかった。それでも、毎週のディーラー会議は必ずいい結果を生み出した。テイラーが個人的なモットーとして語った言葉がある。「論戦は健全であり、避けてはいけない」

ディーラー会議がモデルにしていたのは、ARPA時代にテイラーが主宰していた研究代表会議だ。当時、彼は研究代表に対して「私が思い付かないような疑問があるはず。そのような疑問をお互いにぶつけ合って議論を盛り上げてほしい」と要望した。厳しい批判があってこそ思考が明確になり、個々の研究者の立ち位置と専門性が浮き彫りになる、と信じていたのだ。ディーラー会議も同じように位置付けていた。

PARC時代、テイラーは一つの経営スタイルを貫いていた。①いったん大きな方向性を決める、②技術的段階に入ったらラボメンバーにすべてを任せる、③プロジェクトが脱線したときに限って介入して軌道修正を図る——というやり方である。ラボメンバーの一人であるボブ・スプロールは1977年、カーネギーメロン大学へ転職するに際して次のように書いている。「ボブ（テイラーのこと）が描いたビジョンは人間に仕える対話型コンピューターであり、このためにわれわれは集められた。しかし日常の仕事に追われて、知らぬうちに脇道に逸れて目標を見失うこともある。そういうときには決まってボブが現れ、軌道修正してくれた」。アーパネット立ち上げの際もテイラーは同じ手法を取っている。目標を定め、適任の人材を採用し、必要に応じて介入したのである。

目標さえ見失わない限り自由であったからといって、テイラーは管理権限を放棄したわけではなかった。これ以上続けても無意味と判断すれば、容赦なく議論を打ち切った。ディーラー会議でプレゼンの質が下がってくると、「週1回やるのは無駄だから月1回にする」と宣言し、あえてチームの反発を買った。研究者同士の口論を目にして仲介役に出ることもよくあった。そんなときには必ず「たとえ一致点を見いだせなくても、自分の言葉で相手の見解を説明できるか？　相手に満足してもらえるほどきっちりと？」と問うのだった。相手の意見にもしっかりと耳を傾けろ、という意味だ。[9]時には不人気な決定も下した。ビジョンとは無関係な方向へ脱線した研究プロジェクトの閉鎖だ（その中の一つがカラーグラフィックスのプロジェクトだった）。

一方、テイラーはラボメンバーの技術的意見には逆らわなかった。なかでも頭脳明晰なバトラー・ランプソンの意見を尊重していた。29歳でラボ入りしたランプソンはスリムな体型でいつも活気に満ちていた。コンピューターサイエンスの会議に講演者として参加したときのことだ。直前の講演者が予定を大幅に超えて話をしたため、わずか15分で自分の話を切り上げて空港へ直行しなければならなかった。それでも彼の話は非常に的を射ていて説得力のある内容だった。

ランプソンはテイラーと同じくらい頑固でもあった。PARCに提出する研究レポートのアブストラクト（要旨）を書くのを拒否したこともあった。「誰にでも分かるように短く書く方法を知っていたら、最初から短い研究レポートを用意していた」と言い張った。ゼロックスが用意した新オフィスへ引っ越すときも、「不愉快な家具を使わされるくらいなら床に座って仕事する」と宣言した。

「ボブがバトラーと話をしているときは、まるで神の前にしているようでした」とセベロ・オーンスタインは回想する。「仮にバトラーが的外れなアイデアを語っていたとしたら、最悪だったでしょうね。どんなに的外れでも誰もが受け入れてしまっていただろうから。幸い、彼の言うことは大抵正しかったですけれど」

急進的な手法でラボ経営

ラボ経営で見せたテイラーの手法は急進的といえた。テイラーに対して全員が報告義務を負うという点を除けば、正式な指揮系統が何も存在しなかったのだ。新たな研究者を採用するときも、事実上全員が拒否権を持っていた。だから採決を取るのが習わしになっていた。司会役が「この人がＰＡＲＣに来なかったら、心底がっかりすると思う人は挙手をお願いします」と言い、全員が挙手したときに限って採用が決まった。ラボチームはテイラーの経営哲学を内在化していたといえる。

ラボメンバーのチャック・サッカーによれば、採用に関しては暗黙の了解があった。新規採用によってラボチーム全体の知能指数（ＩＱ）が底上げされなければならない、という不文律が存在したのだ。事実上の全会一致原則があったため、バトラー・ランプソンの言葉を借りればラボチームはいわゆる「グループシンク（集団思考）」に陥り、逸材を採用し損ねることもあった（一例はアルビー・レイ・スミス。ＰＡＲＣでは臨時社員扱いになって短期で去り、後に有力アニメスタジオになるピクサーの共同創業者になった）。しかし、新規採用組はラボメンバー全体の支持を得ているのだ。

もしラボチーム全体が「これはいいアイデア」で一致しているならば、テイラーはそのアイデア実現に向けてできる限り支援した。ラボメンバーのチャック・ゲシキによれば、「最大限の援護射撃を惜しまなかった」。ラボを最優先しており、ゼロックス全体の中で自分の立ち位置がどうなのかについては、あまり気にしていなかったという。

最初の数カ月間、ラボチームが最優先で必要としていたのは作業用コンピューターだった。未来のマシンを作るためには実験が欠かせず、実験のためにはコンピューターが欠かせない。化学実験室がビーカーや試薬、分光器などを手に入れないと実験を始められないように、ラボチームもコンピューターを手に入れなければ実験を始められないのだった。「化学実験室用道具一式のデジタル版」がコンピューターといえた。

どんなコンピューターがいいのか。ゼロックス本社はラボチームに対して、同社傘下に入ったSDSが開発・製造するコンピューターの利用を求めた。それに対して、ラボチームはSDS製コンピューターでは役に立たないと考え、代わりにゼロックスの競合製品DEC製「PDP-10」の導入を希望していた（すでに述べたように、テイラーはSDS製マシンについて「駄作」と一蹴している）。

テイラーはラボチームの要望を受け入れてペイクに提案。ペイク経由でゼロックス本社に要望が伝わると、本社の担当副社長が大陸横断便を使ってPARC本部へやって来た。直接研究者の言い分を聞き、PDP-10システムの購入を正当化できるかどうか判定するためだ。PD

P－10は100万ドルもするうえ、ゼロックスの競合製品であるだけに、安易に認めるわけにはいかなかった。

案の定、担当副社長はラボチームの要請を却下した。すると、研究者の一部は「SDSマシンを使うなら辞める」と言い出した。テイラーは研究者側に付いた。そんななか、ペイクは妥協案を示した。ラボはDEC製マシンを購入しない代わりに、自力でクローンマシンを作ったらどうか、と提案したのである。

コンピューターの自作で連帯感が生まれる

クローンコンピューターの設計・製造はラボ内のチームワークを育むうえで大いに役立った（クローンコンピューターはSDS創業者マックス・パレブスキーにちなんで、からかいの意味も込めて「MAXC」と名付けられた）。

1970年当時、コンピューターを組み立てるのは大変な作業だった。はんだごてとねじ回しを手にマシンを組み立て、オペレーティングシステム（OS）といくつかのソフトウエアプログラムをインストールすれば出来上がり、というわけにはいかなかった。個々の部品を設計・製造する、必要なプログラムを書く、どのメモリーを使うか決める、といったプロセスを踏まなければならなかった（メモリーについてはインテル製「1103」で決まった。「1103」のマーケティングを担っていたのは新入りのマイク・マークラだった）。

ラボメンバーは部品サプライヤーからの提案も審査した。協力し合って結論を出さなければならず、自然と連帯感を抱くようになった。過去に一緒に働いたことが一度もなかったメンバーも含めて、である。テイラーによれば、それまで「独奏者」がばらばらに演奏していたのに、いつの間にか団結して立派なオーケストラとなっていたという。

もっとも、ゼロックス本社の視点で見れば、研究者にクローンコンピューターを自作させるというのはとんでもない経営判断だった。ラボメンバー、つまりゼロックス社員は何カ月もの時間と数十万ドルもの資金を与えられ、すぐに使えるSDS製コンピューターを買わずに、ライバル会社のクローンコンピューターを組み立てていたのだ。ゼロックスはまた、最高のコンピューター科学者集団――ラボメンバーのこと――を活用してSDS製コンピューター用ソフトウエアを開発するという機会を逃してしまった。

SDSマシン――後にゼロックスに買収され、ゼロックス・データ・システムズ（XDS）と改称される――ではやりたい仕事ができなかった、とラボチームは主張した。[10] しかし、ゼロックス本社役員にとっては、ラボのコンピュータープロジェクトが進展するかどうかはどうでもよかった。彼らが気にしていたのは、本社に利益がもたらせるかどうかであり、そのためにはラボはSDS製コンピューター（つまりゼロックス製コンピューター）を使って製品を作らなければならなかったのだ。

ラボチームの要望を拒否した担当副社長は、後になって次のように語っている。「些細な行き違いでしたが、これが遠因になってPARCの未来が決まりました。PARCはゼロックス・グループの中で完全に孤立した存在になり、研究者のエゴを優先した技術開発に走るようになったのです。自分たちのしていることがゼロックスの未来にどんな影響をもたらすかについては、何も考えていませんでした。救世主にでもなったようなつもりだったのでしょうか、本社には何の忠誠心も持ち合わせていませんでした。彼らの関心は一点だけ。汎用コンピューターのくびきを解き放ち、情報技術（IT）分野で新たな領域を切り開く、という知的挑戦でした」

確かにテイラーは汎用コンピューターのくびきを解き放ちたかった。だからといってゼロックスに忠誠心を抱いていないわけではなかった（その点ではラボメンバーも同じだった）。事実、PARCのラボから生まれる技術に関心を持ってもらおうとして、向こう10年にわたって何度も本社首脳陣の説得に動くのだった。結局、無駄足に終わるのだが……。

幻に終わったアーパネット買収

1972年初め、ラボは重大局面に差し掛かっていた。焦点になっていたのは、テイラーの下で1966年に始動したアーパネットだった。

このころMAXCコンピューターが完成に近づき、ボブ・メトカーフの手によってアーパネットへ接続されようとしていた。ラボメンバーの間では「最終的な微調整がうっとうしい。あまりにも基礎研究からかけ離れている」といった不満が出ていた。

同時並行でテイラーの上司ジェリー・エルカインドが頭を悩ませていた。ゼロックスがアーパネット買収に名乗り上げるべきかどうか、決めかねていたのだ。ARPAはアーパネットを切り離し、第三者に売却しようとしていた。アーパネットは電話網と同じように公益事業として運営されるべきだとの考えが背景にあった。売却先の候補として浮上していたのがゼロックスだった。

テイラーと相談後、エルカインドはゼロックスの主任科学者ジャック・ゴールドマンと協力して特別チームを発足させ、アーパネット買収の是非について提言をまとめることになった。結局、特別チームの提言を踏まえてゼロックスは買収に名乗り上げるのを取りやめた（電話会社AT&Tも買収を検討したが断念した）。売却先がなかなか現れないなか、1975年にアーパネットは国防通信局へ移管された。

もしゼロックス（あるいはAT&T）が1970年代初めにアーパネットを買収していたら、どうなっていただろうか？　いろいろとちょっかいを出されてアーパネットは独立性を失い、アーパネットを原型として生まれたインターネットも現在のように自由奔放なネットワークにはならなかったかもしれない。ゼロックスのような企業がオーナーとなると、ネットワークへの参加者を選別したりネットワーク上の言動を厳しく規制したりする可能性がある。

新プロジェクトは「500ドルマシン」

ゼロックスがアーパネット買収を検討していたとき、テイラーは次の一手を打つ必要に迫られていた。ラボメンバーが新たなプロジェクトを探し求めていたのだ。そんななか、1972年2月にランプソンがディーラー会議で行ったプレゼンが注目を集めた。「これから開発すべきなのはシンプルなマシンです。高価ではないし、作るのも難しくない。現在ここにある部品で十分に間に合う」と彼は言った。「マシンはシンプルでも大抵のことはできる。何台もつなげてネットワーク化すれば、怖いものなし。人間がやりたいと思う仕事のほとんどすべてに対応できるようになるでしょう。向こう10年間にわたって」

翌週のディーラー会議ではランプソンとアラン・ケイの2人がより詳しいプレゼンを行った（ケイの考えでは、ランプソンのマシンはダイナブックへのつなぎであり、子どもでも扱えるマシン誕生への第一歩だった）。「アラン・ケイとバトラーの500ドルマシン」と題したプレゼンで、2人はいくつかの技術的アイデアを披露したうえで、興味を抱いたラボメンバーに対しては数日後のミーティングに参加するよう促した。

テイラーは興奮した。それもそのはず、18カ月前にラボを立ち上げた当初から「小型で使いやすいマシン」の開発を夢見ていたのだから。

ラボ発足当初、テイラーは自分のアイデア――将来「パソコン」と呼ばれるようになるマシンのアイデア――について自分の言葉でうまく表現できなかった。少なくともランプソンやチャック・サッカーに理解してもらえるようには語れなかった。

「ボブは両腕を振りながら対話型なんとかとか訳の分からないことをしゃべっていましたね」とランプソンは言う。「とんでもなく使いものにならない何かがあって、それについて一生懸命に語っているんだな、と解釈しました」。だからこそテイラーはランプソンのプレゼンを聞いて感激したのだ。

当時アメリカ各地の研究室――多くはＡＲＰＡの助成金を得ていた――で開発が進められていた個人向け対話型コンピューターは非常に高価であり、しかも1回限りの試作品でしかなかった。これはテイラーのラボが目指すべきアジェンダではなかった。

ラボが目指していたのは最初から決まっていた。現実の世界にいる大勢の人たちが実際に利用できるマシンの開発だ。ランプソンはユーザーが１００人以上に上るマシンの開発にしか興味を抱いてなかった。

その後ランプソン、ケイ、サッカーの3人を中心とするチームが発足し、１９７２年末までに具体的な計画を打ち出した。10～30台のアルトコンピューターを基にした新システムを開発しようというのだった。

ランプソンの歴史に残るメモ「なぜアルト」

12月、ランプソンは歴史に残るメモ「なぜアルト」を配布した。メモはテイラーとリックライダーが描いていたビジョンの先を行き、ソフトウエアとハードウエアの仕様を定めて具体的なマシンのイメージを詳述していた。マシンは机の下に収まるほど小型で、グラフィックディスプレー、キーボード、マウス（あるいはマウス以外のポインティングデバイス）を備えている。ほかのコンピューターやプリンターとつながり、ネットワーク化もしている。使いやすくて価格も手ごろな個人専用コンピューターだ。個人ユーザーにとって重要なのはコンピューターの計算能力だけではない、とランプソンはメモの中で強調していた。[11]

「安くて強力なパーソナルコンピューターの実用性についてわれわれが立てた仮説が正しいかどうか、アルト上でデモを行って証明しなければならない」とランプソンは書いている。「アルトコンピューター」ではなく「アルト」と表現しているのは、「アルトシステム」も念頭に置いていたからだ。「もし仮説が間違っているならば、原因を突き止めることができる」

それから数カ月にわたり、PARC内の二つのラボ――コンピューター科学ラボとシステム科学ラボ――は協力し合い、大急ぎでアルトの構築に取り掛かった。ランプソンのメモに従っていたのはもちろん、チャック・サッカーがハードウエアに関した書いたメモも参考にしていた。

システム科学ラボのラリー・テスラーは、ティム・モットと組んでグラフィカル・ユーザー・インターフェース（GUI）担当になった。日勤と夜勤の2交代制で1台のコンピューターを共同利用し、24時間体制でプログラミングに集中。交代時の1時間を打ち合わせに充てて作業を進めた。チャック・サッカーは当時の状況について「まるでスタートアップのような活気がありました。個人的には初めての娘が生まれたというのに、午前2時にミルクを飲ませるときを除いてほとんど会えませんでした。とても残念でしたね」と語る。

二つのラボは共通のビジョン実現に向かってしっかりと手を組んでいた。このころには彼らのビジョンは具体的なイメージに落とし込まれており、ラボ内で取り上げられる話題もシリコンやケーブルであったり、OSやマイクロコード、ルーター、0と1であったりした。すべては真の対話型ネットワークコンピューターを作り上げるという目標に向かっていた。現場で交わされる作業メモを見れば、ラボメンバーがどれだけ使命感に燃え、真剣だったのかが分かる。「こうした問題は解決可能だと思う」「僕の考えはこうだ」「コメントを待っています」「これは草稿にすぎません」――。なかでも二つのメモの題名が興味深い。「フラストレーションの発散」と「ここで一体何をしているのか？」だ。

ラボ内の規律は徹底していた。世界中の科学研究室が採用している決め事に従って、メモには「既読」「承諾」の印が押され、署名と日付が入っていなければならなかった。

ラボ内の士気が高まるなか、テイラーはラボメンバーの間で引き続きリーダーとして慕われていた。ラリー・テスラーは「たとえ取るに足らない問題であっても、ボブはドアを開けていつでも歓迎してくれました。一緒に解決策を練ってくれるんです」と回想する一方で、ボブ・スプロールは「私に全幅の信頼を置いてくれたのはボブです。私が自信喪失のときにも一生懸命に励ましてくれました」と書いている。

テスラーは折に触れてテイラーから一コマ漫画を手渡され、「これがまだ現実になっていないんだよね」と言われたという。一コマ漫画は未来のコンピューターを描いていた。1968年にテイラーとリックライダーが共同執筆した論文「コミュニケーションデバイスとしてのコンピューター」で使われた一コマ漫画のうちの一つだった。だが、テイラーはアルトの全体的ビジョンを予見できていたわけではなかった。「当時は一歩一歩前に進んでいました。何か一つを終えると、次に何をやらなければならないのかがはっきり見える——こんな感じでしたね」

具体的にはどういうことなのか。対話型コンピューターは計算能力よりも、コミュニケーションに最適化されるべきマシンだ。となると、アルトは計算機ではなく、ディスプレーを中心に構成されなければならない。ディスプレーに焦点を合わせるとなると、新たなOSが必要になる。新たなOSが必要になると、新たなアプリケーションが必要になる。目標はコミュニケーションであるから、新たなアプリケーションの筆頭格は文書作成プログラム（ワープロソフト）となる。このような連鎖が延々と続くわけだ。

「何か一つ決めると、次が明らかになった」とテイラーは当時を思い出す。「ネットワーク経由でプリンターへ文字を送るとしましょう。そうなるとネットワークが必要になるし、プリンターも必要になります。送る文字もどこかに保存しておきたいですね。となるとファイルシステムを築かなければなりません。文字について忘れてはならないことがもう一つ。電子メールを使って文章を書きたいですね。となると電子メールシステムも必要になる。以上はそれぞれ個別の問題ですけれども、見方を変えればすべて同じシステムの一部。チームが一つ一つ問題を解決していけるように全体を導くことが私の役割でした[12]」

一歩一歩、一つ一つ——。これを合言葉にしてテイラーとラボチームは近代的パソコン産業の礎を築いていったのだ。

1　テイラーはグラフィックス研究所――正式にはエンジニアリング大学情報研究所（IRL）――の収入を少し増やすと同時に、大学のコンピューター設備が在学生の間で広く利用可能な状態になるよう働き掛けていた。

2　1972年末までにコンピューター科学ラボは31人の陣容になっていた。大半は研究者であり、6人前後は事務職スタッフだった。

3　テイラーがSDS嫌いになった原因の一つとして考えられるのは、SDS創業者マックス・パレブスキーとの会話だ。テイラーが立ち上げたタイムシェアリングプロジェクト――何百万ドルにも上るARPA資金を使っていた――は失敗の運命にある、とパレブスキーは断じたのだ。テイラーは怒り心頭に発し、パレブスキーをオフィスから追い出したほどだった。「間抜けが突然あなたの家にやって来て、『こんな住み方をしていちゃいけない！』と言い始めたようなものです。我慢できますか？　どこかで堪忍袋の緒が切れるはずです」とテイラーは語る。SDSに対する否定的な見解――主任科学者ゴールドマンも同じ見解だった――は結果的に正しかった。1975年、ゼロックスはSDS買収に絡んで総額4億8400万ドルの減損処理を強いられた。

4　テイラーはさまざまなインタビュー（合計4回）の中でペイクを嫌っているということを明らかにしている。

5　初期採用組の中で、テイラーが欲していたのに当初不採用となったのがラリー・テスラーだった。待遇面の条件交渉でテイラー自身が直接相談を受けていなかったことが原因だった。テスラーは後にPARCのシステム科学ラボに加わっている。

6　メトカーフはその後ハーバード大へ博士論文を再提出し、PARC在職中に博士号を授与されている。

7　ラボ所属の研究者による論文のうち、最初に出版されたのは博士論文で、設立から3年後のことだった。研究者にとってはＡＲＰＡの助成金を得て研究を進める方法もあった。その場合には研究者は「国防に役立つ研究」であると説明しなければならなかったし、不人気のベトナム戦争に従事する国防総省からカネをもらわなければならなかった。

8　テイラーのコンピューター科学ラボでは最初のうち研究者は男性ばかりだった。後に女性も採用されるようになった。

9　テイラーは同じ口論であっても「段階1」と「段階2」を区別していた。段階1とは、双方がけんか腰になり、お互いに相手の意見をまったく聞かないし、まったく理解していない状態。段階2とは、意見を異にしてもお互いを理解している状態。彼の目標はたとえ一致点を見いだすのは無理だとしても、段階1の口論すべてを段階2にすることだった。

10　ＢＣＣからＰＡＲＣ入りしたチームは、ＳＤＳ製コンピューターについて詳しかった。ＳＤＳ製コンピューター「ＳＤＳ９４０」に改良を加えてタイムシアリングマシンとして使えるようにしていたからだ。ＳＤＳ９４０改良版の顧客第1号はティムシェアだった（サンドラ・カーツィッグのＭＡＮＭＡＮプログラムを取り入れたのもティムシェアだった）。

11　「ネットワーク内のコンピューターと同じぐらいにネットワーク自体も重要」という考え方は、テイラーがアーパネットについて描いていたビジョンを彷彿とさせる。彼は遠隔コンピューター同士をつなげる手段としてアーパネットを位置付けていたのだ。チャック・ゲシキに対して次のように語っている。「アーパネットは確かにコミュニケーションの可能性を広げるのに一役買った。でも、真にコミュニケーションに特化した対話型コンピューターシステムを目指すのであれば、やらなければならないことはたくさんあった。だからＰＡＲＣでやるべきことは決まっていた」

12　テイラーは自分の役割について「ラボ全体を導くこと」と説明しているが、これについてサッカーとランプソンはどう思っているのか。2人に聞いたところテイラーの説明はおおむね正しいという。サッカーは少しだけ修正を加え、「全体を導く」ではなく「全体をサポートする」とした。

第9章　稲妻に打たれる
――アル・アルコーン

「テレビ画面上でプレーできるゲーム」を見せられる

１９７２年６月、ちょうどゼロックスがアーパネット買収を検討していたころのことだ。誘いに来たんだな、とアル・アルコーンは思った。彼のサニーベールオフィスにノーラン・ブッシュネルが現れたのだ。上背があってぶっきらぼう。アルコーンがアンペックスで体験学習していたときに親しくなった若いエンジニアだ。青いステーションワゴンの新車に乗ってやって来た。

「これは社有車なんだ」とブッシュネルは言った。明らかに誇らしげだ。「僕の会社まで連れていくよ。いい物を見せてあげるから」

ブッシュネルはスタートアップを立ち上げ、テッド・ダブニーと一緒に「テレビ画面上でプレーできるゲーム」を開発したばかりだった。見習いのエンジニアとしてアンペックスに採用されたアルコーンにも協力してもらおうと考えていた。

2人はマウンテンビュー市内のオフィスへ向かった。ハイウェイに近いオフィスは千平方メートルに満たない広さで、エレクトロニクス製品の実験室と倉庫を足して二で割ったように見えた。一角にはオシロスコープと実験用ベンチ、別の一角にはキャビネット数台とスクリーンが置かれていた。キャビネットはまだ完成しておらず、スクリーンの背後からはケーブル類が飛び出していた。

ブッシュネルはアルコーンと一緒に、高さ180センチメートルを超えるファイバーグラス製キャビネットの前に立った。キャビネットは波打つようにデザインされており、目の高さにスクリーンを備えていた。「宇宙船の中みたいでしょう」とブッシュネルは自慢げに言った。それもそのはず、自らクレイ（工業用粘土）を使ってキャビネットをデザインし、実物大のクレイモデル（粘土細工）を作ったのだから（これを基に鮮やかな色のファイバーグラスを加工し、実物のキャビネットを成形したのは、ダブニーが見つけた地元スイミングプール製造業者だった）。キャビネットは、宇宙を舞台にしたシューティング型ファンタジーゲーム〈コンピュータースペース〉用だった。

キャビネットは非常に印象的なデザインだったので、SF映画『ソイレント・グリーン』の製作班から映画用に一台——白色の特別仕様——を使わせてほしいとの依頼が入ったほどだった。しかしアルコーンは、ファイバーグラスの微かな臭いを除けば、キャビネット自体には心を引かれなかった。ビデオゲームを初めて目にした彼にとって、関心はほぼ一点に限られた。市販テレビをスクリーン代わりに使うというブッシュネルとダブニーの発想だった。キャビネットに設置されていたのは、扱いにくそうなケーブルでつなげられたGE製13インチ白黒テレビ。火事を起こすには最適のテレビだな、とアルコーンは思った。

ブッシュネルがゲームのデモをやり始めると、アルコーンはにわかに興奮してきた。〈コンピュータースペース〉の原型となったのは、1963年にMITの非公式チーム（代表はスティーブ・ラッセル）が開発した人気シューティングゲーム〈スペースウォー！〉だった。全米各地のプログラマーがこのゲームに夢中になり、常時修正を加えていた。

彼らが〈スペースウォー！〉をプレーするために使っていたのは、ARPAの支援を受けたコンピューターサイエンス学科のタイムシェアリングマシンだった（ブッシュネル自身はユタ大在籍時に〈スペースウォー！〉で遊んだことがあった）。〈スペースウォー！〉を見ると、大半のプログラマーはゲームの面白さというよりもコンピューターの可能性に魅せられた。コンピューターは①スクリーン上にデータを表示できる、②軌道を計算できる、③いつ船が撃たれたのか認知できる――といった能力を備えていたからだ。

だが、アルコーンは〈コンピュータースペース〉の中にコンピューターが存在しないことも見抜いていた。「コンピューター（ブレーンボックス）」とうたっている宣伝用印刷物にも惑わされなかった。このような用途で使われるコンピューターはとんでもなく高価であると分かっていたからだ。[1] そんなわけで、スクリーン上のパターンや動きを制御しているものは何なのか、どうしても知りたくなった。

そこでアルコーンはキャビネットを開けて、中をのぞいてみた。テレビの配線を見て、あっと言う間に魅了されてしまった。ブッシュネルとダブニーの2人は専用論理回路をいじり、〈スペースウォォー!〉のゲーム機として使われていたタイムシェアリングコンピューターと同じ効果をつくり出していたのだ。非常に賢いやり方だった。コンピューターなし、ソフトウエアなし、フレームバッファー(画像データを一時的に保管するメモリー領域)なし、マイクロプロセッサーなし、少数のフリップフロップ回路を除けばメモリーチップなし——。にもかかわらず、2人はスクリーン上にドットを表示して動かしていたのである。

大企業を辞めてスタートアップへ転身

アルコーンは素人ではなかった。10代のころからテレビを修理して小遣い稼ぎをしていたし、アンペックスでは高画像ディスプレープロジェクトに取り組んでいたのだ。それでもキャビネットの中を見てにわかに信じられなかった。こんなことはほとんど不可能だ!

聞きたいことは山ほどあった。しかし、ブッシュネルは「まあまあ、ちょっと落ち着いて」と言うだけだった。そして「一緒にスタートアップをやらないか」と誘い、月額千ドルの報酬とスタートアップ株の10%を提示した(ブッシュネルとダブニーはそれぞれ350ドル拠出して全株式の50％ずつを保有していた）。

スタートアップは「シジギ（朔望）」と名付けられていた（「シジギ」は三つの天体が一直線に並ぶことを意味する）。だが、別の会社が商標登録していたことが分かり、社名はすぐに「アタリ」へ変更された。「アタリ」はブッシュネルとダブニーが大好きな囲碁の用語であり、チェスの「チェック」と同じような意味を持っている。ブッシュネルは後になって「アタリ」を再定義して「のみ込まれてしまうという意味」としている。

シジギはピンボールマシン大手バリーなど製造業者向けにゲームを設計・デザインするだけで、自らは生産・販売を手掛けていなかった。そのため〈コンピュータースペース〉の生産は地元企業ナッチング・アソシエーツに委託していた（シジギが入居していたオフィスの大家はナッチングだった）。

アルコーンはブッシュネルとダブニーの大胆さに感銘を受けた。大企業を飛び出して起業するような人間にそれまで出会ったことがなかったからだ（ブッシュネルとダブニーはアンペックスを辞めていた）[2]。起業は正しい選択のように思えた。激動の１９６０年代を経て、意欲と才能にあふれる若者が自分たちでルールを決めて未来を切り開こうとしていたのだ。

しかし一方で、ブッシュネルが提示した月額報酬は気掛かりだった。誘いを受け入れれば、アルコーンはアンペックス時代と比べて17％の減給を受け入れる格好になる。アタリ株の10％も、いつか会社自体がつぶれて無価値になると思い、魅力を感じなかった。両親に相談すると猛反対された。「そもそも検討していること自体が信じられない」「ゆっくりと自滅に向かうということが分からないの？」「うさんくさい会社だから経営者はきっと夜逃げする。その後どうするの？　仕事があるとは限らないよ」――。両親は若いころに大恐慌を経験し、飢え死にする失業者を見ている。[3] 安定した大企業であるアンペックスを辞めるという選択肢はあり得ないのだった。

冷戦・ベトナム戦争世代のアルコーンは、「大組織・大企業に入れば安心」と考える両親の温情主義的価値観には共鳴できなかった。彼が見た限りでは、アンペックスは財務上の問題を抱えており、将来も安全という保証はどこにもなかった。アメリカ最大の組織で最も安定している連邦政府はどうか。ベトナム戦争に大勢の若者を送り込み、数千人に上る犠牲者を出している。警察はどうか。ピープルズパークの非武装デモ参加者を守らなかったどころか、彼らに向けて発砲している。既存エスタブリッシュメントを信頼する理由はどこにも見当たらなかった。

恋人（未来の妻）であるケイティに相談してみたところ、「ここはイチかバチかやってみるべきでしょう」と背中を押された。そもそも子どもはいないし、住宅ローンとも縁がなかった。アタリが倒産しても、ほかの仕事を探せばいい、と思った。マウンテンビュー周辺には電気工学系エンジニアを募集している企業は多く、仕事はいくらでもあるから心配無用だ。

アルコーンは用心深い冒険家だ。結局、何も失うものはないと考え、ブッシュネルとダブニーのチームに加わることにした。人生は短いのだから、リスクを取って挑戦してみるべきだ！

アタリでは初日からがっかりする

アルコーンはアタリでは初日からがっかりさせられた。新オフィス——サニーベール市スコット大通りの賃貸オフィス——に出向いて、初めてブッシュネルのアントレプレナーシップ（起業家精神）がまがいものであると知ったのだ。確かにブッシュネルはダブニーと共にスタートアップを立ち上げたが、セーフティーネットに守られて何のリスクも負っていなかった。ナッチングの社員だったのだ。しかも、アンペックスよりも高い給与をもらっていたうえに、個人事業主としてナッチングからライセンス料の支払いまで受けていた。

ブッシュネルは妻に対して「カリフォルニアに来たら2年以内に起業する」と宣言していた。ナッチング正社員になっていたことについては「丸め誤差みたいなもの」と見なし、ビデオゲーム事業の話をするときには触れないことにしていた。ナッチング正社員の件をアルコーンになぜ言わなかったのか？　「正社員よりも起業家のほうがかっこ良く聞こえるから」と答えている。

ブッシュネルは見た目を大事にしていた。社員第1号となった受付係には、「電話がかかってきたら必ず『少しお待ちください。ミスター・ブッシュネルかミスター・ダブニーがいるかどうか見てきます』と言って保留にすること」と指示した。たとえ彼女の目の前に2人がいたとしても、である（受付係はブッシュネル家が雇っていた17歳のベビーシッターだった）。スタートアップ初期に成功した秘訣については「情熱的に振る舞ってぺらぺらしゃべること」と説明している。

間もなくしてアルコーンは再びだまされたと思った。アタリ入りする前、ブッシュネルに対して「アンペックスにゲームに興味があるかどうか聞いたのですか？」とただしたことがあった。アタリはアンペックス製部品を使って〈コンピュータースペース〉を組み立てていたから、アンペックスに対してライセンス供与を申し出るべきではないかと考えたからだ。ライセンス供与を申し出たけれども断られた――これがブッシュネルの返事だった。しかし真相は違った。ブッシュネルがアンペックスを生産委託先にする計画は、はなから存在しなかったのである。[4]

2度あることは3度ある。アルコーンの場合も3度目があった。ただし何週間にもわたって真相は隠されたままだった。

あるとき、ブッシュネルはアルコーンに対して「ピンポンゲームを作ってくれ」と指示した。すでにGEと契約を終えているとしたうえで、二つ留意点を挙げた。一つ目はゲームの見え方。スクリーンを二つに隔てるラインや両サイドに現れるラケットも含め、具体的なイメージを示した。二つ目は開発コスト。できるだけコストを下げるために、使用するチップ数を20個以内にとどめるのが理想と伝えた。こうなると、アルコーンが称賛する「ビデオ表示技術」を使う必要があった。

「GEが驚くようなゲームを作る」と決意したアルコーンは、大通りエルカミーノレアル沿いの百貨店に直行し、最高の白黒テレビを調達した。オフィスに戻ると、主に三つの工夫を施した。第一にラケットの面。いくつかの区分を設け、ピンポン玉がどの区分に当たるかによって跳ね返る角度が変わるようにした。第二に音。ピンポン玉がラケットに当たるときの音を出さなければならない。テレビ受像機内の同期信号発生器が特定の音を内包していると分かり、少し修正を加えることで効果的な音を出すことに成功した。第三にピンポン玉のスピード。ラリーが続くとスピードが徐々に上がるようにした。

アルコーンはまた、プログラムにバグがあることに気付いたが、そのままにしておいた。このバグがあるとラケットがスクリーンの端まで届かないため、どんな達人であっても失点する可能性が出てくる。言い換えれば、それだけ挑戦しがいがあるゲームになるということだ。

だまされて〈ポン〉の試作品を完成

アルコーンはこのようなデザインを見せて、創業者2人にアドバイスを求めた。ブッシュネルは「いいショットのときには聴衆の歓声が欲しいね」と提案すると、ダブニーは「ミスしたときにはブーイングとかヤジがあるといいんじゃないかな」と付け加えた。2人のパーソナリティーの違いを完璧に示した意見だった。ブッシュネルは完全に情熱的、ダブニーはどちらかと言えば慎重なのだ。

それからわずか3カ月後、アルコーンはきちんと動く試作品を完成した。〈ポン（PONG）〉と名付けた（名付け親はブッシュネルの可能性もある。2016年に2人はどちらが名付け親なのか聞かれると、そろって相手を指さした）。ゲームは上出来だと思ったが、一つ不安を抱えていた。ブッシュネルからチップ数を20個以内にとどめるよう指示されていたのに、70個以上も使っていたのだ。これではGEの基準を満たしていないのは明らかだった。そんなことから、ブッシュネルには「ゲームは完成したけれども複雑過ぎるから、作り直します」と申し出た。

それに対してブッシュネルは「ゲームをやってみようじゃないか」と提案した。もちろん開発段階ですでにプレーしていた。しかし今回はいつもと違った。ラリーのたびにエキサイトして、ついには「素晴らしいゲームだ」と宣言したのだ。「素晴らしい」には具体的な意味合いを込めていた。簡単にプレーできるけれどもマスターするのは難しい、と言いたかったのだ。「でもチップ数が多過ぎるから、GEから拒絶されるかもしれない」とやきもきするアルコーンの不安顔を見ても、ほほ笑むだけだった。

少し間を置いて、ブッシュネルは種明かしをした。実はGEとの契約はうそで、存在しない――。〈ポン〉は単なる社内プロジェクトで、アルコーンがビデオ表示技術をマスターするための舞台にすぎなかったのだ。アルコーンは驚きながらも怒りを覚えることはなかった。

それから3年後にも同じように驚いた。ブッシュネルが最初に「ピンポンゲームを作ってくれ」と指示したとき、実在するゲームを念頭に置いていたことを初めて知ったのである。実在するゲームとは、マグナボックス製テレビゲーム機「オデッセイ」用のピンポンゲームだった。[5] 言い換えれば、アルコーンはマグナボックスのピンポンゲームを再現するよう命じられていたのだ。何年も後になって当時を振り返り、「まるで映画『プロデューサーズ』みたいでしょう」と語っている。「マグナボックスからアイデアを盗もうとしていたわけです。でも、失敗作を盗んだところで、何か問題でもありますか？ 結果的にはどんでん返しになり、失敗作を基にしたゲームが突如として大成功したけれども」。マグナボックスはその後アタリを特許侵害で訴え、最終的には和解している。

ブッシュネルのだましや誇張によってアルコーンは技術的な才能を開花できたといえる。「もともと『それはできない』とか『それはやりたくない』が口癖だったんです。ノーランのおかげで行動を起こし、自分の才能を実際に使えたのでしょうね」。技術的な才覚を備えていたのに、夢に向かって突っ走る若者になり切れなかった。だから、背中を押してくれるブッシュネルのような人間を必要としていたのだろう。

一方、ブッシュネルは常に想像力にあふれていた。毎日のように新しいアイデアがひらめいていたから、常にポケットの中を走り書きのメモでいっぱいにしていたほどだ（メモがポケットの中に入り切らずに、しょっちゅう床にもこぼれ落ちていた）。だが、技術的な才覚には恵まれておらず、ビジョンを実現するためにはアルコーンのような人間の協力を仰がなければならなかった。「ノーランは夢想家でした」とアルコーンは言う。「彼の夢を実現するという損な役回りを演じたのが私でした」

バーで〈ポン〉の顧客第1号

〈ポン〉はとても良く出来ているから、バリーにライセンス生産してもらう、とブッシュネルはアルコーンに伝えた。アタリはすでにバリーと契約を交わしており――今度は本物の契約――新しいビデオゲームとピンボール機を開発することになっているという。

ブッシュネルはすぐにバリー本社のあるシカゴへ飛び立った。宿泊代を浮かすため夜行便を使い、空港でシャワーを浴びて好みのスーツに着替えた。バリー役員に会うと、持参したプロトタイプ基板を見せながら、〈ポン〉の素晴らしさを力説した。バリーのピンボールゲームが通常1人で遊べるのに対して、〈ポン〉は2人でプレーしなければならない点については、「いずれ1人でプレーできるバージョンも用意します」と約束した。

バリー役員は「検討する」と言うだけで、確約を控えた。

カリフォルニアでは、テッド・ダブニーの手によって〈ポン〉用キャビネットが完成した。美しくデザインされたグラスファイバー製の〈コンピュータースペース〉用キャビネットとは、似ても似つかなかった。オレンジ色に塗られただけのシンプルな木箱だったのだ。二つの銀色ノブを使ってスクリーン上のラケットを操作する仕組みを採用していた。唯一の美的セールスポイントは、正面の鉄製パネルに刻まれた文字「PONG」。木箱の側面にダブニーが溶接したコイン投入口は、コインランドリーや遊園地用乗り物に取り付けられているのと同じタイプだった。

ブッシュネルがカリフォルニアに戻るや否や、アルコーンはプロトタイプ基板を受け取って白黒テレビに接続し、ダブニー製作のキャビネットにはめ込んだ。これから共同創業者2人と一緒に近所のバー「アンディ・キャップス・タバン」へ行き、実験するのだ。

アンディ・キャップスは薄暗くて煙が漂っていた。1972年夏のサニーベールで見られた多くのバーと同様に、安ビールとピンボール機を売り物にしていた。ピンボール機を提供していたのはアタリだ。同社は当時、バーにピンボール機を提供する代わりに、売り上げの一部をもらうサイドビジネスを展開していた。ブッシュネルとダブニーがオーナーをよく知っていたことから、アンディ・キャップスもサイドビジネスの顧客として取り込んでいたのだ。

ブッシュネル、ダブニー、アルコーンのアタリ社員3人は〈ポン〉を装飾用木樽の上に置いた。あまり目立たなかった。隣に置かれていたのが派手なマシンであっただけに、なおさらだった。派手なマシンとは、かっこ良く光っているピンボール機と美しくデザインされた〈コンピュータースペース〉だ。ブッシュネルがオーナーを説得して、〈ポン〉に先立って〈コンピュータースペース〉を置かせてもらっていたのだ。

それでも動きがあった。ピンボール機周辺に集まっていたマトンチョップひげの一団から2人が離れ、〈ポン〉に近づいたのだ。1分後、2人は25セント硬貨を投入。遊び方については何の説明も用意されていなかったのに、自力ですぐにプレー法を習得した。スクリーンの前でお互いに頭をくっ付けながら、楽しそうに数分間遊んでいた。ゲームを終えると、再び硬貨を投入することなく立ち去った。

ブッシュネルは立ち上がった。「2人に話し掛けてみる」。どのくらいゲームを気に入っていたのか、聞いてみたかったのだ。

ブッシュネルは顧客第1号に近づいた（アルコーンも後に続いた）。〈ポン〉に目をやりながら、中立的なトーンで「こんにちは。あのゲーム、どうでしたか？」と尋ねた。

「ああ、あれね。昔やったことがあるよ」と一人は答えた。「あのようなゲームを作っている人も知っているんだ」

ブッシュネルもアルコーンも彼の発言を修正しようとはしなかった。ゲームを気に入ったかから〈ポン〉のことを知っているふりをしたのは明らかであり、開発者としてうれしかった。ブッシュネルは「自分で作ったゲームを他人が楽しそうにプレーしていたんです。まるでスタンディングオベーションをしてもらっているような気分でした」と回想する。

1週間後、アルコーンはアンディ・キャップスの店長から電話をもらった。「調子がおかしいんです」

すぐに中古の１９６３年式キャデラックフリートウッドに飛び乗り、現地に駆け付けた。店内に入ると〈ポン〉で遊んでいた一団に囲まれた。「何が問題なのか調べますので、何回かプレーさせてください」とだけ言うと、コイン箱を開錠するためにかがんだ。内側のスイッチを入れれば、硬貨を入れなくても何回でもプレーできるようになるのだ。

アルコーンはキャビネットのドアを開け、中を見てびっくりした。コイン箱として使っていたコーヒー缶から25セント硬貨があふれ出し、板張りの床をいっぱいにしていたのだ。硬貨を全部集めれば１００ドル前後になっていたに違いなかった。コイン箱が満杯になっていたことから機能不全となり、硬貨を入れてもゲームを始められなくなっていたのだ。

アルコーンは硬貨の半分を回収し、残りの半分と自分の名刺を店長に手渡した。「また動かなくなったら、すぐに私に電話してください。いつでも直しに来ますから」。とりあえずのところは応急処置としてコーヒー缶を取り外し、代わりにもっと大きな容器を用意した。特大の牛乳パックだ。

アルコーンはブッシュネルに連絡を入れ、「コイン箱事件」について説明した。コイン箱事件を売りにすれば、バリーは〈ポン〉のライセンス生産にゴーサインを出すのではないかと読んだのだ。ブッシュネルは再びシカゴへ飛び立ち、バリー役員と会う予定になっていた。[6]

だが、アルコーンの読み通りには事は進まなかった。

ライセンス生産をやめて自社生産する

ブッシュネルはシカゴ出張を終えてカリフォルニアに戻ると、アルコーンとダブニーを誘って再びアンディ・キャップスへ視察に行った。３人はいつものテーブルに座り、観察を始めた。何が起きているのかすぐに分かった。誰もが〈ポン〉をやりたがっていたのだ。事実、プレーの順番を確保しようとして、次々と25セント硬貨をキャビネットの上に置いていくではないか！

数分後、ブッシュネルは口を開いた。

「バリーにライセンス生産してもらうのはやめにしよう。バリーには〈ポン〉とは違うゲームを提供すればいい」

アルコーンにとっては寝耳に水だった。「でも、その場合、〈ポン〉はどうなるんですか？」

この質問をブッシュネルは待っていた。「アタリが〈ポン〉を作るんだ。自社工場を建てて猛スピードで組み立てる。１日１００台も可能。大ヒットして、アタリは大企業になる」。彼自身は事業全般に責任を持ち、アルコーンはエンジニアリング部門、ダブニーは生産部門担当になるという。

誰も会社を経営したことはなかったし、誰も生産現場を監督したこともなかった。一からすべてやるとなると、大変な作業になるのは確実なのに、ブッシュネルは何も気にしていないようだった。かねて「能力ある人間ならば、どんな領域でも3年でマスターできる」と豪語していた。加えて、〈コンピュータースペース〉をライセンス生産していたナッチングに不満だったこともあり、自社生産に挑戦してみたかったのだろう。ナッチングについては、彼らしいカラフルな表現でこう語っている。「ナッチングのやつらはゲームを発売できた。でも、その後が駄目だった。自分の両手で自分のケツを探り当てることさえできなかった」

ブッシュネルは自社生産計画を話し終えると、ビールをごくりと飲み込んだ。アルコーンはふと疑問に思い、直接こう聞いてみた。「バリーは〈ポン〉のライセンス生産を拒否したんですか?」

ブッシュネルは直接回答しなかった。実のところ、ダブニーにもアルコーンにも相談せずに、バリーへの売り込みをやめていた。同社役員に対して〈ポン〉のライセンス生産を依頼するどころか、逆にライセンス生産を断念するよう働き掛けていたのだ。アルコーンは「コイン箱事件を聞いてバリーは前のめりになる」と読んだのだが、本当に前のめりになったのはバリーというよりもブッシュネル本人だった。そもそもバリーに生産を委託するとなると、アタリは売り上げの3%しか得られない。ブッシュネルは3%ではなく100%を目指していた。

ブッシュネルはアルコーンとダブニーに対してすべてを秘密にしていたわけだ。それまでの経緯を説明しないまま、「既存の大手メーカーに生産委託するよりも自社生産したい」と繰り返し言うだけだった。

アルコーンは反対した。〈ポン〉の生産はやりたくない、ゲームを設計・デザインするだけでいい、大企業（あるいは大工場）のようにはなりたくない――。UCバークレーの元ヒッピーとしては、「資本主義者の犬」になるのはまっぴらごめんだった。そもそもエンジニアなのだ。いや、正確には3人ともエンジニアなのだ。それならば元の計画通りに設計・デザインに特化して、生産は第三者に任せればいい。ダブニーも同じ意見だった。[7]

ブッシュネルは聞く耳をまったく持たなかった。アルコーンとブッシュネルから反対されると、1分ほど間を置いて「われわれはすでに生産ビジネスを始めているんだよ」と言った。そして再びビールを飲み始めた。もう決定を下していたのだ。バリーではなくアタリが生産を手掛ける![8]

アルコーンは帰途を急いだ。自宅の正面玄関を抜けるなり、恋人のケイティに向かってこう叫んだ。「ノーランはどこかおかしい！　1日100台のマシンを生産するだなんて！」。アンペックス時代を振り返っても、このようなスピードで製品が生産されるのを見たことがなかった。

数時間にわたってケイティと意見交換し、アルコーンは今後の方針を決めた。ブッシュネルの計画はばかげているけれども、とりあえず付き合ってみよう！　毎日オフィスに行き、ブッシュネルの指示に従って仕事をする。もし生産がつまずいたら、彼に向かって「だから警告したのに」と嫌味を言うのだ。

試作品は大成功、いよいよ大規模生産へ

とりあえず試作品を数台製作し、ほかのバーにも置いてテストを続けてみよう、とブッシュネルは提案した。そのうえで修正を加えて、最終バージョンを決めるのだ。ダブニーはサンタクララにある地元の町工場P・S・ハールバットを見つけ、背の高いキャビネットの製作を依頼した。この中にゲームのスクリーンと部品を入れるのだ。

一方、アルコーンはアンディ・キャップスへ行き、〈ポン〉が直面した問題点を再点検した。コイン投入口から放り込まれた硬貨を数えてみると、何が必要なのか分かった。硬貨一つでプレーヤーは通常ノブを何十回も回す。20～30回だとすると、3カ月間で100万回転しても壊れないポテンショメーター(可変抵抗器)を手に入れなければならない。直ちに新しいポテンショメーターを探し始めた。

ブッシュネルも一つ改良点を思い付いた。ゲームの遊び方を表示するのだ。ばからしい提案だ、とアルコーンは思った。アンディ・キャップスでは誰もが自力で遊び方を見いだしていたではないか！　だが、ブッシュネルの指示に従うと決めた手前、あえて反論しなかった。そこで、ゲーム機の前面に三つのコマンドを書いた。

・25セント硬貨を投入せよ
・自動的に打たれるサーブを待て
・球を打ち返して高得点を狙え

数週間以内で合計10軒のバーが店内に〈ポン〉の試作品を設置した。アルコーン、ブッシュネル、ダブニーの3人は頑丈なマシンを作ったと自負していた。だから、ビールジョッキを手にした酔っ払いが荒っぽいプレーをしたとしても、心配無用と考えていた。実際には読みは甘かった。

例えば、〈ポン〉のキャビネットを目掛けてビリヤードの球を投げ付ける乱暴者もいた。うまく当てれば無料でプレーできるかもしれないと思ったようだ。誰かが強く揺さぶり――あるいは過度に使用して――コイン箱の硬貨がプリント基板上に落ち、マシンがショートを起こすこともたびたびあった。

マシンを壊す張本人がバーのオーナーであることもあった。ピンボール機を修理する感覚で〈ポン〉を修理しようとしたからだ。ピンボール機が故障すると、通常はドライバーや鉄工やすりを使って直す。フリッパーや機械式リレー、ライトで構成されているから、それで何の問題もなかった。〈ポン〉の場合、オーナーはどうしたのか。音が十分に出なくなったり、スクリーンが暗くなったりすると、ピンボール機を直すときのように行動した。キャビネットを開けて、とりあえず手が届くダイヤルを回したのだ。それが電源装置のダイヤルだとは知らずに。実際、アタリがバーから回収した試作品の電源装置はことごとく壊れていた。

このような問題がありながらも、〈ポン〉が毎週生み出す収入は150ドル前後に上り、一般的ピンボール機の3~5倍にも達していた。売りは二つあった。一つは直感的な操作。ノブを回して、ラケットを動かすだけでプレーできた。もう一つは画期的な画像。1972年当時の一般アメリカ人が画面上で目にしていたイメージは、地上波テレビ局が放送する番組やスクリーンに投射されるスライド、映画館で公開される映画にもっぱら限られていた。〈ポン〉はまったく違った。双方向のゲームであり、スクリーン前の人間がスクリーン映像を自らコントロールするテレビだったのだ。そんなことから、プレーヤーから不思議な質問を投げ掛けられてもブッシュネルは驚かなくなった。「テレビ局はプレー中のノブ操作をどうやって把握しているのですか？」

そのうちアルコーンは「朝9時にバーの外に行列ができている」などと聞くようになった。酒を飲むための行列ではなくて、アルコーンいわく「くだらないポンゲーム」をやるための行列だ。

同じころバークレーでも〈ポン〉が人気になっていた。市内でアタリのアルバイトを引き受けていたのは、工学専攻の学生スティーブ・ブリストウ。バーに置かれていたピンボール機の維持・管理に加えて、週1回の硬貨回収を担当していた（アルコーンと同様にアンペックスで体験学習プログラムに入ったこともあるし、アンペックス製部品を使った〈コンピュータースペース〉の組み立てを手伝ったこともあった[9]。

バーに〈ポン〉が設置された後のことだ。アタリ用のキャンバス袋が千ドル相当の硬貨で膨れ上がるようになった。ブリストウはひったくりに遭わないかと不安になり、警察に銃携帯の許可を求めたが、認めてもらえなかった。そこで奇抜な代替策を思い付いた。屋根修理のアルバイトをしていたときに使っていた手おのを利用するのだ。自分で手おのを持つわけではない。手おのを手にした妻の後を歩く形にするのである。硬貨で重くなったキャンバス袋を抱えながら。後に当時のことを思い出し、「たとえバークレーでも、手おのを持ったイカれ女を見たら、誰でも脇によけて道を空けるでしょう」と語っている。

〈ポン〉の試作品が大成功したことで、ブッシュネルとダブニーはがぜん燃えてきた。「こんなに人気になるなんて、本当にぶったまげましたね。稲妻に打たれたような衝撃でした」とアルコーンは振り返る。アタリは直ちに大規模生産の準備に取り掛かった。

ブートストラップ型経営に成功

ブッシュネルは会社経営では経験ゼロだったものの、経営者として欠かせない強みをいくつも備えていた。アンペックス時代には上司の人事考課の中で「いつかリーダーになる素質がある」と認められていたし、当時ビデオゲーム業界を取材していたジャーナリストからは「6歳児以下の子どもを除けば、新しいゲームについて彼ほどわくわく語れる人間はいない」との評価を得ていた。実際、リーダーとして比類なき情熱を傾けて、アタリの取引先と社員を魅惑することになる。

無類のゲーム好きであったことから、日常生活の中で自らゲームを創作することもあった。元アタリ社員の一人はこう語っている。「壁に2匹のハエが止まっていると、ノーランは賭けをするんです。どちらが先に飛び立つかを予想して、当てたら勝ちです」

しかしブッシュネルは孤独であり、メンターにも恵まれなかった。後ろ盾となってくれるベンチャーキャピタリスト、アドバイザーとなってくれるビジネススクール教授（あるいはコンサルタント）、頼りにできるビデオゲーム業界のリーダー、競合会社との比較でアタリの業績を評価してくれるアナリスト――。どれも彼にとって無縁だった。アタリと契約している弁護士はいたものの、会社登記以外では役に立ちそうになかった。会社経営という点ではダブニーもブッシュネルと同じくらいに疎（うと）かったし、アルコーンは話にならなかった。

代わりにブッシュネルは本を読んだ。チェスや囲碁の戦略本を読みあさったのと同じように、ビジネス書を読みあさった。古典的な経営戦略はもちろんのこと、奇手奇策も探し求めて。会社名の決め方や顧客開拓の手法に関する本も手に入れた。

ブッシュネルはたくさんの本を読んで、一つの結論を下した。ビデオゲームが大きなビジネスになるのならば、大きなゲームをプレーするように会社を経営すればいい――。そのためには、関係するプレーヤー全員のモチベーションを解明しなければならなかった。社員や顧客、サプライヤー（仕入れ先）のほか、アタリに対して高利で250万ドル融資した銀行のモチベーションも勝敗を決めるカギとなる。

ブッシュネルは直ちに動いた。〈ポン〉用テレビやチップ、ケーブルハーネス、キャビネットのサプライヤーと交渉し、支払期限については仕入れ後30～60日以内とすることで合意を取り付けた。同時に、納入先である顧客――〈ポン〉の工場出荷を待ってまとめ買いするゲーム流通業者――に対しては納品時の即金払いを求めた。1台当たりの販売価格1100ドル、製造原価600ドルを考えると、典型的「ブートストラップ型経営」に成功したことになる。利幅が大きいから外部資金に頼る必要がなく、自己資金だけで自律的成長を遂げる体制を築いたのだ。

ブッシュネルとダブニーは求人広告に使う時間と経費も惜しみ、近所の職安事務所や職業訓練所を訪ねてその場で工場要員を採用した。職業訓練所の所長は2人の前に学生数人を連れてきて、「いい子だから雇ってあげて」などと言ったものだ。

結局、6カ月で7千台の〈ポン〉が売れた。ブッシュネルが目標にした1日100台に届かなかったとはいえ、大成功であるのは間違いなかった。当初、〈ポン〉の大半はバーやゲームセンターに設置されていた。だが、時間とともに空港やホテル、高級百貨店も〈ポン〉に関心を寄せ、注文を入れるようになった。ビリヤードやピンボールには決して興味を示さなかったのに、である。比較的静かで目新しく、最先端というイメージに引かれたのだ。

追い出される共同創業者テッド・ダブニー

〈ポン〉の大成功を受けて、アタリは生産拠点をサンタクララのローラースケートリンク跡地に移した。アルコーンはエンジニアリング部長として小さなチームを率いて、新ゲームの開発に取り組んでいた。チームメンバーの多くにとってアタリは魅力的な職場だった。軍事に関わらずにコンピューターグラフィックスの仕事をできたからだ。[10]当時、アメリカはなおベトナム戦争に深入りしたままであり、軍需産業のウエートは大きかった。加えて、民主党全国委員会本部ビル（ウォーターゲートビル）を舞台に不法侵入事件が起きたことで、ニクソン政権を巻き込んだスキャンダルも表面化していた。

このころ、スティーブ・ブリストウ――学生運動家上がりで優秀なエンジニア――がUCバークレーを卒業し、アタリのフルタイム社員として働き始めた。アタリではアルコーンとチームを組むことになった。2人とも髪の毛と顎ひげを長く伸ばし、ベルボトムのズボンをはいていたから、ヒッピーのように見えた。とはいえ、高度なエンジニアリング技術が求められる部門に属しており、プロフェッショナルを自負していた。仕事を終えれば、家族が待つ家に直行した。

このようなプロ意識はアタリでは異常に見えたことだろう。というのも、同社が足場を置く業界は社会から不信の目で見られ、地域によっては非合法化されていたからだ。1972年時点でピンボールはニューヨークで非合法であり、シカゴで合法化されたばかりだった。ギャンブルと紙一重と見なされたからだ。うまくいけばプレーヤーは無料ゲーム1回という形で報酬をもらえるなど、運に左右されるゲームであるのは間違いなかった。〈ポン〉はピンボールと同列で語られていた。

〈ポン〉が空港やホテルのラウンジに置かれるようになっても、薄汚いバースツールや陰気なビリヤード場といったイメージがビデオゲーム業界に付きまとった。起業家ブッシュネルを最初に特集したメディアはヌード雑誌「Oui（ウィ）」だった（記者ボブ・ウィーダーはアルコーンの知り合いで大学の同窓生）。「ポンに市場を食い荒らされている」と不満を言い、アルコーンに銃を突き付けるゲーム流通業者も現れた。

アタリがゲームを出展した見本市では、公衆電話ボックスのような形の「ザ・デューク」を出展しているブースもあった。ザ・デュークは「世界初・オリジナル・新開発の成人映画マシン」であり、「掃除も簡単」という。利用者は25セント硬貨を入れて中に入り、ドアを閉め、プライバシーを保った状態で短い8ミリ映画を見るのだ。

アタリの企業文化にもいかがわしいところがあった。社内報「聖ポンによる福音書」は「ビユーティーバスト（美しいバスト）」と名付けたマシンに関する短編を掲載した。開発者は著名なヨーロッパ人、ブレストロジスト・ウォルフガング・ティトルブーブ〔ブレストロジストは「胸専門家」、ティトルブーブは「おっぱい」という意味〕。このマシンを使えば、ライトサッキング（軽く吸い込むこと）によって女性の胸をメロンサイズまで大きくできる。ライトサッキングはとてつもなく気持ちがいいため、治療中の女性は「ああああ～うううう～」などとうめき声を出し続ける。マシンに体全体を吸い込まれて死んでしまうまで。[11]

このようなばか騒ぎに内心我慢ならない男が一人いた。共同創業者のテッド・ダブニーだ。誰からも注目されず、評価もされていないと感じていた。

彼を評価していない筆頭格がブッシュネルだった。そもそも自分のことを「共同創業者」ではなく「創業者」と称していた。あたかも創業時点からダブニーが存在しなかったかのように。アルコーンを感嘆させたビデオ表示技術の特許出願でもダブニーを無視した。何も知らせずに勝手に特許出願をしたうえ、出願書類に彼の名前を書かなかったのだ。

少なくともブッシュネルと同程度にビデオ表示技術に貢献した、とダブニーは考えていた。にもかかわらず発明者になれなかった。そればかりか、社内では部下も与えられずにつまらない仕事をやらされ、重要なミーティングからも外されていた。

１９７３年３月、アルコーンはブッシュネルに呼ばれて彼のオフィスに入った。そこには生産部門担当のダブニーもいた。アルコーンが見ているなか、ブッシュネルはダブニーに対して基本的な質問を投げ掛け始めた。ランレートは？　最大生産力はどのくらい？　今週の実績を先週と比べたら？　今月の実績を先月と比べたら？　ダブニーはまったく答えられなかった。

そんなダブニーを見てアルコーンは驚くと同時にひどく落ち込んだ。後年になって「本当に悲しかったです。テッドは大好きでしたから」と思い返している。一方、ブッシュネルは満足げに「アルに分かってもらおうと思って演出したんだ」と語っている。

月内にダブニーはアタリを辞めた（ブッシュネルに言わせれば「クビになった」）。いったん退職条件について合意すると、アタリの歴史から完全に消え去った。つい最近まで、アタリについて書かれた記事はほとんど例外なくブッシュネルのことを「創業者」として紹介していた。

仕事後の風呂ミーティングで意思決定

急成長を続けるなか、アタリの企業文化はますます制御がきかなくなり、冒険的になっていった。会社の各部門代表が集まる従業員会議は、解雇や人事異動に関して圧倒的な力を持つようになり、経営陣の決定を覆すこともあった。

再びオフィスが手狭になり、アタリはロスガトス市ウィンチェスター大通り沿いのオフィスビルへ引っ越した。11キロメートル先には全部で160室もある屋敷ウィンチェスター・ミステリー・ハウスがあった（「ウィンチェスターライフル」で知られる銃器ビジネスで巨富を築いた実業家の未亡人が家主であり、「増築をやめると銃犠牲者の幽霊に呪われる」と信じで、死ぬまで増築を続けたことで知られている）[12]。ブッシュネルは新たな本社ビルの入り口を板張りにし、アーチ門も設けた。〈ポン〉の第1号機が置かれた木樽をオマージュしたのだ。自分のオフィスにはシダなど観葉植物をつり下げて装飾を施し、一角にはオーク材でできたビール樽を置いた。こうしておけば、夕刻時にはクアーズを飲みながらのミーティングも可能になる。

そのうちアタリは「素晴らしいパーティーもある楽しい職場」という評価を確立していった。ブッシュネルは「仕事を終えた後のホットタブ（大型の風呂おけ）ミーティングで意思決定している」と陰口をたたかれていたが、無秩序で騒々しい環境に戦略的な意味合いを見いだしていた。彼が求めていた人材は「ボーナスよりもパーティーに興味を示すタイプ」だった。

ブッシュネルは社内報の中で「アタリ流哲学」を取り上げている。「われわれが漠然と目指しているのは、エキサイティングかつダイナミックで独自の文化を持つ企業だ。全従業員のニーズに応えていればアタリは成長し続ける。つまり、全従業員が学習・成長し、会社の価値創造に貢献し、お互いに尊敬し合えれば、会社は発展する」と書いている。会社への貢献に見合った公正な給与を支払うとしたうえで、「会社が発展すれば、従業員の誰もが恩恵にあずかれる。職種も関係ない。愛情の面でも尊厳の面でも誰もが同じように扱われる」とも指摘。アタリの製品については「当社の製品が社会を殺したり、傷つけたり、堕落させたりすることは断じてない」、利益追求については「生き残って成長するために利益を出さなければいけない」としている。

1973年6月、アタリは「アタリ流哲学」を実践に移した。第一に、社員持ち株制度の設置。生産部門も含めて正社員全員に少額の自社株を付与した。第二に、福利厚生制度の拡充。充実度で突出した内容にしており、医療費については歯科治療も含めて全額補助にした。ブッシュネルが生産現場を視察したときのことだ。会社の補助を受けて作業員のほぼ全員が歯列矯正装置を装着していた。このほか、社員は誕生日に有給で半日休暇を取得できたし、子どもが生まれると祝い金をもらえた。

このように変わった職場であったものの、アルコーンは不思議となじめた。ヒッピーとエンジニアを足して二で割ったような、とっぴなキャリアを歩んできたからだろう。実際、中途半端ながらもヒッピー文化に愛着を持ちつつ、重圧の中でエンジニアとしてゲーム開発に取り組んでいた。

勘と経験に頼るブッシュネル式経営はうまく回っていた。設立して1年たつころ――1973年――には、アタリは年間320万ドルの売り上げを達成し、売上高利益率は18％を記録する見通しになっていた。海外市場開拓にも着手し、日本やカナダ、イギリス、ハワイに子会社を設立してゲーム販売に乗り出した。公式文書の中では「コンピューター・ビデオゲーム市場の伸びが抑えられているのは、需要の制約があるからではなく供給の制約があるから」と宣言。実際、需要は無限にあるように思われた。

〈ポン〉発売後6カ月で早くも失速

ところが、アタリの成功は長続きしなかった。創業時から加わっていたアルコーンも幻滅し始めた。〈ポン〉の発売から6カ月以内で、早くも経営がおかしくなっていたのだ。

リバースエンジニアリングによって〈ポン〉の構造を解明し、模倣品を出すライバルが続々と現れたためだ。闇取引によってアタリ製プリント基板の正規品を入手して、模倣品を出すライバルもいた。心無い一部のアタリ社員がブラックマーケットに正規品を流していたようだ。模倣品の存在に光を当てようとしてアタリは広告を打ち、アタリブームに乗っかって一儲けしようとするライバル勢をからかった。しかし大勢を変えることはできず、大打撃を被った。発売から2年以内で合法的〈ポン〉のゲーム機1台に対して5台の格安模倣品が出回るようになっていた。

アタリ子会社のうち数社は深刻な資金繰り悪化に見舞われ、経営破綻（あるいは清算）を強いられた。労働組合結成が失敗するなかで、アタリは福利厚生に大ナタを振るった。すると昔ながらの労働紛争が起きて、賃金や社有車などさまざまな経営問題をめぐって議論が紛糾した。経営陣と従業員が一団となり、愛情と尊厳を合言葉にしていた会社が急降下し始めた。

どうにかして会社を立て直そうとして、ブッシュネルは1973年に自ら会長（取締役会議長）に就任し、精神科医兼産業コンサルタントの新社長を雇い入れた。知人・友人の中では最も企業経営者に近い存在だったから白羽の矢を立てたようだ（新社長はブッシュネルにとって義兄弟であり、就任後に記者に対して「自分はビジネスマンではないような気がする」と語っている）。これに伴って新たなエンジニアリング部長が採用され、アルコーンはエンジニアリング部門から追い出されて研究開発部長へ回された。

アルコーンは研究開発部長になって惨めな思いをした。肩書だけの存在だったからだ。新製品の開発をやりたいだけだったのに、出荷や買戻し、役員免責などの経営実務を担わなければならなくなった。一方、新エンジニアリング部長はスーツ姿で夜遅くまで働き、新製品開発よりもフローチャートや企画書作成に熱心だった。そんななか、心労がたまったのか、アルコーンは弱冠28歳でありながら白髪交じりになり始めた。母親が末期の肺がんだと知り、アタリを去った。長期休暇を名目にしていたが、復帰するつもりはなかった。

苦境続くなか、ブッシュネルに請われて復帰

アルコーンが母親と一緒に過ごしている最中も、アタリの苦境は続いていた。９タイトルの新ゲームが発売されたが、多くは〈ポン〉の変形バージョンにすぎなかった。最新ゲームは〈グラントラック〉と呼ばれるドライビングゲームで、価格設定が低過ぎて原価割れだった。資金

繰りは厳しく、給料が銀行に振り込まれる金曜日になると会社の駐車場はがらがらになった。社員が「現金が会社に残っているうちに給料を引き出しておこう」と思い、一斉に銀行へ直行したためだ。

ブッシュネルは自分のペイチェック（給料支払小切手）を換金せずに、机の引き出しに入れたままにしていた。会社の現金をできるだけ確保しておきたかったのだ。夫婦関係も悪化して離婚した。長期休暇中にアルコーンがアタリに顔を出したときのことだ。駐車場に車を停めて鍵をかけ、運転席に座ったまま泣いているブッシュネルの姿が目に入った。１９７４年、アタリは60万ドルの損失を計上した。

１９７４年春――会計年度は5月に終わる――ブッシュネルはアルコーンに会社に戻るよう要請した。義兄弟の社長を追い出して新たにジョー・キーナンを社長に迎え入れたとして、「今度は違うよ」と確約。アタリの子会社の中で唯一成功していたキーゲームズを率いていたのがキーナンだった[13]（ブッシュネルはキーゲームズをアタリに統合し、統合後の新会社の会長に収まっていた）。アルコーンはキーナンのことを知っており、人間として好感を抱いていた。

キーナンはブッシュネルよりも1歳年上にすぎないのに、社内では「経営陣の中ではほぼ唯一の大人」とも言われていた。猪突猛進型で何でもありのブッシュネルにブレーキをかける役割を期待されていたのか？　このように問われると、「とりあえずイエスと答えて何もしませんでした」と答えている。ブッシュネルに言わせれば「優秀な頑固者」だった。

同じタイミングで、スティーブ・ブリストウがアタリのエンジニアリング部長を務めることになった。キーナンの下でキーゲームズのエンジニアチームを率いていた24歳だ。

常にアイデアにあふれていて、直感的に指示を出すブッシュネルと接するときにはどうしたらいいのか。キーナンと同様にブリストウも基本原則を設け、エンジニアチームに示した。「ノーランには敬意を払って丁重に接し、きちんと耳を傾けること。ただし、われわれがミーティングを開くまでは、何もしてはいけない」

キーナンとブリストウがいるアタリであれば悪くはない、とアルコーンは思った。だが、ブリストウがエンジニアリング部長であるから、アタリに復帰しても再び研究開発部長にならざるを得ない。このことでブッシュネルに相談したところ、今度は本物のエンジニアリングを伴う研究開発部長にしてもらえるという。ならばアタリに復帰して経営立て直しに協力してみよう！

ウィッシュリストの家庭用〈ホームポン〉に注目

長期休暇に入る前、アルコーンはブッシュネルから「エンジニアリング憲章」と題したメモを受け取っていた。平たく言えば「ウィッシュリスト（願い事リスト）」であり、そこには合計8項目が挙げられ、「われわれの生産能力は考慮対象外」との注記も書かれていた。ウィッシュリストはまさにブッシュネル流だった。アタリが実際に何を生産できるかどうかに関係なく、大きな夢を描いていたのだ。アルコーンは予算内で事業を計画しなければならなかった。念のためブッシュネルに「財務面も考えるべきですか?」と聞いてみた。すると、手書きで「ノー」と書かれたメッセージが返ってきた。

アタリに復帰すると、アルコーンは改めてウィッシュリストに注目した。目に留まったのは7番目の項目「カラーテレビ式消費者向け〈ポン〉のためのパッケージングとプリント基板」だった。バーやゲームセンターに置かれている独立型コイン式アーケードゲームではなく、全米6900万世帯に置かれているカラーテレビ向けに〈ポン〉を開発せよ、とブッシュネルは言っていたのだ。

アルコーンは昔と変わらない職場に違和感なく戻れた。ブッシュネルの命令を目にしても昔と変わらずに「背伸びし過ぎ」と思った。アタリは消費者向けビジネスとは無縁だったから、家庭用の〈ホームポン〉というアイデアは非現実的に見えた。アタリの顧客は一般消費者ではなくゲーム流通業者だ。ゲーム流通業者はアタリからコイン式アーケードゲームを仕入れ、ゲームセンターなどアーケードオーナーに転売する(あるいはレンタルする)のである。

問題はほかにもあった。消費者向けビジネスがどれだけの市場になるのか、アタリとしては皆目見当も付かなかったのだ。とはいっても、〈ポン〉を自社工場で大量生産するとブッシュネルが宣言したときも、皆目見当も付かなかったという点では同じだった。とにかく突っ走ってみて、〈ホームポン〉の開発がやっぱり無理だと証明すればいい、とアルコーンは考えた。

アルコーンはハロルド・リーという名のエンジニアを呼び、「低価格でまねされにくい消費者向け〈ポン〉を設計してくれないか」と依頼した。すると前向きの答えが返ってきた。リーの考えでは、日進月歩で進化しているマイクロチップ技術を使えば、アーケードゲーム版〈ポン〉が内蔵しているプリント基板をカスタマイズし、小さくしてシングルチップにできるはずだというのだ。

「そうか、ならやってみようじゃないか」とアルコーンは言った。ただ、何カ月もかけて設計をやり直してテストを繰り返すなどで、開発が難航するのは必至とにらんでいた。結局は何の成果も出せずにプロジェクトは頓挫する——これが彼の予想だった。

予想に反してシングルチップはすぐに正常に機能した。つまり、アタリは家庭用ビデオゲームの基本機能を手に入れたということだ。ただし、どのようにしてパッケージングとマーケティングを練り、どのようにして売ればいいのか、何のアイデアも持ち合わせていなかった。

アルコーンは当時の気持ちについて「犬が車を追い掛けているようなものでした。追い付いたらどうしたらいいのですか？　そこからどこへ行けばいいのですか？　答えは見えませんでした」と語る。

シリコンバレーを支えるベンチャーキャピタル

幸いにも、車に追い付いたらどうすればいいのか知っている男が一人いた。ドン・バレンタインだ。アタリが危機的状況にあった1974会計年度からコンサルティングを引き受けていた。[14]

フェアチャイルド・セミコンダクターとナショナル・セミコンダクターの両社でマーケティング担当役員を務め、「指名宣伝係」を自称していたバレンタイン。今ではベンチャーキャピタリストへ転身し、名門投資会社キャピタル・グループ傘下の投資ファンド「セコイア」を運用していた。

キャピタル・グループの経営を担うパートナーの大半は保守的な弁護士や金融専門家であり、厳しく規制されて退屈なミューチュアルファンド（アメリカ型投資信託）業界になじんでいた。対照的にバレンタインは、ミューチュアルファンド業界とはまったく違う世界にいた。運用総額500万ドルのセコイアファンドは、彼いわく「株式非公開企業に投資してすごいアップサイドを狙う（あるいは悲惨なダウンサイドを覚悟する）クライアント向けのファンド」だったからだ。

ナショナル時代、バレンタインは多数の中小マイクロチップメーカーに個人的に投資し、全体としてかなりの成功を収めていた。キャピタル・グループのボスであるボブ・カービーはバレンタインの投資実績を知っており、高いリスクのある小企業の潜在力を見極める眼力を高く評価していた。「ロケットマン」というニックネームを付けたほどだった。

キャピタル・グループに関わったことで、バレンタインはアメリカ東海岸の金融コミュニティーの中に貴重な人脈を築けた。フェアチャイルドとナショナル両社でマイクロエレクトロニクス業界について深い知見を得ていたうえ、シリコンバレーの経営者ネットワークの中心近くにいたからこそ、東海岸でも人脈を広げることができたのだ。マイクロチップ開発で最高の業者はどこか、大量の受注をこなせるサプライヤーはどこか、やり手の弁護士は誰か、最も効果的なマーケティングを手掛けるPR専門家は誰か、最高の実績を残しているヘッドハンターは誰か、最高の条件を提示する流通業者はどこか。彼は何でも知っていた。人脈の元をたどれば、大半はフェアチャイルド時代（あるいは投資先の中小マイクロチップメーカー）へ行き着いた。

1975年、キャピタル・グループの後押しも受けて、バレンタインは独立した。セコイアファンドをスピンオフ（分離・独立）させ、ベンチャーキャピタル「セコイア・キャピタル」へ衣替えしたのだ。ファンドに資金を預けるクライアントの顔ぶれはスピンオフ後も変わらなかった。中心は多額の運用資金を持つ年金基金や大学基金であり、零細な個人投資家はいなかった（バレンタインはメンターのボブ・カービーと銀行強盗のウィリー・サットンの言葉を借用して、「そこにカネがあるから」を口癖にしていた）。

独立したセコイアは高リスク・高リターンの投資を専門にする体制を続けた。サンドヒルロード沿いのオフィスビルを借り、同じベンチャーキャピタルのクライナー&パーキンス（K&P）の近くで営業を開始した。

セコイアとK&Pの両社は大きなトレンドのパイオニアとなるのだった。古いハイテク起業家や経営者が引退すると新世代にバトンを渡し、メンター兼資金提供者になるというトレンドをつくり出したのである。両社がメンター兼資金提供者として育てた新世代企業は枚挙にいとまがない。アマゾン、アップル、シスコシステムズ、ドロップボックス、エレクトロニック・アーツ、フェイスブック、ジェネンテック、グーグル、インスタグラム、インテュイット、リンクトイン――。これだけでもアルファベット全体の前半しか網羅していない。

外見に惑わされずに本質を見抜く

ベンチャーキャピタリストとしてバレンタインが成功した理由は何なのか。外見に惑わされずに本質を見抜くというスキルが挙げられる。実際、彼は表面的な態度や風貌をまったく気にしなかった。同世代の大半が「不愉快」「変人」と見なすような起業家に会っても、決して門前払いにしなかった。思想的には作家アイン・ランドを好む保守派である。髪の毛を長く伸ばし、はだしで生活し、風呂にも入らないようなエンジニアについては「人類の反逆者」と形容する。だからといってそのようなエンジニアを軽くあしらうことはなかった。突出した才能に恵まれた「変人」を何人も見てきたからこそである。例えばフェアチャイルド時代のセールスマンだ。夜中に酔っ払ってゴルフカートに乗り、コース内の池に突っ込んだのに、翌日の午後には数万ドル相当の製品納入契約を成立させている。

とりわけ印象深かったのはナショナル時代に一緒に働いたボブ・ウィドラーだ。職場では、彼はバーボンウイスキー「ジムビーム」のボトル1本を引き出しの中に常備し、一部の同僚とし か会話を交わさなかった。たまにオフィスを壊すほどの勢いで怒りを爆発させ、バレンタインをして「頭がおかしい」と言わせしめた。しかし平常時となると別人だった。彼が設計したアナログ回路が大成功し、世界で75%の市場シェアを獲得したこともあった。バレンタインは「ボブがいたおかげで、天才エンジニアを抑え込んで同質化させるという過ちを犯さずに済んだ」と語っている。

バレンタインによれば、ウィドラーと比べるとブッシュネルは「道化師」だった。いつも大げさに語り、自分を美化するうえ、文字通りピエロのように度を越したスーツを着ていたのだ。バレンタインが目を光らせていなければ、重要なミーティングにも「ピエロスーツ」を着たまま臨みかねなかった。

ブッシュネルは意図的にバレンタインを慌てさせようとして、何度も失敗している。バレンタインは何を仕掛けられても平然と振る舞うのだった。例えば、ブッシュネルから「裏庭に置いてあるホットタブに入りながらミーティングしよう」と提案されたときだ。何食わぬ顔で服を脱いでホットタブに入り、ミーティングに参加した。お湯の中に浮かぶワインボトル（リップルブランドのワイン）を上手によけながら。ブッシュネルに連れられてアタリの生産ラインを視察したときには、工場内に充満しているマリファナの煙を浴びてハイになりそうだった。ここでも元競泳選手としての肺活力を存分に生かし、息を止めてうろたえることはなかった。

ビデオゲームを中心に消費者向けマイクロエレクトロニクス市場は急成長して巨大になる、とバレンタインは信じていた。市場拡大の波に乗れるのであれば、シャツを脱いだり息を止めたりするのは彼にとっては何でもないことだった。

ドン・バレンタインの力添えてシアーズと組む

シングルチップを核にして開発する家庭用〈ホームポン〉はどのように売るべきなのか。ブッシュネルは玩具店を考えていたが、バレンタインはもっと大きな販路を思い描いていた。1年前にシカゴに超高層タワービル「シアーズタワー」を建てたばかりのシアーズ・ローバックだ。アメリカ全世帯の57％がシアーズカードを保有するほど巨大な百貨店になっており、国内総生産（GDP）の1％に迫る年間売り上げをたたき出すこともあった。シアーズは取り扱う商品の価格を玩具店よりも高く設定し、圧倒的な物流ネットワークを誇っていた。バレンタインの分析によれば、「本物の小売り」であるシアーズのお墨付きを得られれば、アタリも晴れて「本物の会社」として胸を張れるはずだった。

バレンタインは自分の人脈を使ってシアーズとのミーティングを設定した。セコイアファンドに資金を預けると同時にシアーズ株を大量保有している投資家に依頼し、仲介役になってもらったのだ。ミーティングに臨むに際して、ブッシュネルに対しては三つの約束事を守るよう念を押した。第一にまともなスーツを着る、第二にミーティング用台本を事前に読む、第三に面白おかしく振る舞わない。

ミーティングは成功した。1975年3月、シアーズのスポーツ用品購買部が興味を示し、シングルチップの〈ホームポン〉7万5千台を発注したのだ。アタリに対しては銀行子会社シアーズ銀行を通じて150万ドル融資するとともに、クリスマス商戦に間に合うように6カ月以内で完成品を出荷するよう求めた。

シアーズとの成約直後、アルコーンとエンジニアチームは貴重な教訓を学んだ（1970年代前半のハイテク業界全体が学ばなければならない教訓でもあった）。消費者向けの家電市場ではパッケージングなどのソフト面が重要であり、メーカーにとってソフト面をマスターするのは技術面をマスターするよりもずっと難しいということだ。例えば、半導体技術を使ってデジタル腕時計ビジネスに参入したインテル。技術面ではうまくやれたのに腕時計バンドと陳列ケースで失敗し、撤退を余儀なくされている。共同創業者のロバート・ノイスは後に「隣の芝生が青く見えるのは、相手のビジネスのことをよく分かっていないとき」と語っている。

アタリの場合、〈ホームポン〉を内蔵し、テレビ受像機へ接続されるプラスチックケースが問題だった。責任者だったアルコーンは地元でケース製造業者を見つけられず、ロサンゼルスへ出張してもなしのつぶて。期限が迫るなか、ブッシュネルは取り乱して社内のグループに木製ケースの設計を命じた。だが、木製ケースの大量生産が非現実的なのは明らかだった。

結局、アルコーンはサンタクララ市内の町工場に可能性を見いだした。町工場は半導体チップ用のプラスチック製品生産を手掛けており、〈ホームポン〉用プラスチックケースの生産も担えそうだった。通常であれば町工場は「あまりにも急だからできない」と断るところなのだが、アタリの依頼をあっさりと受け入れた。半導体業界全体が不況に突入していたため、新たな受注を必要としていたのだ。シリコンバレー内ではマイクロチップ起業家を支えるインフラが整いつつあり、アタリもその恩恵にあずかれたのだ。

クリスマス商戦で大成功

アタリにとって幸運だったのは、シアーズが〈ホームポン〉のマーケティングを担ってくれたことだ。クリスマス商戦に向け、同社は人気商品カタログ「ウィッシュブック」の中で〈ホームポン〉を特集した。1台98・95ドルで売り出し、広告キャンペーンも展開した。おもちャではなくスポーツ用品として位置付けていたことから、子どもに加えてティーンエージャーや大人にも訴求できた。

シアーズはマーケティングの達人であり、〈ホームポン〉は素晴らしいゲームだった。だから売れないわけがなかった。クリスマス商戦でアタリはシアーズ向けに1千万ドル相当を納品したほか、消費者向けに300万ドル相当を直接販売した。消費者に近い大手ゲームメーカー――マグナボックスやコレコ、ミッドウェイゲームズ――もこぞってアタリに追随し、自社製ビデオゲームの発売を始めた。マグナボックスは競合製品を投入したのに加え、特許侵害でアタリを訴えた。それでも〈ホームポン〉の売り上げは急拡大していった。

同じころ、アタリのアーケードゲーム部門も回復し始めた。ドライビングゲーム〈グラントラック〉の問題点は解消され、スティーブ・ブリストウとライル・レインズが開発したゲーム〈タンク（戦車）〉はヒットしていた。タイム誌はビデオゲームを「スペース時代のピンボール」と呼び、「一部の大学ではストリーキング（全裸で公共の場を走ること）に次いで2番目に人気のレクリエーション」と宣言した。このようにしてアタリはいったん急上昇して落ち込み、再び上昇機運に乗ったわけだ。1975年末までに30タイトル以上のゲームを開発・発売し、合計11棟のオフィスビルに入居し、725人の従業員を抱えるまでになった（725人のうち55人はストックオプションを付与されるほどの中核人材だった）。

〈ホームポン〉はあまりの大ヒット作になったことから、アルコーンの息子も学校で〈ホームポン〉の話を聞くようになった。あるとき学校から帰ってくるなり「ブッシュネルさんの娘が先生に向かって『うちのお父さんがホームポンを発明したの!』と自慢していた」と伝えた。アルコーンはこのようなことを気にしないタイプなのだが、今回だけ例外にした。「今度ノーランの娘に会ったら、『君のお父さんがポンを発明したのなら、何でポンが壊れたときにうちのお父さんに修理させるの?』と聞くんだよ」

1　ブッシュネルとダブニーは当初〈コンピュータースペース〉用にモニター付きのコンピューターを考えていた。その一環としてアンペックスからコンピュータープログラマーのラリー・ブライアンを呼び、一緒に〈コンピュータースペース〉を作ろうと提案している。しかし、コンピューターを中核にした設計はたちまち行き詰まった。結局コンピューターの購入を断念している。
　筋金入りの〈スペースウォー!〉愛好者にしてみれば、〈コンピュータースペース〉は〈スペースウォー!〉の劣化版に相当した。例えば重力を考慮していなかった。〈コンピュータースペース〉と同時期に開発され、本物のコンピューターを内蔵していたゲームもあった。ビル・ピッツの〈ギャラクシーゲーム〉で、スタンフォード大のトレシダー学生会館に設置されていた。もっと注目されてもいいゲームだ。

2　アルコーンが1961年にアンペックス入りする前に、メモレックスがアンペックスからスピンオフしている。

3　ブッシュネルによれば、彼の母親の反応もアルコーンの母親と同じだった。「でもね、ノーラン、あなたはあんなにいい仕事を持っていたのよ!」

4　ブッシュネルは私とのインタビューで「アルには『〈コンピュータースペース〉の件でアンペックスに連絡を入れた』と言ったかもしれない」と語っている。ブッシュネルの上司だったカート・ウォレスは「アンペックスは何の提案も受けなかった」と回想している。アタリからアンペックスに対してライセンス生産の打診があったとすれば、ウォレスは知る立場にあった。

5　ブッシュネルは1972年5月、カリフォルニア州バーリンゲームの空港ホテルで開催中の見本市「マグナボックス・プロフィト・キャラバン」に参加し、マグナボックス製ゲームを見ている。

6　時系列はあまりはっきりしていない。ブッシュネルはシカゴへ出張してバリー役員とのミーティングに臨んでいるなか、アルコーンはアンディ・キャップスでコイン箱からあふれ出た硬貨をひろい集めていた——このようにブッシュネル自身は記憶している。ビデオゲーム業界史に詳しいステーブ・ケント、マーティー・ゴールドバーグ、カート・ベンデルの3人も同じ見方をしている。3人によれば、ブッシュネルはシカゴ出張時に〈ポン〉の試作品（基幹部分）を持参していた。アルコーンは違う見方をしている。当時〈ポン〉の試作品は1台しか存在しなかったから、シカゴとアンディ・キャップスで同時に存在というのはあり得ないとみている。彼の認識では、ブッシュネルはコイン箱事件を聞いたうえでバリー役員とのミーティングに臨み、意図的に〈ポン〉のライセンス生産を断念させたはずだった。本書の記述にもあるように、ブッシュネルはバリー役員と少なくとも2回ミーティングしたと記憶している。

7　アタリが生産を手掛けるべきだと提案したのはダブニーだという説もある。一方、アルコーンとブッシュネルは提案者はブッシュネルという意見で一致している。ただし、アルコーンは「ノーランは一人で決定したけれども、われわれを説得して全員一致の決定という形にした」と言っている。証拠となる文書が存在しない以上、誰の発案だったのかを突き止めるのは難しい。分かっているのは、ダブニーが生産現場の責任者であり、大株主としてブッシュネルが会社全体を経営していたということ。当時、アタリ株の60％はブッシュネル、30％はダブニー、10％はアルコーンが保有していた。

8　ブッシュネルはバリーとの契約に従い、ピンボールゲームとビデオゲーム〈ポン〉とは違うゲームを用意しようとし、試作品の設計・デザインを見せた。だが、バリーはライセンス生産を拒否した。

9　サンフランシスコ湾岸地帯の東側イーストベイにもアタリの営業ルートがあった。そこには①UCバークレーのキャンパス上の建物ボルトホール内にあるピンボール機、②バークレー市サンパブロ通り沿いのバー「ラリーブレークス」や「ザ・ペリカン」内のゲーム機、③オークランド市内のグレーハウンドバスターミナル近くにある「トルービリーバーズ・ナンバースリー・ソウルフード」内のゲーム機――などがあった。

10　アルコーンが初期に設計・開発したゲームの中には〈スペースレース〉〈ゴッチャ〉〈ポンダブルス〉がある。

11　社内報「聖ポンによる福音書」は詩と称してレッド・ツェッペリンの代表曲「天国への階段」の歌詞も掲載していた。「われわれはいつもかっこ良くて型破り、特別で奇妙な家族である」とし、会社に対しては「社員同士がお互いに愛し合い、全社員が自分たちの製品を愛せるような職場」であるよう求めている。

12　ウィンチェスターの屋敷は6エーカーに及ぶ敷地の上に建てられ、合計で160室の部屋、2千枚のドア、1万枚のガラス窓、47本の階段、47基の暖炉、13室の寝室、6台のキッチンを有していた。

13　ブッシュネルとキーナンが子会社キーゲームズを設立したのは、バリー以外の流通ネットワークへゲームを供給するためだった。アタリはバリー製ピンボールゲームの流通業者と独占契約を結んでいた。

14　アルコーンとリーは〈ホームポン〉用にAMI（アメリカン・マイクロシステムズ・インク）製チップを採用した。しかし、当初はインテル製チップも検討していた。実のところ、アルコーンはインテルの共同創業者ゴードン・ムーアとロバート・ノイスの2人をアタリの職場に招き入れたこともあった。アルコーンによれば、アタリのコンサルタントだったバレンタインはムーアとノイスの訪問を知って激怒した。「われわれが何をやっているのか、2人の前で手の内を明かしてしまった」と言い、2人が署名した秘密保持契約書の存在を持ち出されても「ハエたたきを持って戦車を追い掛けるようなもの」と納得しなかった（バレンタインはインテルの共同創業者2人のために働いたことも、彼らのライバルのために働いたこともあった）。

第10章　なせば成る——ニルス・ライマース

発足から4年、ヤマハにもライセンス供与

ニルス・ライマースは机に座って郵便物をまさぐっていた。１９７４年夏、ある日の午後のことだった。

この時点で、スタンフォード大の発明を外部にライセンスする技術移転室（ＯＴＬ）はすでに4年間の実績を積んでいた。オフィスは立派な造りのエンシナホール——かつて学生運動の標的にされた——から裏手にある小型トレーラーに移動していた。トレーラー内はきれいに装飾されていた。ライマースが助手サリー・ハインズの力を借りてシダをつるしたり、思い出の品々で壁を飾ったりしたのだ。なかでも目を引いたのは大文字で書かれたモットー「なせば成る（MAKE IT HAPPEN）」だった。

ＯＴＬが恒久的な組織として１９７０年6月に正式に発足できたのは、試験的プロジェクトが大成功したからだ。正式発足前の1年間を見ると、ライセンス料やロイヤリティー（特許使

用料）という形で大学が得た収入は5万5千ドルを記録していた。過去何年にもわたって大学がリサーチ・コーポレーションから得た累計収入（3千ドル弱）の18倍にも達する水準だ。

正式発足後の4年間も順調だった。ＯＴＬは合計22件の発明をライセンス化し、総額46万1千ドルの収入を得ている。ライセンス化の対象になった発明には眼科手術用レーザー装置や蛍光活性化セルソーティング（ＦＡＣＳ）のほか、ヤマハへライセンス供与されたＦＭ音源も含まれた。ヤマハは１９８３年、ＦＭ音源を採用した世界初のフルデジタルシンセサイザー「ヤマハＤＸ７」を発売している。

成否を測る物差しとして利益を使い、アントレプレナーシップ（起業家精神）で特徴付けられる組織を運営する——これがライマースの目標だった。実際、ＯＴＬは刺激的な仕事環境でありながらいつも波乱と隣り合わせであり、その意味ではスタートアップと変わらなかった。例えば大学発アイデアのライセンス化に成功していながら、高額の特許出願費用を賄えずに苦戦していた。特許取得に伴う全収入の15％しか受け取れないことから——残りは発明者と大学に回る——毎年1万1千ドルの赤字計上を強いられていた。特許出願すればするほど赤字拡大を招いてしまうため、受け付けた発明開示書３４３通のうち５％しか特許出願をしていなかった。

この日にライマースが手にした郵便物はどっさりあった。大学発アイデアのライセンス化に関する企業からの反応だったり、スタンフォード大の研究を支援する政府機関からの資料だったり。その中で彼が特に興味を引かれたのは、大学の広報活動を担うスタンフォード・ニュース・サービス（ＳＮＳ）が切り抜いた新聞記事だった。「特許専門家というよりもヘッドハンター」とも言われた彼にとって、ＳＮＳの記事配信は重要な情報源だった。学内の研究室で起きている出来事を上手にまとめ、宣伝していたからだ。

ニューヨーク・タイムズ紙の記事に目が留まる

ライマースの目に留まった記事は、ニューヨーク・タイムズ紙上に5段ぶち抜きで載った「動物遺伝子からバクテリアへ」だった。スタンフォード大とカリフォルニア大学サンフランシスコ校（ＵＣＳＦ）の研究室が共同で開発したクローン技術について伝えていた。複雑な動物（この場合カエル）から取り出した外来遺伝子をバクテリアへ移植し、複製（クローン化）するのに成功したという。バクテリアは非常に単純な細胞であり、急速に増殖する。増殖過程でカエルの遺伝子を複製し、たんぱく質を合成する。言い換えると、小さなＤＮＡ再生工場として機能するのだ。

ここには驚嘆すべき意味合いがあった。インスリンを生産するＤＮＡをバクテリアへ移植して大量複製できれば、糖尿病治療に必要なホルモン剤を無限に供給できるかもしれなかった。また、同じ技術を使って感染症と戦う抗生物質を作ったり、肥料の使用を減らす微生物を作ったりできるかもしれなかった。ニューヨーク・タイムズ紙上では、スタンフォード大の遺伝子学科長でノーベル生物学・医学賞受賞者のジョシュア・レーダーバーグ教授が「画期的」とコメントしていた。

ライマースは「自分は機械系エンジニア」と称し、生物学や遺伝子に疎かった。だが、レーダーバーグが「画期的」と言っているのだから、DNAクローン技術の商業化はとんでもない潜在力を秘めていると考えて間違いない、と思った。そのうえ、DNAクローン技術研究を主導した科学者として、スタンフォード大メディカルスクールの臨床薬理学科長スタンリー・コーエンの名前が挙げられていることに気付いた。薬物相互作用をモニタリングするコンピューターシステムのライセンス化に動いたとき、コーエンとは一緒に働いたことがあった。彼には好感を抱いていた。

ライマースはコーエンに電話した。「スタン、とても重要で面白い仕事をしているようですね。DNA技術で特許取得を考えたことはないのですか？」

当時39歳で頭髪が薄くなり始めていたコーエン。べっ甲縁の眼鏡を掛け、短く整えたひげをトレードマークにしていた。どんなときにも深思熟考を欠かさず、道徳的公正さを基準に行動する。何か気になることがあれば、「お偉いさん、一言いいですか」と切り出して単刀直入に言う。並外れた集中力も持っている。あまりにも深い思考に陥って文字通り周囲が見えなくなり、スライディングドアに突っ込んで頭でガラスを割ってしまったこともある。

優しい面も持ち合わせていた。いつも聞き上手であり、時にミュージシャンでもあった。学会参加中にバンジョーを手にして即興を見せ、研究仲間を楽しませることもあった。大学生時には一時期プロとしても活動し、自作曲のヒットで得た印税収入で学費の一部を払っていた（自作曲の一つが短期間ながらも人気音楽番組「ヒットパレード」でチャート入りを果たした）。金曜日の午後にはキャンパスを出て、研究室メンバーのためにアイスクリームを買うのを習わしにしていた。

コーエンはライマースに「特許を考えたことはない」と返事し、態度を保留した。ライマースから詳しく話を聞く用意はあるとも伝えた。

遺伝子組み換え技術の特許化を促す

ライマースは電話を切ると自転車を取り出し、ヘルメットを装着した。5分後にはメディカルスクールや病院周辺の建築現場を避けるようにしながら自転車をこいでいた。重機械やヘルメット姿の作業員のほか、屋外でプラカードを掲げてストライキ中の病院組合活動家も目に入った。

コーエンのオフィスに入ると、ライマースは「遺伝子組み換え（組み換えＤＮＡ）」として知られるようになる技術の重要性を指摘して、特許権の取得を促した。コーエンは特許には否定的で、その理由を三つ挙げた。第一に、先輩科学者の発明を土台にして遺伝子組み換えの研究をしてきた。それを無視して自分の発見に限って特許を取得するのはおかしい。倫理的な問題を起こしかねない。第二に、遺伝子組み換え技術によって科学の発展に大きく貢献できると考えている。利用可能なDNA不足で研究が制約を受けているときに、まったく同じ遺伝物質を実験用に大量生産できるのだ。特許を取得すると、技術の利用普及を妨げることになりかねない。第三に、国立科学財団、健康教育福祉省、アメリカ癌学会から研究助成金を受け取っている。公的資金を得たスタンフォード大が特許収入を独占するのは、正しい行為だとは思えない。

以上の懸念はすべて、それから2人が何年にもわたって直面する大問題となるのだった。しかし、ライマースはすでに5年近い歳月を費やして、スタンフォード大の発明者に対して特許化・ライセンス化の利点を力説してきた。コーエンの疑念に向き合い、解決策を示せると考えていた。後年当時を振り返り、「発明者一人一人に個別に会ってどんなシステムなのかを示し、説得を試みる局面でした」と語っている。

コーエンとのミーティング中、ライマースは先輩科学者の発明を土台にしているという懸念を払しょくしようとして、「学術誌への論文発表とは違います」と指摘した。学術論文の場合は、筆者は詳しく参考文献を挙げ、ほかの科学者の先行研究に敬意を払っている。特許出願書類の場合は少し違う。発明者は特定のケースに限って先行技術に言及すればいい。加えて、たとえ特許が取得されても、アカデミアでは遺伝子組み換えに関する研究は何の制約も受けない。ロイヤリティーを支払うのは営利企業であって、非営利の大学や研究所ではないからだ。発明が秘密のベールをかぶったままにならないように特許は存在する――これがライマースの口癖だった。

大学が公的資金を受け取っているという懸念はどうなのか。この点についてライマースは「特許権実施契約（IPA）」と呼ばれる制度の存在を挙げた。この制度を使えば、大学側は特許権帰属の申し立てをできる。言い換えると、たとえ公的資金プロジェクトで生まれた発明であっても、必ずしも国有になるとは限らないのだ。一部でIPA反対論も広がった。代表例は消費者運動家ラルフ・ネーダーだ。民間非営利団体（NPO）のパブリック・シチズンを率いて1973～74年に訴訟を起こしている（結果的に訴訟は失敗）。

ライマースは「IPAは必要不可欠」と信じて疑わなかった。IPAが存在しなかったら、政府が大学に圧力をかけるという事態も想定できたからだ。「商業的価値が大きいと分かった途端に政府がやって来て、『特許を返せ』と言い始めるかもしれない。大学側は委縮して、応用研究をしようとしなくなるでしょうね」と話す。

ライマースはミーティング中に追加的に二つの利点に触れた。一つは、特許出願に際してコーエンの研究室に費用は一切発生しない。もう一つは、特許権帰属の申し立てでスタンフォード大（厳密にはOTL）は好実績を残している。

「どうですか？　とりあえずやってみて、どうなるか見てみませんか？」とライマースは提案した。「遺伝子組み換えが特許にできないのであれば、拒絶されるだけですから」

コーエンはなおためらっていた。「共同発明者がいるんです。ハーブ・ボイヤーです。彼も特許取得に賛同するなら……。電話してみます」

コーエンとボイヤーの共同研究で生まれた発明

ハーブ・ボイヤーはUCSFの生化学者でコーエンよりも1歳若い。コーエンが極めて沈着冷静であるのに対して極めて情熱的だ。「スタンはあまり冗談を言わないけれども、私は冗談ばかり言っている。あまり聞きたくないような冗談も含めて」と語る。ヒッピー文化の発祥地として知られるサンフランシスコ・ヘイトアシュベリー地区——彼の研究室から数ブロックしか離れていない——で行われる反戦デモに何度も参加したことがある。顕微鏡をのぞき込み、遺伝子組み換え技術が本物であるとの証拠を確認したときには、感情を抑え切れずに泣き出してしまった。

2年前の1972年、ボイヤーの研究室はDNA鎖を切断する制限酵素「EcoRI（エコアールワン）」を発見した。[1] いったんDNA鎖を切断すれば、切れ目に由来の異なる外来DNAを挿入できる。外来DNAと再結合したDNA分子は興味本位の実験にすぎないのか？　それとも再結合したDNA分子は細胞分裂を通じて複製されるのか？　当時、ボイヤーはよく分からないまま不安を抱いていた。

そんななか、くしくもコーエンはボイヤーの不安を解消する手法を編み出していた。外来DNAを「プラスミド（外来DNAを運ぶ乗り物）」に組み込んで、バクテリア細胞に導入すれば、大量培養によって増殖できるのだ。同時に、抗生物質への耐性を持つプラスミドの分離にも成功し、どのバクテリアが外来DNAを保持しているのか、見極められるようになっていた。

ハワイで開催された学会の休憩時間を使い、ボイヤーとコーエンは共同研究を進めることで一致した。①コーエンの研究室はプラスミドを分離し、ボイヤーに届ける、②ボイヤーはプラスミドに切れ目を入れて外来DNAを組み込み、組み換えプラスミドをスタンフォード大へ送り返す、③コーエンは組み換えプラスミドをバクテリア細胞へ導入し、細胞分裂によって組み換え体が再生産されるかどうか調べる――こんな流れになる。

2人の研究室はサンフランシスコ湾をはさんで反対側に位置しており、距離にして64キロメートル離れていた。幸運だったのは、コーエンの研究室助手であるアニー・チャンがボイヤーの研究室近くに住んでおり、DNAの運び役を買って出てくれたことだ。彼女はサーモス製クーラーボックスの中に氷と一緒に試験管を入れ、コーエンの研究室を後にしたものだ。それからフォルクスワーゲンビートルに乗って高速道路を飛ばし、有名な丘陵地帯を抜けてボイヤーの研究室に行くのだ。試験管を手渡すために。もちろん逆方向もやった。ボイヤーの研究室を訪ねて実験材料を受け取り、スタンフォード大へ運んだ。

チャンはコーエンの研究室内で欠かせない存在だった。プレートにバクテリアを塗ったり、D

NAを分析したり、改善提案をしたり。コーエンの言葉を借りれば「実験の中心的役割を担っていた」。コーエンと一緒に顕微鏡をのぞき込み、バクテリアの増殖を観察することもあった。ボイヤーの研究室から運ばれてきたハイブリッドDNA（組み換えDNA）が自己増殖しているのかどうか、確認していたのだ。[2]

「当時は文字通り昼夜問わずに働いていました。眠るのがもったいないほどわくわくしていましたから」とコーエンは回想する。超合理的な思考の持ち主であるコーエンでさえも「バクテリアがもっと早く増殖してくれればいいのに」と願っていた。

基礎研究が重要、ロイヤリティーは要らない

1974年7月末、コーエンはライマースに電話し、「ハーブ・ボイヤーが特許出願に同意しました」と伝えた。これから発明開示書を作成してOTLへ提出し、早く先に進みたいライマースに協力することになる。

ただしコーエンは条件を設けた。ロイヤリティーの33％を受け取りたくないというのだった（ライマースの構想に従えば、ロイヤリティー収入は発明者、学部、大学へそれぞれ3分の1ずつ均等に配分されることになっていた）。遺伝子組み換え技術は多くの科学者による先行研究を土台にした発明であることから、特許取得にはなお深い後ろめたさを感じていたのだ。特許取得を主導

したのは大学であり、発明者には個人的な利得が一切発生しないことを対外的に明確にしてほしい――これが特許出願の条件だった。ボイヤーも同意した。

2人がためらうのも無理はない。ライマースはコーエンとボイヤーに特許取得を提案したとき、アカデミアの伝統と決別するよう求める格好になっていたからだ。実用化を見据えて研究する物理学者や工学者と違い、生物学者は基礎研究を金科玉条にしてきた。応用研究に走ると、「知的弱さをさらけ出しているのと同じ」などと見なされた。コーエンもこの点を心配していた。特許取得に動くと研究仲間から「他人の研究を踏み台にして自分の実績にしようとしている」と糾弾されかねない、と思っていた。そのため「もらったロイヤリティーは全額寄付する」と宣言したのだ。

ライマースに知らせるべきニュースはもう一つあった。コーエンはボイヤーら数人の研究者と共同で、すでに遺伝子組み換え技術に関する研究論文を発表していたのである。

これによって別の問題が浮上した。発明者は論文発表を起点にして1年以内に特許を出願するよう求められている。論文発表は1973年11月だったから、出願期限は1974年11月となる。時はすでに1974年7月末。加えて、4日後にはライマースは以前から計画していた家族旅行に出掛ける予定になっていた。家族旅行で追加的に2週間使えなくなる。

ライマースは時間を一切無駄にできない状況に置かれたわけだ。コーエンとの会話を終えるや否や、カリフォルニア大（UC）の特許室に電話した。共同発明者のボイヤーはUCSF教授であったから、特許出願するときにはUCの了承を得る必要があったのだ。特許室長のジョセフィン・オパルカに自己紹介したうえで、「ボイヤーの研究を支援しているスポンサーが誰なのか知りたい」と伝えた。2日後、スポンサー名を記した手紙を受け取った。そこに書かれたメッセージを見て唖然(あぜん)とした。オパルカは「これからスポンサーに接触します。来年3月ごろに改めてご連絡します」と記していたのだ。

来年3月？　8カ月も先ではないか！　4カ月間で特許を出願しなければならないのに……。とりあえずUC特許室に返事を書いた。「スポンサーにどのように接触したらいいのか教えてほしい」と依頼するとともに、特許出願に必要な事務作業はすべてスタンフォード大で引き受けると提案した。さらには、将来生まれるロイヤリティーについては両大学の間で折半する案を示した（折半するのは、スタンフォード大が特許化・ライセンス化に必要な費用を差し引いた後のロイヤリティー）。

ライマースは家族旅行に出掛けた。とはいっても、旅行中も引き続き仕事を引きずっていた。遺伝子組み換えという画期的な発明の背後にある科学に疎かったことから、コーエンから借りた教科書をスーツケースの中に忍び込ませていたのだ。教科書は662ページの大著『ワトソン遺伝子の分子生物学』（東京電機大学出版局）で、筆者はDNAの分子構造発見者の一人として知られるジェームズ・ワトソンだ。

その後、ライマースは法律家や学者、実業家のネットワークづくりに取り掛かった。これによってバイオテクノロジー業界の誕生を後押しすることになるのだ。ボブ・テイラーがハードウエアとソフトウエアの両分野でコンピューター科学者のネットワークを築き、パソコン業界の誕生を後押ししたように。このようなネットワークはシリコンバレー全体のインフラを構成し、近代世界に大きな影響を及ぼす有力産業を生み出す原動力になるのだ。

スタンフォード大とカリフォルニア大がさや当て

ニルス・ライマースは長期休暇から戻ると、スタンフォード大の法務室に手紙を書き、UCとの合意文書作成に向けて協力を求めた。手紙の中では「UCとの合意を早急にまとめたいと思っています。協力していただけると大変うれしいです」としたうえで、「トランジスタやシリコンマイクロチップと同様に、遺伝子組み換え技術はアメリカがリーダーシップを発揮できる大型産業を生み出す土台になります」と書いている。

ライマースは他大学と共同で特許を出願したことが一度もなかった。一見すると、UCの特許室とスタンフォード大のOTLは似ていた。確かにいくつかの点で似た体制にあった。第一に、小所帯（スタンフォード大3人、UC4人）である。第二に、フルタイムで弁理士を雇わずに外部の法律顧問に頼っている。第三に、発明者が受け取るロイヤリティーを多めにしている。ロイヤリティーについて補足しておくと、UCの場合、大学と発明者はロイヤリティー収入を折半していた（発明者への支払いが手厚いのは、発明開示書の提出義務付けが一因だった）。

もっとも、類似点は以上で終わりだった。スタンフォード大ではライマースは発明の商業的価値を見極めるため、企業による評価を取り入れていた。一方、UCの特許室は研究者から発明開示書を受け取ると、学内の専門家に定型の手紙を送ってコメントを求めていた。UCの力点は明らかに「知識への貢献」であり、「研究成果の実用化」ではなかった。1974年に主要大学の技術移転担当者が初めて合同会議を開いたときのことだ。UCの特許責任者が「ライセンス供与先の企業を監視しなければならない」と警告したのに対し、ライマースは「アントレプレナーシップの発揮」を促しつつ、「発明を商業化して社会へ還元するのはとても重要。発明はすぐに腐ってしまう」と強調している。

両大学では組織体制も違った。UCの特許室は、11人で構成される特許理事会の下に位置していたうえ、特許理事会もUCシステム内の奥深くに組み込まれていた。どんな大規模大学にも見られる巨大官僚組織の一部になっていたということだ。対照的にライマースは身軽だった。日々の仕事については上司である研究学部長に報告していればよく、大学上層部とも常時連絡を取り合える関係にあった。

発明開示方法にも差があった。スタンフォード大では発明者は特許に関して決定権を持っていた。どのように特許を取得するか（あるいは特許を出願するかどうか）、自らの判断で決めてよかった。対照的にUCシステムを構成する9大学の研究者は、UC特許室に対して必ず発明を開示しなければならなかった。言い換えると、UC特許室のスタッフ4人は毎年300通に上る発明開示書の処理に追われていたわけだ。これはスタンフォード大OTLのざっと5倍に相当する。「処理量が多過ぎてUC特許室のスタッフはまったく動けなかった」とライマースは指摘している。

その後、UC特許室長のジョセフィン・オパルカはライマースに連絡を入れ、UCとしては遺伝子組み換え技術の特許出願に反対しないと返答した。ただしUC側は①極めて限定的にしか手伝えない、②すべてのリスクはスタンフォード大が負う、③先行費用は一切負担しない——と念を押した。

ライマースは反撃した。スタンフォード大は特許出願関連費用をすべて負担するとしたうえで、「もしライセンス料（あるいはロイヤリティー）収入を得られたら、スタンフォード大は費用回収のためにまず15％をもらう」と通告した。残りの85％は両大学と発明者2人に分配される。何度かやり取りしてオパルカは納得した。

ライマースは大きな賭けに出ていた。仮に特許が審査ではねられたり、期待したようなライセンス料（あるいはロイヤリティー）が発生しなかったりしたら、スタンフォード大は費用回収できずに損失を被ることになる。失敗しても一銭も失わずに済むUCと全然違う。だが、特許に価値があれば無限大のアップサイドも狙える。大学と発明者がロイヤリティー全体の42・5％——85％の半分——を分け合うのに加えて、OTLが全体の15％を受け取れる（金額に上限はない）。一方、UC側の取り分は42・5％に限られる。

結局、ライマースは大勝するのだった。遺伝子組み換えの特許がもたらすライセンス料とロイヤリティーの累計は、最終的に2億5500万ドルを記録する。スタンフォード大はまず15％分として4千万ドルを受け取り、さらに42・5％分に見合う1億7000万ドルの支払いを受けるのである。

ライマースとオパルカが取り決めを結んでから数年後、UCは「費用を上回る金額を回収している」としてスタンフォード大の15％をやり玉に挙げた。両大学でロイヤリティー収入を折半する前にスタンフォード大が15％もピンハネし、度を越した利益を得ていると抗議したのだ。これに対してライマースは冷たくあしらった。「だから最初に一緒にやろうと提案したのですよ」

商業的価値が分からないまま期限まであと2カ月

9月に入り、11月の特許出願期限がいよいよ迫ってきた。ライマースはなお特許の商業的価値についてつかみ切れていなかった。分かっていたのは、ニューヨーク・タイムズ紙の記事――彼が遺伝子組み換えについて知るきっかけになった記事――の中に出てくる「いつか現実となるかもしれない」という観測だけであった。

OTLは発足以来、発明の商業的価値を把握するのにそれほど苦労していなかった。大学が関連業界に属する企業を呼び、発明を評価してもらうというシステムが非常にうまく機能していたためだ。しかし、遺伝子組み換えに関する限りは、このシステムは利用不可能だった。バイオテクノロジー業界の誕生前であり、技術を評価してくれる企業が存在しなかったからだ。そもそも、遺伝子組み換え技術によってバイオテクノロジー業界が生まれるのである。結局、その夏にコーエンとボイヤーの前で商業的可能性について解説した講師は、ライマースが臨時で雇ったビジネススクールの学生だった。

期限まであと2カ月だった。

特許出願は「本当の快挙」

ライマースはサンフランシスコの法律事務所に所属する弁護士バートラム・ローランドに電話をかけ、「プラスミドを知っていますか?」と聞いてみた。ローランドは過去に何度かスタンフォード大から特許関連の仕事を引き受けていたうえ、有機化学分野で博士号を持っており、生物化学についてある程度詳しいはずだった。

とはいっても、博士号取得は20年も昔のことだった。当時プラスミドは発見されておらず、「分子生物学」という言葉も普及していなかった。

「プラスミド？　聞いたことないですね。でも、何なのか調べてみてもいいですよ」とローランドは答えた。

「いいや、大丈夫です。別の弁護士に当たってみますから」

「私は特許に詳しいし、科学的な知識もそれなりにあります。ほかにどこを探しても、特許に詳しい分子生物学者なんて見つかりませんよ」

ライマースはローランドに頼むしかなかった。

ローランドは3週間で特許出願書類を作成しなければならなかった。まずは専門的な論文を3本読み、コーエンと数回面談した（「私は彼に生物学について教え、彼からは特許について教えてもらいました」とコーエンは回想する）。そのうえで、35ページに及ぶ出願書類を書き上げ、カーボン紙によるコピー4部と共にコーエンとボイヤーに送付した。2人の承認を得るためだ。

コーエンはすぐに返事した。「なぜ特許請求の範囲をバクテリアの組み換えDNAに限定するのですか？　プラスミドは多細胞生物でも発生します。特許の範囲をできるだけ広げておくべきでは？」

素晴らしい提案だったが、つまらない問題が起きた。もしローランドがゼロックスPARCに所属していたら、アルトコンピューターの前でキーボードを少したたくだけで出願書類を修正できたはずだ。しかし、超絶した世界にあったPARCを除けば、アルトのようなパソコンは当時どこにも存在しなかった。それはつまり、コーエンの提案を受け入れるとなると、ローランドは出願書類をまるごとタイプし直さなければならなかった。時間的制約を考えればとてもできないことだった。

ローランドは解決策を提案した。「細胞」を請求対象にするのだ。「細胞」のような一般的用語を使えば、もともとの記述をそのまま維持したままでも、バクテリア以外へ請求対象を広げることも可能と判断した。そこで出願書類の最後に「細胞」を付け加えた。こうすれば全体をタイプし直す必要はない。「細胞」が加わったことで、出願書類は遺伝子組み換えの応用分野を可能な限り広げる格好になった。

ローランドが出願書類を作成している間、ライマースは遺伝子組み換え研究に助成金を出しているスポンサー――国立科学財団、アメリカ癌学会、健康教育福祉省の3政府機関――と交渉した。国立科学財団とアメリカ癌学会に対しては権利を放棄するよう要請。交渉相手を健康教育福祉省へ一本化できれば、大学への権利帰属申し立てもずっとやりやすくなる、と判断したのだ。大学への権利帰属を確定させておかなければ、スタンフォード大とUCは特許がもたらすロイヤリティーを受け取れない情勢だった。

1974年11月、提出期限の1週間前にスタンフォード大は「生物学的に機能する分子キメラのプロセスと構成」と題して特許を出願した。特許は非常に広範な権利を定めており、スタンフォード大の生化学者で遺伝子組み換え研究のパイオニアのポール・バーグから後になって批判を浴びるほどだった。バーグに言わせれば「どんなベクター(外来DNAを運ぶDNA分子)

も、どんな方法も、どんな有機体も網羅し、あらゆるＤＮＡのクローン化を可能にする特許」なのだった。

コーエンにとって特許出願は「本当の快挙」だった。前例がなかったうえに、時間が非常に限られていたからだ。しかも特許出願に協力した研究者は彼一人だった。後年になって当時を振り返り、「私は特許についてほとんど何も知らないも同然でした。できるだけ早く出願書類を完成させせて研究に戻りたい一心でやっていました」と語っている。出願書類を提出し終えると、ライマースに「特許申請後の状況について報告は不要」と言い、イギリスでサバティカル（長期有給休暇）に入った。もっとも、サバティカル中もテレタイプ端末とアーパネット接続で研究室とはつながっていた。

見たこともないようなハイブリッド生命体

ライマース、コーエン、ボイヤーは遺伝子組み換えに大きな可能性を見いだした。だが、アカデミア関係者の多くは危機感を抱いた。遺伝子工学は新しい科学であり、人間に神のような力を与えて、かつて見たこともないようなハイブリッド生命体を生み出しかねない――こんな懸念が広がったのだ。コーエンとボイヤーの特許は組み換えＤＮＡ細胞を表現するために「キメラ」という言葉を使っていた。キメラとは神話上の怪物であり、頭はライオンで体はヤギ、尾はへビだ。

ライマースがコーエンとボイヤーの発明について知る数カ月前のことだ。ボイヤーは学会参加中に遺伝子組み換え技術のことを口にした。すると会議の主催者は不安になり、数日内に全米科学アカデミーに特別委員会を設置して調査するよう要請した。「最終的に新種のウイルスを生み出して、生物学的に予想不可能な活動を示す恐れがある。このようなハイブリッド分子は研究室だけでなく一般大衆も危険にさらす可能性がある」と警告した。1年後、コーエンとボイヤーも加わった全米科学アカデミー委員会は「リスクをきちんと把握できるまで、遺伝子組み換えに関する一部の実験は控えるべきだ」との提言をまとめた。

1975年2月、カリフォルニア州モンテレー近郊の会議場「アシロマ・カンファレンス・グラウンズ」に世界13カ国から一流科学者150人が集まった。ジャーナリストと弁護士も加わるなか、参加者は侃々諤々の議論を繰り広げた。テーマはとんでもなく大きかった。想像を絶するような世界――そこでは遺伝子が異種間で取り換えられたり、簡単に複製されたりする――で安全性を担保するにはどうしたらいいのか、だったのである。ここには恐ろしい意味合いが含まれていた。実験室から病原菌（あるいは薬剤耐性遺伝子）が流出して人口の多くに感染する可能性などだ。実験を控えるよう主張する科学者もいれば、研究を継続するよう求める科学者もいた。そんななか、多くのセッションで罵詈雑言が飛び交った（「君はプラスミド派とやったんだな！」という発言もあった）。会議に参加していたコーエンとボイヤーは子どもじみたやり取りを見て、うんざりしていた。

会議の最終日、参加者の大半は遺伝子組み換え研究のリスク最小化で合意し、ガイドラインを発表した。前日午後に開かれた弁護士セッションの雰囲気に影響されたようだった。ローリングストーン誌はアシロマ会議を特集して「パンドラの箱を開けた」と書き、「科学者が研究の自主規制で一致したのは第二次世界大戦後で初めて」と指摘した（第二次世界大戦時に一部の物理学者は、核開発データをドイツ人科学者と共有しないことで合意した）。会議に参加した生物学者の一人は不安になり、学術誌サイエンスへ寄稿して「世界はヒロシマ直前の状況と酷似している」と嘆いた［広島への原爆投下直前と同じくらいに危険という意味］。スタンフォード大の生化学者ポール・バーグは会議主催者の一人としてこう述べている。「時はベトナム戦争直後。人々は再び悪夢にさいなまれるのではないかと神経質になっていた」

モチベーションは「社会へのインパクト」

安全性に対する不安が高まったことで、ライマースは仕切り直ししなければならなくなった。ポール・バーグはスタンフォード大の看板教授であると同時に、遺伝子組み換え研究に待ったをかけようとする急先鋒でもあったからだ。

もっともバーグは、遺伝子組み換え研究が一般大衆にとって危険であると思っていたわけではなかった。もし科学者が自ら行動しなければ、科学技術に冷たいニクソン政権が規制の網をかけると考え、自主規制を唱えていたのだ。大学の外からは違う景色が見えたかもしれない。学内の一流科学者が警鐘を鳴らしているにもかかわらず、ライマース主導の下でスタンフォード大は遺伝子組み換えという画期的な発明から利益を得ようとしている——このように思われたとしてもおかしくなかった。

ライマースはバーグのオフィスで何度かミーティングに臨み、議論を戦わせた。ただし、テーマは安全性や自主規制というよりも特許法や研究功績だった。ミーティングにはバーグと共にスタンフォード大のノーベル賞受賞学者ジョシュア・レーダーバーグとアーサー・コーンバーグも同席した。バーグ、レーダーバーグ、コーンバーグの3人の考えでは、遺伝子組み換え技術は科学の土台であるのだから、そもそも特許の対象になるべきではなかった。大学は社会全体で共有される知識を増やすことを使命にしており、本質的に知識の共有を妨げる特許とは相いれない、というのが3人の立ち位置だった。

3人はもう一つ問題を挙げた。すでに述べたように、遺伝子組み換え技術は多くの科学者による先行研究をよりどころにしており、コーエンとボイヤーの2人の功績と考えるのはおかしいというのだ（今でもバーグは特許の請求範囲について「怪しい・ずうずうしい・高慢」と思っている）。このような批判は、UC側で特許出願を審査した匿名研究者の見解を裏付けている。この研究者は次のように書いている。「遺伝子組み換えは科学の根本部分であるうえ、これまでに多くの科学者を直接的にも間接的にも巻き込んできている。ここで特許を取得するというのは、大学の使命である公益と合致せず、好ましくない行動と見なされる恐れがある」

スタンフォード大にとってあまりにも大きな問題となったことから、少なくとも一度は事務総長（プロボスト）がバーグのオフィスに現れ、議論に加わることもあった。そんな経緯もあり、１９７５年２月にライマースは研究担当副学長と会い、①リサーチ・コーポレーションへ特許出願を委任するべきか、②特許出願を諦めて撤回するべきか――などについて意見交換することで一致した。

ライマースは微妙な役回りを演じる必要があった。特許取得を目指しつつも、オープンサイエンスの原則をないがしろにしてはならなかったし、大学研究のインセンティブをゆがめてはならなかったのだ。さらには教授陣を遠ざけてもいけなかったし、大学の存立理念を軽視してもいけなかった。

ライマースはキャンパス周辺に散らばるスタートアップに触発され、イノベーションとアントレプレナーシップを旗印にしてＯＴＬを発足させた。にもかかわらず、今では同時並行で無数の相手と利害調整しなければならなくなっていた。①２人の発明家、②二つの大学、③三つの政府機関、④一つの法務チーム、⑤特許商標庁、⑥反発する科学者一団、⑦「公的資金で生まれた発明を特許化する権利はスタンフォードにはない」と主張する活動家一団、⑧遺伝子レベルで生命を変えてしまうような発明に一部の研究者が警鐘を鳴らす国際アカデミア――が主な相手だった。

そんななか、ライマースは引き続きＯＴＬを運営し、月平均で6通前後の発明開示書を処理していた。さらには大学技術マネジャー協会の発足を手伝ったり、世界中の企業にスタンフォード大発の発明を売り込んでライセンス化を働き掛けたりしていた。

それでもライマースは遺伝子組み換えの特許取得に全力投球する姿勢を変えなかった。遺伝子組み換え以外に１３０件に上るプロジェクトを抱えていたにもかかわらず、である。当時、事務局スタッフに対して「仮に商業化されたら、とんでもなく大きな利益が転がり込んでくるような発明だ」「遺伝子組み換え技術はスタンフォード大史上最も重要な発明になるかもしれない。特許収入という意味でも、社会へのインパクトという意味でも」などと話している。

ライマースは「社会へのインパクト」を大きなモチベーションにしてＯＴＬを運営していた。営利企業を媒介にしてこそ、大学の研究成果を広く一般社会へ還元できると信じていた。だから、相手が大学であっても、特許商標庁であっても、政府機関であっても、最後まで戦う覚悟でいた。健康教育福祉省の特許担当者によれば、ライマースは「大学の技術移転担当者としては全米一」であり、「攻撃的かつ社交的パーソナリティー」を大きな武器にしていた。

遺伝子組み換えの特許を出願してから数年後、ライマースは産業界への技術移転の現状になお不満を抱え、「ライセンス化のインセンティブが欠けているため、政府は2万8千件に上る特許を抱えたまま放置している」と批判している。ＯＴＬは必要なインセンティブを用意して、重要なアイデアと企業をつなぐ先兵になる――このように決意していた。ＯＴＬを舞台にして大学の発明を社会へ還元し、人々の生活改善に貢献するのだ。オフィス代わりに使っている小型トレーラーの壁に掲げたモットー「なせば成る」を毎日目にしながら。

1　制限酵素「EcoR1（エコアールワン）」は、ＤＮＡ分子の特定部分を切断する。スタンフォード大のポール・バーグ研究室のジャネット・マーツはこの制限酵素を使い、非常に効率的な遺伝子版「カット&ペースト（切り貼り）」技術を開発した。

2　コーエンはその後、アニー・チャンを助手へ昇格させている。

第11章　私が月曜日にやること——マイク・マークラ

自己資産を計算して新年の誓いを立てる

１９７２年12月、サンドラ・カーツィッグがＡＳＫを創業し、ゼロックスＰＡＲＣのボブ・テイラーがアルト・プロジェクトを開始して数カ月後のことだ。インテルで２年目を終えようとしていたマイク・マークラは、自宅でクリスマス休暇に入っていた。クリスマスから元日の間にやることは毎年同じ。自己資産を計算して新年の誓いを立てること。新年の誓いの１回目は大学生だった20歳の時であり、内容は「15年以内に経済的に独立する」だった。

大学を卒業してヒューズとフェアチャイルド両社で経験を積み、現在はインテル勤務のマークラ。毎年12月になるとクパチーノ市サンダーランド通りのランチハウスにこもり、計算機を手元に置いて銀行明細と請求書に目を通す。１年前から自己資産の計算は複雑になっていた。だが、全然苦痛ではなかった。自己資産の計算を複雑にしていたのは、インテル入社時に好条件で取得したストックオプションだったからである。

新年の1973年を目前にしてマークラは「もう二度と誰にも雇われずにやっていける」と思った。これまでの貯蓄とインテル株の値上がりで、一生遊んで暮らせるほどの財産を手に入れたのである。会社勤めを辞めても妻のリンダと一緒に素晴らしい家に住み、近所の有名校へ娘を通わせることも可能だ。予定よりも4年早く経済的独立を達成したのだ！

もう働かなくてもいいというのは本当に夢のようだった。だからといって何か行動を起こすわけでもなかった。まだ31歳であり、保有ストックオプションの権利確定も半分にとどまっていた（1年勤務ごとに全体の4分の1の権利が確定する仕組みになっていた）。この年にインテル株は1株55ドルの高値を記録（権利行使価格は6・22ドル）していたものの、今後も株価が上昇し続ける根拠はいくらでも見つけられた。

そもそもすぐに辞めたくなかったし、辞めるわけにもいかなかった。当時、インテル社員の大半は製品開発で完全に手いっぱいになっていた。そんな状況下で、マークラは上司のボブ・グラハムと組んで、製品開発以外のすべてを一手に引き受けていたのだ。

マークラが入社した当初、インテルは中小企業と変わらない職場だった（いろいろな部署がそれぞれ違う業務をこなす大企業とは違った）。そのため、彼の担当分野は製品マーケティングにとどまらず、市場予測や計画、出荷、顧客サービスなど経営全般に及んだ。どちらかと言えばつまらなく見える分野とはいえ、一歩間違えば会社の存亡にも関わるほど重要であり、緻密な作業も求められた。

マークラは広範な役割を与えられて充実感を覚えていた。日常業務として製品の特性や性能を説明したデータシートを作成することもあったし、業界誌や専門レポートに目を通して競争相手の動向を探ることもあった。エンジニアチームとのコミュニケーションも大事にしていた。製品知識をどんどん深めて、どんな技術的質問にも自分の言葉で答えられるようにしたかったのだ。

マイクロプロセッサーの登場に興奮

マークラが入社してから数カ月後、インテルはマイクロプロセッサー「４００４」を発表した。「４００４」はプログラムの書き換えが可能な汎用ロジックデバイスであり、「チップ上のコンピューター」とも呼ばれた革命的製品だった。彼は当時を思い出し、「マイクロプロセッサーの誕生にとても興奮しました。頭がくらくらしたほどです」と語る。

マイクロプロセッサー誕生前、インテルの取引先は自らシステムを構築していた。さまざまなマイクロチップ——それぞれのチップは専用機能を持っている——を選んで基板上に載せ、つなげていたのである。システムを変更するときにはチップの物理的配置を変更するというやり方を取っていた。つまりハードウエアを変更していたわけだ。

これがマイクロプロセッサーの登場によって一変した。システム変更に際してエンジニアは物理的にパーツを動かす必要がなくなり、プログラムメモリー内の命令を書き換えるだけでよくなった。言い換えると、マイクロプロセッサー時代の到来で半導体業界はソフトウエアと不可分の関係になったのだ。結果として、インテルの取引先は社内体制の見直しを迫られた。ハードウエアに軸足を置いていた体制を見直し、コンピュータープログラムを利用してシステム上の問題を解決するというやり方を導入しなければならなくなった。

１９７１年、インテルはマーケティング・PR専門家のレジス・マッケンナに声を掛け、マイクロプロセッサーの広告・宣伝キャンペーンを委任した。マッケンナはナショナル・セミコンダクター出身で、５００ドルの資本金でマーケティング・PR会社レジス・マッケンナ・インク（ＲＭＩ）を設立した。７人兄弟の家庭で育ったことから、他人とうまくやるだけでなく自分のアイデアを守る方法も心得ていた。難しい技術をメディアや一般消費者に対して分かりやすく説明するスキルを強みにしていた。

そんななか、マークラも忙しくなった。回路設計者に対して、マイクロプロセッサーがどのように機能するのかを説明しなければならなくなったのだ。対応策としてフェアチャイルドからエンジニアのハンク・スミスを雇い入れ、マイクロプロセッサーに関するマニュアル作成を依頼した。マニュアル作成はとんでもなく大掛かりな作業になった。通常のインテル製チップの場合にはたったの10ページのデータシートで済むというのに、今回は１００ページ以上の巨大マニュアルになったのだ。にもかかわらず「４００４」用マニュアルは人気となり、当初の発行部数は「４００４」の出荷数を上回るほどだった。マイクロプロセッサーの営業部長は後に「実際に買うかどうかに関係なく、マイクロプロセッサーについて読みたい人が大勢いた」と説明している。

今ではマイクロプロセッサーはコンピューターの心臓部として有名だ。だが、当初はもっぱら制御装置として販売されていた。主な用途は図書館のバーコードシステム、液体塩素制御モニタリング、透析装置、エレベーター制御システム、製材所、農業利水システムなどだった。

カーツィッグがソフトウエア産業誕生に関わったように、マークラはパソコン革命を目指して人材集めやネットワークづくりを進めていた。マイクロプロセッサーに詳しかったうえ、レジス・マッケンナやハンク・スミスらとつながりを持っていたことから、後にアップル創業期に大きな役割を果たすことになる。

スタートアップから急成長するインテルを観察

インテル時代、マークラが手掛けた最も重要な仕事は何だったのだろうか。広範な人脈を生かしたことか？　それとも20世紀最大の発明の一つであるマイクロプロセッサーのマーケティングを手伝ったことか？　そのどちらでもなかった。一見すると退屈な仕事が実は最も重要だったのだ。受注処理に欠かせないコンピュータープログラムである。

企業は①どのくらいの受注があるのか、②誰からの発注なのか、③約束した出荷日はいつなのか、④出荷日に間に合う生産体制にあるのか――などを正確にリアルタイムで把握しておかなければ、大変な結果を招く。予定通りに顧客に納品できなくなったり、需要予測に不可欠なデータを確保できなくなったりしかねない。誰も欲しがらない製品を生産してしまうもしれないし、非常に人気のある製品を十分に供給できなくなってしまうかもしれない。

インテルで働き始めた当初、マークラは小さな出荷現場を視察し、事務員に受注残（顧客から注文を受けた製品のうちまだ納品していない数量あるいは金額のこと）の報告を求めたことがある。コンピューターから引き出したデータを印刷してもらえると期待していたのだが、そうはならなかった。事務員は「少しお待ちください」と言い、手書きの会計台帳と鉛筆を取り出して計算を始めたのである。

これに衝撃を受けたマークラは、インテルの受注処理システムのコンピューター化を決意した。大学時代からコンピューターに親しんできた。サイコロゲーム〈クラップス〉に勝つために、プログラミング言語「ＦＯＲＴＲＡＮ（フォートラン）」を使い、パンチカード上に人生初のプログラムを書いている。これによって利益を最大化しつつ損失を最小化するのだ。[1] ヒューズ時代にはコンピューターを駆使して回路を設計したし、フェアチャイルドに転職してもコンピューターをフル活用した。フェアチャイルドでは同僚のマイク・スコットと組んで予測を立てる作業に取り組んだ。テレタイプ端末「モデル33」経由でティムシェア所有の汎用コンピューター「ＰＤＰ

ー10」に接続し、予測に必要な計算を行っていた。

インテルでもマークラは「モデル33」をレンタルして顧客サービスエリアに設置した。それから数週間にわたり、プログラミング言語BASIC（ベーシック）とティムシェアのデータベース「リトリーブ」を利用してプログラム作成に専念した。慎重な作業が求められるなか、システムが動かなくなるなどのトラブルにたびたび直面した。そんなとき、帰宅ルートにオフィスを構えるティムシェアに立ち寄れたのは幸いだった。そこでプログラミング上の問題を解決してもらったり、クラッシュ後の再起動を手伝ってもらえたりしたのだ。

マークラは加速度的成長を遂げるインテルを観察し、学んでいた。入社して最初の1年で顧客数は500社弱から900社へほぼ倍増し、海外売り上げは4倍に膨らみ、1971年には株価23・50ドルでIPOが実現していた。同時に、サンタクララにある広さ26エーカーの洋ナシ果樹園跡に新本社キャンパスも完成。第2本社ビル建設のため平地にされるまでの数カ月間、社員はキャンパスの一角に残った洋ナシの木から果実をもぎ取って食べていた。

マークラは予測を担当していたことから、インテルの最高幹部と取締役会の前でたびたびプレゼンした。そこにはシリコンバレー最大の成功者（権力者でもある）が含まれていた。ロバート・ノイスやゴードン・ムーア、アーサー・ロックらだ。ロックは伝説的なベンチャーキャピタリストであり、フェアチャイルドとインテル両社の創業のほか、SDSのゼロックスへの身売りにも関わっている。アップルの創業でも活躍し、長らく同取締役会の重鎮であった。インテルでは秘密を一つマークラと共有していた。取締役会開催中につまらないプレゼン——マークラの担当分野も含まれた——を聞かされているとき、眠ってしまわないようにカフェイン剤を飲んでいたのだ。

マークラが在籍した4年間で、インテルは数々の新製品を発表した。新製品はメモリー部品で15点、論理回路で17点、メモリーシステムで11点に及んだ。従業員数は300人から2千人以上に、利益は1972年の2000万ドルから翌年に920万ドル、翌々年に1980万ドルへ急増した。要するに、彼はインテルに4年間在籍したことで、スタートアップが巨大企業へ成長する過程をつぶさに観察できたのだ。

アンディ・グローブに嫌われても会社が大好き

実は、インテル時代にマークラは極めて不利な状況下に置かれていた。インテル社内で3番目の権力者であり、共同創業者2人の後継者と見なされていたアンディ・グローブに嫌われていたのだ。それを考えれば、マークラがインテルで充実感を覚えていたというのは驚きだ。

インテル創業から数年間、グローブはマーケティングに価値を見いだしていなかった。エンジニアリングが製品を開発し、工場が製品を生産し、営業が製品を売るが、マーケティングは何をやるのか——これがグローブの口癖だった。社内ではマークラの庇護者もいた。初代マーケティング担当副社長ボブ・グラハムだ。ところがマークラ入社から6カ月後の1971年7月、グローブから「私と彼のどちらを取るのか?」と最後通牒を突き付けられて追い出された。マークラは「アンディは反マーケティングというだけではなかった。反マークラでもあった」と語る。アーサー・ロックら関係者も同意見だ。グローブは後にマークラへの評価を変えている。ロックに対して「マイクの良さに気付いていなかったのかもしれない」と言い、株式非公開のアップルに自腹で出資している。[2] しかし、2015年には「マークラがいなかったらアップルも生まれていなかった」と高く評価。しかし、インテル在籍時のマークラに対しては常に手厳しかった。「彼はとてもいい人。でも、私にとって利用価値はなかった」

このような評価はマークラのキャリアに間違いなく影響を与えた。彼はフェアチャイルドでは急ピッチで頭角を現したというのに、インテルでは遅々としたペースでしか昇進できなかった。北米マーケティングマネジャーとして採用され、後にヨーロッパと日本でもマーケティングを担当するようになった。だが、当時のインテル人事部長アン・バウアーズによれば、在籍中はずっと格下のマーケティング担当者という位置付けだった。

それでもマークラは仕事に満足し、今でも「インテルは大好きでした」と語る。「自分の技術的能力を生かして事業計画とマーケティングを手掛けることができて、楽しかったですから」。一方で、2株を3株にする株式分割が1973年に続いて翌年にも実施された結果、ストックオプションの行使対象になる持ち株数は当初の2倍にはね上がった。おかげで、その気になれば彼はいつでも早期退職できるほどの財産を築けた。それでも仕事が楽しいこともあり、すぐには辞めたくなかった。

インテル株は購入価格の16倍に値上がり

そして1974年になった。年初、インテルは株式公開企業として最も高収益なアメリカ企業の一つとしてたたえられた（フォーブス誌上では「無借金マネーマシン」と持ち上げられた）。ところが、年末になると生産部門を中心に従業員2500人の30%を解雇しなければならなくなった。

第一次石油危機の勃発を背景に世界中のコンピューター・テレビ業界が発注キャンセルに踏み切ったことで、半導体業界全体がいきなり不況に突入したためだ。[3] シリコンバレーの半導体業界全体で見ると、売り上げがわずか数カ月で25%も減ったため、第4四半期には工場労働者の20%近くが失職した。西部エレクトロニクス製造業者協会の年次大会が開催されると、会場の外にはデモ参加者が結集し、「フェアチャイルドの労働者よ、団結せよ！」「インテル労働者からノイズへの怒り！」「7万人のエレクトロニクス労働者に無給休暇は不要！」といったプラカードを掲げていた。

当初、マークラは何の影響も受けなかった。だが、1975年に入ってインテルは全社的組織改革を行い、マーケティングチームを機能別（マーケティングやエンジニアリング）から部門別（コンポーネントやシステム）へ再編した。結果として、彼の上司エド・ゲルバック（グラハムの後任）はコンポーネント部長へ昇進し、マイクロプロセッサーとデジタル腕時計を除く全製品の担当になった。

ゲルバックが昇進したため、販売・マーケティング担当副社長のポストが空いた。マークラは当然のように同ポストを望んだ。マーケティングで最も長い経験を積んでいる正社員であり、インテルの中核製品であるメモリーチップのマーケティングの第一人者でもあると自負していたからだ。ゲルバックの後任としては最適であるのは間違いなかった。

ところがマークラは昇進できなかった。代わりに、インテルは半導体大手テキサス・インスツルメンツからジャック・カーステンを引き抜いて、ゲルバックの後任に据えた。カーステンはマーケティングのベテランであり、テキサス・インスツルメンツではゲルバックと一緒に働いたことがあった。カーステンの下でマークラは数週間働き、これ以上インテルにとどまりたくないと思うようになった。

カーステンがインテル入りしたのとほぼ同じタイミングで、マークラが保有する全ストックオプションの権利が確定した。マークラがこれまで毎朝銀色のコルベットに乗ってインテルの駐車場にやって来たのは、二つのインセンティブ——楽しさとカネ——があったためだ。しかし、たったの数カ月で二つのインセンティブは雲散霧消してしまった。

マークラはすでに大きな富を手に入れていた。ストックオプションの権利行使で得たインテル株の保有時価は225万ドル（2016年換算で1千万ドル）に達していた。購入価格の実に16倍に膨らんでいたのだ。それとは別に、従業員持ち株制度を使って市場価格を大きく下回る値段でインテル株を購入し続けていた。

やりたいことをやる時が来た！

次に何をするのかすでに決めていた。早期引退できると分かって以来、引退後の自由時間の使い方についてはしっかり計画を練っていたのだ。

具体的には、「目標達成こそ人生そのもの」と信じ、5×3インチ（125×75ミリメートル）の情報カード1枚に引退後の目標を書き込み、スケジュール帳に常に挟んでいた。大きな目標はいくつかあった。一つ目はギター。10代のころから楽譜なしで（あるいはタブ譜を使って）ギターを演奏してきた。時間をつくれたら楽譜をマスターする決意を固めていた。二つ目は木工。大工仕事が大好きであり、自力で木材加工して家族用に本物の家具を製作するつもりでいた。三つ目はスポーツ。もともとスポーツが得意であり、テニスやスキーの腕をさらに磨きたいと思っていた。四つ目はボランティア活動。地元コミュニティーに何かを還元したいと考えていたが、どのようにするのかはまだ決めていなかった。

過去2年にわたり、マークラは何かいいアイデアが浮かぶたびに情報カードを取り出し、目標を書き加えていた。カードの両面を使って小さく書き込んでいたとはいえ、スペースの制約上で50項目以内に抑えなければならなかった。つまり、目標に優先順位を付けて、新しい目標を加えるときには優先順位の低い目標を消すのだ。

マークラは、情報カードの物理的制約から生まれる規律を気に入っていた。次のように回想する。「カードから消える目標は忘れていいんです。そこに到達することはまずないでしょうから。本当に重要な目標なら絶対に消しません。別の目標を消すはずです」

それまでマークラはいい気晴らしとして情報カードを使っていた。しかし、1975年に入ってから単なる気晴らしではなく未来へのロードマップとしてカードを位置付けるようになった。インテルで望んだように昇進できず、相性が悪い上司の下で働かなければならなくなったからだ。しかも、保有する全ストックオプションの権利が確定したのだ。

妻のリンダからインテル退社の理解を得ると、マークラは慰留を求める周囲の声には耳を傾けなかった。社内での異動も希望しなかったし、他社への転職も考えなかった。退社理由を聞かれると、「引退する。おカネのためにはもう働かない」と答えた。

さて、情報カードの目標リストに従ってやりたいことをやる時が来た！　マークラは33歳だった。

2人の「スティーブ」に会ってくれ

マークラは情報カードに書き込んだ計画通りに行動し始めた。第一に、自宅近くの音楽店を訪ね、講師を見つけて個人レッスンを受け始めた。第二に、重ね合わせた紙製円盤を一式自作し、ギターのフレットボード（指板）上でどのようにコードを押さえればいいのかすぐに分かるようにした。第三に、近所の小学校で4年生を対象に数学を教えるボランティア活動を始めた。第四に、クパチーノ市の都市計画委員会に加わった。第五に、自宅ガレージに木工スタジオを用意し、テラス用家具とプランターを製作した（家具とプランターはマークラ家が何年にもわたって使うことになる）。第六に、小さな寝室をオフィスへ改装し、ティムシェア所有の汎用機PDP－10につながったテレタイプ端末を設置した。第七に、テレタイプ端末を使って家計簿プログラムを書いた。目標を一つ終えるごとに情報カードを取り出し、該当項目に線を引いてリストから消し去った。

そうこうしているうちに、マークラは快適な生活リズムをつかんだ。リンダと一緒にランチをしたり、テニスをしたりするのはもちろん、日中も含めて娘との時間を確保できるようになった。近く息子も生まれる予定だった。

とても充実した毎日であったため、職場に戻りたいとはつゆほども思わなかった。ただし例外が一つあった。「頭の回転が速くて炎のような目をしていて、すごいことをやろうとして野心に燃えている人間」が近くにいなくて寂しかったのだ。そこで情報カードに目標を一つ書き加えた。「毎週月曜日だけコンサルティングをやると決めたんです。呼ばれればアイデアを聞き、できる限り助言する。無料で。でも火曜日に呼ばれても何もしない。テニスかスキーの予定が入っているかもしれないし、ガレージで家具作りに精を出しているかもしれないから」

マークラは半導体とベンチャーキャピタル両業界の友人数人に連絡し、「起業家志望に会ってアドバイスしますよ」と伝えた。間もなくして次々とコンサルティングを依頼され、月曜日の予定を埋めていくようになった。月曜日になると小ぎれいな服を着た男性——多くは30代か40代前半——の訪問を受け、寝室からオフィスへ改装された部屋の中でプレゼンを聞くのだ。

彼の記憶によれば、半導体や装置のほか石鹼事業も含めて、合計で20件以上のビジネスプランを見せられた。創業チームへの参画やビジネスプランの作成を打診されることもあった。そんなときはいつも「それは大変な仕事になる」と言って断り、代わりにやり方を教えた。どのようにして市場調査を実施して物流コストを計算したらいいのか、流通業者を利用するのと比べて自社営業チームをつくったときのメリットとデメリットは何か、急成長後に実現する規模の経済に備えるにはどうしたらいいのか——。

1976年初秋、早期引退から18カ月後のことだ。マークラは、アタリを支援したベンチャーキャピタリストのドン・バレンタインから電話をもらった。2人はフェアチャイルド時代の同僚であり旧知の仲だった。マークラがインテル、バレンタインがナショナル・セミコンダクターに在籍していたときにはライバル関係にあった。

「ロスアルトスに2人の若者がいるんだ。会いに行って、ちょっとアドバイスしてくれないかな」とバレンタインは言った。2人の若者はどちらも「スティーブ」という名前であり、アップルコンピュータと呼ばれるスタートアップを立ち上げたばかりだという。

「OK、大丈夫だ。私が月曜日にやることはまさにそれだから」とマークラは答えた。

1　現在でもマークラは〈クラップス〉で遊ぶ際には、当時FORTRANを使って書いたプログラムに頼っている。「数十年も先を行っていたんです」と語っている。

2　1979年、グローブはアップルの未公開株1万4千株を取得している。

3　これはアタリにも影響を与えた。半導体不況のあおりを受けて、サンタクララ市内でマイクロチップ用プラスチック製品生産を手掛けていた町工場は、どこからか新たな受注を確保する必要に迫られていた。そんなとき、〈ホームポン〉用プラスチックケースの生産委託先を探していたアタリから声を掛けられたのだ。

第3部

挑戦

1976〜77

1976年までに、ニューヨーク・タイムズとウォールストリート・ジャーナルの両紙は「シリコンバレー」という名称を紙面上で使うようになっていた。シリコンバレー発の製品や企業、アイデアは、折に触れて全国的な注目を集めた。例えば、インテルとヒューレット・パッカード（HP）の両社の株価は急騰し、アタリのアーケードゲームと〈ホームポン〉は大好評を博していた。

とはいっても、実のところ、シリコンバレー発のイノベーションは無視されることのほうが多かった。脅威と見なされることさえあった。スティーブ・ジョブズとスティーブ・ウォズニアックはコンピューター会社を立ち上げながら、支援者を見つけられずに苦戦していた。独立したソフトウエア業界はまだよちよち歩きの状態であったため、サンドラ・カーツィッグは自分の小さなプログラミング会社が生き残れるのかどうかまったく自信を持てなかった。ボブ・テイラーのチームはパロアルト研究所（PARC）のパーソナルコンピューター（パソコン）を見せ、ゼロックス本社役員に積極的にアピールしていたのに、期待した反応を得られないままだった。

そんななか、暴力的なビデオゲームに対して反発が出たほか、遺伝子組み換え（組み換えDNA）をめぐって脅威論が広がった。遺伝子組み換えがニュースになると、「人類の存続そのものが脅かされる」といった誤解が広がり、抗議デモや研究規制につながったのだ。ニルス・ライマースの技術移転プロジェクトは「世界の知識蓄積に貢献するというスタンフォード大学の根本的使命と相いれない」と批判された。

シリコンバレー自体も批判を浴びた。牧歌的な農村地帯だったのに、ごみごみした大都市圏へ変貌しつつあったからだ。サンノゼ市の人口は1970～76年の間に24％増を記録し、主要都市の中では全米一の急成長都市に躍り出た。高速道路は慢性的に渋滞し、通勤時間は長くなった。おかげで住宅価格は急騰し、果樹園の大半は消え去った。住民は不満を募らせ、行動を起こし始めた。サンノゼでは、一部の建築業者はクレーンを使って1台のシボレー車をつり上げ、建設途中の高速道路インターチェンジ上に下ろした。建設を早く進めるよう州政府に圧力をかけたのだ。サンマテオ郡では、有権者が住民投票を実施し、地元緑地帯を買い上げて永久保全化する条例を可決した。

10年前にボブ・テイラーが国防総省（ペンタゴン）で始動させたアーパネット（ARPANET）も攻撃対象になった。

1975年6月から9月にかけてカリフォルニア州選出の民主党上院議員ジョン・タニーは議会で公聴会を開き、「50年前にジョージ・オーウェルが描いたような強力な新技術が登場し、憲法が定めた国家と国民の微妙なパワーバランスを脅かしている」と警鐘を鳴らした。また、テレビ局のNBCはニュース番組の特集で「ペンタゴンは異種のコンピューター同士をつなげる新技術を駆使して、秘密のコンピューターネットワークを構築した。これによってお互いにコミュニケーションし、情報を共有している」と指摘。そのうえで、「ペンタゴン内で秘密裏に立ち上がった電子諜報ネットワークによって、ホワイトハウスや中央情報局（CIA）、国防総省は何百万人に上るアメリカ人の個人情報ファイルにアクセスできるようになった」と警告した。

秘密のコンピューターネットワークとはアーパネットのことだった。秘密でも何でもなかったのだが、国防総省の資金で運営されていたことから、不人気のベトナム戦争の文脈で語られて危険視されたのだ。

しかも、ニクソン大統領を辞任に追い込んだウォーターゲート事件から1年足らずであり、アメリカ全体が疑心暗鬼に包まれていた。同事件では電話盗聴や秘密録音テープ、電子盗聴装置といった最新技術の利用が焦点になっていたため、なおさらアーパネットがクローズアップされた。上院議員タニーは「憲法中の権利章典規定を強化して、新しいコンピューターネットワーク技術も監視対象に含めるべきだ」と主張した。[1]

3日間にわたる議会証言（合計で10人以上）の結果、NBCがニュース番組の中で挙げた論点は証拠不十分と断定された。もっとも、「電子記録やデータベース、ネットワークの利用が広がる状況下でプライバシー侵害のリスクが高まっている」というNBCの懸念は的外れではなく、今でも大きなテーマだ。

1　新しいハイテク時代を迎え、議会は10年以上にわたって個人のプライバシー問題について議論していた。内国歳入庁が1963年にコンピューターの利用を始め、納税者に対して確定申告時に社会保障番号を記入するよう義務付けたことが背景にある。1960年代終わりには、内国歳入庁に限らず陸軍や連邦捜査局（FBI）も含め、多くの省庁や政府機関がアメリカ国民の個人情報を蓄積したデータベースを持つようになっていた。そんななか、政府が国民全員について何でも知っているようなオーウェリアンな状況が出現するのではないか、という懸念が広がった［「オーウェリアンとは、ジョージ・オーウェルが『1984年』で描いた監視社会のような」という意味］。結局、議会は1968年に入り、すべてのデータベースを一つに統合する「全米データセンター」構想を阻止している。

第12章　机に座って仕事をする必要があった
――フォーン・アルバレス

ハロウィーンの日に採用が決まる

子ども時代にプラムを摘んで小遣い稼ぎをしていたフォーン・アルバレスは1975年、クパチーノ市の公立高校クパチーノ・ハイスクールを卒業した。卒業式に帽子投げをしてから数カ月後、母ビネータと姉ボビーの職場であるロルムの生産ラインで働き始めた。

採用日はちょうどハロウィーンの日だった。その日、母がランチを家に置いたまま出社したので、アルバレスはランチを届けるために、手袋も含めて全身をミニーマウスの衣装でまとって職場を訪ねた。職場で出迎えてくれたのは隣人でもある採用責任者だった。「生産現場のフルタイム社員になる気はある?」

アルバレスはかなり若いころからマービンズなどの百貨店で働いていた。年齢を偽ってアルバイトをし、商品陳列や接客を担当していた。ロルムの生産ラインではハイテク作業服を着ていても、いつも何となく場違いに見えたものだ。

生産現場以外の職場を希望することもできたが、あえてそうしなかった。高卒の若い女性が生産現場以外で働くとなれば、文書管理部へ行かされる（ロルムが製品出荷前に作成する技術文書――何千ページにも上る――を管理するのが同部の役割だった）。それは避けたかったのだ。母が数年前に生産現場を離れて同部の責任者になり、強化（ラギッド）コンピューター製造部門の技術文書を担当していたからだ。

もちろん母のことは大好きだった。だが、当時は18歳の誕生日を迎え、生まれて初めてフルタイムの仕事を得たばかりで、独り立ちしたいという思いを強めていた。しかも、母がロルム入社直後に２万２千ドルで購入した自宅近くに自分でアパートを借り、毎月１００ドルの家賃を払っていた。毎月の生活費を考えると、生産現場で働くのはベストに思えた。時給２ドルの最低賃金とはいっても、有給で病気休暇を取得できたし安定収入も見込めた。百貨店で働いていたときには季節要因に左右され、収入面で不安定だった。

１９７０年代半ば、シリコンバレーでは製造関連の仕事があふれていた。地元の工場はマイクロチップや計算機、コンピューター、周辺機器、ビデオゲーム、電子機器をはじめ、さまざまな製品を生産していた。１９６４年からの20年間で、シリコンバレーでは製造業で20万人以上の雇用が生まれ、このうちハイテク分野が85%を占めた。生産現場の熟練労働者は平均で時給５ドルを稼いでいた。ただし、上級エンジニアや上級管理職と違い、たとえ現場責任者であってもストックオプション（株式購入権）は支給されなかった。それでも、ロルムも含めて一部の先進的企業は、現場作業員に対しても利益分配（プロフィットシェアリング）制度や社員持ち株制度を認めていた（社員持ち株制度を使うと社員は市場価格を下回る価格で自社株を取得できる）。

生産現場は単純作業の繰り返し

アルバレスは1975年にロルムに入社すると、「CBX」製造グループへ回された。CBXとは、完全に電子化されたコンピューター制御電話システムのことで、一般には「PBX（電話交換機）」と呼ばれている。創業から6年間で累計3千万ドル相当の強化コンピューターを販売していたロルムは、新製品CBXによって通信機器市場に本格参入する計画だった。7年前の歴史的「カーターフォン裁定」によって電話会社AT&Tの独占体制にメスが入り、外部企業が通信機器を自由にAT&Tのネットワークに接続できるようになったことから、通信機器市場は急拡大すると予想されていた。[1]

内部にミニコンピューターを備えるロルム製CBXシステムは、旧来型のAT&Tシステム（電気機械式PBX）よりも安くて柔軟性に優れていた。しかも、①特定の内線電話からの外線電話は市内通話に限定する、②通話時間と通話先電話番号を把握する、③転送や電話会議、順番待ち電話に対応する、④自動的にリダイアルする――など、従来ならばオペレーターの仕事と見なされた機能も有していた。

ＣＢＸの開発は、エンジニアチームにとって非常に技術的なハードルが高かった。ＣＢＸ売り出し後も、恐ろしいほどの苦渋の展開が続いた。まず、顧客企業に納入したＣＢＸシステムがほぼ同時にすべてダウンした（原因はシステム内のインテル製ＤＲＡＭチップだった）。次に、ＡＴ＆Ｔはロルムなどの新規参入組を阻もうとして、連邦議会と州議会レベルで大規模な法廷闘争を始めた。ロルムの弁護士チームは大わらわとなった。まるで緊張感あふれるチェスの試合を戦っているかのように戦略を練り、どうにかしてＡＴ＆Ｔを撃退した。

しかし、フォーン・アルバレスはすぐに現実に目覚めた。革新的な製品であるＣＢＸは刺激的であっても、ＣＢＸを組み立てる生産現場はまったく刺激的ではないことに気付いたのだ。

アルバレスが配属された生産現場はアメフトのスタジアムほどの広さがあった。蛍光灯で全体が明るく照らされ、周囲に大型のキャビネットと背の高いラック——ベーカリーがパンを冷ますために使っているのと似ている——が配置されていた。２列に並んだ机の間にあるベルトコンベヤーが彼女の作業場であり、生産ライン上で運ばれてくるのは緑色の回路基板が入った箱だった。

生産ラインの仕事は単純作業だった。彼女は①前の作業員から送られてくる箱を取る、②箱から基板を取り出す、③電子部品を基板に装着する、③基板を入れた箱をライン上に戻す、⑤軽く押して後ろの作業員へ箱を送る、⑥前の作業員から送られてくる箱を取る——という作業を繰り返すのだ。自分の机の前に作業手順書を置いていたものの、実際にはそれを丸暗記して機械的に作業に取り組んでいた。扱っていた部品はさまざまで、粒ガムサイズの部品もあれば、レゴブロックのような形と重さの部品もあった。

ライン最後に位置する作業員が部品を装着し終えると、基板は別のベルトコンベヤーへ移されてはんだ槽の上を通過した。はんだは金属棒の上を水銀の小川のように流れながら基板に付着し、部品をしっかり固定。続いて基板は化学洗浄され、写真現像室のような暗室内で乾燥のためにつるされた（アルバレスは「今なら完全にアウトですね。がんにならなくてラッキーだった」と語る）。乾燥後は背の高い金属製ラックに置かれ、テストを受けた。何も問題がなければ、バーントオレンジ色に塗装された冷蔵庫のようなキャビネット内に差し込まれた。キャビネットはCBXシステムを内包しており、基板は同システムの中核部品だった。

アルバレスが採用されたとき、ロルム社員の半分は生産現場の作業員であり、全員がシリコンバレー内で働いていた。彼女によれば、顔ぶれを見るとまるで「ミニチュア版の国連」だった。ロルムが急成長していたころ、カリフォルニア内では人種構成が大きく変化していた。生産現場で雇われていた女性の多くはメキシコやベトナム、カンボジアなど外国からの移民だった。移民組に対してあからさまな敵意はなかったとはいえ、小声で嫌味がささやかれることはあった。例えば、英語以外の言葉で作業員同士がおしゃべりしていたり、昼食時に新品の電子レンジ内で「臭いランチ」が温められていたりするときだ（「これではボローニャサンドイッチを楽しめない」という文句も聞かれた）。

全社員を対象にした福利厚生制度

生産ラインに配属されて毎日8時間連続で働くのは、非常につまらなくて耐え難い仕事、とアルバレスは確信した。「正しい穴に正しい部品を正しい方向で差し込む」という作業を延々と繰り返しているだけだからだ。ピザや鉛筆をはんだ槽に浸して遊んでも慰めにはならなかった。作業員の中から労働組合結成を呼び掛ける声が出たこともあったが、すぐに笑い飛ばされた。

当時のシリコンバレーでは、生産工場の多くが作業員に対して厳格なスケジュールを課していたほか、特製の作業服の着用を義務付けていた。例えばインテルは1973年に最初のクリーンルームを設置すると、防塵衣「バニースーツ」を導入した。同社の作業員は化粧も禁止され――マスカラの繊維さえもチップを汚しかねなかった――頭のてっぺんから足の爪先まで全身を衣服で覆うように命じられた。だから帽子やゴーグル、長袖シャツ、長ズボン、手袋は必須とされた。

対照的にロルムのドレスコードは緩かった。アルバレスによれば「爪先を覆う靴を履くように」という指示があっただけだ。加えて作業ペースについても自由度が高かった。一つの箱の中に入っているプリント基板すべてに部品を装着するだけで、何時間もかかったからだ。アルバレスは「チョコレート工場のルーシーとは全然違いました」と指摘する。チョコレート工場のルーシーとは、テレビドラマ『アイ・ラブ・ルーシー』に出てくるワンシーン（1952年放送分）を指している。主人公のルーシーはライン上を流れてくるチョコレートを一つずつ包装するよう求められているのに、あまりにもベルトコンベヤーのスピードが速くてまともに作業できないのだ。

グーグルが「邪悪になるな（Don't be evil）」という行動規範を掲げるより四半世紀も前に、ロルムは収益成長とともに「偉大な職場」をモットーに掲げていた。その一環として、ストックオプションを除けば、全社員共通の福利厚生制度を導入していた（共同創業者ボブ・マックスフィールドによればストックオプション付与対象は「最もクリエイティブな人材と最高幹部」に限定されていた）。そのため、社員であれば誰でも充実した健康保険制度やプロフィットシェアリング制度、社員持ち株制度を利用できたし、働きながら学校に通う社員は授業料の補助を受けられた。

ロルムはまた、生産ラインで働く作業員も含め、全社員を対象に入社後6年で12週間の長期有給休暇を与えていた。しかし、一つ問題が浮上したことがあった。シリコンバレーの物価が日増しに上昇するなか、生産ラインの作業員は食費や家賃などの生活費を払うのに精いっぱいであり、長期休暇に入っても短期の家族旅行さえもままならなかったのだ。これについて同社役員の一人が耳にすると、すぐに長期休暇制度に新たな選択肢が加わった。従来の給与をもらって12週間の有給休暇を取得するだけではなく、従来の2倍の給与をもらって6週間の有給休暇を取得することも可能になった。

労働組合に否定的なシリコンバレー

ロルムの共同創業者４人は労働組合に対して否定的だった。労使協調が理想であるのだから、労働組合の結成でわざわざ社内に敵対的関係をつくり出す必要はない、と考えていたのだ。マックスフィールドは次のように語っている。「会社が何かとんでもない間違いを犯したときに労働組合が結成される、と私は考えていました。会社から不当に扱われていると思ったら、社員はどう行動しますか？　労働組合に加入して組合委員長を選び、経営陣と対峙させようとするでしょう。経営が失敗しているからこそ、そうなるのです」

ロルムの場合、労働組合結成に向けて社内が盛り上がったことは一度もなかった。アルバレスは当時の状況についてこうみている。「生産現場では立派な椅子と立派な照明器具を与えられました。手を挙げずにトイレに行くこともできて、誰もが人間らしい尊厳を保っていました。組合を結成したところで、何かほかに得られるものがあったでしょうかね？」

当時のシリコンバレーでは、ロルムほど福利厚生が充実していなかったり、労働環境が快適でなかったりする企業であっても、労働組合の結成はまれだった。１９７４年、全米電機労組がシリコンバレーの工場労働者を対象にして組織委員会を発足させ、「彼らは低賃金で反復的仕事をやらされている」と運動を展開したことがあった。だが、ほとんど何も成果を出せなかった。労働組合がある程度受け入れられたのは軍需産業に限られた。労働者に占める組合加入者の割合を示す組織化率が実態を物語っていた。１９７０年代のシリコンバレーでは、エレクトロニクス業界での組織化率は軍需産業を含めても５％未満にとどまっていたのだ。

アメリカ全体を見ると、１９７２〜82年の間に労働組合加入者数は36％減を記録している。なかでもシリコンバレーはさまざまな地元要因に影響されており、特異な存在だった。アルバレスの生産ラインが象徴するように、作業員の大半は移民女性であり、半数近くが人種的マイノリティーに属していた。伝統的な組合加入者とは似ても似つかなかった。そのうえ転職率が高かった。アルバレスの母ビネータの場合、シリコンバレー移住後の最初の２年間で２度転職して3社で働いている。シリコンバレーの生産工場全体で見ても、作業員の離職率は年間で50％を超えていた。労働者の顔ぶれが常時入れ替わっていたことから、労働者の組織化は難しかった。

さらには、地元エレクトロニクス業界の団体が労働組合阻止に向けて企業を支援していた。労働者の組織化に直面している企業に法的なアドバイスをしていたほか、組合回避を望む企業を集めて数日間のセミナーを開くこともあった。セミナーでは、組合結成を防ぐうえで最も効果的な方法として「組合を結成している企業と同程度に充実した福利厚生制度を設けること」を挙げていた。シリコンバレー企業の多くがその通りにした。

先輩エンジニアに物申す

生産ラインで数カ月働いた後、アルバレスは作業環境の改善に乗り出した。「小売業で働いたことがあったので、倉庫管理や在庫回転についてよく知っていました。ロルムのやり方はまったく駄目でした」と語る。

休憩時間や昼食時間を使い、生産現場のエンジニア3人とミーティングを重ねるようになった（エンジニアの仕事は現場のワークフローを考案したり、作業手順書を作成したりすることだった）。一つの作業を二つに分けてみたら？　部品移動を容易にするためにキャスター付き荷台を置いたら？　作業員が取り出す部品点数を一つだけ多くできるのでは？「防衛本能からいろいろ提案するようになったんです。少しでも現場の作業が楽にならないかと思って。もちろんまずは自分のためにですが」。エンジニアからの改善提案を聞いて「ばからしい」と一蹴したこともあった。[2]

驚いたことに、エンジニア——大学卒の20代男性ばかり——はアルバレスの意見に耳を傾けた。彼女は当時を振り返り、「私が活気にあふれ、魅力的で、威圧的でなかったから、話を聞いてくれたのかもしれない。小柄でかわいらしく、18歳でしたからね。大抵ノーブラでしたし」と語っている。物珍しさもあったのかもしれない。当時、生産ラインで働く作業員の大半はウーマンリブ（女性解放運動）前に成人になっており、彼女より数十歳も年上だった。多くは英語も流暢に話せなかった。現場の女性作業員がエンジニアに質問するというのは、普通では考えられないことだったのだ。

アルバレスは黙っているようなタイプではなかった。ベトナム戦争に抗議する反戦デモに参加し、フェミニズム運動の旗手グロリア・スタイネムを「女神」とあがめていた。ロールモデルは母ビネータだった。ビネータは時給5セント引き上げのために闘い、最後にはロルムの生産部門から文書管理部へ異動して管理職ポストを得たのだ。深い知力に加えて、「何が何でも時間通りにやり終える」と言われるほどのパーソナリティーを備えていたからこそである。

フォーン・アルバレスは当初、自分のアイデアを男性エンジニアに打ち明けるのをためらっていた。学歴で完全に見劣りしていたためだ。しかし、「もし拒絶されたらケン・オシュマンに直接アイデアを持っていけばいい」と自分に言い聞かせた。共同創業者の一人であるオシュマンとはティーンエージャーのころから顔見知りだった。

アルバレスが何かを提案したり、疑問を差し挟んだりしたときにエンジニアが耳を傾ける理由がもう一つあった。多くの場合、彼女は正しかったのだ。ロルムは急成長していたため、いいアイデアであれば出所を問わずにどんどん取り入れていた。彼女によれば、現場では誰もが積極的にリスクを取ろうとしていた。エンジニアのジェフ・スミスは当時を思い出して「企業内官僚主義とは無縁でした。やり方は問わない、とにかくやり遂げろ――こんな雰囲気でした」

と話す。報告書を読んだりトラブルシューティングをしたりするだけでは、エンジニアチームは生産現場のボトルネック（妨げ）をなかなか発見できなかった。そんなときアルバレスが助け舟を出したのだ。

例えば、エンジニアの一人が「現状では個々の作業員は自分の机を持っているけれども、基板を載せた大型テーブルをいくつか共有するのはどうだろうか。大型テーブルの周りを動きながら、手にした部品を基板に装着していくやり方でもいいのではないかな」と提案したことがあった。アルバレスから「8時間にもわたって座らずに、ということですか？」という疑問を投げ掛けられると、あっさりと提案を引っ込めた。「それは考えていなかったな」

そのうち記念すべき日が訪れた。生産現場の改善につながる提案が高く評価されて、アルバレスは千ドルの特別ボーナス――3カ月分の給与に相当――を受け取ったのだ。間もなくして昇進して生産ラインの責任者になった。

1976年9月、アルバレスが昇進したころのことだ。ロルムは新規株式公開（IPO）に出た（IPOの発行目論見書を用意したのは若い弁護士ラリー・ソンシーニで、起業家にとってのワンストップショッピング法律事務所というビジョンを抱いていた）。ここから急成長を続け、最後には大企業リスト「フォーチュン500」の仲間入りを果たし、株主の中から多数の百万長者を生み出すことになる。もっとも、IPOそのものはお世辞にも成功とはいえなかった。公開価格は1株14ドルだったのに、数日後には10ドルへ値下がりしていた。

アルバレスは株価下落を見てもほとんど他人事のようにしか思えなかった。彼女自身の言葉を借りれば「若くて間抜け」だったことから、給与のほぼ全額を家賃や衣食費、娯楽費に使っていた。わずかしか貯蓄に回せなかったため、社員持ち株制度を通じて社員レートで自社株を買うこともままならなかったのだ。

生産現場でいつの間にか「小さなヒトラー」に

1977年、アルバレスは再び昇進し、今度は工場主任に抜擢された。弱冠20歳でありながら、50人の女性——多くは自分よりもふた回り年上——を監督する立場になり、採用・解雇のほか新入り作業員の教育にも責任を負うことになった。

同時に、2度の昇進で単なる現場作業員の一人以上の存在になったことから、上司と現場エンジニアチームにアピールしようとして一段と張り切るようになった。張り切り過ぎて、生産現場に過剰なプレッシャーをかけていたのは間違いなかった。そもそも自動車王ヘンリー・フォードの大量生産方式を独自に解釈して、自分自身にこう言い聞かせていたのだ。「一人一人が小さな作業をできるだけ速くこなし、それをできるだけ多く繰り返すこと。そうすれば生産量を最大化できる」

あるとき、アルバレスは会話中の作業員2人の近くを通りかかり、「小さなヒトラー」という言葉をふと耳にした。その後、「小さなヒトラー」とは自分のことだと気付いた。それまでのやり方で生産量を最大化できるとしても、どこかで臨界点を迎えるのではないか、と初めて思うようになった。「78番目の作業員がキレて、振り向きざまに77番目の作業員を殺す——これで終わってしまう」。そこで方針を見直し、現場内での仕事の入れ替えや相互チェックを促すことなどで、単調になりがちな作業内容の多様化を進め始めた。

アルバレスは工場主任になれてうれしかった。毎日何かを学べたうえ、自分の意見を聞き入れてもらえるなど、会社に貢献しているという実感を持てたからだ。給与面でも公正な扱いを受けていると感じていた。数週間に1回のペースで金曜日に開かれるビールパーティーにも参加し、経営幹部とも楽しくおしゃべりしたものだ。「地位に関係なく誰もが和気あいあいとしていました」

もう一つ心躍る話があった。ロルムはサンタクララ市内の新本社キャンパスへ引っ越す予定だったのだ。6レーンのプール、バレーボールコート、ラケットボールコート、テニスコート、フィットネスルーム、サウナ・蒸し風呂、人工滝、ジョギングコース、魚が泳ぐ池——。21エーカーの広さを誇る新本社キャンパスは最新のアメニティーを完備していた。[3] 破格の値段でランチを提供するカフェテリアもあったので、引っ越し後には電子レンジをめぐる昼食時の争いもなくなる。

しかも、本社ビルを設計したのは、バウハウスの著名建築家ルートヴィヒ・ミース・ファン・

デル・ローエの弟子グッドウィン・スタインバーグだった。今でこそアメニティーが充実した本社キャンパスはシリコンバレー企業の間では珍しくないが、その先駆けとなったのがロルムだった（現在はリーバイススタジアム用の駐車場として使われている。同スタジアムはアメフトのプロチームであるサンフランシスコ・フォーティナイナーズの本拠地だ）。

アルバレスはロルムという会社が大好きだったが、先行きに不安も抱いていた。反復作業と正確無比を要求される生産ラインで働いていると、精神的に消耗するからだ。生産現場を離れたいと思っていたものの、それまでに生産現場を離れてホワイトカラーの職場へ異動した女性社員は1人しかいないことも知っていた。母ビネータである。それまで母から異動の経緯を聞かされたことも、アドバイスしてもらったこともなかった（ビネータは「娘たちにあれこれアドバイスしたことは一度もありません。娘たちは何事も自力でやっていました」と振り返る）。

フォーン・アルバレスは母と同じ道を歩む決意を固めていた。「オフィスで働きたかったんです。何をするかはどうでもよかった。とにかく机に座って仕事をする必要があった」

1　カーターフォン裁定によって留守番電話やボイスメールシステムなどの新市場が誕生した。同裁定以前は、1908年以来「一つのシステム、一つの会社」をモットーにしてきたAT&Tは固定電話網を所有していたばかりか、同社システムにつながるすべての電話機の製造・レンタルを独占していた。ロルム共同創業者のボブ・マックスフィールドは同裁定以前の時代について「電力会社が照明器具と電球の製造・レンタルを独占しているのと同じ」と表現していた。

2　ロン・ラッフェンスパーガーも元上司として、先輩社員に物申すアルバレスのことをよく覚えている。弱冠18歳のアルバレスが目上の男性社員に対して「あなたのアイデアはばかげている」と一刀両断したと聞いたときには、思わず吹き出してしまった。「さすがフォーンだ。いいんじゃないかな」

3　完成直後の本社ビル周辺は自然のままであったため、新本社キャンパス内では多数のネズミが走り回っていた。アルバレスは「真新しいビル内からネズミの鳴き声が一日中聞こえていました」と回想する。そのうち一部の社員がネズミを捕まえ池の中に放り投げて、賭けをするようになった。池の中のブラックバスがネズミを食べるか、それともネズミは無事に池から脱出するのか、どちらかに賭けるのだ。「誰もネズミを殺したくはなかったんですけれどもね。ただ、ブラックバスがネズミを食べても気にする人はいませんでした」

第13章　これはとんでもなくすごいディールだ
――アル・アルコーン

ワーナーがアタリに興味を抱く

１９７６年、娯楽・メディア大手ワーナー・コミュニケーションズのニューヨーク・ロックフェラーセンター本社内。社長室メンバー３人のうちの一人であるマニー・ジェラードは、「未来を見た」と社内メモに書いた。同社で買収案件をふるい分ける役割を担っており、アル・アルコーンとアタリの未来に決定的な影響を及ぼすキーパーソンになろうとしていた。当時を思い出してこう語っている。「業界で地殻変動が起きていたので、チャンスをモノにすれば大きなビジネスになる。これはとんでもなくすごいディールだと思いました」

ワーナーは当時、アメリカのポップカルチャーに多大な影響を与えているコングロマリットであった。１９７５年の売上高は6億6千万ドルに達し、さらに増大する見通しだった（１９７６年の売上高は8億２７００万ドルになる）。

事業内容はまさにコングロマリットだ。銀行、ケーブルテレビ、著名デザイナーのラルフ・

ローレンとのコラボ香水、プロサッカークラブのニューヨーク・コスモスなどが含まれ、傘下のレコード会社3社はアーティストを多数抱えていた（レッド・ツェッペリン、リンダ・ロンシュタット、ジョニ・ミッチェル、ロッド・スチュアート、ジョージ・ベンソン、ジョージ・ハリソン、リチャード・プライヤー、ジェファーソン・エアプレイン）。映画子会社の代表作には『エクソシスト』『ブレージングサドル』『スター誕生』『大統領の陰謀』があったし、クリント・イーストウッド主演の『ダーティーハリー』シリーズもあった。さらには出版子会社とテレビ子会社（番組『ウェルカム・バック・コッター』や『チコ・アンド・ザ・マン』など）のほか、風刺雑誌マッドやアニメシリーズ『ルーニー・テューンズ』、アメコミのDCコミックスもあった。

1976年初め、ジェラードはワーナーの筆頭株主であるゴードン・クロフォードから連絡をもらった。アタリに興味はないか、ということだった。クロフォードは有力投資会社キャピタル・グループの運用担当者であり、同社はワーナー株の10％を保有していた。キャピタル・グループといえば、ベンチャーキャピタリストのドン・バレンタインが立ち上げたセコイア・キャピタルの生みの親である。その意味でキャピタル・グループがアタリに関心を抱くのも不思議ではなかった。

バレンタインは当時、すでにアタリを2年間にわたって支援していた。1975年、〈ホームポン〉の大成功によってアタリが75万ドルの利益を計上するなか、セコイアを通じて50万ドル出資することを決めた。セコイア以外の3社にもアタリに同額出資するよう説得した（合計で

200万ドル)。3社とは、大手出版社のタイム、もう一つのシリコンバレー系ベンチャーキャピタルのメイフィールド、ミューチュアルファンドのフィデリティ・インベストメンツだ(ボストンからやって来たフィデリティ運用担当者はジャケットを脱いで——それ以外の衣類は身に着けたまま——ホットタブに入り、裸のノーラン・ブッシュネルからアタリの将来性について聞かされた)。

ステラシステムで技術的突破口

1975年、200万ドルの出資をまとめるためにバレンタインは契約書を持ってアタリを訪ねた。祝賀パーティーを予期して数本のシャンパンボトルも持参していた。しかし、アタリのブッシュネルとジョー・キーナンは〈ホームポン〉をはじめとしたゲームの成功を根拠に、当初の投資評価額を土壇場になって2倍に引き上げた。バレンタインはうろたえることなく、出資条件を修正した書類をバッグに入れて高速道路を引き返した。結露して湿気がたまったシャンパンボトルも車に入れたままで。数日後に再びアタリを訪れ、「4社ともこの条件でOK」と伝えた。シャンパンのコルクが飛んだ。

それから1年足らずで、バレンタインはアタリをワーナーへ売却しようと動き始めた。きっかけは、グラスバレー市にあるアタリ研究センター。そこで重要な技術的進展があったことから、アタリは新たな開発資金を必要としていたのだ。

ブッシュネルとアルコーンは毎月のようにグラスバレーまで車を飛ばさなければならなかった。だが、研究センターをシリコンバレーへ移動させようとは思わなかった。研究センターはもともとサイアン・エンジニアリングという独立系研究機関であり、日常的なビジネスから切り離されて長期的な課題に取り組んでいた。ラリー・エモンズと共にサイアンを創業したスティーブ・メイヤーによれば、利益至上主義のビジネス界から切り離されて研究者が自由に遊び回れる場所だった。アルコーンは「研究者が誰からも邪魔されないようにすることが私の仕事だった」と語る。

グラスバレーは田舎町であっただけに、「エンジニア」というよりも「きこり」の一団に見えた研究チーム。新興チップメーカーのモステクノロジーが開発した格安マイクロプロセッサー「6502」を使って画期的方法を編み出し、技術的ブレークスルーを起こしていた（モステクノロジー創業者は当初、大型会議場近くでホテルの一室を貸し切りにして、そこから半導体製品を売っていた）。

ブレークスルー以前、ビデオゲームの大半は専用回路を備えており、一つのゲームしかできなかった。アタリが開発した迷路アーケードゲーム〈ガッチャ〉は〈ガッチャ〉だけ、シアーズが販売する〈ポン〉は〈ポン〉だけしかできなかった。[1]

グラスバレーの研究チームが新開発した「ステラ」システムはちょっと違った。内部のマイクロプロセッサーのおかげで、どんな種類のゲームでもプレーできるようにプログラムされていた。プレーヤーはステラシステムの箱をテレビにつなぎ、ゲームカートリッジを差し替えるだけでいい。[2] ソフトウエアのマジックといえた。

ステラシステムは「VCS（ビデオ・コンピューター・システム）」として1977年に発売され、当時最も売れた家電製品の一つになった。発売から5年間の累計販売台数は1200万台以上に達している（カートリッジ形式で売られるゲームソフトの販売本数は、ゲーム機販売台数をはるかに上回る）。

ワーナーのジェラードが社内メモに「未来を見た」と書いたとき、念頭に置いていたのはステラシステムだった。今でもキャピタル・グループのクロフォードからの電話をよく覚えているという。

「エンターテインメントに軸足を置く急成長ハイテク企業に興味はありますか？」

「はい、とても興味あります」

ワーナーは過去4年間にわたってM&A（企業の合併・買収）とは縁がなかったのに、ジェラードは即答した。

無秩序な組織にしか見えない

もっとも、ジェラードはアタリを詳しく調べているうちに、買収に懐疑的になっていった。アタリには経営を支えるインフラが存在せず、経費管理もいい加減だったからだ。

第一に、部署によっては社員が自ら経費の請求・承認・支払いを行っていた。出張申請書を出して仮払金を受け取ってすぐに辞める社員もいた。第二に、生産ラインがしょっちゅう停止していた。塗料や接着剤、ねじなどが不足していたためだ。第三に、顧客との間でもめ事が絶えなかった。受注書が用意されていなかったため、出荷日や数量、価格、支払い条件をめぐって食い違いが表面化するのだ。第四に、ほとんどのゲームが現場一任で一から開発されていたため、基本仕様も含めて標準化されていなかった。例えば、コイン式アーケードゲームでは現金ドアや硬貨カウンター、鍵が統一されていなかった。

経営陣にしてみたら、アタリは複雑で多面的な組織であり、個々の社員は最大の自由裁量権を与えられてクリエイティブであった。だが、ジェラードにとっては無秩序な組織でしかなかった。

アタリは毎日のようにばか騒ぎをして、女を追い掛け回しているように見えた。[3] アタリ訪問を始めたころ、ジェラードは興奮気味のエンジニアチームに会い、アーケードゲーム〈タンク（戦車）〉の特別バージョンを見せられたことがあった。エンジニアチームは〈タンク〉のプログラミングに手を加え、ゲーム中に戦車が逆走するバージョンを作って悦に入っていたのだ。逆走する戦車は「ポーランド製戦車」だという。

例外もあった。無秩序な組織の中にあってジェラードの目に「まともな男」に見えたアルコーンだ。自分の持ち株に多額の含み益があることを知り、「一つ間違えばすべて失ってしまう」と不安を募らせていた（1975年に、アタリ株の価値が高く評価されたため）。とはいえ、会社を経営していたわけではなかった。

アルコーンが持ち株の先行きを気に掛けていたとき、ブッシュネルは浪費に突き進んでいた。ユタ州の小村出身で、保守的なモルモン教徒の中流家庭で育ったというのに、豪華な邸宅と41フィートのヨットを購入。また、若くて美しい女性に腕を回しながらホットタブに入り、地元紙カメラマンの前でポーズを取った。「私と一緒にいて落ち着かない女性もいるし、そうでもない女性もいる。権力とカネのオーラがあると、多くの女の子は不安になるみたい」と記者に語っている。

ジェラードの見立てでは、ブッシュネルは1日に100回も新しいアイデアを思い付き、すべてを気に入ってしまうタイプであるから、取捨選択をして焦点を絞り込む必要があった。アルコーンも大筋でジェラードと同じ意見だった。対策として特製のポケベルを手に入れ、エンジニアチームに対して「ノーランが現れたらすぐにポケベルを鳴らして」と指示した。実際にポケベルを鳴らされてエンジニアチームの所へ駆け付け、「ノーランではなく私の指示に従うように」とくぎを刺したものだ。

ジェラードがアタリ買収に二の足を踏む理由はほかにもあった。ビデオゲーム市場の未来が読み切れなかったのだ。ピンボールゲームが再び人気を博していた一方で、1976年にヒットしたビデオゲームには悪評が付きまとっていた。

例えば、シリコンバレーの小企業エキシディが発売したドライビングゲーム〈デスレース〈死のレース〉〉だ。プレーヤーは「グレムリン」と呼ばれる棒人形をはねるとポイントを獲得できるのだが、誰もが棒人形のことを「人間」と呼んでいた（はねた瞬間に叫び声が聞こえ、スクリーン上の棒人形は消え、代わりにバツ印が表示された）。全米安全評議会は同ゲームを糾弾し、「狡猾」「恐ろしい」「ゾッとする」「まったくもって病的」と断じた。ニューヨーク・タイムズ紙とテレビ番組「60ミニッツ」も批判的に取り上げた。

アタリのゲームは戦車や飛行機を爆破させるとはいっても、棒人形をひき殺すような暴力的なゲームとは一線を画している、とブッシュネルは考えていた。しかし世間一般が同じように考える保証はどこにもなかった。

ワーナー会長がアタリの経営首脳2人を「おもてなし」

確かに逆風が吹いていたが、大衆文化を数十年にわたって見てきたジェラードはなおも「ビデオゲームはビッグビジネスになる」と信じていた。彼の分析によれば、歴史的にも人間とゲームは不可分の関係にある。歴史をさかのぼれば石と骨で作った駒に行き着くのだ。遠い昔の人間が石と骨でゲームを作ったのならば、アタリはシリコンとテレビでゲームを作って新たな歴史を刻もうとしていた。

しかも、アタリは多くの問題を抱えながらも、強みを備えているのも事実だった。アルコーンやブリストウのようなエンジニアは間違いなく優れた才能に恵まれていたし、ジーンズとひげ面の研究チームはステラシステムを考え出すほどの力量を持っていた。ジェラードに言わせれば、アタリは「まったくもって驚きのチーム」だったのだ。そのうえ黒字化していた。社内の混乱を考えれば黒字化していること自体が不思議だったのだが……。

そんなわけで、ジェラードはワーナー創業者兼会長のスティーブ・ロスに対して、「アタリを買収するべきです」と提言した。ロスは同意した。ちなみにロスの子どもはディズニーランドのゲームセンターに行き、アタリ製ゲーム〈タンク〉で遊ぶのが大好きだった。

礼儀正しいロスは買収交渉に先立ち、ブッシュネルと社長のジョー・キーナンの2人を丁重にもてなした。ワーナーの専用ジェット機を使って2人をカリフォルニアからニューヨークへ運び、テターボロ空港でリムジンに乗せ、高級ホテルのウォルドーフ・タワーズで降ろした。翌日には自宅の夕食会――場所は高級マンションの一室――に2人を招待した。

夕食の席でロスはワーナーによる買収の利点をいろいろと述べた。「われわれはヒット商品の開発やマーケティングに熟達している」「傘下のWEAグループはロックバンド・イーグルスの新アルバム『ホテル・カリフォルニア』をたったの3日間で110万枚も売った」「われわれはアーティストとうまくやれる。アーティストを大事にするし、どのようにおだてたらいいのかも分かっているから」――。ブッシュネルは「アーティストとうまくやれる」という部分に一番魅力を感じた。これまで「ゲーム開発者＝アーティスト」と思っていたからだ。

ほかにもロスは魅力的な提案を行った。①ブッシュネルとキーナンの２人は買収後も引き続きカリフォルニアを拠点にしてアタリを経営する、②ワーナー本社は原則としてアタリの経営に口出ししない、③すでに潤沢なボーナス資金を一段と拡充してアタリ経営陣のインセンティブにする――などだ。

２人がもう一つの専用ジェット機に乗ってカリフォルニアへ戻ると――ロスの計らいでジェット機には映画俳優のクリント・イーストウッドとパートナーのソンドラ・ロックも同席した――ブッシュネルはこう確信した。ステラのチップの開発資金を調達するにはワーナーへの身売りがベストだ！　そもそも、ワーナー以外にアタリ買収に興味を示す企業は現れなかったし、バレンタインはアタリのＩＰＯには否定的だった。

個人的な理由もあった。ブッシュネルはアタリ株の49％を保有する大株主であり、ワーナーへ身売りすれば大金を手にして一休みできると思ったのだ。実際、頭の中は「本当に疲れた。交渉成立後に休めるかな？」という思いでいっぱいだった。後年、当時を思い出し、「もしきちんと休暇を取れていたら、アタリを売り急がなかったと思う」と話している。

年収3万2千ドルのアルコーン、突然175万ドルの資産家に

アルコーンは「ワーナーからの買収提案について聞いたのは、ノーランと一緒にホットタブに入っていたときでした。数字も聞きました。私の取り分は10％」と語る（実際には6％前後だった）。当時の年収が3万2千ドルだったことを考えると、信じられない金額になった。4年前に「いずれ紙くずになる」と思いながらもブッシュネルに勧められて購入したアタリ株は、ワーナーへ時価175万ドル（2016年価格で740万ドル）で売却されるのだ。「それまで単なるお遊びと思っていたら、とんでもないことに！　これで人生が一変しました」[4]

ワーナーによるアタリ買収交渉は、過去に例がないほどずるずると長引いた。サンフランシスコの法律事務所マカッチェン・ドイルを舞台にして何カ月にも及んだのだ。アルコーンは週に数回のペースでブッシュネルと一緒にマカッチェンに出向き、テーブルを挟んでワーナー側（ジェラードと8、9人の弁護士）と対面した。買収交渉を思い出し、アルコーンは「まったく楽しくなかった」と語る一方で、ジェラードは「茶番でした」と言う。

買収交渉をしているうちに、アタリの行き当たりばったりの経営スタイルが浮き彫りになった。第一に、アルコーンの株式報酬はブッシュネルの手書きメモを根拠にしていた。第二に、ダブニーの持ち株買い取りは会計処理がいい加減でやり直さなければならなかった。第三に、最

高財務責任者（CFO）が買収交渉の真っただ中に辞めた。第四に、買収交渉中にブッシュネルの前妻がワーナーの法律顧問に連絡を入れ、「1974年の離婚合意書に従えば、ブッシュネルが保有するアタリ株の半分を受け取る権利がある」と言い張った。つまり、前妻はアタリ株の25％を握る大株主であると主張したのだ。ジェラードは「買収交渉の真っ最中に、よりによって経営トップの離婚合意書をめぐるごたごたに巻き込まれたんですよ！」と振り返る。

結局、サンフランシスコで6月に始まった買収交渉は9月に入っても出口をなかなか見いだせなかった。当初は涼しい6月の朝方に交渉していた両社代表団は、9月に入ると驚くほど暖かい午後にテーブルを挟んで向かい合う格好になっていた。

持ち株を換金したら会社を見捨てる？

最大の障害は、ワーナー側がアタリの人間も数字も信頼できなかったということだ。[5] ブッシュネルとキーナンは身売りによって持ち株を換金したらすぐに辞めるのではないか、とジェラードは心配していた。

実際、ジェラードはアルコーンに向かって「換金して大金持ちになったら、みんなコカイン中毒になってイカれてしまう」と不安を口にしたこともあった。何年も後になって、こう回想している。「イカれた男たちが集まる精神病院を野放しにしたら、大変なことになる。彼らに多額の現金を与えたら最後、われわれはみんな死ぬと思っていました」

ジェラードは「アタリの経営チームは持ち株を換金して会社を見捨てる」と懸念していたわけだが、根拠がないわけではなかった。ブッシュネルは休息を必要としていたばかりか、「このまま突っ走ると大コケするのではないか」と自ら不安に思うようになっていたのだ。大学時代に遊園地の客引きをやっていたのも、「アルバイトでたくさん稼げる」と思ったのに加えて「アルバイトしている間は浪費できない」と読んだからだ。

1976年10月になってアタリとワーナーが交わした合意文書は、ジェラードの不安を反映する内容になっていた。アタリの経営チームが会社にとどまって利益最大化に向かうよう促すインセンティブが組み込まれたのだ。

柱は大きく二つあった。一つは、成功報酬として特別ボーナスが用意されたということ。アタリの利益が特定の水準に達すると、水準を超えた部分の15%はまるまるアタリの経営チームにボーナスとして支払われ、メンバー同士で山分けできる。

もう一つは、買収直後にアタリ経営陣に支払われる現金が少なめに抑えられたということ。ワーナーは買収対価として総額2800万ドル（2016年価格で1億1900万ドル）をアタリ経営陣も含めアタリ株主に支払う。筆頭株主のブッシュネルが受け取るのは税引き後で1千万ドルに上り、かつて彼がバレンタインに伝えた希望金額とくしくも同額となった。

ただし、2800万ドルのうち直ちに支払われるのは1200万ドルにとどまる（1200

万ドルの一部はベンチャーキャピタリストへの支払いに回される）。残りの1600万ドルはアタリ子会社による劣後債発行という形で用意され、向こう7年間にわたって一定額ずつ支払われる。言い換えると、アタリの成功が今後も続けば、ブッシュネルやキーナン、アルコーンら経営チームは合わせて毎年230万ドルずつ受け取ることになる。仮にアタリが今後大化けすれば、毎年230万ドルに上乗せする形で特別ボーナスも得られる（超過利益の15％）。

逆にアタリが失敗したら？　経営チームは最初の1200万ドルしか受け取れず、残りの1600万ドルを放棄する格好になる。ジェラードから「もしワーナーの買収を受け入れるなら、たわ言を言っているだけでは駄目ですよ。実績を出さないと」とくぎを刺された。それでもひるむことなく、経営チームは合意文書に署名した。

1　シアーズの家庭用ゲーム機はいろいろなゲームをやることができたが、すべて〈ポン〉のバリエーションにすぎなかった。

2　グラスバレーのアタリ研究センターがステラシステムを開発したころ、ジェリー・ローソン──当時シリコンバレーでは珍しかったアフリカ系アメリカ人エンジニアの一人──がマウンテンビュー市のフェアチャイルドに在籍しながら、独自に類似のマイクロプロセッサーシステム「チャンネルF」を開発している。もっとも、アタリシステムの大成功とは裏腹にチャンネルFは商業的には鳴かず飛ばずだった。

3　これはジェラードの言葉だが、スティーブ・メイヤーとアル・アルコーンは例外としていた。

4　年俸はブッシュネル7万5千ドル、キーナン4万ドル、ブリストウ3万2千ドル、エモンズとメイヤーそれぞれ3万ドルだった。ワーナーによる買収時点で、アタリ株の持ち株比率を見るとブッシュネル49%、アルコーン6・7%、キーナン6・2%。ドン・バレンタインの関連ファンド（セコイア、セコイアII、キャピタル・グループ、バレンタインの個人マネー）は合計でアタリ株の34%を保有していた。

5　ワーナーの弁護士は「アタリの財務数字はでっち上げだから、交渉には参加できない」と主張して解雇された。アルコーンは「ゲームは怪しいビジネスで、とても数字を信用できなかったみたい。われわれはごろつきかマフィアにしか見えなかったのでしょう」と語る。

第14章　もう1年頑張ろう、さもなければつぶれる
――サンドラ・カーツィッグ

HPに毎晩通ってボーイング・プロジェクト

１９７５年暮れの時点で、サンドラ・カーツィッグにとってはアタリのような成功は夢物語だった。

「ＨＰ２１００」向けプロジェクトに失敗した後、ＡＳＫはＨＰから別のプロジェクトを受注した。旗艦ミニコンピューター「ＨＰ３０００」用ＭＡＮＭＡＮの開発だ。だが、これもまた、なかなかうまくいかなかった。

ＡＳＫのプログラマー２人はちょくちょくＨＰに寝袋を持ち込み、天井の低いオフィスの中で泊まり込みの仕事をしていた。ＨＰのエンジニアチームが帰宅する夕方6時以降にならないと、ＨＰ３０００にアクセスできなかったためだ。物置部屋を仮眠スペースとして使い、２人で交代しながら作業を進めた。

２人が泊まり込みで働いていた場所は、ＨＰがクパチーノ市内に構える広大なキャンパス（面

積100エーカー）内だった。そこには商業用ミニコンピューター部門の本社が置かれていた。地理的には、フォーン・アルバレスが育ったランチョリンコナーダ地区から南へ3キロメートル強、スティーブ・ジョブズとスティーブ・ウォズニアックがパソコン事業を立ち上げたガレージから西へ5キロメートル弱だった（ジョブズの両親が所有していたガレージは、ホームステッド通り一本でHPキャンパスにつながっていた）[1]。

ある日の夜、カーツィッグはHPで作業中のプログラマー2人を訪ねた。20代の2人——スクリーンの光を反射して顔色は緑がかっていた——がコンピューターの前でキーボードをたたく姿を見ながら、懸けているものの大きさを改めて実感した。

ミニコンピューターの登場によって、ASKが収益の大半を依存するタイムシェアリングサービスは曲がり角を迎えていた。ミニコンピューターの価格がどんどん下がるなか、「自前でコンピューターを保有できるかもしれない」と考える顧客企業が増えていたのだ。その意味で、ASKは何としてでもHP3000用MANMANを開発しなければならなかった。そこにはHPとの関係強化という狙いもあった。カーツィッグは一度HPとの関係をこじらせているだけに、2度目の失敗は許されなかった。

MANMAN搭載のHPマシンを希望していたのは、航空機大手ボーイングだった。ボーイングの電子サポート部はMANMANシステムに5万400ドルを払うことで合意していた。ASKが電源装置会社パワーテックから受注したプロジェクト——すでにとりやめになっている

——で提示された金額の2倍以上だった。

プログラマー2人は、マーティー・ブラウンとロジャー・ボッタリーニだった。前者はスタンフォード大卒の社員第1号であり、後者はカリフォルニア大学バークレー校（UCバークレー）卒のコンピューター科学者だ。すでに数カ月にわたってHPに毎晩通い詰めてボーイング・プロジェクトに取り組んでいた。

最終目標は、ソフトウエアの修正によってMANMAN搭載のHP3000を汎用性の高い製品にして、ボーイング以外の企業も広く潜在顧客にすることだった。コンピューター初心者にとっても扱いやすくするために、2人は文字ベースのコマンドプロンプトを使ってプログラムを書いていた。この場合、ユーザーはプログラムの命令に従ってキーボードをたたくだけ。「部品番号を入力せよ」と命令されたらキーボードに部品番号を打ち込めばいい。

現場に顔を出してプログラマーを激励する

そのころカーツィッグはプログラミングと距離を置いて、最高経営責任者（CEO）の職務に軸足を移していた。それでも現場に顔を出すようにしていた。夜中にHPキャンパスに赴いてブラウンとボッタリーニのチームに加わることもあった。深夜だから警備員を除けば、キャンパス内は3人だけだった。

現場視察の目的はプログラミングの手伝いではなく2人の激励にあった。ブラウンにしてみたらありがたかった。というのも、カーツィッグが自力でプログラムを書いていた創業当初と違い、今ではMANMANは複雑化して新たなプラットフォームへ移行しようとしていたからだ。2人にしてみれば「サンディコード（カーツィッグが書いたプログラム）」を卒業したほうがやりやすかったのである。一方、カーツィッグ自身もプログラミングに深入りする気はなかった。自分の強みは顧客ニーズをくみ取ってエンジニアに伝えること、と思うようになっていた。

HPキャンパスにいる間、カーツィッグはHPの企業文化について思いを巡らせていた。HPは当時、社員が柔軟に勤務時間を決められるフレックスタイム制のほか、1日に2回のドーナツ付きコーヒーブレークを設けていた。経営陣が期待していたのは、地位や所属に関係なく社員が交流を深めることだった。HPはいわゆる「歩き回るマネジメント（MBWA）」でも有名で、創業者2人がオフィス内や工場内を歩き回り、社員に気さくに話し掛けていた。

カーツィッグが独自に発見したこともあった。例えば、警備員の机の上にはジミー・トレイビッグの顔写真が置かれていた。トレイビッグはHPを飛び出して、ライバル会社タンデムコンピューターズを創業した起業家だ。警備員は「トレイビッグが企業機密を盗むためにやって来るかもしれない」と警戒していたのだ。[2]

ブラウンとボッタリーニの2人は素晴らしいプログラムを書いていたものの、カーツィッグは「HPのプロジェクトは再び失敗するかもしれない」と不安を募らせていた。ボーイングがひっきりなしにＭＡＮＭＡＮの仕様変更を求めていたからだ。例えば部品名だ。ＡＳＫはかねて英数字15文字を利用していたのに、ボーイングは「英数字24文字を利用してほしい」と言い始めた。

ボーイング側担当者はＡＳＫに対して変更に次ぐ変更を指示しているうちに、だんだんとぶっきらぼうに対応するようになった。当初はカーツィッグに宛てたメモの最後に必ず「ラブ」と署名するほどフレンドリーだったのに、である。カーツィッグの抵抗が気に障ったようだ。ブラウンは１９７５年夏の状況について「まるで悪夢だった」として、「ボーイングで変更指示を出していたスタッフの人数は、ＡＳＫで働くプログラマーの人数を上回っていたのではないか」と指摘する。

生き残りのために思い切ったリストラ実施

ＡＳＫ創業後、カーツィッグはさまざまな顧客を開拓し、長期にわたって広範に事業展開できる体制を築きつつあった（彼女は後年「唯一の長期計画は次のランチでしたね」と語っている）。歴史の浅いソフトウエア開発業者が一つの業界で2社以上を顧客にしたら、当該業界のエキスパートと見なされた時代だ。そんななか、ＡＳＫは製造業界で次々と顧客を獲得しており、同業界で断トツのエキスパートに躍り出ていた。ティムシェアと組んでタイムシェアリング市場へ参入し、ＨＰと組んでミニコンピューター市場へ参入できたからだ。

ＡＳＫは全員で６人の小チームにすぎなかった。それでありながら、ミニコンピューター市場で７社からプロジェクトを受注していた（あるいは受注しようとしていた）。７社が導入を計画していたミニコンピューターはＨＰ製、ディジタル・イクイップメント（ＤＥＣ）製、データゼネラル製とばらばらで、合計で５種類に及んだ。ミニコンピューターの製造元が異なれば、異なる仕様のプログラムが必要になった。たとえ製造元が同じであっても、種類が異なれば同じプログラムは搭載不可能だった。

ＡＳＫはミニコンピューター以外の事業も続けていた。ティムシェアのタイムシェアリングサービスを通じてＭＡＮＭＡＮを販売していたし、「キーパンチレディー」によるデータ処理サービスを数社に提供していた。ティムシェアもデータ処理サービスも旧来型ビジネスであったものの、ＡＳＫにとってはありがたかった。ほとんど手間がかからなかったうえ、ＨＰのミニコンピュータープロジェクト継続に必要なキャッシュを生み出していたためだ。カーツィッグは借金を毛嫌いしていた。

このように多方面に事業を広げていても、ＡＳＫはわずかに黒字化している状況だった。１９７５年上半期で見ると、14万3千ドルの売り上げで２９００ドルの利益。年末が近づくころ、カーツィッグは「生き残るためには思い切ったリストラが不可欠」と判断した。具体的には、ティムシェアとデータ処理サービスからの現金収入を維持しつつ、一つを除いて全ミニコンピュータープロジェクトから一斉に撤退することにした。唯一残るのはヒューズ・エアクラフトのプロジェクトだった（ＨＰ製ミニコンピューター用ＭＡＮＭＡＮとしては三つ目のプロジェクトだった）。

リストラの結果、ＤＥＣ製とデータゼネラル製ミニコンピュータープロジェクトはすべて終了となった。同時に人材が流出した。例えば、ＤＥＣとの契約を取りまとめた管理部門ナンバーツーは、契約破棄となったのを受けて会社を辞めた。それでも全体として見ればリストラは正解だった。最大のプラス材料はボーイング・プロジェクトの終了。同プロジェクトがあったために小さなＡＳＫチームは資源（リソース）を奪われていた。連日のようにＨＰへ繰り出し、徹夜作業を続けなければならなかったのだ。

ボーイングはプロジェクト終了を通告されると、ＡＳＫに対して訴訟をちらつかせてきた。カーツィッグはそれにはうろたえることなく、「ボーイングが下請けいじめに走ったら新聞ネタになりますよ」と逆に脅した。最終的にはボーイングと手を切れたばかりか、同社から10万ドル近い支払いを勝ち取れた。リストラはつらい決断だったが、ＡＳＫが生き残るためにほかに手段はなかった。

HP製コンピューターで動くMANMANをついに完成

1976年1月に入り――2年の歳月と2度の失敗を経て――ASKはついにHP製ミニコンピューター上できちんと動くMANMANを完成し、顧客企業に納品できた。カーツィッグは1台のミニコンピューターに全精力を注ぐ決断をし、見事に成功したのである。プログラミング言語FORTRAN（フォートラン）で書かれたプログラムは扱いやすいインターフェースを備え、ASKが今後開発する全バージョンの土台になるのだった。タイムシェアリングからミニコンピューターへ移行できたソフトウエア業者は一握りしか存在しなかった。ASKはその中の一つだった。

納品先はヒューズ・エアクラフトの工業製品部門だった。MANMAN搭載のHP製ミニコンピューター導入を他社に先駆けて表明した3社のうち、2社が大手軍事請負業者――ヒューズとボーイング――だったのは偶然ではない。価格競争が働かない軍需産業は第二次世界大戦以降、シリコンバレーの技術革新をけん引する役目を果たしてきた。歴史をさかのぼると、フード・マシナリー・コーポレーションという農業機械メーカー製の果樹園用トラクターに行き着く（戦車のキャタピラー技術を探していた連邦政府は同社トラクターのキャタピラー技術を転用しようと考えた）。

ヒューズの工業製品部門はカリフォルニア州カールスバッド市に本拠を置き、衣料産業向けレーザーカッターやワイヤボンディング装置を製造・販売していた。同部門が総額15万ドルを支払って購入したのは、①MANMAN搭載のミニコンピューター「21MX」、②テープドライブ、③ディスク、④プリンター2台、⑤倉庫や購買部など社内の各部署に置かれる端末4台——だった。21MX（HP2100の後継機種）を導入する各部署の社員はコンピューター経験を欠いていたものの、スクリーン上にMANMANが表示するコマンドプロンプトにはきちんと反応できた。つまり、キーボードを操作して最新の在庫・注文情報を引き出し、確認できたのである。

ヒューズのデータ処理責任者は当時メディアの取材に応じて、次のように語っている。「MANMANを使えば、部品票ベースでどんな部品の数量も分かるし、在庫品や注文品、仕掛品の状況も分かります。どの部品をいつ購入するべきか、いつ倉庫へ搬入するべきか、いつ出荷して顧客へ届けるべきか——すべてMANMANが教えてくれます」[3]

その後、ヒューズの報告によって業務の効率化度合いが数字で判明した。倉庫を例にしてみよう。MANMAN導入前には、倉庫の状況を紙に記入して社内で共有するには3人の正社員を動員して、3週間かけなければならなかった。MANMAN導入後には劇的に効率化が進み、1人の正社員が3時間で同じ作業をこなせるようになった。社内での情報共有が瞬時に行えるようになったのだ。

見本市で「ブースベイブ」と間違われる

ヒューズ、HP、ASKの3社は共同でプレスリリースの配布や広告の出稿、業界会議でのプレゼンを行うなどで、MANMANシステム導入を積極的に宣伝した。ヒューズは「最新のテクノロジーを駆使する先進的企業」、HPは「商業用コンピューター市場への本格参入」、ASKは「大企業のパートナーになれるスタートアップ」を印象付けたかったからだ。カーツィッグは「HPのプレスリリースのほうが効果的」と思い、内容を書き直して複数の業界誌へ送り付けた。期待通りの反応を得られないと、同じプレスリリースを再び送り付けた。

1976年に全米生産・在庫管理協会の見本市が開かれると、カーツィッグはヒューズへのMANMAN納入を最大のセールスポイントにした。もっとも、ASKのブースに立っていると、ひっきりなしに「ブースベイブ（ブースのかわいこちゃん）」に間違われた。ブースベイブとは、見本市に参加する企業が人目を引こうとしてブースに立たせるプロのモデルのことだ。無理もなかった。見本市と同時に開催中の業界会議では、配偶者向けに工芸フェアが催されていたからだ（工芸フェアの開会を宣言したのは、映画『風と共に去りぬ』風のドレスを着て南部婦人をまねたブロンド美人だった）。

ASKがMANMANシステムをヒューズに納入したころ、カーツィッグは2人目の子どもを産んだ。次男のケンだ。3歳になった長男アンディと同じように週末に産声を上げた。数年後、彼女はふざけながらこう言っている。「プロジェクトの期限が迫っているから、どうか赤ちゃんの生誕は土曜日まで待ってくださいと神様にお願いしていたんです」

MANMANシステムの納入に伴って問題が一つ発生した。ASKの手元にコンピューターがなくなってしまったのだ。コンピューターがなければソフトウエア業者は何も仕事ができない。プログラムを書けないから。

ASKにはコンピューターを買うだけの資金もなかった。同社の利益が3千ドルに満たないなかで、必要としていたコンピューター——HP3000——は6万ドル以上もしたのだ。カーツィッグは銀行借り入れだけは何としてでも避けたかった。そこで年8%の利子で父親から2万5千ドルを借り入れた。HPと交渉し、コンピューター購入の頭金として2万5千ドルを払い、残りをMANMAN一式（市場価格3万5千ドル）の提供で払うということで合意を取り付けた。

HP3000の設置場所は、ロスアルトス市内でASKが新たに借りた賃貸オフィスだった。大通りエルカミーノレアル沿いにある低層ビルであり、カーツィッグが自宅から通勤するには非常に便利な場所にあった。家賃は月額714ドルで、広さは111平方メートル。受付も用意されていた（受付サービスは同じビルに入居するテナントと共同利用）。彼女は「ぜいたくなオフィススペース」に喜び、入り口を刺激的なオレンジ色で塗った。

大学時代の延長のような職場環境に楽しさ

カーツィッグはオフィス内の部屋の一つを自分専用にし、マーティー・ブラウンにも専用の部屋を一つ与えた。自分とブラウン以外の社員には仕切りのない大部屋を開放し、自由に使わせた。オープンスペースで木製机を並べ、一緒に仕事をするなかで、社員の間には自然と仲間意識が芽生えた。「ＡＳＫを辞めてからもずっとＡＳＫのような職場に憧れていました」と振り返る初期社員もいる。

１９７６年に６人目の社員としてＡＳＫに加わったリズ・セックラーは、当時を思い出して「サンディ（カーツィッグの愛称）は年に１人のペースで新社員を雇っていました」と語る。彼女によれば、新入社員はスタンフォード大かＵＣバークレーの新卒ばかり。ＵＣバークレーであれば専攻はコンピューターサイエンス、スタンフォード大であれば数学が通り相場だった（スタンフォード大では学部生を対象にしたコンピューターサイエンス学科が設けられたのは１９８６年だった）。

何をするにもみんな一緒であり、和気あいあいとしていた。ランチタイムになると連れ立って外に出て、エルカミーノレアル沿いに新規開店したハンバーガー店で食事をしたものだ（店内で目を引いたのはステンドグラスの窓ガラスやオーク材のバーカウンターのほか、最新のピンボール機・ビデオゲーム機だった）。１９７０年代は全国的にジョギングが流行していたのを反映して、短パンとヘッドバンド姿で近所の公園を集団で走ることもあった。週末には同僚を自宅に招待したり、毎週金曜日の午後には社内で即席のビールパーティーを開いたりした（午後4時30分になるとみんなそわそわし始めた）。

マーティー・ブラウンは当時の職場環境について「働いていようがいまいが、昼夜の区別はなかったですね」と語る。「組織が大きくなるにつれてわれわれはだんだんと普通の会社になっていきました。でも抵抗はしました。例えば、ビールでいっぱいの小型冷蔵庫の上にプリンターを置きました。そうすれば『これはプリンター台だ』と主張できますから」

リズ・セックラーはこう語る。「大学時代の延長のようでした。つまり、ピンポン台やビリヤード台のように人工的に演出された楽しさではなくて、大学の寮生活の中で生まれるような自然発生的な楽しさがありました。その中でサンディは研究助手のような存在でした。少し年上の同僚も少し年下の同僚もいて、まるでクラスメートの集まり」。カーツィッグはまだ29歳にすぎなかった。だが、大学を卒業して間もない若手社員にしてみたら、小さなスタートアップが必要としていた信頼できる大人だったのだ。

より多くのプログラマーを見つけるため、カーツィッグは大学を訪問してキャンパス内で面接を実施した（応募者は面接後に必ずプログラミングの筆記テストを受けなければならなかった）。面接に際してはまるで友達のように応募者に接した。セックラーとの面接時には「あなたのことをよく知っている人に推薦状を書いてもらいなさい」と伝えた後、南カリフォルニアで過ごした子ども時代の共有体験を語り合って盛り上がった。ハワード・クラインを気に入ると、「これから職場に来て。みんなに会ってもらうから」と提案。スタンフォード大の就職課には「ちょっと急用があるので、きょう予定に入れていた残りの面接はすべてキャンセルしてください」と通告した。有望な学生を見つけたらその場で職場に来てもらい、社員全員による評価を聞くようにしていたのだ。「あまり怖がらせないようにインタビューしてね」と言って応募者を職場に残し、立ち去るのである。

初期社員の一人であるクラインは「一人一人が良ければチーム全体が良くなる——このようにみんなが思っていました。サンディが見事な職場をつくり、われわれが永続化させたのです」と語る。カーツィッグは社員の私生活にも大きな関心を寄せていた。ある日、「電話に出てほしい」と言って自分のオフィスにクラインを呼び出した。そこには大学1年生時のルームメートも呼び出してあった。2人はお似合いかもしれないと思い、引き合わせたのだ。その判断は正しかった。2人は1989年に結婚した。

カーツィッグは仕事中、自分のオフィスのドアを開けっ放しにしたままで、いつも誰かと電話をしていた。受話器を耳に当てたまま誰かに指示を出したり、誰かの質問に答えたりするのだ。セックラーは「サンディは止まることなく目まぐるしく動いていました。彼女と一緒に仕事をするのはエキサイティングでした」と言う。

買収提案されてHPとけんか別れ

ＨＰのキャンパス内で夜働いていたとき、カーツィッグが気付かなかったことが一つあった。ＨＰはＡＳＫのようなソフトウエア企業を必要としていた、ということだ。[4] 当時のＨＰは科学機器やコンピューター、計算機などエンジニア向けハードウエアに特化しており、商業用ソフトウエアの開発・販売についてはほとんど何のノウハウも持っていなかった。

１９７５年、ＡＳＫはＨＰとの間で販売協力契約を結んだ。これによってＨＰの代理人としてＡＳＫ社員が顧客営業を展開できるようになった。最新技術に疎い顧客にコンピューターについて説明しようとしても、ＨＰ社員ではお手上げだったのだ。

当時、大抵の中小企業オーナーはコンピューターを使ったことがなかった。そんな状況でＨＰ社員からセールストークを聞かされても、なぜ6万ドルも投じてコンピューターを買わなければならないのか、さっぱり理解できなかった。その点ＡＳＫ社員は違った。「ＭＡＮＭＡＮ搭載のＨＰ製コンピューターを導入すれば、町工場が知的工場へ変貌する」「キーボードを何度かたたくだけで、在庫状況を把握してワークフローを調整できる」「技術レベルや職種は関係なく、工場内の誰でもコンピューターを扱える」――。このように分かりやすく説明できたのだ。

その後、カーツィッグはＨＰに対して販売協力契約の改定を提案した。システム一式を売るごとにＡＳＫはＨＰから一定のロイヤリティー（手数料）を受け取れるようにしたい、と申し出たのだ。ところが、ＨＰから逆提案されて唖然とした。１００万ドルでＡＳＫをＨＰに売らないか、と打診されたのである。心が動いた。まだ30歳にもなっていなかったし、仕事以外にもやりたいことは山ほどあったからだ。会社を売り払って一休みする自分自身の姿を想像してみた。心を躍らせながらＨＰのコンピューター部門副社長とのミーティングに臨み、「２００万ドル出してくれるなら売ってもいいです」と返事した。

ミーティングは大失敗だった。そもそも１００万ドルは確定した数字ではなかった。しかも、カーツィッグを含めＡＳＫチームがまるごとＨＰへ移籍するという話が突然出てきた。カーツィッグが「移籍なんてあり得ない」と否定すると、ＨＰ側が「ＨＰは自前のプログラマー集団を抱えているから、その気になればＭＡＮＭＡＮに匹敵するＭＲＰ（資材所要量計画）システムを構築できますよ」と言った。くだんの副社長は激怒して「９カ月以内にＨＰ３０００用プログラムを自力で書き上げる。ＡＳＫが協力してくれなくても構わない」と言い放った。

カーツィッグも黙ってはいなかった。「できるはずないですよ。仮にできたとしても、ＡＳＫよりもずっと後になってからでしょうね」と言い返した。

カーツィッグはかんかんに怒りながらミーティングを後にした。「クソ食らえ。ＡＳＫが本気になったらどうなるか見せ付けてやる」と悪態をついた。

そんな強がりとは裏腹にＡＳＫは経営的には不安定だった。ヒューズに納入したＭＡＮＭＡ

Nシステムを他社にも販売できたとはいえ、1976年度決算では2664ドルの赤字に陥っていた。カーツィッグは年度初めには自分の給与を2倍に引き上げていたが、結局のところ昇給分を受け取らず、代わりに会社からの借り入れにした。ASKの決算書には「年度末時点で社長（カーツィッグ）は当社に対して1万7692ドルの返済義務を負う」と書かれていた。これはASK全体の債務総額の3分の2近くに相当した。

カーツィッグは再びASKの経営改革に着手しなければならなかった。①正式なビジネスプランを作成する、②MANMANに会計処理機能を追加する、③データ処理サービスを売却する、④HPとの関係を修復する——などだ。

同時に、4人のメンバーで構成する諮問委員会を設けた。外部の意見を聞いて今後の経営に役立てようと思ったのだ。だが、シリコンバレー文化の本流から大きく外れている現状を露呈していた。諮問委員4人全員が地元の町工場出身者であり、このうち3人はASKの顧客だった（元顧客も含む）。ベンチャーキャピタリストはいなかったし、コンピューターやソフトウエア業界関係者もいなかった。ASK関係者の中で唯一シリコンバレーのハイテク業界と接点を持っていた人物は、法律顧問である地元法律事務所ウィルソン・モシャー&ソンシーニ所属の弁護士だった。同法律事務所は総合力を強みにしており、ティムシェアをクライアントにしていたこともあった。

ソフトウエアの価値を理解できないシリコンバレー

シリコンバレーのベンチャーキャピタル業界は当時、ソフトウエアの重要性にまだ気付いていなかった。現在シリコンバレーでは、ベンチャーキャピタルによる投資先の半分以上はソフトウエア業界が占めている。1977年当時ではこの比率は7％にすぎなかった。ベンチャーキャピタルの投資先はハードウエア——コンピューターや半導体、ハードドライブなど資本集約型の有形資産——に集中していたのだ。

現在はアメリカを代表する大企業であるオラクルも当時は苦労していた。1977年、ラリー・エリソンら起業家3人はオラクル創業に向けて資金集めに奔走していた。だが、興味を示すベンチャーキャピタリストになかなか出会えなかった。エリソンは当時の状況を回想してこう語っている。「ソフトウエアだと伝えるだけで、ベンチャーキャピタリストに会うのは極めて難しくなりました。相手のオフィスを訪ねて帰ろうとした際に、受付係から制止されたこともあります。経済誌ビジネスウィークの最新号をくすねているのではないかと疑われて、スーツケースの中を調べられたのです」

カーツィッグは1976年にビジネスプランを書いたとき「ソフトウエア」という言葉を一度も使わなかった。聞かれれば「アプリケーション事業をやっている」と答えたことだろう。

「ソフトウエア」はあまりにも聞きなれない言葉であったため、「ソフトウエア事業をやっている」と答えたら「ランジェリー事業をやっている」と勘違いされてもおかしくないほどだった。ソフトウエア業界内では「コンピューターに無知な顧客は『コンピューターの中でソフトウエアの重さはどのくらいの割合を占めるのですか？』と聞いてくる」といった冗談も交わされていた。

コンピューターメーカーでさえもソフトウエアの価値をなかなか認識できなかった。自社製コンピューターはソフトウエアを搭載しなければ動かないというのに、である。そんなわけで、カーツィッグはＨＰとの関係を修復したものの、ＨＰからＯＥＭ（相手先ブランドによる生産）メーカーの認定を受けるのに苦心した。ＯＥＭメーカーは通常、ＨＰからＨＰ製コンピューターを割引価格で購入してシステムを構築し、ＨＰブランドとしてＨＰに納入する。

例えば、ＨＰ製コンピューターで制御される組み立て装置。ＯＥＭメーカーは格安のＨＰ製コンピューターを仕入れ、コンピューター制御による組み立て装置を生産する。この場合、仕入れ費用に一定の価格を上乗せしたうえで、ＨＰブランド製品として完成品をＨＰに納入する格好になる。

カーツィッグの見解では、ＨＰ製コンピューターに組み込まれるソフトウエアは間違いなく付加価値を提供している。組み立て装置を制御することでＨＰ製コンピューターの価値が高まるのとまったく同じである。ＡＳＫであれば、①ＨＰ製コンピューターを格安で仕入れる、②

MANMANプログラムを組み込む、③ハードウエア・ソフトウエア統合型のターンキーシステム（鍵を回すだけで稼働するシステム）として顧客に販売する、という流れになる。カーツィッグは疑い深いHP経営幹部の前でHPのマニュアルを取り出し、OEMに関する部分を大きな声で読んだこともあった。結局、OEMメーカーの認定を受けるまでに何年も待たなければならなかった。

しかし、最終的にASKはHP3000最大のOEMメーカーになるのだった。HP3000を人気商品にするうえで決定的に重要な役割を担ったからだ。

1978年元日、カーツィッグはASKの決算書類を点検していた（祭日でも働くのはいつものことだった）。ホッと胸をなで下ろした。過去数カ月の努力が実り、3万3千ドルの利益を出していたのだ。1976年度が赤字だった点を踏まえれば、劇的な収益改善といえた。

同時に、カーツィッグは厳しい現実を認めないわけにはいかなかった。昼夜問わずに働き続けて会社を黒字化させたとはいっても、自分自身に対して払った年間給与2万4千ドルをわずかに上回る利益を計上したにすぎなかったのだ（心血を注いでASKを経営してきたことを考えれば、2万4千ドルは控えめな数字だった）。そこで新年の誓いを立てた。「もう1年頑張ろう、さもなければつぶれる」

1　ジョブズとウォズニアックが創業したアップルは2010年、HPのクパチーノ・キャンパスを購入した。更地にして、円形の新本社を建築することになった。

2　トレイビッグは非常に高い倫理観を持っていた。なので、彼を知る人たちは「警備員の警戒はばかげている」という意見で一致していた。

3　MANMANは古典的な生産管理システム「MRP（資材所要量計画）」の一つであり、六つのモジュールから成り立っていた。①在庫管理、②部品票処理、③資材所要量計画、④プロセシング、⑤仕掛品、⑥経営報告・製品コスト――である。

4　HPは複数の中小ソフトウエア開発業者に対して、業務時間外にキャンパス内の自社製コンピューターを無料で利用することを認めていた。対象企業にはアバカス、アレグロ・ソフトウエア・デベロップメント・コーポレーション、アメリカン・マネジメント・システムズ、LARCコンピューティング、クエイサー、SDGが含まれた。

第15章　起業なんて考えたこともなかった
――ニルス・ライマースとボブ・スワンソン

遺伝子組み換えは「原子爆弾よりも危険」

１９７６年夏、ドン・バレンタインがノーラン・ブッシュネルにアタリ売却を働き掛け、アメリカが歌と花火で建国２００年祭を祝っていたころのことだ。遺伝子組み換えの特許取得に動いていたニルス・ライマースは、国内で警戒論が広まるのを見て気掛かりで仕方がなかった。1年前のアシロマ会議でアカデミア関係者は規制強化を提言し、「パンドラの箱を開けた」とも言われていた。同会議の提言はバイオテクノロジーへの警戒心を和らげるどころか、むしろ懸念を煽る格好になっていたのだ。

代表例はニューヨーク・タイムズ・マガジン誌だ。まだ研究段階にある遺伝子組み換えを特集し、「原子爆弾や神経ガス、生物兵器、フロンガスによるオゾン層破壊よりも危険」と断定。さらには「遺伝子組み換え技術が悪用され、実験室で生まれたがん細胞が世の中に拡散する可能性は十分にある」と指摘した。

このほか、タイム誌は特集記事のタイトルに「この世の終わり――生命をもてあそぶ」を選んだ一方で、世界的な草の根環境ネットワーク「地球の友」は「ジキルとハイド、ハイドとジキル」と題したニュースレターの中でクローン技術への警鐘を鳴らした。サンフランシスコ・クロニクル紙のコラムニストはこう書いた。「このようなおめでたい人たちは原子爆弾に続いて新しいプレゼントを用意してくれた。遺伝子をいじって生み出した新しい生命体だ」

そんな状況下で、環境防衛基金と自然資源防衛協議会という二つの環境保護団体は、遺伝子工学に関する公聴会開催を求めた。自然保護団体シエラクラブも加勢し、「目的は何であれ、遺伝子組み換えの実験は一部の研究所内にとどめ、政府の監視下に置かれるべきだ」という決議を採択した。

マサチューセッツ州ケンブリッジ市の市長アルフレッド・ベルッチは、州内で目撃されたとされる「オレンジ色の目をした奇妙な生物」と「毛深い2・7メートルの生物」に反応した。2体の生物が遺伝子操作と関係しているかどうか、全米科学アカデミーに対して調査するよう要請したのだ。同時に、遺伝子工学の主要研究拠点である地元ハーバード大学に圧力をかけた。もともと同大と不仲なこともあり、「アカデミアの自由は大切だが、10万人以上の市民を危険にさらすわけにはいかない」と言い、実験に深入りした場合にはキャンパス内の敷地ハーバードヤードを駐車場にすると脅した。

誰かが遺伝子操作によってスーパーウイルスを作り、航空機内でばらまいたらどうなるか？

工業用アルコール生産を目的にして大腸菌の遺伝子が組み換えられて、誤って人間の消化器内に侵入したらどうなるか？　消化器内には何十億個もの大腸菌がもともと生息しているから、「酔っ払い種族」を生み出すことにならないか？　不安材料は事欠かなかった。

政府による規制強化を求める声が広がったことで、国立衛生研究所は「実験は気密性の高い特別施設で行うこと」「実験者は宇宙服に似た防護服を着用すること」をはじめとした安全性ガイドラインを発表した。遺伝子工学研究の規制を狙った法案（合計で13法案）も相次ぎ登場した。上院議員エドワード・ケネディは「科学者は遺伝子組み換えの危険性を広く伝える義務を負っています。しかし、どのように研究を進め、どのように研究成果を現実社会へ適用するべきなのか、それを決めるのはわれわれ市民です」と主張し、議会での公聴会開催を提案した。

カリフォルニアをはじめ全米6州内では、遺伝子工学研究の禁止に乗り出す自治体も現れた。例えば、マサチューセッツ州ケンブリッジ市は遺伝子工学研究の一部を3カ月間禁止すると宣言した。そのあおりを受け、後にノーベル賞を受賞するハーバード大研究者の一人は自分の研究室をイギリスへ移さなければならなくなった。イギリスであれば、生物兵器実験用の隔離施設で研究を継続できたからだ。

1977年初め、デモ隊が全米科学アカデミーの会議場に現れて、妨害行為に出た。「人間のクローンは作らせない！」といったシュプレヒコールを上げながら、会場内の壇上を占拠してプラカードを掲げた。そこには巨大なブロック体で「われわれは完全種族を創造する――19

33年、アドルフ・ヒトラー」と書かれていた。

逆風下でもひるまずに企業をリストアップ

ライマースと弁護士バート・ローランドの2人は、遺伝子組み換えに関する記事をお互いに集め、交換し合う日々を送っていた。まるでプロ野球カードを交換し合っているかのように（記事の90％は否定的な内容だった）。ライマースが集めた記事の切り抜きは机の上にどんどん積み上がり、年末時点で高さ8センチメートルにも達していた。特許契約をめぐる論争が広がるなか、健康教育福祉省は政策検証に乗り出した。歴史家の一人は「あまりにも激しい論争が巻き起こったため、連邦政府の特許政策も魚雷攻撃の標的にされているようだ」と解説した。スタンフォード大では教授陣の間で「大学の特許政策は行き過ぎ」との声が高まり、ライマースとスタン・コーエンは矢面に立たされた。

そんな状況下にありながらもライマースは技術の可能性に思いを巡らせ、興奮を抑え切れなかった。なかでも新たな治療法確立に大きな期待を寄せていた。学内で広がる反対論、国民の感情を煽るメディア、ワシントンで特許法専門家が繰り広げる論争――。強い逆風を受けてもひるむことはなかった。「ほかの研究プロジェクトと比べて遺伝子工学研究が特別に大きなリスクを内包しているわけではない」という科学的根拠によりどころを見いだしていた。[1]

スタンフォード大が特許取得に成功した日に備えて、ライマースは特許に興味を示しそうな企業のリストアップに乗り出した。特許使用のライセンスを外部企業に与えれば、大学に新たな収入源をもたらすと同時に、新たな論争のタネをまく格好になるのは必至だった。とりあえずは「新たな論争」を棚に上げ、「新たな収入源」に集中することにした。

遺伝子組み換え技術に関心を示す業界はどこか。ライマースは大きく3業界に的を絞った。第一に製薬業界。医薬品や抗がん剤、合成ホルモン、ワクチンを開発する際に遺伝子組み換えを利用できる。病気を引き起こす可能性がある「死んだウイルス」や「弱ったウイルス」に頼らずに済む。第二に化学業界。遺伝子操作で作った微生物を使い、植物を保護したり鉱石から金属を回収したりできる。第三に食品・飲料業界。遺伝子操作によって発酵プロセスの迅速化（あるいは改良）を狙える。

1976年7月までにライマースは企業のリストアップ作業を終えた。そこに含まれていた大企業はアップジョン、シェーリング、メルク、ファイザー、イーライリリー、ダウ、デュポンだった。

遺伝子組み換えに入れ込むもう一人の男

サンフランシスコの小さなオフィス内に、否定論に流されずに遺伝子組み換えに入れ込む男がもう一人いた。「ボブ」の愛称で知られるロバート・スワンソン、28歳だ。自称起業家であったものの、一度も自分の会社を興したことはなかった。しかもベンチャーキャピタルから追い出されたばかりでもあった。設立4年のクライナー&パーキンス（K&P）に勤めていたのだが、クビになったのだ。

スワンソンは友人とつるむのが大好きで、いつも忙しくしていた。父親は航空機整備工場の主任を務め、「人生とはいくつもの競争に勝ち続けること」を信条にしていた。ティーンエージャーのスワンソンが高校卒業時のプロムを終えて、帰宅したときのことだ。父親からこう聞かれた。「それでどうだった、ボブ？　彼女にキスできたのかい？」

スワンソンは父親譲りの競争心を持っていた。マサチューセッツ工科大学（MIT）の学部生だったとき、前倒しで単位を取得して飛び級で経営大学院（ビジネススクール）へ進学した。結果として徴兵を免除されたうえ、本来なら6年かかる学部・大学院を5年で修了した（化学学士と経営学修士を取得）。卒業後にニューヨークの大手銀行シティコープに入社して、ベンチャーキャピタル部門のシティコープ・ベンチャーキャピタルに配属された。3年後にシティコープ・ベンチャーキャピタルのサンフランシスコ事務所の開設を命じられた。25歳だった。それから1年足らずでK&Pへ転職している。

転職後の人生は前途洋々に見えた。K&Pが誕生したのは1972年。ドン・バレンタインがセコイア・キャピタルを創業した年と同じだった。バレンタインと同様に、設立者ユージン・

クライナーとトム・パーキンスは金融ではなく事業経験を豊富に積んでおり、投資先企業の経営に積極的に関与する哲学を持っていた。

紳士的なクライナーは大陸ヨーロッパのアクセントでしゃべり、当時の国務長官ヘンリー・キッシンジャーと似ていると言われた。先に述べた「8人の反逆者」の一人であり、フェアチャイルド・セミコンダクターの創業に参画している。インテルへの初期出資者の一人でもある。[2]ユージン・クライナーはオーストリアの首都ウィーンで生まれた。14歳の時、ナチ党員が自宅に入り込んで金庫を開け、父親を投獄した。だが、父親は間一髪で強制収容所送りを免れた（ある警察官の力添えがあった）。軍用ブーツ製造工場のオーナーであることが幸いしたのだ。その後、クライナー一家はベルギー、スペイン、ポルトガルへ逃れ、最終的にニューヨークへ移住した。

クライナーは高校の卒業証書もないままアメリカ移民となったため、「ナチスと個人的に決着をつけなければならなかった」ことを理由に挙げてアメリカ陸軍へ入隊した。結局、復員軍人の大学進学を支援する「GI法（復員軍人援護法）」のおかげでブルックリン工科大学を卒業でき、続いてニューヨーク大学で工学修士号を取得している。

トム・パーキンスはクライナーよりも10歳若い42歳で、ハンサム・生意気・派手という形容がぴったりだった。HPのコンピューター部門を全米一に育てたという自負から、オフィス内をわが物顔で歩いていたものだ。K&Pを経営する傍ら、個人的にレーザー事業も手掛けていた。

生来の育ちの良さがにじみ出ているクライナーとは対照的に、パーキンスは一族が輩出した大卒第1号として、意識的に自分自身の行動・思考パターンに磨きをかけなければならなかった。奨学金を得てMITを卒業すると、ハーバード・ビジネススクールへ進学。そこでは伝説的教授のジョージ・ドリオットの講義も取っている。ドリオットから学んだビジネスマンのあるべき姿は、①飲酒（控えめに飲むこと）、②昇進（地位と報酬以前に知識と評価を得ること）、③仕事（抜きんでた成果を出すためには週40時間以上働くこと）、④結婚（妻となる女性は読み書きができて、夫の論文の注釈付けを手伝えること）――であった。

クライナーとパーキンスの2人は共通の友人を通じて知り合い、800万ドルを元手にベンチャーキャピタルを立ち上げた（揺籃期のベンチャーキャピタル業界では最大手の一つだった）。800万ドルの半分はピッツバーグ市の実業家ヘンリー・ヒルマンから、残りは個人マネーや信託基金、法人（エトナやロックフェラー大学）から得た。

2人とも「カネを投じて大当たりを祈る」手法を嫌い、理想とすべき原則をいくつか設けていた。そのうちの一つが「投資家の権利憲章」だ。権利憲章は、ゼネラルパートナー（クライナーとパーキンス）とリミテッドパートナー（ファンドに運用資金を預ける投資家）の関係を明確に定めている。これに従えば、ゼネラルパートナーの2人は次のように行動しなければならない。第一に、リミテッドパートナーが元本を回収するまで一切利益を得ない。第二に、元本を上回った超過利益については、自分たちへの成功報酬を差し引いたうえですべてリミテッドパートナーへ分配する（新規投資に回さない）。第三に、ファンドの投資先企業に個人的な投資を行わない。第四に、必ず投資先企業の取締役会のメンバーになる（2人のうちどちらか1人）。第五に、投資先企業を西海岸（理想はサンフランシスコ・ベイエリア）に限定することで、起業家の支援・監視を密に行う。

ベンチャーキャピタルに一本釣りされるスワンソン

スワンソンを一本釣りしたのはユージン・クライナーだった。シティコープとK&Pによる投資先企業（経営不振のアンテックス）の取締役会でスワンソンと一緒になり、自分の若かりしころと同じ資質を見いだしたのかもしれない。彼自身も自力で一流の大学教育を勝ち取っている。高校を卒業していなかったのに、ブルックリン工科大の学生部長と直談判して入学を認めてもらったのである。

見習いとしてK&P入りしたスワンソンは、クライナーとパーキンスの2人と二人三脚で新規投資先を決め、既存投資先を点検した。K&Pは多様な企業に投資していた。①靴底張り替え企業（トレッド2。創業者のローリー・ファーストは30年後にサンダルメーカーのKeen（キーン）を創業）、②オートバイをスノーモービルへ転換するキットの開発企業（スノージョブ）、③医療機器メーカー（アンドロス・アナライザーズ）、④事実上のフェイルセーフ型ミニコンピューターメーカー（タンデムコンピューターズ）――などに投資していた。[3]

スワンソンが新入社員として加わる直前にK＆Pは本社移転を終えたばかりだった。シリコンバレーのサンドヒルロードを離れ、サンフランシスコの高層オフィスタワー「エンバーカデロセンター」の29階に入居したのである。本社移転を提案したのはパーキンスだった。サンドヒルロードにはセコイアをはじめ、ベンチャーキャピタルが続々とオフィスを移し始めていた。そんな状況を見て彼は本社移転を決意したのだ。

なぜなのか。パーキンスとクライナーの2人は起業家を外に連れ出して、近所のレストランで昼食を共にすることがよくあった。サンドヒルロードがベンチャーキャピタルの集結地になれば（実際にそうなる）、レストラン内で2人が誰に話し掛けているのか、競争相手に目撃されかねない。

パーキンスは「群れの一部と見なされるのは嫌でした。ワシは群れない――これがわれわれのモットーでした」と語る。スワンソンにとってサンフランシスコの新オフィスは好都合だった。当時は大枚をはたいて、サンフランシスコ市内の高級住宅地パシフィックハイツ地区に住んでいたからだ。家賃を折半するルームメートを見つけ、ゴールデンゲートブリッジ（金門橋）を見渡せる賃貸マンションの3階を借りていた。[4]

2年足らずで突然解雇を告げられる

ところが、入社から2年足らずでスワンソンはK&Pから突然追い出された。解雇理由はよく分からなかった。可能性の一つは、スワンソンが担当していた投資先企業シータスだ。生物学研究用の高級機器を製造していた同社について、クライナーとパーキンスは「経営の方向が定まっていない」として懸念を抱いていた。そこでスワンソンに対して、重要な製品と市場を見極められるように経営陣を指導するよう促していた。

そんな経緯もあり、あるときシータスの今後を議論するために長いランチミーティングが開かれた。ノーベル物理学賞受賞のカリフォルニア大学（UC）教授で、シータス共同創業者兼顧問のドナルド・グレーザーのほか、トム・パーキンスも参加した。自ら顔を出すことでK&Pの懸念を伝えたかったのだ。ミーティング中、グレーザーは「遺伝子組み換えがシータスにとって面白い分野かもしれない」と口にした。しかし議論は盛り上がらなかった。パーキンスも無関心だったし、グレーザー以外の共同創業者2人も無関心だったのだ。

スワンソンは例外で、グレーザーの話に刺激された。ミーティング後に遺伝子組み換えに関する文献を読みあさり、ますます引き込まれた。間もなくしてパーキンスのオフィスを訪ね、報告した。「これは絶対にすごいことになります！　世界を一変させるほど革命的なことです！

私がこれまでに見た技術の中で最重要であるのは間違いありません！」。スワンソンの同僚は当時を思い出し、「彼はまるで子犬のようにはしゃいでいた」と語る。

スワンソンはパーキンスから「シータスの経営に参画して、自ら遺伝子組み換えをやってみたらどうだ」と提案され、飛び上がるように喜んだ。だが、シータスの創業チームは違う反応をみせた。スワンソンに対して「遺伝子組み換えはすぐに実現するような技術ではない。10年はかかる」と伝えた。パーキンスの記憶によれば、創業チームはそもそも遺伝子組み換えに関心を持っていなかったし、スワンソンに好印象を抱いてもいなかった。

それでもスワンソンはくじけることなく、別の投資機会が訪れるまで待とうと思った。しかしそれはかなわなかった。パーキンスから突然「ここは2人（パーキンスとクライナー）だけで十分」と言われ、事実上の解雇を通告されたのだ。1975年末まで働けるものの、それ以降は別の仕事を見つけなければならなくなった。もちろん当惑したが、「おそらく力不足だったんだ」と自分自身を納得させた。

その後、スワンソンは活路を見いだそうとして精力的に動いた。雇用契約の期日が迫るなか、毎月110ドルの家賃も気になり始めていた。週に数回のペースで愛車ダットサン240Z（日本ではフェアレディ）に乗って高速道路を南下し、新たな職場を求めてシリコンバレーで面接を受けた。HP本社も訪ねたし、果樹園跡地のインテル本社も訪ねた。しかし、事業家としてもエンジニアとしても経験を積んでいなかったことから、なかなか前向きな反応を得られなかった。スタンフォード大教授に会い、放射性廃棄物を集中処理する発明を生かして起業するアイデアを持ち出したこともあった。そのうちクリスマス休暇が近づき、面接の予定を思うように入れられなくなった。

その間もスワンソンがずっと考え続けていたのは遺伝子組み換えのことだった。これはきっと大化けする！

ルームメートだったブルック・バイヤーズは「ボブ（スワンソンのこと）は本当に世界を変えたいと思っていましたね」と振り返る（バイヤーズは後にK&Pに加わり、バイオテクノロジーに強い著名ベンチャーキャピタリストになる）。「ボブとはよく語り合いました。どうやって残りの人生を過ごしたいのか、と聞かれたこともありました。彼はまだ28歳だったのに」。遺伝子組み換えによってクローン技術が確立し、ゴムや絹糸、薬剤、化学肥料を無限に生産できる未来が訪れるはず、とスワンソンは考えていた。「バクテリア工場の誕生まであと10年はかかる」と主張するシータス経営陣にくみしなかったのだ。

営業電話で共同発明者ボイヤーにつながる

スワンソンはニルス・ライマースやスタン・コーエン、ハーブ・ボイヤーの名前を聞いたこともなかった。そもそも分子生物学については何も知らなかった。とはいえ、科学は大好きだった。事実、一般向け科学雑誌サイエンティフィック・アメリカンをほぼ毎月手に取り、最初から最後まで読んでいた。仕事を探していて、十分な時間を持ち、失うものは何もなかった。となれば「当たって砕けろ」である。自宅に置いてあるピンポン台（仕事机兼食卓）を拠点にして、1年前のアシロマ会議に参加した科学者に片っ端から営業電話をかけることにした。テーマはもちろん遺伝子組み換えだ。

スワンソンは電話をかけるときには毎回「私は遺伝子組み換えに興味を持っているビジネスマンです。少し質問してもいいですか?」と切り出した。断られる場合もあれば、回答を得られる場合もあった。主な質問は決まっていた。「遺伝子組み換えの商業化までどのくらいの時間がかかりますか?」「最新科学を駆使して大量生産にこぎ着けるとしたらいつですか?」である。電話の向こうの科学者は一様にあいまいであり、「しばらくは無理」「技術はそこまで進んでいない」「大量生産はまだ検証されていない」などと答えるだけだった。

ハーブ・ボイヤーに電話をかけたとき、スワンソンは正式に失職していた。相手が遺伝子組み換えの共同発明者の一人ということも知らないまま、商業化までどれくらいかかるのかと質問した。「数年内」という回答を聞き、驚いた。これほど大胆な予測をする科学者に出会ったのは初めてだった。

「実際に会ってお話しできるでしょうか?」とスワンソンは聞いた。

「忙しいから……」

「どうしても直接お話ししたいんです！」。スワンソンは決して引き下がらなかった。遺伝子組み換えの商業的価値を理解できる一流科学者にやっとのことで出会えたのだから。

スワンソンは自分の強みを認識していた。大胆で粘り強く、ビジネスセンスを備えていると自負していた。同時に弱みも分かっていた。まず、遺伝子工学の背後にある科学を理解できていなかった。次に、営業電話で冷たくあしらわれたことからも分かるように、生物学者に信用されていなかった。一流の科学者と組まない限りは、起業は無理だった。

一方で、ボイヤーは何カ月にもわたって遺伝子組み換えの商業化について密かに思いを巡らせていた。きっかけは幼い息子が小児科医で受けた成長ホルモン検査だった。息子には何の問題もなくて安心したものの、小児科医から「成長ホルモンの入手は難しい」と言われてひらめいたのだ。成長ホルモン遺伝子を分離できたら、遺伝子組み換え技術を駆使してヒト成長ホルモンを大量生産できるかもしれない！　当時を思い出し、「まだ空想段階でした。起業なんて考えたこともなかった」と語る。

ボイヤーは筋金入りの科学者だった（ペットのシャム猫を「ワトソン」と「クリック」と名付けていた）。同時に、研究成果の商業化を視野に入れていた点で異例の存在だった。当時、生物学者の大半は産業界を懐疑的に見ていた。アーサー・D・レビンソン――将来ジェネンテックCEO、アップル取締役、グーグル取締役になる――は自分自身が若い生化学者だった時期を思い出し、「企業と接触するのもはばかられる時代でした。だから企業に電話するときは研究室を出て、外の公衆電話を使ったものです。そうすれば同僚に気付かれないですから」と言う。ブルック・バイヤーズも同意見だ。「研究成果の商業化を考える科学者は物議を醸す存在でした。1960年代にエレキギターへ転向して批判されたボブ・ディランと同じ。あれは一体何なの？何か悪いことが起きるのでは？　こんな受け止められ方でした」

電話の向こう側にいる熱心な若手ビジネスマンが遺伝子組み換えの会社を立ち上げる？　本当にできるのか？　ボイヤーはあまり期待していなかった。それでも、話をするくらいならいいではないか、と思った。これまでパイオニアとして取り組んできた技術をいち早く社会へ届けるという点では、会社は効果的な手段になる。これまで通り自分は研究室で働き続け、技術の商業化を夢見るスワンソンという若者にすべて任せればいい。ひょっとしたらスワンソンの会社はいい方法を見つけ出すかもしれない。

「分かった。いいですよ。金曜日午後なら、10分だけ時間があります」とボイヤーは答えた。

バーで3時間にわたって話し込み意気投合

スワンソンはカリフォルニア大サンフランシスコ校（UCSF）内の駐車場に車を停め、ボイヤーのオフィスに向かった。がっしりしていて身だしなみが良く、頭髪が薄くなりつつあるビジネスマン（後年記者から「分厚い財布の上に立たない限りは、大男には見えない」と評される）。

上等なスーツにポケットチーフを着けてキャンパス内を歩いていると、いや応なしに目立つ。周りはカジュアルないでたちの学生や教員ばかりだからだ。対照的に、ボイヤーは童顔とふさふさの巻き毛をトレードマークにし、飾り付きのスウェードのベストを着込んでいた。

2人は研究室内で会話を始めたが、すぐに近くのバーへ移動した。ビールを何本も飲みながら3時間にわたって話し込み、お互いの強みとニーズが相互補完関係にあるという認識で一致した。スワンソンは科学ではなくビジネスを理解しており、ボイヤーはビジネスではなく科学を理解している。

「何が決定打になったのか分かりません。私に説得力があったからなのか、彼に情熱があったからなのか、ビールの影響があったからなのか……」とスワンソンは数年後に語っている。「確かなのは、その夜にとにかくわれわれは合意したということです。法的にパートナーシップを組み、遺伝子組み換え技術の商業化に取り組もう、ということで」。一方ボイヤーはこうみている。「世間知らずで甘い考えの2人を選んで一つの部屋に入れたらどうなるか。酒が入ったらいやがうえにも盛り上がるでしょう」

ボイヤーは「最初の製品はヒトホルモン」と確信していた。そこでスワンソンに対し「タンパク質の構造について調べて、最適候補を見つけてほしい」と依頼した。スワンソンがインスリンに行き着くまでに大して時間はかからなかった。

大きく四つの理由があった。第一に、彼の推測では市場規模が1億3100万ドルと大きく、さらに拡大する見込みだった。アメリカで糖尿病の症例件数は毎年6％のペースで増えていたのだ。第二に、全国150万人の糖尿病患者用にインスリンを調達する既存システムがきちんと機能しておらず、恒常的にインスリン不足を引き起こしていた。原料になっていたのはブタやウシの膵臓であり、製薬会社は1ポンド（約450グラム）のインスリンを生産するために8千ポンドの膵臓を調達しなければならなかった（調達先はアーマーやスウィフト、オスカー・マイヤーなどの食肉業者）。第三に、遺伝子操作によって生産されるインスリンは、動物由来のインスリンよりも安全性の面で優れているはずだった。動物性由来では一部の患者で深刻な副作用が出ていた。第四に、遺伝子組み換えによるインスリン生産は科学的に実現可能性が高かった。51個のアミノ酸で出来たインスリンの構造についてアカデミアはよく理解していた。これは出発点として非常に重要だった。

スタートアップの社名は「ジェネンテック」

事業パートナーを得て目指すべき製品を決めたことで、スワンソンは古巣のK＆Pに協力を仰いだ。遺伝子組み換えの会社を立ち上げるまでの間、給与を払ってもらえないか、と打診したのだ。タンデムコンピューターズの先例を知っていたからだ（タンデムの共同創業者は会社をつくる前に「常勤起業家」として扱われ、給与支払いを受けていた）。しかし、クライナーとパーキンスの２人からはつれない反応しか得られなかった。後年になって当時を思い出し、「２人の間で何かがあったのかもしれません」と推測するのだった。

実際、前途有望に見えたタンデムを除けば、２人が投資先に選んだ企業はことごとく失速していた。投資リターンを示す内部収益率（ＩＲＲ）を見てみよう。１９７３年にプラス２・１％、翌年にマイナス７・１％、翌々年にプラス４・２％だった。そのうえ、パーキンスによれば新たな投資案件も質量ともに芳しくなかった。

そもそも、Ｋ＆Ｐ発足時に２人は大きな間違いを犯していた。投資の元手となる８００万ドルを一気に受け入れてしまい、全額を投資に回すまでの間は一定の利息を稼がなければならなくなったのだ（現在は一定額を段階的に受け入れて投資に回すのが業界標準）。さらに悪いことに、利息を稼ごうとして資金を裁定業者に預け、「何千万ドルに上る空売りポジションを築いて大きなリスクを背負う羽目になっていた」[5]（パーキンス）。

そのころには毎月４１０ドルの失業手当で食いつないでいたスワンソンは、大きな決断を迫られていた。ベンチャーキャピタルから支援を受けられず、給与支払いというセーフティーネットは諦めなければならない。一方で、事業パートナーであるハーブ・ボイヤーは協力してくれるとはいえ、大学での教授職を捨て去るつもりはないから、当てにするわけにはいかない。要するに、遺伝子組み換えの商業化を目指すならば、文字通り持てる力の百パーセントを注がなければならないのだ。起業が成功する保証がどこにもないなかで、無給のままで何カ月にもわたって全力疾走する覚悟があるのかどうか、ということでもある。

そんな展望を頭の中で描いてスワンソンは不安におののいた。だが、シティコープ時代のことも思い出した。たった1日で、同行は200人に上る管理職——数十年永続の社員も含まれた——を解雇したのだ。誰かに雇われているからといってセーフティーネットに守られているわけではない。今、目の前にあるチャンスに目をつぶって85歳の誕生日を迎えたとき、自分の人生を振り返ってどう思うだろうか？　納得できるか？　85歳になった自分を想像してみておのずと答えは出てきた。ここでリスクを取らなかったら、一生後悔することになる！

スワンソンはスタートアップに一生を懸けるCEOになる決意をしたのだ。初動は失笑ものだった。ボイヤーに対して「社名は2人のファーストネームを組み合わせてハーボブ（Herbob）にしましょう」と提案したのだ。これを聞いてボイヤーは「ジェネンテック（Genentech）にしよう」と逆提案した。由来は「遺伝子工学技術（**gen**etic **en**gineering **tech**nology）」だった。

誕生からたったの4年で、ジェネンテックはウォール街史上で最大級のIPOを実現するのだった。しかし、1976年春の時点で同社にはラボもオフィスもなかったし、フルタイムで働く科学者もいなかった。スワンソン、ボイヤー（非正規のパートタイム）、それに2人が掲げる理想——これがジェネンテックのすべてだった。

これから訪れる災難を予期できたならば、スワンソンとボイヤーは決してジェネンテックを創業しなかっただろう。第一に、インスリンは最初の製品としては複雑過ぎると判明する。第二に、2人が最初に合成したホルモン（ソマトスタチン）は開発初期に大きな問題を起こし、スワンソンはストレス過多で緊急治療室入りする。[6] 第三に、ボイヤーは同僚研究者から「産業界へ魂を売った」とつまはじきにされ、大学評議会の調査を受ける。第四に、大学評議会の調査で「シロ」判定が出ても、ボイヤーは何年にもわたって不安とうつに取り付かれ、苦しみ続ける。第五に、ジェネンテックは訴訟合戦に巻き込まれる。まさに災難続きとなるのだった。

古巣のK&Pに協力を仰ぐ

スワンソンはビジネスプラン作成から始めた。そこには第一の目標としてこう書いていた。「人類全体に大きく貢献する製品を製造・販売する。そのために独自の微生物を開発する」

スワンソンとボイヤーは、社員にとってジェネンテックを魅力的な会社にするためにどうしたらいいのかについても議論した。スワンソンが社員への十分なストックオプション付与を提案すると、ボイヤーは同意した。ただし、「カネだけでは一流科学者は集まらない。自分の研究成果を発表する自由を得られなければ、魅力を感じないだろう」と付け加えた。これに対してスワンソンは「いいでしょう。でも、論文発表前に特許出願を義務付ける必要があります」と指摘した。

ボイヤーはまた、共同発明者であるスタンフォード大教授のスタン・コーエンをジェネンテックに招き入れるべきだと提案した。だが、コーエンは誘いを断った。すでにシータスのコンサルタントを引き受けており、これ以上産業界との関係を深めるわけにはいかなかったのだ。さもないと自分の評判を傷つけ、遺伝子組み換えの安全性や可能性について語るときに信用してもらえなくなると心配したのである。

そんななか、スワンソンはチャールズ・クロッカーに会うなど、地元シリコンバレーの投資家巡りを始めた。1976年3月末までに——すでに無職になってから3カ月が経過していた——複数の投資家から出資の約束を取り付けてはいたものの、十分ではなかった。そこで古巣のK&Pの説得に乗り出した（K&P側から声を掛けられたのか、それとも自ら営業を仕掛けたのか、どちらなのかははっきりしていない）。不安で仕方がなかった。パーキンスには評価されていないのかもしれないと感じていたからだ。それでも何としてでも資金を調達しなければならず、パーキンスの洞察力と押しの強さは役に立つと確信していた。

1976年のエイプリルフール（4月1日）、スワンソンはボイヤーと一緒にK&Pを訪ね、会議室のテーブルに座った。今度は見習いではなく出資を求める起業家として、である。当時、K&Pは10社以上のスタートアップに出資していた。その中でタンデムを最も有望な投資先とみており、100万ドル以上を投じていた（タンデムは月内に最初の製品を出荷する予定になっていた）。

スワンソンはクライナーとパーキンスに対して、インスリン市場の動向を説明したうえで、今後の事業方針を示した。「向こう6カ月でスタンフォード大とUCから遺伝子組み換えのライセンスを取得し、複数の科学者を雇い入れます」「6カ月経過したら、ラボスペースを借りて必要な機器や備品をそろえる傍らで、微生物学者1人と有機化学者2人をラボ要員として採用します」「18カ月後に目標とする微生物を手に入れ、自前の工場と実験設備を備えた企業として独り立ちします」——。すべて50万ドル（2016年価格で210万ドル）以上の資金を調達できることを前提にしていた。

ボイヤーは写真を見せながら遺伝子組み換えの背後にある科学を丁寧に説明した。クライナーとパーキンスは生物学についていては最低限の知識しか持ち合わせておらず、何を質問していいか分からなかった。そこで一般的でありながらも重要な点に絞り込んで質問した。「これから何をするのですか？」「どんな機器が必要になりますか？」「成功したかどうかを知る方法は何ですか？」「それまでにどのくらい時間がかかりますか？」

どんな質問にもきちんと回答できるボイヤーを見て、パーキンスは徐々に興味津々になった。実験はうまくいかないかもしれないけれども、少なくともどのように実験を行ったらいいのかについてボイヤーはしっかり理解している、と思った。

「白熱リスク」を懸念してバーチャルモデル導入

結局、実験がうまくいかない可能性があるということがネックになった。スワンソンが仮に50万ドル以上の資金を得て科学者を雇い入れ、ラボを用意できたとしても、実験に失敗したらどうなるのか？　会社そのものを立ち上げられないのではないのか？　そんなシナリオも考慮すると、50万ドルよりもはるかに少額で済む方法を見つけなければならない——これがパーキンスの意見だった。

パーキンスの見立てでは、ジェネンテック最大のリスクは根源的なものであった。彼の表現を借りれば「白熱（ホワイトホット）リスク」であり、ジェネンテックが遺伝子工学によるホルモン合成に失敗する可能性を指していた。

パーキンスはスワンソンとボイヤーの2人に聞いた。「神は新しい生命体の創造を認めるか？」。明確なイエスの回答を得られない限り、何十万ドルに上る大金を投じるつもりはなかった。

翌日、パーキンスはスワンソンに対して新たな提案を行った。「リスクを減らす方法を考えなければならない。私が君に大金を渡し、それを元手にして君がラボ施設を賃借し、機器を購入し、人材を採用するというやり方は、すべて白紙に戻す。代わりに実験を外部の業者に委託してみるのはどうだろうか」。つまり、コスト削減のために実験のアウトソーシングを提案したのだ。

数日後、スワンソンはボイヤーと一緒に考えた新ビジネスプランを携えて、改めてパーキンスを訪ねた。新プランに従えば、ジェネンテックは極めてユニークな会社になる。第一に、科学者を採用しない（あるいは誰も採用しない）。何カ月にもわたってスワンソンだけの社員1人体制を続ける。第二に、ラボ施設を賃借しないし、機器も購入しない。最低限の社員とオフィスしか持たず、現代的に言えば「バーチャルカンパニー（仮想会社）」の先駆けになる。第三に、予算を人件費にも施設費にも回さない代わりに、ボイヤーが選んだ外部組織――高度な研究スキルを備えている――による研究の支援に回す。今ではアウトソーシングはさまざまな産業で広く普及している（インドで契約プログラマーを雇う企業もあれば、中西部で顧客サポート要員を雇う企業もある）。だが、1976年当時は斬新なビジネスモデルといえた。

このようなバーチャルモデルは初期リスクを大幅に減らす。仮に外部の研究チームが遺伝子組み換えによるヒトホルモン合成に成功したら、つまり「神は新しい生命体の創造を認めるか？」という質問にイエスと回答できるなら、ジェネンテックは追加資金を調達し、大量生産に乗り出せる（企業価値が上昇しているから追加資金はより有利な条件で調達できる）。仮に外部の研究チームが何の成果も出せなかったら？　その場合は大きな傷を負わずに速やかに会社をたためる。[7]

世界初のバイオテクノロジー企業を信じて疑わない

パーキンスはもう一つ条件を設けた。ジェネンテックによる最初の資金調達時（第1回投資ラウンド）にK&Pを唯一の出資者にすることだった。その条件をのむとなると、スワンソンはクロッカーらすでに投資を決めた一部投資家に対し、第1回投資ラウンドへの参加見送りを求めなければならない。そうしなければK&Pから10万ドルの出資を得られないのだ。ちなみに10万ドルは、K&Pの第1号ファンドにとっては最小金額の部類に入っていた（投資先企業12社のうち出資額10万ドル以下は2社にすぎなかった）。

スワンソンが相手にしていたのは、かつて彼自身を解雇し、「常勤起業家」扱いも拒否したパーキンスだ。それだけにスワンソンは交渉中も決して引き下がらず、なかなか妥協しなかった。パーキンスもそんなスワンソンと交渉していてやりにくさを感じた。それでもジェネンテックへの投資を決断した。9年後、K&Pは1億6500万ドルもの資産を運用しているのだった。発足当初に800万ドルの運用で苦心していたのがうそのようだった。ジェネンテックへの投資が大化けしたからだった。[8]

K&Pへの営業を始めてから6日後の1976年4月7日。スワンソンとボイヤーはジェネンテックを法人登記した。2カ月後の6月にはK&Pから小切手が届いた。スワンソンはサンフランシスコ市内に小さなオフィス――サッター通りとモンゴメリー通りの交差点にあるウェルズ・ファーゴ・ビル別館内にあった――を借り、パートタイムの秘書を雇った。ジェネンテック最初の設備投資は、書類整理用ファイルキャビネットの購入だった。

ボイヤーは後年「ジェネンテックがこれほど巨額の富をもたらすとは夢にも思わなかった」と語っている。対照的にスワンソンは当初から大きく夢見ていた。実際、起業時に最初に作成した目標リストの2番目に「収益力の高い大企業をつくる」を挙げていた。1976年12月に修正したビジネスプランには「ジェネンテックの製品はいつか世界の食料ニーズに応えたり、ウイルス感染を抑える抗体を生産したりする。生物によって生産される製品は基本的にすべてジェネンテックの事業領域に入る」と書いていた。

これはとんでもなく無謀な予測といえた。しかし、スワンソンは「自分は幸運の星の下に生まれた」と確信していたし、ボイヤーという事業パートナーにも恵まれていたのだ。未検証の技術をテコにして世界初のバイオテクノロジー企業を生み出せると信じて疑わなかった。あとはニルス・ライマースからライセンス供与を受けるだけでよかった。

コーエン・ボイヤー特許の独占使用権求める

ジェネンテックの法人登記と同じタイミングで、スワンソンはライマースに手紙を送った。ポリペプチドホルモン生産に必要なコーエン・ボイヤー特許の独占使用権を求めたのだ。[9] 見返りに、スタンフォード大に対してジェネンテック株4千株を提供すると申し出た（経営が軌道に乗れば4千株は発行済み株式のおよそ4％に相当するとみられた）。自信家のスワンソンは手紙の最後に「前向きのお返事を楽しみにしています」と書き、ライマースの署名スペースを空けていた。

通常なら、ライマースは喜んで独占使用権を与えたことだろう。新技術開発に多額の先行投資を行わなければならない医薬品業界にとって独占使用権は極めて重要、と認識していたからだ。言うまでもなく、他社に製品をコピーされると分かっていたら、先行投資しようと思う製薬企業は現れない。

ただし遺伝子組み換えは別格だった。ライマースの考えでは、社会への影響度を考えれば遺伝子組み換え技術は広く多方面でライセンス供与されるべきだった。現実的な問題もあった。スタン・コーエンらスタンフォード大の著名研究者2人がシータスのコンサルタントを引き受けていたのだ。シータスがジェネンテックと競合する可能性を考えれば——実際競合するようになる——ジェネンテックへの独占使用権付与は不可能だった。

ライマースは独占使用権不可のニュースを伝えるために、車に乗ってジェネンテックのオフィスを訪ねてスワンソンに会った。上等なスーツを着ているのに15歳の少年のようだ——これが第一印象だった。スワンソンはニュースを聞いてがっかりしながらも、「独占使用権を得る企業はほかに1社もない」と聞いて安心した。

この日のミーティングをきっかけにして2人は長期にわたって強い信頼関係で結ばれることになる。スワンソンは定期的にスタンフォード大キャンパスを訪れ、業界のうわさ話から法案作成の動きまで最新情報を提供する一方で、ライマースは非独占ライセンスの草案作成に取り掛かり、ジェネンテックに進捗状況を報告するようになった。遺伝子組み換えについてはお互いにまったく同じビジョンを共有している、と2人は実感していた。

「アブのようにまとわり付いてうるさい人」ライマース

アメリカ建国200年祭が最高潮に達した1976年夏、ライマースは遺伝子組み換えに掛かりっきりになった。数カ月にわたり、健康教育福祉省の特許担当官と少なくとも7回はやり取りしなければならなかった。特許がスタンフォード大に帰属するのかどうか、健康教育福祉省が審査していたからだ。弁護士のバート・ローランドから「もともとの出願書では、特許当局は遺伝子組み換え製品を認めてくれそうにない」と言われると、追加書類の作成に取り掛かった。

同時並行でライマースは多方面でフル回転していた。第一に、大学の財務部と数人の理事に対して、特許の進捗状況を常時報告していた。スタンフォード大は3億ドルに上る外部資金調達の真っただ中であり、微妙な時期にあったからだ。3億ドルは当時としてはアメリカ高等教育史上で最大規模だった。第二に、大学の広報部とも連絡を取り合っていた。広報部は遺伝子組み換えに興味を持つ関係者に宛てて公開書簡を送り、スタンフォード大による特許取得への理解を求めていた。第三に、スタン・コーエンに対して特許の状況を定期的に説明するようになっていた。コーエンは当初「説明不要」としていたのに、不安を募らせて報告を求めるようになっていたのだ。

コーエンはライマースに対して「遺伝子組み換え実験をめぐっては、議論が科学的にも政治的にも袋小路に入っています。バイオハザードの危険があるとして研究を禁止する動きさえ出ています。クローン技術と特許取得が世間からこれほど厳しく見られている以上、大学と一蓮托生で私自身もある程度のリスクを覚悟しなければなりません」と言った。さらには「大学が特許取得を諦めても私としてはまったく問題ありません」とも付け加えた。スタンフォード大教授で化学者のカール・ジェラッシ——経口避妊薬（ピル）の開発で中心的な存在だった——も議論に参戦し、「特許を取得して商業化するまでに少なくとも10年はかかるだろう」と指摘した。

そのうちアメリカ原子力委員会も議論に加わった。「特殊な核物質や原子力エネルギーの生産・利用に遺伝子組み換え特許は有効かもしれない」と主張し、ライマースに対して宣誓陳述書の提供を求めた。遺伝子工学分野でエネルギー省から研究プロジェクトを受託していないとの確約が欲しかったのだ。常に潜在的なライセンス供与先を思い描いていたライマースは「エネルギー省プロジェクトはない」と誓約すると同時に、自分の弁護士に対して「原子エネルギー分野で遺伝子組み換えの利用について何か進展があったらすぐに教えてほしい」と依頼した。

もちろんライマースはUC特許室にも頻繁に連絡を入れていた。特許室長のジョセフィン・オパルカは頻繁に電話がかかってくるのでうっとうしくなり、ある時点で同僚に向かって「彼からの電話はもう取らなくていい」と指示した。「少しいらいらさせたほうがいいから」

彼女が意図した通りライマースはますますいらいらした。急がなければならないのに拒絶され、非常な焦りを覚えた。各方面で物議を醸して強い風当たりを受けているというのに、キーパーソンを追い掛け回した。助手のサリー・ハインズは「いったんオフィスを出れば、彼はいつもけんかしているように見られていました。攻撃的に振る舞う一匹狼みたいに。だから嫌がられていたんです」と語る。ライマースの下で働いていた別のスタッフも同じ意見だった。「スタンフォード大の内部で彼は無法者のレッテルを貼られていました。アブのようにまとわり付いてうるさい人というイメージです。同じ主張を際限なく繰り返していたから、厄介者扱いされていました」

事前に許可を求めるよりも事後に謝罪するほうが簡単——このようにライマースは考えていた。実際、こう語っている。「上司に対してイエスかノーの判断を事前に仰いだことは一度もありませんでした。行動のみでした。上司の下でどう働いたらいいのか、分からなかったんです」

スタッフ4人で金曜日午後にビールパーティー

そんな状況が続くなか、大学の法律顧問が技術移転室（ＯＴＬ）に乗り込んできた。「法務部門の事前審査を経ていないというのに、勝手に外部との契約書にサインをするのはやめてください」

「法務部の審査が必要と思うときにはちゃんと審査をお願いしますよ」とライマースは親しげに答えた。「これまでも私が必要なときに非常に協力的に対応してもらっていましたから」

「法的審査が不要なときはともかく、スタンフォード大を代表して何かにサインをするのは駄目です。例外はありません」

ライマースは引き下がらなかった。「契約書に何か問題があるとでも？　もし問題があると分かったら、また会って話し合いましょう」

その後、法律顧問から再び何か言われることはなかった。

コーエン・ボイヤー特許がスタンフォード大の収入になる保証がないままに、１９７６年末までに同特許関連費用は大きく膨らみ、30万ドル（１９７０年代前半のＯＴＬ年間収入と同じ）に達する見通しだった。ライマースはＯＴＬの予算事情を考えて心配になった。特許取得済みの発明21件のうち、累計ロイヤリティー（特許使用料）１万ドル以下が９件、１～５万ドルが10件、

4～10万ドルが2件という状況だったからだ。ヒューストンのコンサルタントから出張費の4分の1を請求されたときには、「別の目的でサンフランシスコに来ていましたね」と言って拒否した。

遺伝子組み換えが仕事の大半を占めるなか、ライマースは大学内外で「遺伝子組み換えプロジェクトを企画・推進する司令塔」ではなく「細かな法務・ライセンス実務をこなす小役人」と見なされるようになっていた。遺伝子組み換え特許のロイヤリティーを元手にしてスタンフォード大とUCが協力して何ができるのか、大学執行部の前で自分のアイデアを披露したときのことだ。「UCと組んで分子生物学研究所を設立するのはどうでしょうか。ロイヤリティー収入の大半を分子生物学研究へ還元する格好になりますよ」と提案すると、執行部の一人から当て付けるように「君はライセンスの仕事に集中していればいいんですよ」と言われたという。

発明者、弁護士、政府機関、企業、メディア——。遺伝子組み換え関係者すべての動きをフォローしているのがOTLだった。スタッフはライマース、サリー・ハインズ、見習い、パートタイムのビジネススクール学生の4人だけ。チームワークを育むため、ライマースはキャンパス周辺のスタートアップから知恵を拝借した。金曜日午後のビールパーティーを始めたのである。ただし、ビールパーティーではなく「ヘンリーズ」、さもなければ「歩き回るマネジメント（MBWA）」に引っ掛けて「ビールマネジメント（MBB）」と称した。

毎週金曜日の午後になると、ハインズがポップコーン、プレッツェル、地ビールのヘンリーワインハーズ（ライマースのお気に入り銘柄）を用意した。これで「ヘンリーズ」の準備完了だ。スタッフはビールを片手に、毎週大量にたまる書類の整理に取り掛かるのである。

1　遺伝子組み換え研究の禁止を求める公開書簡を執筆していた研究者の中からも異論が出た。1977年、執筆陣の一部は別バージョンを用意して「今では遺伝子組み換えに関してはそれほど心配していない」と結論した。ただし公表しなかった。

2　フェアチャイルド共同創業者の8人は全員、インテル創業時の第1回投資ラウンドに出資している。ノイスとムーアはインテル共同創業者として、残りの6人は投資家として。

3　タンデムは元HP社員のジミー・トレイビッグが創業した会社である。サンドラ・カーツィッグの小チームがHPキャンパスで毎晩泊まり込みの作業を続けていた時期、トレイビッグの顔写真は警備員の机の上に置かれていた。トレイビッグと一緒にタンデムを立ち上げた共同創業者はジャック・ラウストーナウ。

4　賃貸マンションはブロードウェイ2275番地に位置していた。ルームメートは大学の社交クラブ「シグマカイ」で一緒だったフレッド・ミドルトンで、未来のジェネンテック最高財務責任者（CFO）。ベンチャーキャピタリストのブルック・バイヤーズは2番目のルームメートだった。

5　トム・パーキンスは自著『バレーボーイ』の中で、スワンソンの解雇に触れなかったばかりか、スワンソンの退社にさえ言及しなかった。代わりにタンデムコンピューターズとジェネンテックの類似点を解説していた。具体的には「ボブ（スワンソンの愛称）のおかげで、パートナーシップ（K&Pのこと）による新規事業のスピンアウトというタンデム方式を再び使えた」と書いている。対照的に、スワンソンは違う景色を見ていたようだ。次のように質問に答えている。ジェネンテック創業前にクライナーとパーキンスの2人と詳細に話し合ったのか？　「いいえ、会社を立ち上げると伝えただけで、詳細に語ったことはないです」。2人をメンターと思って助言を求めたのか？　「いいえ、クビにされた身分でしたから」

6　ボイヤーはスワンソンと違って実験の失敗に慣れていたことから、ソマトスタチンのクローン生産に成功するまで気にせずに仕事を続けた。成功したときには「われわれは母なる大自然にいたずらをしたのだ」と声を上げた。

7　一定の修正を経たうえでスワンソンとボイヤーが作成したバーチャルモデルは、ジェネンテック創業期のロードマップになるのだった。1976年、ジェネンテックはK&Pから10万ドルを調達し、大学や外部研究チームと協力関係を取り結んだ。翌年、第2弾としてK&Pを中心としたグループから85万ドルを調達し、有効性が実証された研究（遺伝子組み換えによるヒトホルモン生産の研究）に投下した。翌々年、改めて資金調達を行いインスリン生産に乗り出した。

8　K&Pの第1号ファンドで大当たりとなった投資先は、ジェネンテック以外ではタンデムだった。第1号ファンドの投資先企業18社のうち8社が経営破綻（あるいは元本割れ）だったというのに、ジェネンテックとタンデムの2社が大成功したため、最初の9・5年間の年間運用成績は平均で40％を記録した。

9　スワンソンはさまざまな仮説を立てていた。もしスタンフォード大が特許取得に成功したら、ジェネンテックがコーエン・ボイヤー特許の独占使用権を得て、インスリンをはじめとしたホルモン剤の製造を手掛けるシナリオを描いていた。

第16章　これでスイッチが入った
――マイク・マークラ

ガレージを訪ねたら2人のヒッピーが作業中

１９７６年秋の土曜日、マイク・マークラは「毎週月曜日だけコンサルティングをやる」というルールを破った。国道２８０号線を６キロメートル以上車を走らせて山脈を抜け、ロスアルトス市内の質素なランチハウス（住所はクライスト通り２０６６番地）に到着した。実家ガレージ内でコンピューター会社を立ち上げた若者が２人いるからアドバイスしてほしい、とドン・バレンタインから頼まれたのだ。若者２人のうちの１人の両親がランチハウス所有者だった。ジョブズ夫妻――ポールとクララ――である。マークラはいつものようにコンサルタントとして助言するだけであり、特に大きな期待は抱いていなかった。

ガレージの扉はすでに開けられており、中でスティーブ・ジョブズとスティーブ・ウォズニアックが作業中だった。マークラは21歳のジョブズと26歳のウォズニアックを見て、自分よりも10歳以上若いのではないかと思った。その後、２人のことを「少年たち」と呼ぶようになるのだった。

マークラの目に映った2人は、毎週月曜日にアドバイスを求めて自宅にやって来る起業家とは似ても似つかなかった。くしゃくしゃの髪の毛、毛むくじゃらのひげ、リーバイスのジーンズ、カジュアルなシャツ――。まるでこれから車の修理を始めるかのようないでたちであり、とても百万長者のコンサルタントと会う直前のようには見えなかったのだ。実は、マークラはガレージに入る直前に、「訳が分からない連中だから、気を付けたほうがいいですよ」との警告を受けていた。警告を発したのは、直前にジョブズと会っていた先客の一人だった。起業家らしくない2人と殺風景なガレージを見て、注意喚起したくなったのだろう。

外見から判断すれば、ウォズニアックとジョブズはカウンターカルチャー（対抗文化）にどっぷり漬かったヒッピーそのものだった。34歳のマークラも2人と年齢がかけ離れているわけではなく――ウォズニアックよりも8歳、ジョブズよりも13歳年上――カウンターカルチャー世代としてくくられてもおかしくなかった。しかし、実際にはカウンターカルチャーに共感を覚えることはなかった。数年前にインテルの共同創業者ゴードン・ムーアが「現代社会で本当の革命児といえるのは、大手テクノロジー企業で働くエンジニアであって、長髪とひげ面の若造ではない」と語るのを見て、その通りだと思っていた。

マークラは2016年初め、40年前にジョブズ家のガレージを訪れた当時を振り返り「私は抗議デモに加わったことは一度もなく、カウンターカルチャーとは無縁でした。でも、ガレージ内に足を踏み入れたら、2人がどんな格好をしているのかはどうでもよくなりました。それほどの衝撃でした」と語っている。

寝室の壁にミニコンピューターのピンナップ

ジョブズとウォズニアックはガレージを間に合わせの工場として使い、「アップルⅠ」と呼ぶコンピューター用の回路基板を組み立てていた。[1] 小さな電器店バイトショップ——マウンテンビュー市内のショッピングセンター内にある——を取引相手にして、それまでに1枚当たり500ドルで計100枚の回路基板を売っていた。一方、バイトショップは回路基板にキーボードとモニターを付け加えてコンピューターにして、白人の若者を中心にしたコンピューターマニアを顧客にしていた。

ガレージ内に入ったマークラは、コンクリートの床の上に置かれた部品箱を踏まないように気を付けながら、アップルⅠに目をやった。[2] だが、特に興味を引かれなかった。一般消費者にとってハードドルが高過ぎるとみたからだ。まず、ユーザーはキーボードやモニター、テープドライブを所有していなければならない。次に、マシンを立ち上げるたびに、テープドライブからソフトウエアを読み込まなければならない。さらには、16進数とはんだごてを使いこなす必要もある。アップルⅠのマニュアルも一般消費者には理解不能な内容だった。そこにはステップ2として「Type-0：A9 b 0 b AA b 20 b EF b EF b FF b E8 b 8A b 4C b 2 b 0（RET）」と書いてあった（「b」は空白、「RET」はリターンキーを意味した）。

もっとも、マークラはジョブズとウォズニアック、それに2人の事業計画に興味をそそられた。ジョブズは背が高くて細身で、ウォズニアックはがっしりしていて分厚いレンズの眼鏡を掛けていた。2人が「アップルコンピュータ」というパートナーシップを結成したのは、1976年のエイプリルフールだった。[3] 東洋哲学と菜食主義にはまっているジョブズはフルタイムでアップルの創業に専念し、HP社員としてフルタイムで働くウォズニアックはアップルでアルバイトをしていた。

ウォズニアックは筋金入りのコンピューターオタクだった。高校時代、寝室の壁にデータゼネラル製ミニコンピューター「ノバ」のピンナップを掲げていたほどだ。1970年代、高校生の多くはまぶしい笑顔と真っ赤な水着の女優ファラ・フォーセットに魅せられ、彼女のピンナップを飾っていたのに……。ちなみにノバは2万ドルもする高価なマシンで、ファラ・フォーセットと同程度に高嶺の花だった。[4]

ジョブズとウォズニアックはそろってクパチーノ市内のホームステッド高校を卒業しており――卒業年次は5年異なる――そろって大学を中退していた。もう一つ共通項があった。2人ともゲームメーカーのアタリで働いたことがあったのだ（HP社員だったウォズニアックは副業として）。

アタリでは、ジョブズはアル・アルコーンの下で下級エンジニアとして働いていた。一方ウォズニアックは、ボーリング場でアタリの〈ポン〉をプレーして気に入り、それをまねして自分でPG指定のゲームを作っていた（プレーヤーがミスするとスクリーン上に放送禁止の4文字が現れた）。2人で一緒に関わったのが、アタリのブロック崩しゲーム〈ブレークアウト〉の開発だ。2人は4日連続の徹夜で開発に掛かりきりになり、最後には共に伝染性単核症を患ってしまった。開発の報酬は2人で山分けすることになっていたが、ウォズニアックは「全額払ってもらえなかった」と主張している。補足しておくと、アップルⅠの後継機種「アップルⅡ」はアタリのステラシステムと同じように、モステクノロジー製マイクロプロセッサー「6502」を搭載していた。

マークラとアップルを引き合わせたのは、間接的とはいえアタリだった。ジョブズは上司のアルコーンとブッシュネルの2人に対して、個人的に（あるいはアタリとして）アップルへ出資する気はないか、と持ち掛けたことがあった。後悔することになるのだが、2人はジョブズの誘いを断った（アルコーンは後にアップルに対してコンサルティングを行い、コンサルティング料としてアップル製コンピューターを受け取っている。アップル株にまったく価値を見いだせなかったのだ）。代わりにジョブズに対し、アタリの支援者ドン・バレンタインに会うよう勧めた。バレンタインもマーケティング・PR専門家のレジス・マッケンナと話をしたとき、ジョブズとウォズニアックの2人について聞いていた。だが、出資する気になれず、マークラに連絡を入れたのである。[5]

アップルⅡの非凡なデザインに驚愕する

マークラはガレージで2人に会い、「一体アップルコンピュータは何を作っているんだい?」と聞いた。ウォズニアックはマークラの若さ、インテル勤務歴、礼儀正しさに感銘を受け、「悪巧みしているようには見えない」と思った。そこで、「新型コンピューターがあるんです」と言って、回路基板やワイヤ、道具、部品の山に埋もれそうになっているテーブルを指さした。遠くからでもキーボードとテレビはどうにか識別できた。

マークラが近づくと、ウォズニアックは座ってキーボードをたたき始めた。スクリーンが明るくなり、すぐに小さな正方形で構成されたパターンが浮かび上がった。カラーだった。「見ていてください」とウォズニアックは言ってピンポンゲーム〈ポン〉を表示。続いて、プログラミング言語BASIC——コンピューターのメモリー内に組み込んである——で書いた独自プログラムをいくつか見せた。独自の工夫を施してあるハードウエアも披露した。ハードウエアにはユーザーが自分で周辺機器を挿入するスロットが用意されており、柔軟性・拡張性に優れたコンピューターであるのは明らかだった。プリンター接続やデータ保存機能を追加したいならば、ユーザーはスロットに周辺機器を差し込むだけでいいのだ。

マークラは自宅のオフィスでテレタイプ端末「モデル33」を使い、いくつかのプログラミング言語にも精通していた。コンピューターユーザーとしては専門家に近いスキルを備えていると自負していた。それでもウォズニアックのコンピューターには驚かされた。当時の小型コンピューターといえば、黒の背景に緑色の大文字を表示することしかできなかった。それに対して目の前のコンピューターはカラー表示できた。さらにはグラフィックス（画像）表示や音声出力、ゲーム機能を備えていたうえ、プログラミング言語も内蔵していたのである。

ロスアルトス市内のガレージでどこかの若者が組み立てたコンピューターがこんなに先進的であるとは！　マークラはにわかに信じられなかった。これほどの先端的機能を保持したコンピューターは何万ドルもする高額商品であり、世界的に知られた大企業に所属するエンジニアチームでなければ開発できない――これが当時の通り相場だった。[6]

ウォズニアックがテーブルの上を片付け、コンピューターの回路基板を見せると、驚きは一段と高まった。回路基板は典型的な緑色であり、プラスチックで覆われた各種ＩＣチップがワイヤの下に埋もれていた。マークラはそこに非凡なデザインがあることに気付いた。そもそも振り出しはエンジニアだ。注文のキャンセルを覚悟して顧客の回路デザインを批判したこともあった。エンジニアリングから足を洗って何年も経過していても、興奮すると「スイッチが入った」と表現するほどなのである。

マークラはウォズニアックの回路基板に一目ぼれした。ガレージ訪問を振り返って、「素晴らしいの一言。非常に賢いやり方で正しくデザインされ、無駄が一切なかった。格安との理由でマイクロプロセッサー『6502』が使われていましたね。間違いなく非凡なデザインでした」。40年たってもなお興奮しているのだ。「ウォズニアックがユーザーのニーズを考え、周辺機器用の電源に配慮していた点にも感銘を受けました。はるかに時代を先取りしていたと言ってもいいでしょう。私が理想としていたコンピューターが目の前にあったのです」

ウォズニアックも興奮するマークラの姿を覚えている。「コンピューターを一般家庭に届けよう、とマイクは言っていました。一般消費者が自宅で好きな料理のレシピを保存したり、家計簿を管理したりするうえでコンピューターが役に立つと思ったのでしょうね」

しかし、ウォズニアックのコンピューターが現実世界でどのように使われるのか、マークラは具体的にイメージできていなかった。「誰かが小型コンピューターを開発してくれるのではないか――このようにずっと夢見ていました。その夢がいよいよかなうかもしれなかったのです。小型コンピューターが現実世界でどう使われるのか、どうしても自分の目で見てみたくなりました」

格安のマイクロプロセッサーを実装した回路基板が、市販のテレビをモニターとして使い、プログラミング言語も組み込んでいる。ウォズニアックのコンピューターは別次元のマシンだった。誰の手にも届く小型コンピューター時代が本当に到来したのかもしれなかった。

「理想主義」「反体制」のホームブリュー・コンピュータ・クラブ

シリコンバレーでパーソナルコンピューター（パソコン）を製作していたのは、スティーブ・ウォズニアックとスティーブ・ジョブズの2人だけではなかった。象徴的なのは、1975年3月に発足したコンピューターを趣味とする団体ホームブリュー・コンピュータ・クラブだ。

ホームブリュー会員が当初会場として使っていたのは、メンローパーク市内にあるビクトリアン様式の邸宅であり、夕方の会合には数百人もの会員が集まったものだ。合計で22部屋もある邸宅は、カウンターカルチャー世代の保育園として使われていた時期もあった。ディズニー映画『星の国から来た仲間』の中で「パインウッズ孤児院」として登場したこともあり、観光スポットになっていた。会員の多くは「ホビイスト（趣味人）」を自称する若い男性で、模型飛行機の自作と同じようにコンピューターの自作を位置付けており、完成品だけでなく製作過程にも大きな喜びを見いだしていた。

1975年、ニューメキシコ州アルバカーキ市の小企業MITSがコンピューター組み立てキットの販売を開始した。コンピューターは「アルテア8800」と呼ばれ、インテル製マイクロプロセッサー「8080」を搭載していた。極めて初歩的なマシンだった。ユーザーはトグルスイッチを操作してデータを入力しなければならなかったし、ライトの点滅によって入力結果を確認しなければならなかった（モニターもプリンターも使えなかったため）。ただしアルテアは格安だった。2万ドルのミニコンピューター並みの処理能力を持っていながら、組み立て前であれば395ドルで売られていたのだ。

MITSはアルテアのことを「パーソナルコンピューター」ではなく「ミニコンピューターキット」と呼んでいた。シリコンバレー史研究家の一人は「マニアが組み立ててもアルテア8080は作動しないことがよくあった。たとえ作動してもあまり役に立たなかった」と書いている。ホームブリューの第2回ミーティング中には、誰かがアルテアに独自のプログラミングを加えて、トランジスタラジオのスピーカーを通じてビートルズの曲「フール・オン・ザ・ヒル」を流していた。このように遊び心にあふれたイノベーションはホームブリューでは珍しくなかった。

ホームブリュー精神は「理想主義」「反体制」で特徴付けられた。共同創設者フレッド・ムーアは選抜徴兵法に違反したとして、2年間も刑務所で過ごしている。創設に関わった有力会員リー・フェルゼンスタインは、ピープルズパーク建設を唱えた急進派地下新聞バークレー・バーブの執筆者の一人だった。会合ごとに会員の前に立ち、「存在しないホームブリュー・コンピュータ・クラブへようこそ」とあいさつしたものだ。ホームブリュー初期会員としてウォズニアックは「コンピューターは人類のためになるとホームブリューの誰もが信じていました。社会正義を達成するための手段としてコンピューターを捉えていたんです」と語る。

「われわれは破壊分子だという強い意識を持っていました。大企業が支配する世界の転覆を考えていたんです」と別の初期会員は言う。「だから、銃剣を手にした治安部隊がやって来て、われわれを逮捕したとしても不思議ではなかった。そうならなかったのが不思議なくらい」

確かにホームブリュー会員の多くは大企業を敵視して破壊分子を自称していた。しかし実態は異なった。全国各地で誕生していたコンピューター愛好家クラブと同様に、起業家の連合体だったのだ。だからこそ、ウォズニアックはジョブズを連れてホームブリューへ行き、アップルⅠを披露したのだ。マークラを魅了したアップルⅡの開発期間中には、会合のたびにアップルⅡを持参してデモを行っている。1976年1月には21歳のビル・ゲイツもホームブリューの世界に現れた。ホームブリューの会報上で「ホビイスト宛ての公開書簡」を発表し、ソフトウエアを購入せずにコピーしている会員を非難したのである。

実際、コンピューター愛好家クラブ（ホームブリューのほかにはサザン・カリフォルニア・コンピューター・ソサイエティなどが有名）の会員は20社以上の会社を興していた。このうちの大半はアップルの初期と大して変わらなかった。技術オタクとビジネスマン志望者が手を組み、ガレージ（あるいはベッドルーム）を拠点にしてコンピューターや周辺機器を売るというイメージである。[7]

会合が終わると、ホームブリューの若きイノベーターたちはエルミカーノレアル沿いのバー「オアシス」に集まったものだ。深い彫刻を施された木製テーブル——壁のビール広告用ネオンサインで照らされている——を囲み、コンピューターの技術的問題をめぐって熱く語り合うのだ。最大のインセンティブは、誰よりも先に問題解決策を見いだすこと。「競争相手を利するかもしれない」などと気にする会員は存在しなかった。

カネがない「ホビイスト起業家」とカネがある大企業

ホームブリュー流の「ホビイスト起業家」は技術的スキルを備え、熱意に燃えていた。しかしカネを持っておらず、「マニア以外の一般消費者がマシンを使いこなせるか」という問題に無頓着だった。起業についても何のノウハウも持ち合わせていなかった。それに対して、一般消費者にも使いこなせる小型コンピューター開発を目指した集団は、「ホビイスト起業家」とはまったく違う状況に置かれていた。

1975～76年にかけて、半導体やミニコンピューターを開発・製造する大企業の内部で変化の動きが出ていた。一部の社員が「一般消費者向けに廉価のコンピューターを開発しよう」と声を上げ始めていたのだ。とはいっても「そんなの無理に決まっている」と一蹴されるのがオチだった。[8]

それを象徴しているのがウォズニアックだった。HPに対してアップルIを2度にわたって売り込んだのに、ことごとくはねつけられている。コアユーザーは科学者やエンジニアであるから、コンピューターは事前にきちんと組み立てられており、高い信頼性を備えていなければならないというのが理由だった。HPは品質も問題視していた。アップルⅠは顧客が個別に用意する市販のテレビにつなげられていたため、テレビの種類によってディスプレーの性能にばらつきが出かねなかった。

インテルでは、マークラの元上司エド・ゲルバックやビル・ダビドウらマーケティング担当幹部が新製品として、インテル製パソコンを思い付いた（ダビドウは後に著名ベンチャーキャピタリストになる）。具体的には、同社製マイクロプロセッサーの開発システムをパソコンとして販売するという構想を描いた[9]。最終的には同社共同創業者兼社長のゴードン・ムーアからゴーサインを得られず、先へ進めなかった。

ナショナル・セミコンダクターでは、ジーン・カーターが経営陣に対してパソコン開発を提案した。後にタンディ製コンピューター「TRS－80」開発で中心的な役割を果たすエンジニアと協力してビジネスプランを作成し、経営陣に見せた。そこには「ナショナルは別部門を立ち上げてパソコンの開発・製造・販売を手掛けるべきだ」と書いていた。だが、経営陣は「そこには市場はない」と素っ気なかった。

インテルやナショナルのような半導体メーカーには、パソコンと距離を置かなければならない理由があった。パソコンの主要部品はマイクロプロセッサーであるから、自らパソコンの製造・販売に乗り出すと、顧客と競争する格好になりかねなかったのだ。最悪の場合には損失を出す事態もあり得た。チップ技術を使ってインテルはデジタル腕時計事業、ナショナルは計算機事業を手掛けたことがあった。それぞれ大きな損失を出して撤退に追い込まれている。ナショナルの経営幹部は消費者市場への参入について問われると、「技術はわれわれが考えるよりも早く進化している」と言って失敗を認めた。

そんななか、HPやDECのようなコンピューター大手はいわゆる「イノベーションのジレンマ」に陥っていた。ハーバード大学教授のクレイトン・クリステンセンが唱える「イノベーションのジレンマ」に従えば、コンピューター大手は既存市場（ミニコンピューター市場）に経営資源を集中的に投下していたため、新興市場が誕生しつつあることに気付かなかったのだろう（あるいは気付きたくなかったのだろう）。ここでの新興市場とは、いずれ既存市場を破壊することになる「それほど強力ではないけれども小さくて安いマシン」のことである。ゼロックスもそうだ。ボブ・テイラーのコンピューター科学ラボとシステム科学ラボが素人でも扱いやすいアルトシステムを完成させたのに、支援しなかった。

要するに、カネも経験もある大企業はパソコン事業に参入したくなかったのに対して、パソコン事業に参入したかった「ホビイスト起業家」はカネも経営センスも欠いていたということだ。すでに引退して、「毎週月曜日だけコンサルティングをやる」と決めていたマークラはどうか。どうちらにも属さずに、カネと経験を備えていた。

1　ジョブズとウォズニアックはチップ流通業者クレーマー・エレクトロニクスにカネを払い、サンタクララ市の製造業者にチップを供給していた。アップルⅠ用の回路基板を組み立てていたのは、この製造業者だった。回路基板が納入されるガレージ内では、ジョブズの友人ダン・コトキとジョブズの妹パティ・ジョブズが基板にチップを載せ、ウォズニアックが基板のテスト・調整を行っていた。

2　マークラはアップルⅠに無関心だったとはいえ、アップルⅠの熱烈なファンは存在した。最初のファンレターは1976年4月14日付で、アップルⅠに接続されたテレビ画面の写真だった。画面上には緑の大文字で次のように書かれていた。「これは英語で書いた声明文の写真です。署名者である私はアップルⅠをたたえるために、プログラミング言語ＢＡＳＩＣを使って文章を構成しました。スティーブ・ウォズニアックがスティーブ・ジョブズと協力してデザインしたアップルⅠは特別に素晴らしいマシンです。ウォズニアックとジョブズはカリフォルニア州パロアルト市のアップルコンピュータ株式会社の生みの親です。カリフォルニアの皆さん、一緒にアップルを応援しましょう！！！」

3　1976年のエイプリルフールは偶然にも、ボブ・スワンソンとハーブ・ボイヤーが初めてK&Pを訪ね、出資を求めた日と同じだった。

4　1976～77年にかけて、ファラ・フォーセットの水着ポスターは500万枚以上も売れた。2011年に水着がスミソニアン博物館に寄贈されると、学芸員は「史上最も売れたポスター」との説明を入れた。

5　ここではいろいろなシナリオが描ける。ジョブズはアルコーンから「バレンタインがいい」と促されたのに続き、レジス・マッケンナを訪ねたときにもバレンタインの名前を聞いた――このシナリオが最も真実に近いようだ（ジョブズがマッケンナを訪ねたのはマーケティングの助言を得るため）。バレンタインは「アップルについて最初に教えてくれたのはマッケンナ」と語っている。

6　このころまでにクロメンコはアルテア用に素晴らしいグラフィックスカードを開発していた。素晴らしいとはいえ、比較対象となるようなグラフィックスカードは存在しなかった。ちなみに、クロメンコはホームブリューで生まれたスタートアップであり、社名の由来は同社創業者が寝起きしていたスタンフォード大クロザーズ記念館（Crothers Memorial Hall at Stanford）だった。

7　ホームブリュー会員によるスタートアップの中で目立っていたのはIMSAI、クロメンコ、プロセッサー・テクノロジー・コーポレーション、ノース・スター・コンピューターズ、サウスウエスト・テクニカル・プロダクツ・コーポレーションだった。1975～76年、「ホビイスト起業家」は累計で200社前後の会社をつくっていた。

8　大手コンピューターメーカーの中では、唯一コモドールがパソコン市場への進出を試みた。ウォズニアックとジョブズがコモドール社員のチャック・ペドルにアップルⅡを見せたからである。ペドルはモステクノロジー在籍時に、ウォズニアックに対してモステクノロジー製マイクロプロセッサー「6502」を売ったことがあった。

9　インテルは顧客のために開発システムを用意していた。マイクロプロセッサーのソフトウエアに問題が出たときに、顧客は開発システムを使ってバグを取り除くのである。しかし、開発システムは旋盤の制御や店舗のレジなど、プログラミング次第でどのような状況にも対応できた。

第17章　あれほど速くタイプする男は見たことがない
――ボブ・テイラー

巨人ゼロックスの最後のあがき

１９７７年11月、フロリダのリゾートホテル、ボカラトン・ホテル&クラブ。目の前に広がる大西洋が秋の朝日で美しく輝いている。ここまで来るのに何年かかったのだろう、とボブ・テイラーは感慨に浸った。

ホテル内は、飛行機のファーストクラスに乗って世界各地からやって来たゼロックス経営幹部であふれ返っている。彼らに同伴する妻たちも含めれば３００人に上る。４日間の「ゼロックス世界会議」に参加しているのだ。もちろん暖かい陽光が降り注ぐフロリダも満喫している。スイートルームに宿泊してヘンリー・キッシンジャーの講演（テーマはソ連）を聞き、自由時間には深海魚釣りやテニスレッスン、カクテルパーティー、カジノを楽しんだ。そして4日目の最終日は招待者限定のメーンイベント「フューチャーズデー」だ。ＰＡＲＣチームがパソコンシステム「アルト」のデモを行い、「未来の形」を見せる予定だ。

世界会議3日目まで毎晩シャンパングラスがチーンと鳴り、オーケストラが音楽を奏でていた。だが、昼間はまるで違い、聞こえてくるのは不吉な物語ばかりだった。ゼロックスは深刻な経営不振に陥っていた。何とかして社内の士気を高めようと、何百万ドルも投じて世界会議に期待を掛けていたのだ。最後のあがきといえた。

事実、ゼロックスは30年にわたる収益成長に突如として幕を下ろさなければならなかった。1975年には8440万ドルに上る特別損失を計上。テイラーの警告が現実になり、9億1800万ドルで買収したサイエンティフィック・データ・システムズ（SDS）の減損処理を強いられたのだ。同じ時期に日本のコピー機メーカーの攻勢も激しくなり、ゼロックスの株価は1972年の179ドルから5年後の世界会議初日には50ドルにまで下がっていた。

最終日、同伴者向けファッションショーが進行するなか、世界各地のゼロックス経営幹部は首脳陣のプレゼンに聞き入っていた。暗たんとした話ばかりだった。CEOのピーター・マッコローが「3～4億ドルの経費削減を実施する」と言えば、社長のデビッド・カーンズは「来年は社員数を1人も増やさない」と言った。

世界会議の組織委員会は前向きの雰囲気で会議を終了したいと考え、PARCチームが画期的なコンピューターを発表する最終日に22万ドルの予算を割り当てていた。テイラーにとって最終日は、2年前に始めたプロジェクトの集大成に相当した。グラフィカル・ユーザー・インターフェース（GUI）、マウス、ネットワーク――。ゼロックス経営幹部が見るべき機能の大半をアルトシステムはすでに備えていた。

パロアルトのPARC内ではアルトの人気はうなぎ上りだった。夜になっても利用希望者が絶えなかったため、「順番待ち表を用意してはどうか」との提案まで出ていた。対照的に、PARCを除くゼロックス内でアルトに興味を抱く人はほとんどいなかった。存在に気付いてもいなかったのかもしれない。実のところ、ゼロックス本社はテイラーの上司ジェリー・エルカインドの提案に見向きもしなかった。エルカインドは本社上層部に対し、大型マシンからアルトのようなパソコンシステムへの大転換を事あるごとに提案していたのである。[1]

ハリウッド映画並みのプレゼンを用意

アルトシステムがきちんと動くようになると、テイラーはPARCと「非PARC」部門の「情報システム格差」是正に乗り出した（「情報システム格差」という軍事的響きについては申し訳ないと思っていた）。具体的には、PARC以外のゼロックス全社員がデスクワークで日常的にアルトを使う状況をつくろうとしていた。「アルトシステムの利用を現場の隅々にまで広げたい。社内ユーザーを対象に実験を行い、ソフトウエアも含めてアルトシステムがきちんと動くということを証明したい」と書いている。

利用促進に向けて1976年にPARCは短いビデオも制作。その中でテイラーはナレーターを務めている。頭と同じくらいの幅広ネクタイを着け、パイプを片手に机の端っこに腰掛けながら、「アルトはオフィス環境を一変させます。オフィス労働者は骨の折れる仕事から解放され、人間が本来やるべき高機能な仕事に特化できます」と語り掛けている。一定の効果はあった。ボカラトンで世界会議が開かれる1977年までに、ゼロックス社内で400台前後のアルトシステムが導入されたのだ。

ところが、新規ユーザーの中に経営幹部は1人もいなかった。その意味で11月の世界会議は最後のチャンスだった。アルトは社内的に好奇の目で見られるだけの存在で終わるべきなのか、それとも現実世界で広く使われる本物の商品になるべきなのか――。本社幹部は目の前でデモを見て、判定を下すのだ。PARCチームは40分間のプレゼンをハリウッド映画の水準にまで高め、「あらゆるデモの母」に匹敵するデモを行おうと決意していた。

テイラーのラボ（コンピューター科学ラボ）メンバーを中心に構成されていた総勢42人のPARCチーム。全員が力を合わせ、世界会議最終日フューチャーズデーの準備にフルタイムで取り組んできた。ジョン・エレンバイが司令塔になり、テイラーのラボメンバーであるチャック・ゲシキがナンバーツーを務めた（ゲシキはテイラーに「将来有望」と褒められたのがきっかけで経営に興味を持ち始め、後に起業する）。

PARCチームは文字通りハリウッドをまねるほど徹底していた。プレゼン用にプロの作曲家やナレーター、照明デザイナーを雇い、ビデオのエンドロールには彼らの名前を書き込んだ。

ハリウッドの撮影スタジオでリハーサルも実施。リハーサル終了時までに機材に合計160万ドルも投じていた。12台のアルトシステム、5台のプリンター、25台のキーボード（このうち2台は日本語対応）、複数のサーバー、数キロメートルにも及ぶケーブル、小規模映画スタジオに匹敵する映像・多重化装置、重さ数キロにもなる文書類、無数のマウスや工具、部品、電源類――。すべてを旅客機DC－10の2機に積み込み、ボカラトンまで運んだ。ボカラトンでは3日間かけてさらに計4回のリハーサルを行っている。

そしていよいよ本番だ。エレンバイとゲシキはPARCチームを指揮して最終確認を行っていた。後は運を天に任せるしかない。経営幹部が続々と会場に現れ始めた。

テイラーは一つだけ問題を抱えていた。集大成のフューチャーズデーを迎えたというのに、会場内へ入るのを許されなかったのだ。

待ちに待ったプレゼン会場へ入れない

招待者限定のフューチャーズデーのプレゼンを聞くには特別な入場許可証――ゼロックスは許可証所持を徹底するため追加のセキュリティー対策を取った――が必要であり、テイラーは許可証を持っていなかった。許可証交付不可は、テイラーとジョージ・ペイクの心理戦の産物だった。テイラーはPARC入り前に所長のペイクから「君は博士号を持っていないからトップとしてふさわしくない」と通告され、憤慨した。以来、2人は仲たがいしたままだった。そんな経緯もあり、ペイクはテイラーへの許可証交付を拒否したのだ。一方、テイラーは意地でも許可証交付を要請しなかった。「彼にノーと言われるのが嫌だったから」と語る。

より根本的な問題は、PARCの位置付けをめぐって2人が対立していたことだ。テイラーがどんなに「PARC内で唯一価値を生み出しているのはコンピューター関連チームだけ」と訴えても、ペイクにとっては馬耳東風だったのだ。

ペイクはいつか現実に目覚め、小さくて使いやすく、ネットワーク化されたコンピューター開発に予算の大半を投じるようになる——このようにテイラーは当初思っていた。そのため、少なくとも3人の著名コンピューター科学者をパロアルトに呼び寄せている。3人はそれぞれ個別にペイクに会い、テイラーのラボが手掛けるプロジェクトの革命性と重要性について力説したが、徒労に終わった。テイラーは「彼は何も理解しようとしなかった。プレッシャーに負けて、やむにやまれずアルトを自分の机の上に置いていましたが……」と回想する。

PARC在籍中、テイラーは予算シーズンのたびにペイクに対して「ほかのラボの予算をこちらに回してほしい」と訴えてきた。コンピューター科学ラボはPARCが生み出す成果の80%を担っているのに、予算全体の18%しか与えられていない、とみていたからだ。ゼロックスが1975年に経費削減策を打ち出したときには、ペイクは各ラボの予算を平等に減らした。各ラボの重要性に応じて予算は決められるべきだと考えていたテイラーは怒り心頭に発した。

ペイクは慎重に行動したかったようだ。「研究所の役割はできるだけ広く網を張っておくこと」を信条にしていた。そのため、ひょっとしたら後で大化けするかもしれないと思うと、どんなプロジェクトも中断できなかったのだろう。1977年にはこんなメモを書いている。「ゼロックスはPARCから何も回収できないかもしれない――こう思うと不安で仕方がなかった。PARC所長になってからずっと」。テイラーにしてみれば、「できるだけ広く網を張っておくこと」は言い訳にすぎなかった。特定のプロジェクトやラボの予算を減らすと、反発されるのは避けられない。気の弱いペイクはそれを嫌がっていただけだった。[2]

テイラーはPARC内で、自分のラボ以外のグループを公然とばかにしていた。特に一般科学ラボの物理学者チームに対して容赦なかった[3]（ペイクは物理学者だった）。物理学者の世界がいかに間抜けなのかを示そうとして、冗談を飛ばすこともよくあった。そんなことをしていなければ、これほど激しくペイクと対立することはなかったかもしれない。結果として、すべてはよくある組織内不和で済んでいたかもしれない。

一般科学ラボの物理学者チームの前でスピーチし、次のように語ったこともある。「ここの研究者の妻がうちのラボメンバーの妻にこう言ったそうです。コンピューター科学者は科学者ではない、とかね。それはおかしい。うちのラボには超一流の数学者が何人もいます。ここの数学者の誰よりもはるかに優れていますよ」。驚くほど攻撃的だ。招かれてスピーチしていたというのに、単なるうわさを根拠にしてあざけっていたのだから。

ＰＡＲＣの人事考課を見ると、テイラーは業績面では常に高く評価されていながらも、ほかのラボに対する態度という点ではまったくひどいものだった。「ボブは他グループ所属のスタッフと仕事に対してもっと前向きになるべきだ」（１９７２年）、「ボブはコンピューターサイエンス以外の研究分野に対して生来的に手厳しい。間接的にも直接的にも。このような態度は褒められるものではない。周りの人たちがボブを警戒するようになるから」（１９８０年）、「他人の仕事に対してもっと敬意を払ってほしい」（１９８１年）、「ボブには頭を冷やすようにこれまで言ってきたし、これからも言い続ける」（１９８２年）――。

以上のコメントを書いたのはペイクではない。テイラーの人事考課を自ら行わず、別の管理職に任せていたからだ。

それでもペイクはテイラーの党派的行動に振り回され続けた。ほかのラボからの苦情を処理したり、予算配分をめぐって毎年衝突したり。テイラーは「彼は常に受け身でした。私と正面衝突するというよりも私を無視していましたね。彼が私のオフィスにやって来たのは2回だけです。13年間で」と振り返る。

裏口から会場に入り込みバルコニーへ

フューチャーズデーに至るまでもテイラーはペイクを困らせてばかりだった。過去1年はコンピューター科学ラボの部長を実質的に務めていた。上司のジェリー・エルカインドが東海岸のプロジェクトを任され、長期不在となっていたためだ。フューチャーズデーの数カ月前にエルカインドの復帰が決まると、ラボのメンバーが団結してロビー活動を開始。ペイクに対して、エルカインドの代わりにテイラーを正式にラボの部長に任命するよう公然と要求した。テイラーは「自分はロビー活動とは無関係だった」と主張している。[4]

ペイクはラボ内で影響力を持つテイラーを警戒しており、新部長に据えるつもりはさらさらなかった。言い伝えによれば、一度は彼のことをカルト集団教祖のジム・ジョーンズになぞらえたことさえあった（1978年、ジョーンズにそそのかされて、900人以上の信者がシアン化合物を混ぜたクールエイドを飲んで集団自殺している）。

結局、ペイクはロビー活動に直面してむしろ反発を強め、テイラーからラボの経営権を剥奪した。テイラーは降格し、ペイクの直属スタッフの一員に加えられた。

ボカラトンで世界会議が始まったころには、テイラーはペイクの下ですでに数カ月働いていた。それでも問題は絶えなかった。そんなこともあり、フューチャーズデーが終わって翌年の1月になると、ペイクは部長交代を決めた。大学・政府機関向けにアルトシステムの営業を行う責任者にエルカインドを指名する一方で、不本意ながらも後任としてテイラーを後任のラボ部長に選んだ。

フューチャーズデー当日も、テイラーは会場に入れないからといってさじを投げることはなかった。ホテルの裏側にある搬入出エリアをうろつきながら、どうにかして中に入れないかと思案していた。無条件で白旗を上げるのは論外だった。許可証なしでも会場内に忍び込むことは可能だった。許可証を持っている知人に頼めばいいだけの話だった（助けてくれそうな知人はいくらでもいた）。けれどもそれでは一矢報いる格好にはならない。ペイクが公式に入場を拒否するのであれば、非公式に入場する――これが目標になった。

そこでテイラーは搬入出エリア近くの裏口に目を付けた。作業員の一団が照明器具などの機材を抱えてホテル内に入ろうとしていたのだ。数分後にドアが開いた。複数の作業員に交ざってテイラーも中にするりと入り込んだ。「作業員たちは階段を上ってバルコニーに出て、そこにステージを照らすための照明器具を設置したんです。私も一緒にバルコニーへ行きました」

テイラーはスポットライトの背後にしゃがみ込み、会場を見下ろした。ペイクの姿が見えた。目が合ってはいけないと思い、再び陰に隠れてプレゼンが始まるのを待った。ちなみに、ペイクと並んで着席していたのはバート・サザランドだった。テイラーと常に連絡を取りながら仲良くやってきたシステム科学ラボの部長だ。許可証の交付を受けていたのだ。

ゼロックス経営幹部の前でいよいよデモが始まる

会場内の照明が消えた。巨大スクリーン上で短編ビデオの上映が始まった。「ここに私たちの未来があります。近代的オフィスのことです。大きなチャンス到来です」とナレーションが入ると、カメラはPARCのロビーを映し出した。ロビーにはアースカラーのソファが置かれ、背後の壁にはアースカラーのファブリックパネルが掛けられている。「光沢が美しいクロームメッキとコーディネートされた配色に惑わされてはいけません。このオフィスは何十年にもわたってほとんど何も変わっていません。ここに大きな問題が潜んでいます」

ビデオは数分間続いた。古代ギリシャ時代の彫刻や詩人ロバート・フロストの「選ばれざる道」に続き、いろいろなイメージを映し出した。太陽が昇る朝、ジェット機に変化する紙飛行機、顕微鏡をのぞき込む科学者、ビーンバッグチェアに座るジーンズ姿の男、テレビで〈ポン〉をプレーしている子ども――。「現在の子どもたちは私たちに何を語り掛けているのでしょうか?『僕たちは未来への備えはできている』と伝えようとしているのでしょうか?」とナレーションは続く。

ここで別の声が会場全体に流れた。「未来の形はきょうここにあります。ようこそゼロックスのオフィスシステムへ。アルトです」。いよいよデモのスタートだ。

デモを行うのはPARCからフロリダまでやって来た42人のチーム。テレビ回線でパロアルトの別動隊とつながっている。ステージ上でアルトシステムを使い、文書編集・棒グラフ作成・プログラム切り替えを行ったり、記憶装置から文書・図面を読み込んだりしてみせた。

さらには、①マウスを使う、②スクリーン上の文書をハイライトする、③別のアルトを操作中のスタッフと共同作業をする、④電子的に経費請求書を作成する、⑤作成した経費請求書を転送する、⑥外国語で文字入力する、⑦電子メールを送信する、⑧文書を印刷する――といった作業も披露した。ここで「アルトの操作は難しく見えるでしょうか？　心配無用です。難しくないと断言します。ゼロックスはアルトのことをフレンドリーシステムと呼んでいます。現場で実験してみたところ、経験豊かなタイピストであれば数時間、初心者であっても数日でマスターできます」とのナレーションが入った。

アップルⅡを超えるアルトシステム

単なるビジョンから実際にアルトシステムが出来上がるまでに4年近くを要した。ハードウエア、ソフトウエア、ネットワーク、プリンター、サーバー――。これらすべてが一体化した複雑なシステムが完成したのだ。ビジョンを描いたのは、バルコニー上のスポットライトの陰に隠れてステージを眺めている男だ。

アルトを使ったこともない（あるいは見たこともない）経営幹部にとって、デモは強烈な一撃になるはずだった。ラボの外に出ればコンピューターは「大きい」「ホビイスト」で特徴付けられていた。要は専門家にしか扱えない代物と受け止められていたのだ。

もちろん、サンドラ・カーツィッグら一部のグループは初心者にも扱えるソフトウエアの開発に取り組んでいた。実際に初心者がミニコンピューターを使う場合もあった。とはいえ、その場合にはユーザーがスクリーン上のコマンドプロンプトに従って入力するなど、使用法は極めて限定的だった。ミニコンピューターは基本的に専門家向けだったのだ。一方、新型のホビイストマシンはホームブリュー・コンピュータ・クラブの会員のようなオタクにしかアピールできなかった。彼らはトグルスイッチを使うのを嫌がらなかった。トランジスタラジオ経由でビートルズの曲を聴くために、長い文字列を入力するのもいとわなかった。

そんななか、PARC内ではアップルⅡはほとんど話題にならなかった。ボカラトンの世界会議が開かれるよりも半年前にアップルⅡはデビューしていたにもかかわらず、テイラーも含めてPARC研究者のほとんどが無関心だった（あるいは存在そのものを知らなかった）。アップルⅡはホビイストマシンを脱皮して一般消費者にも扱いやすいマシンへ進化していながらも、アルトのようなGUIやマウス、ネットワーク機能を備えていなかった。

デビューから5年経過してもなお、初心者ユーザーの間ではアップルⅡへの不満が根強かった。例えば、マシンをどのように操作したらいいのか調べるだけで何時間もかかるケースはざらにあった。スクリーン上のコマンドプロンプト「ファイルをロードせよ」とは何か？「起動ディスク」とは何か？　このような初歩的な疑問で初心者は立ち往生してしまうのだ。フォーン・アルバレスもそんな一人だった。ロルムで初めてアップルⅡを与えられたとき、起動方法がさっぱり分からなかった。いったん起動に成功すると、作業終了後も怖くてシャットダウンできなかった。情報が失われるかもしれないと思ったからだ。

アルトは別次元のマシンだった。ホビイストコンピューターが大型コンピューターをモデルにしていたのに対し、アルトはリックライダーとテイラーのビジョン——特徴は「対話型」と「使いやすさ」——をモデルにしていたからだ。普通のオフィス労働者による利用を前提にしていたうえ、ほかのコンピューターとつながってネットワーク化もされていた。つまりファイル保存や電子メール、印刷が可能だった。

コンピューターの前に座るのは経営幹部の妻ばかり

ゼロックス社長のデビッド・カーンズはフューチャーズデーのプレゼンを見た後、「とんでもなくすごい技術ショーだった。会場のわれわれはテクノロジーの未来を見た。感動した」と感想を述べた。

ところが、テイラーはバルコニーを出た後に違う光景を見た。何台ものアルトマシンが置いてある部屋に足を踏み入れたところ、カーンズが抱いたような興奮をまったく見いだせなかったのだ。

その部屋は、経営幹部に未来を実感してもらおうと考えてＰＡＲＣチームが用意した空間だった。テイラーはジョージ・ペイクに親しみを込めてあいさつして——ペイクは見るからに怒っていた——部屋の中を見渡すと、唖然とせざるを得なかった。アルトの前に座ってキーボードとマウスを使っているのはゼロックス幹部ではなく、幹部の妻ばかりだったのだ。幹部連中は興味薄といった面持ちで腕を組み、壁際に立って妻の様子を眺めているだけだった。[5] その後、人づてに幹部2人が交わした会話の内容を知った。

「ステージ上のデモを見てどう思った？」

「あれほど速くタイプする男は見たことがないよ」

明らかに質問の意味を取り違えていた。

フューチャーズデーのプレゼンにゼロックスがまったく無関心だったと決めつけてはならない。フューチャーズデーの後、同社がアルトの後継機種を商業化しようとしたのも事実なのだ。同時に、テイラーが部屋の中で目撃した経営幹部が「無関心と理解不能の中間地点」に位置していたのも間違いなかった。ゼロックス製コピー機の登場を除けば、ホワイトカラー労働者のオフィスを支える基本技術は照明やタイプライター、電話機であり、過去数十年間にもわたって不変だった。このようなオフィス環境に経営幹部世代は慣れきってしまい、問題もなかなか認識できなかったのだ。ここにきてなぜ革命的な変化を起こさなければならないのか？

もう一つ問題があった。ゼロックス本社役員の大半が「作成済みの情報と文書」を扱うコピー機に最大の関心を寄せていたのに対して、ＰＡＲＣの研究チームは「情報と文書の作成」に力を入れていたのだ。つまり逆方向を向いていたのだ。

そのうえ、ＰＡＲＣは「未来型オフィスの仕事はスクリーン中心になる」と主張していた。このようなオフィスは紙を売って利益を出しているゼロックスのようなコピー機メーカーにとっては不吉でしかなかった。テイラーには知る由もなかったのだが、本社上層部の戦略会議では「コピー機を時代遅れとして見捨てていいものかどうか」が大きなテーマになっていた。ＰＡＲＣの技術はリスクの高い投機と変わらないだけでなく、将来的にゼロックスの収益基盤を破壊する恐れさえある――こんな意見も飛び出していた。

ＰＡＲＣチームもこのような問題を認識しており、フューチャーズデーでも本社役員の不安払しょくを狙っていた。例えば、デモと一緒に使われた短編ビデオだ。その中でナレーターは紙について否定的な発言を一切控えていた。「最大のオフィス問題は何でしょうか？　あえて言わせてもらいます。情報の伝達・保存手段です。分かりますか？　そう、その通り。最大の問題は紙です」としながらも、アルトへの移行は伝統との決別ではなく未来への第一歩と強調している。「ペーパーレスオフィス？　そんなことは絶対にありません。未来型オフィスでは紙の価値は高まります。大きく高まります」。続いて、一部部品の交換でコピー機がレーザープリンターへ変化するタイムラプス映像を見せて、「皆さんがよく知っているマシンが電子プリンターへ変貌したのです」と落ち着いた声で強調した。背後では脈打つような音楽が流れていた。

ゼロックスがペーパーレスオフィスを恐れていたことを考えれば、その後の展開も理解できる。ＰＡＲＣ発の技術の中でゼロックスが唯一商業化に成功したのは何だったのか？　ＰＡＲ

Cが生み出した唯一の紙消費型技術、レーザープリンターだったのだ。

「秘書の仕事」としてタイピングを嫌がる男性

テイラーは部屋の中で、アルトの前でキーボードをたたく女性の姿を目撃した。ここには男性幹部の無関心・無理解に加えて、もう一つ見逃せない要素があった。1970年代のアメリカ企業では、タイピングは秘書の仕事であり、秘書は女性だった。1980年になってもコンピューターメーカーは「コンピューターは企業に受け入れてもらえないかもしれない」との不安を抱いていた。メーカーのマーケティング担当者によれば、企業側では男性管理職が「キーボードは自分のステータスにふさわしくない」といった考え方からなお抜け出せていなかったからだ。

もちろんテイラーのラボは違った。そんな時代であっても、ラボメンバー全員がタイピングできた。キーボードを打てなければコードを書けないからだ。もっとも、アメリカ全体で見ればタイピングできる男性はほとんど存在しなかった。[6]

ジェリー・エルカインド――ペイクの要請でテイラーがリクルートしたラボ部長――もタイピングへの偏見を挙げている。彼の見立てでは、フューチャーズデーの後でもタイピングへの偏見は消えず、アルト（それにアルトの後継機種）導入の足かせになった。というのも、アルトに組み込まれた旗艦ソフトウエアはワープロ（文書作成）の「ブラボー」だったからだ（開発者はチャールズ・シモニー）。

言うまでもなく、文書作成には相当量のタイピングが不可欠だ。しかも、1970年代後半から1980年代前半にかけては、ワープロソフトで作成された文書は品質の点で、タイプライターで作成された文書と大差なかった（もちろんワープロソフトは文書編集やフォント・文字の種類でタイプライターよりも優れていた）。最終成果物という点では似たり寄ったりだったのだ。

そんなこともあり、最終的にパソコンの商業化で決定的な役割を果たした「キラーアプリ」は表計算ソフトになった。表計算ソフトでもキーボードが不可欠とはいえ、ユーザーは数字を打ち込むだけでよかった。その意味で、加算器や卓上計算機を日常業務で使っていた男性にとって表計算ソフトのハードルは低かった。しかも加算機や卓上計算機と比べて格段に利用価値が高かった。ユーザーは一つの数字を修正するだけで、自動的にすべての計算式に修正を反映できるのだ。以前は一つの数字を変えるとすべてを消してから再計算しなければならなかった。

要するに、ワープロソフトと表計算ソフトの意味合いは全然違ったのだ。男性はワープロソフトを習得するには文化的大転換（女性タイピストのようになる）を強いられる。それなのに、たとえワープロソフトを使いこなせるようになっても、最終成果物はあまり変わらずそこには大した価値を見いだせない。対照的に表計算ソフトであれば、文化的大転換を遂げなくても使いこなせるうえ、大きな価値も生み出せる。

バトラー・ランプソンは「ＰＡＲＣのラボメンバーは自分たちにとって必要なソフトウエアを作りました。お互いのコミュニケーションのために欠かせないとの理由でワープロソフトを作ったのです。表計算ソフトの必要性は感じませんでした」と語っている。結果としてアルトは最適化するべきアプリケーションの選択を誤ったといえよう。

ゼロックス西海岸と東海岸で文化戦争

１９７７年までに各地のゼロックス研究拠点でＰＡＲＣへの不満が高まっていた。フューチャーズデーの目玉に選ばれるなどで、ＰＡＲＣが救世主扱いされるようになっていたからだ。当時の社長デビッド・カーンズは「西海岸のコンピューターチームと東海岸のコピー機チームが血なまぐさい文化戦争を繰り広げている」と書いている。

東海岸を拠点にする経営幹部の多くはＩＢＭやフォード・モーター出身であり、テイラーのラボについて「未来のアイデアばかり考えていて会社には何の利益ももたらしていない」などと手厳しかった。これに対してテイラーのラボメンバーは東海岸コピー機チームについて、カーンズの言うとおり「過去の遺物であり、世界が進むべき未来から完全に取り残された偏屈者の集まり」と見なしていた。

ゼロックス本社の中には「諸悪の根源」としてテイラーを名指しで批判する向きもあった。本社役員の一人は「ボブ・テイラーとはよく話をしました。ロチェスターとスタンフォードの人間全員を軽蔑していたのは間違いなかった」と回想している（ニューヨーク州ロチェスターとコネチカット州スタンフォードはゼロックス本社所在地）。

テイラーと本社経営陣の対立が始まったのは、テイラーが最初にパロアルトにやって来てPARC所長ジョージ・ペイクに対して「ゼロックスは買収先を見誤りましたね。SDSはコンピューターメーカーとして全然駄目です」と断じてからだ。ラボ設立から2年近くたったころには、ゼロックス本社役員がPARCを訪れて面食らっている。ラボのディーラー会議を見学すると、ラボメンバーから「ゼロックス本社はPARCの主張にきちんと耳を傾けているのでしょうか？」と問いただされたのだ。苦し紛れに「条件付きでイエス」と答えたという。

1972年、スチュアート・ブランドとアニー・リーボヴィッツによる記事がローリングストーン誌に出ると、対立はさらに深まった。記事の中でブランドは「PARCは巨大・中央集権的文化を離れ、小型・個人的文化へ傾斜している。あらゆる個人に最強のコンピューターパワーを届けるために」と書き、PARCをたたえていたからだ。当時を振り返ってブランドは「東海岸の本社は憤まんやるかたなかったようですね。本社の許可を得ていない情報や写真が出回ったり、放送禁止用語が飛び交ったりしていたのがPARC。それなのに下品なローリングストーン誌によって持ち上げられたんですから」と語っている。

テイラーのラボでは当時、仕事を離れるとマリファナ（あるいはもっと強いドラッグ）を吸う研究員もいたし、オフィスの中で超越瞑想にふける研究員もいた。アラン・ケイは移動式店舗ホール・アース・トラック・ストアからあらゆる書籍を調達し、PARC内の図書館をいっぱいにしていた。別の研究者はサンフランシスコの非営利団体でボランティア活動に従事し、ベイエリア内に公共コンピューター端末を設置しようと動いていた。

とはいっても、テイラーのコンピューター科学ラボはヒッピーやカウンターカルチャーとは一線を画していた。例えば、ゼロックス本社のルールに従って施設内では飲酒を禁止していた。そのため、アタリでは施設内で社員がマリファナを吸い、多くのスタートアップでは社内ビールパーティーが一般化していたなかで、PARCの研究者はコーヒーブレークで息抜きしていた。見た目でも働き方でもヒッピーとはまるで違った。襟付きシャツを着てスラックスをはき、標準的な9時5時（午前9時～午後5時）の勤務時間に従っていたのだ。

ゼロックス本社にとってPARCはハッカー集団？

ラボメンバーのチャック・サッカーは「ラボの中心メンバーは極めて普通の男たちでした。確かに、フリースピーチ（言論の自由）運動やピープルズパーク抗議デモの真っただ中に、メンバーの多くはUCバークレーに拠点を置いていました。けれども、運動やデモには関わらずに、何の変哲もないビルの中で働いていました。データセンターが破壊されると困るので、できるだけ目立たないように」と振り返る。

もちろんカジュアルないでたちで深夜にプログラミングに熱中する研究員もいた。ただし政治的なメッセージを発しようとしたのではなかった。コンピューターサイエンス分野でキャリアを積んできたため、自由な服装と勤務時間を当たり前に思っていたにすぎなかった。

テイラーも含めてラボメンバーは権威主義や上意下達型組織を嫌っていた。だが、個人向け対話型コンピューターの起源をさかのぼると、ウォーターゲート事件やベトナム戦争よりも古いリックライダー世代にたどり着く。リックライダーは「権力への抵抗」よりも「一般大衆にとって役立つコンピューターの開発」に関心を寄せていた。ゼロックスＰＡＲＣはエリート研究機関であり、所属研究者の大半はホームブリューのハッカー集団とはほとんど共通点を持っていなかった。

サンフランシスコ・ベイエリア内では、ＰＡＲＣとホームブリューの違いは明らかだった。ところが、５千キロメートル近くも離れたゼロックス本社役員室から見ると、両者はほとんど同じだった。ゼロックスのコンピューター部門責任者を務めていたポール・ストラスマンは当時「ＰＡＲＣはＵＣバークレーのキャンパスと同じ。でも少し格上。ＰＡＲＣではジョギングがはやっているし、ＰＡＲＣのカフェテリアには豆腐があるから」と語っている。「ＰＡＲＣの女の子は細心でほっそりしているし、本当にきれいな子もいる。なのに職場全体がコンピューターリブ（コンピューター解放運動）にのめり込んでいる。残念だ」

ＰＡＲＣはゼロックスという大企業のほんの一部にすぎなかった。元社長のデビッド・カーンズは３３０ページに上る回顧録の中で、ＰＡＲＣについてはわずか12ページしか割いていない。ゼロックスにとっては、ＰＡＲＣは断トツで優秀だけれども礼儀をわきまえず、手に負えない子どもと同じだった。常に頭痛のタネとなっており、コンピューター科学ラボ（あるいはボブ・テイラー）にとって悪い前兆でもあった。

１　1974年、エルカインドはゼロックス本社経営陣宛てに注目すべき手紙を書いている。手紙の草案段階でテイラー、バトラー・ランプソン、チャック・サッカー、ビル・ガニング（当時システム科学ラボの部長）も協力していた。手紙の中でエルカインドはこう書いている。「いよいよパーソナルコンピューターの時代が訪れました。実用的で値段も手ごろな個人向けマシンを生産する技術が完成したからです。アルトのマイクロコードのおかげで、われわれは同じハードウエアで異なるアプリケーションを使うことができるようになりました。ＨＰが同じハードウエアから異なる計算機モデルを生み出しているように」。そのうえで、アルト用に7種類のアプリケーションを提案している。具体的には①特定のユーザーグループに向けた「スーパー計算機」、②アメリカ軍向けの特別仕様メッセージソフト、③会計ソフト、④コンピューター研究ソフト、⑤個人管理ソフト、⑥速記用タイプライターソフト、⑦出版ソフト――である。

2　ビル・スペンサーはテイラーとことごとく対立していたものの、ペイクについてはテイラーと同じ見方をしていた。ペイクと仲が良かったスペンサーは「彼（ペイク）は誰からも良く思われようとして八方美人過ぎる」とみていた。

3　一般科学ラボの全員が非難されたわけではない。テイラーはレーザープリンターの発明者ゲイリー・スタークウェザーの仕事を高く評価していた。アルトのハードウエアを担当したチャック・サッカーは「ボブはＰＡＲＣの物理学者チームをけなしていたけれども、根拠薄弱だった」と語る。

4　サッカー、ランプソン、エルカインドの3人は「テイラーはロビー活動とは無関係」という意見で一致している。１９７７年5月の電子メールも3人の意見を裏付けているように解釈できる（ただし電子メールは「ボブ（テイラーのこと）はラボの部長ポストを用意されたらとても喜ぶと思う」とも書いている）。電子メールの筆者ボブ・スプロールは「研究チームが部長交代を求めていたのはボブが優秀だからであって、ジェリー（エルカインドのこと）が駄目だからではない」とも書いている。

5　部屋の中の様子についてはチャック・ゲシキもテイラーとまったく同じように記憶している。

6　コンピューター雑誌データメーションは１９７７年に「自動オフィス」の記事を掲載し、「キーボード操作を必要とする事務作業は未来のオフィスでは問題でなくなる。なぜなら、電子オフィスでは管理職であってもキーボードを使って仕事をしているからだ」と予測している。記事は大手銀行シティバンクの試みを根拠にしていた。同行は2台1組のミニコンピューターを12組用意して、管理職12人のオフィスに1組ずつ導入。個々の管理職は1台を自分用、もう1台を秘書用として、2台をダイアルアップ回線で接続して使うことになった。記事によれば、秘書は柔軟さ・大胆さの点で管理職よりもはるかに上手にコンピューターシステムを使いこなしたという。

第18章　どこにも業界基準がない
――マイク・マークラ

宿題を絶対にやらないガレージ起業家の2人

1976年秋にマイク・マークラが起業家2人（スティーブ・ジョブズとスティーブ・ウォズニアック）のガレージを訪問したとき、アップルは素人経営のスタートアップでありながらもすでにわずかに黒字化していた。1枚当たり220ドルで回路基板を組み立てて、1枚500ドルで電器店バイトショップへ売っていたからだ。

とはいっても、マークラと接点を持つ前のアップルはとても会社と呼べるような状態ではなかった。第一に、実家のベッドルームとガレージのオフィス賃料はゼロ。第二に、営業部隊はジョブズとウォズニアックの2人。主な仕事は車であちこちの電器店を訪ね、アップル製コンピューターを売る気はないかと聞いて回ること。第三に、唯一給与をもらっていたのはジョブズの妹と友人の2人だけ。それぞれ回路基板1枚当たり1ドル、時間当たり4ドル稼いでいた。第四に、2人はアップルⅠの小売価格を666・66ドルに設定していた。バイトショップへの納入価格500ドルに30%の利幅を上乗せしたうえで、同じ数字の繰り返しになるように少し数字をいじっていた。このほうが面白い、とウォズニアックが思ったからだ。

マークラは情報カードに従い、週1回に限って将来性のある起業家に助言してきた。ジョブズの実家ガレージ内で立ちながら、ウォズニアックのアップルⅡを見て確信した。これこそ自分専用コンピューターを夢見る人の希望をかなえるマシンだ!

ただし、今後もアップルⅡ一本やりでいいのかどうか、はっきり分からなかった。そこでジョブズとウォズニアックの2人に対してビジネスプランを作成するよう提案した。これまでも多くの起業家に対してビジネスプランの作成を促し、効果を上げてきたのだ。ビジネスプラン作成のポイントとして、部品調達コストや流通チャネルを見極めるほか、市場規模を推定する必要性を指摘した。まだ存在していないパソコン市場の規模を推定するのは難しいことも分かっていたので、アメリカ国内で普及している電話台数を目安にするよう提案した。

それから数週間、秋が深まりつつあるなかでジョブズ(たまにウォズニアック)はマークラの新居に通ってアドバイスを仰いだ。新居は大きく、旧居から数ブロックしか離れていなかった。2人がマークラに会うのは、裏庭のプールサイドに彼が建てた脱衣所の中だった。ウォズニアックは新居を見て感激した。「丘の上に立つ美しい家からきらきらと輝く夜のクパチーノを見下ろせる。素晴らしい眺めと素晴らしい奥さん。完璧でした」。ミーティングのたびにマークラは宿題を出した。競争相手は誰か? 利益はどのくらい出そうか? 社員はどうするのか? どのくらいの成長スピードを考えているのか？　２人はビジネスプランの中でこれらの質問にきちんと答えられなければならない。そうでなければ持続可能な会社を立ち上げるのは難しい。

ジョブズはどうしたのか。いつも宿題をやらずにミーティングにやって来た。

数週間経過してマークラは理解した。２人がビジネスプランを書くことはないのだ。どうしてなのか。ウォズニアックはＨＰの社員であるから、起業には関心を抱いていなかった。自由にやっていいと言われたら、おそらくアップルⅡのデザインを無償で手放したか、原価で売り払ったことだろう。一方、ジョブズは起業に意欲を燃やしていながらも、１９７６年秋時点では「バイトショップへ基板を納品して、稼いだカネで部品を買って、より多くの基板を作る」というビジネス以外は想像できなかった。弱冠21歳で会社勤務歴15カ月（15カ月はすべてアタリで下級エンジニアとして働いた期間）では、宿題にまともに答えられないのも仕方がなかった。

史上最速で成長する企業かもしれない

では、どうやってビジネスプランを作成したらいいのか。自分でやるしかない、とマークラは思った。助言してきた起業家のためにビジネスプランを書いたことはそれまで一度もなかった。ビジネスプランを書いてあげようと思うほど有望な起業家に出会えていなかったともいえる。アップルのビジネスプランを書けば、毎週月曜日だけビジネスについて考えるという自己ルールを破る格好になる。しかし、ウォズニアックとアップルⅡを放っておくわけにはいかなかった。ジョブズも「ダイヤモンドの原石」のように見え、やはり放っておくわけにはいかなかった。

ジョブズはマークラいわく「非凡な才覚を持つ若者」だった。ウォズニアックのコンピューターにいち早く商機を見いだしていたし、粘り強く大胆に行動するスキルも備えていた。アップルⅠ用の回路基板ビジネスを見てみよう。回路基板の組み立てに必要なチップについては、仕入れ先と交渉して30日間の支払い猶予で合意を取り付けていた。一方で、回路基板を納入する電器店に対しては、納品時の即金払いを求めていた。つまり、ブッシュネルがアタリで採用した「ブートストラップ型経営」を実践していたわけだ。営業マンとしてもピカ一だった。これはと思った潜在顧客を見つけたら、電話を取ってもらえるまで何度でも電話をかけた。

11月中旬、マークラは自宅オフィスに座ってビジネスプランの作成に取り掛かった。あまりにも高速でタイプしていたため、「business（ビジネス）」を「buisness」とタイプミスするほどだった。大きく3点に焦点を合わせた。第一に、会社の目標と市場を定義した。「まずはホビイスト（コンピューターマニア）市場を踏み台にして大きな市場へ進出する」というシナリオを描いた。第二に、価格戦略を定義した。「アップルの基本マシンは、特殊な分野向けの専用コンピューターよりも手ごろな値段で売られるべきである。マシンの全機能が使われるわけではないのだから、それを価格に反映させる必要はない」と書いた。第三に、アップルはコンピューターに加えて周辺機器も扱うべきだと提案したうえで、「コンピューターと周辺機器は利益水準で同程度」と指摘した。周辺機器とは、①モニター、②ソフトウエアを読み込むためのカセットレコーダー、③プリンターやテレタイプ端末用拡張カード——などだ。

ビジネスプランを書き進めるうちに、マークラはアップルに対してますます興味を深めていった。現実的に考えてアップルは税引き前で20％の売上高利益率を達成するから、研究開発費を自己資金で捻出できる。家庭用コンピューター産業に大きく技術貢献し、未来の新製品を生み出すパイオニアになれるのではないか！

タイミングも見誤ってはならない。マークラは「家庭用コンピューター市場でアップルは最初にリーダー企業として認知されなければならない。これは極めて重要」と書いた。計算してみると、アップルは今後10年で年商5億ドル企業に成長すると予想できた。史上最速で成長する企業かもしれないと思うと、アドレナリンが出るのを感じた。

アップルへ出資するよう第三者を説得するためにビジネスプランを書いているんだ、とマークラはふと思った。説得は一筋縄ではいきそうになかった。すでにアタリとドン・バレンタインはアップルへの出資を断っている。ニューヨークに最初のコンピューター販売店を開店したスタン・ベイトも乗り気になれなかった。ジョブズから個人的に「1万ドルでアップル株の10％を買わないか」と誘われながら、出資を見送っていた。後で出資話を回想し、「世界で最も信用できそうにないのが長髪のヒッピー。とても1万ドルを預ける気にはなれなかった」と語っている。

コンピューターメーカーもアップルへの出資をことごとく見送っている。コンピューター大手のコモドールはジョブズの出資要請を断る傍らで、自社製パソコンの発売に踏み切った。投資銀行も関心薄だった。例えば、後にアップルのIPOを手掛ける投資銀行家ビル・ハンブレクトも、社内調査チームに「パソコンは一時的ブームで終わる」と言われ、第1回投資ラウンドへの参加を断った。「市民ラジオは一時的ブームで終わる」と正しく予想した実績を持つ社内調査チームを信用したようだ。

アップル経営の適任者は自分自身

しかし、マークラは二つの意味で優位に立っていた。一つは、アップルⅡの現物を自分の目で見ていたこと。もう一つは、すでに数字を分析してアップルの成長軌道を描いていたこと。もちろん、最初のビジネスプランは「5万フィート(15キロメートル)上空から眺めたような内容」であり、大ざっぱであった。それでありながらも、マークラはビジネスプラン執筆中に高揚感を覚えている。「心からの欲望」と「論理的な帰結」が見事に一致したからだ。アップルⅡが大好きだというのが心からの欲望だとすれば、数字のうえではパソコン事業が大化けするというのが論理的な帰結だ。

アップルについてマークラが思い付く唯一の大問題がマーケティングだった。ユーザーが企業や大学、政府機関に限られている状況下で、アップルはコンピューターの必要性を一般消費者に向かって訴えなければならないのである。当時のテレビや映画はコンピューターを恐ろしいマシンとして描いていた。1968年公開の映画『2001年宇宙の旅』は宇宙飛行士を殺害するコンピューターを描き、1977年公開の映画『デモン・シード』はロボットを使って女性を妊娠させようとする人工知能（AI）を描いている。マークラがジョブズとウォズニアックに会う数カ月前には、「コンピューターが秘密裏に人間の脳波を読み取れるようになるというのは本当か？」と質問する上院議員も現れた。

スティーブ・ジョブズは伝道者として能力を秘めており、マーケティングで大いに活躍しそうに見えた。だが、マークラが思い描いているアップルはいずれ業界のリーダーになる企業だ。夢見る21歳の青年の情熱とカリスマ性をもってしても不十分なのは明らかだった。

アップルが必要としているマーケティング専門家はどんな人物なのか。まずは、ロジスティクスを理解し、企画や予測、販売、顧客サービス各部門の調整を担えなければならない。次に、ウォズニアックやジョブズ、ホームブリュー系ヒッピーの力を引き出して、一般消費者（特に郊外に住む中流家庭）のニーズに応えなければならない。マークラには誰が適任なのかすでに分かっていた。自分自身である。「パソコンをどうマーケティングしたらいいのかイメージできる人なんて、ほかに存在しなかった」と振り返る。

快適な引退生活に終止符を打つ

マークラはアップルの潜在力に興奮しながらも、もろ手を挙げて喜べなかった。自分で書き上げたビジネスプランの数字を見て身震いした後、気持ちを落ち着かせて自問自答した。引退後に望んでいたことがこれなのか？　自宅を拠点にしてやっと引退生活のリズムに慣れたところであり、とても快適ではないのか？

仮にアップルのマーケティングを引き受けたら、相当な労力と時間の消費を強いられるのは火を見るより明らかだった。単に製品を発表したり会社を設立したりするのとはわけが違う。新産業を一から創造するのだ。しかも共同創業者ウォズニアックとジョブズを支えながら、である。片やウォズニアックはフルタイム社員としてアップルで働くのを嫌がり、もう少しのところでHPを選ぶところだった。[1]片やジョブズは製品を完璧にしようとするあまり、いつも人間関係をこじらせていた。

アップルに加われば、マークラは日曜大工とボランティア活動をやめなければならないし、スキー旅行とテニスも諦めなければならない。さらには、少なくとも当面の間は情報カードの未達成項目にも目をつぶる必要がある。

マークラはいろいろ不安材料を頭の中で描きつつ、こうも考えてみた。ビジネスプランによれば、アップルはこれまでにないような史上最速のスピードで成長していく。そのように驚異的な成長を遂げるアップルがよりどころにしているものは何なのか？　彼自身の価値観であり、彼自身の経営哲学ではないのか？　これほどのチャンスを見送ることなんてどうしてできようか……。

「本当に参った……こんなに大きなチャンスがやって来るなんて」とマークラは妻リンダに向かって言った。「やってみなければならないと思う」

リンダには分かっていた。夫が小さな会社と2人の若者に完全にのめり込んでいるのは明らかだ。彼のスキルと興味にこれほど完全に一致する状況は、これから二度と訪れないだろう。まるでアップルにマークラ形の穴があり、成功するためにはその穴を埋めなければならないかのようだ。

「今でも僕たちは快適な生活を送っている」とマークラは続けた。「生活は経済的に一変すると思う。僕が考えている通りにアップルが成長した暁（あかつき）には」

その後も2人の議論は続き、最後にリンダが言った。「自分の気持ちに正直に、アップルに加わるべきでしょう」

ただし2人は条件を設けた。アップルで4年以上働かないということだ。マークラはヒューズ、フェアチャイルド、インテル各社でそれぞれ4年間働いて辞めた経験を持つ。4年たつと「まるでミシンで縫っているかのように勝手に物事が進んでいるように感じた」からだ。つまり退屈になったのだ。アップルでも4年間頑張って、再び引退生活に入ればいい。

そもそもマークラは何のためにビジネスプランを書いていたのか。想像上の投資家に向かってアップルの魅力を訴え、シードマネー（起業支援のための種銭）を引き出すためだった。外部の投資家を説得する材料としてビジネスプランを使うつもりだったのだ。しかし、最終的には外部の投資家ではなくて自分自身の説得に成功していた。ビジネスプランを書いた自分自身が自己資産を投じて、アップルに出資する投資家になるのだ。

アップル法人化、マークラが初代会長に

1977年1月3日、アップルコンピュータは法人登記した。ジョブズとウォズニアックはパートナーシップの持ち分（2人の持ち分は同額で5308ドル相当）を提供して、それぞれ新生アップル株の26％を得た。

マークラは自己資産から9万1千ドル（1株当たり35セント）拠出して、同じく全体の26％を持つ大株主になった。9万1千ドルは2016年価格で40万ドルに相当するので、大金を投じた格好になった。もっとも、インテル株を大量に保有するほか、ルイジアナ州の試掘井（しくつせい）で20件以上の投資案件を抱えており、9万1千ドルでも全自己資産の10％未満にとどまると見積もっていた。[2]

それよりも大きな決断だったのは、銀行借り入れの個人保証だった。アップルは大手銀行バンク・オブ・アメリカ（バンカメ）から25万ドルの借り入れを実行。その際にマークラは借り入れを個人保証とし、バンカメ担当者には「アップルは年内に黒字化するから、その時点で個人保証を外してほしい」と伝えた。会社設立直後に多額の借り入れを行うのは異例だと分かっていたものの、長期的な視野に立って銀行と取引関係を築こうと考えていた。できるだけ早い段階で銀行との関係を深めておけば、アップルが今後成長していく過程で必要な資金を機動的に調達できると判断したのだ。

マークラは法人登記に合わせてアップルの初代会長兼マーケティング責任者に就任した。ジョブズとウォズニアックは喜んだ。2人ともパートナーシップ結成直後から「経験豊かなベテラン経営者の協力が必要」と思っていたからだ。[3]

ジョブズは後年「マークラのお金が欲しかったわけではありません。われわれが欲しかったのはマークラ」と語っている（アップルはマークラ経由で全資金を調達していたので、やや混乱気味に）。さらに「ウォズ（ウォズニアックのこと）と私の持ち分は合わせて全体の50％に下がります。でも、価値がない会社を100％保有しているよりも、価値がある会社を50％保有しているほうが絶対にいい」とも付け加えている。マークラなしではアップルの価値はゼロになる、と言いたかったのだ。

マークラは人材集めに着手した。フェアチャイルド時代の3人組（マークラ自身、マイク・スコット、ジーン・カーター）を取っ掛かりにして、スコットに声を掛けた。誕生日が同じ2月11日であるため、毎年誕生日になると一緒にランチでお祝いをしていた。気心の知れた間柄にあり、フェアチャイルド後のキャリア展開も常に把握していた。

1972年、スコットはフェアチャイルドからナショナル・セミコンダクターへ転職して、カーターの下でマーケティングマネジャーとして働き始めた。間もなくしてハイブリッド回路事業の責任者へ昇格し、生産ラインも含めて同事業全般を指揮するようになった。[4]

1977年の誕生日、マークラはランチの席でスコットに聞いた。「アップルの社長として生産部門を指揮してくれないか？」。ぶっきらぼうで、とても生意気で、ルールにうるさく、社内政治に無関心――。こんなスコットはヘッドハンターにとっては魅力的に見えないだろう。しかし、マークラと同様に計画的に行動できる点では折り紙付きだった。

会社が成長する過程でいろいろな問題が出てくるのは避けられない。急成長となればなおさらだ。調達部品が不足したり、注文処理でミスが発生したりするだけで、会社は突如として急成長路線から脱線する。場合によっては致命傷を負いかねない。スコットが社長であればうまくやってくれるに違いない、とマークラはにらんだ。

マークラはかつてこう言ったことがある。「良い経営とは、個々の問題に手際よく対処することではない。重大問題が起きないように采配することが良い経営」。この定義に従えば、スコットは社長として理想的だった。彼自身の言うとおり、「スタートアップは終わりの見えないチェスゲームと同じ。ここで重要なのは放っておいてもきちんと動くシステムを築くこと」を信条にしていたのだ。

もう一つ利点があった。スコットは厳しかったのだ。マークラはインテルの共同創業者ロバート・ノイスをロールモデルにしていた。ノイスは「ナイス博士」と呼ばれるほど謙虚な経営者だった。対照的に、スコットがロールモデルにしていたのは、ナショナルのCEOチャーリー・スポークだった。スポークは愛されていながらも、感情的な起伏が激しかった。何かを強調しようと思って机を強くたたき過ぎて、手首を骨折したことさえあった。ノイスはフェアチャイルドでスポークと強力なチームを組んだのに続き、インテルではスポーク流経営者アンディ・グローブと強力なチームを組んでいる。マークラがノイスだとすれば、スコットはスポーク。補佐役としてスコットが適任だという理由はいろいろあったのだ。

さらに見逃せない要素があった。マークラは「社長の重要な役割はスティーブ・ジョブズを私の机に近づかせないこと。そのためにはきっぱりと対応できるスコットが必要だった」と回想する。[5] ジョブズには好感を抱いていたものの、手に負えなくなってお手上げになることもあった。例えば、アップルⅡを覆うケースの色合いや角の形をめぐってジョブズが自分の意見を押し通そうとするようなときだ。自分と同様に製品の細部にこだわるジョブズを評価しつつも、自ら彼の面倒を見たいとは思わなかった。

最優先事項は詳細なビジネスプランの作成

マークラはジョブズの面倒を見る代わりに大局的な問題に集中したかった。とりあえず、より詳細なビジネスプランを用意したかった。彼に言わせれば「本物のビジネスを立ち上げるためには本物のビジネスプランが必要」なのだ。どの部品を調達するべきか？　仕入れ先をどこにするべきか？　調達コストをどのくらいに見積もるのか？　どんな条件で取引するのか？　このような疑問に答えるビジネスプランの作成は最優先事項だった。

その一環として、マークラはコンサルタントのジョン・ホールを雇い入れた。32歳のホールは教育関連のスタートアップで働き、ロルムのビジネスプラン作成を手伝ったこともあった（ビジネスプランの財務セクションについて草案を書いた）。シンタックスに勤務して国際グループの経理を担当していた。シンタックスはパロアルトに本拠を置き、経口避妊薬（ピル）のパイオニアとして知られる製薬企業だ。

ホールは長期休暇を取得して、2週間にわたってアップルの新オフィスを訪ねる日々を送った。もちろん詳細なビジネスプラン作成を手伝うためだ。オープンスペースの中でマークラと徹底的に議論し、メモを取った（後でマークラ所有のＩＢＭ製電動タイプライター「ＩＢＭセレクトリック」を使い、議論の内容をきれいにタイプするため）。

２人で分担を決めて執筆した。マークラは総論とマーケティングの両セクションを担当。彼が特に注目したのは潜在的競争相手や市場規模、ターゲット顧客層だ。ターゲット顧客層にはホビイスト（コンピューターマニア）と小オフィス（歯科医院や弁護士事務所）のほか、いつか自宅でコンピューターを扱いたいと思っている一般消費者も含まれた。一方、ホールは財務セクションを担当。長くて緑色の集計用紙を広げ、罫線に沿って鉛筆で数字を書き込んだ。

アップルに正式に入社する前だったスコットも協力し、部品票と生産コストの見積もりを行った。折に触れてマークラとホールの会話にジョブズ（あるいはウォズニアック）も加わった。特にジョブズはビジネスプランに大きな関心を示した。部品サプライヤーと結んだ契約の詳細を提供したほか、最終草稿の修正・推敲にも協力した。ただし、ビジネスプラン作成で最終的な決定権を持っていたのはマークラだった。

最終的に30ページの文書が出来上がった。そこに書いてあるのは経営戦略のほか、製品、生産、マーケティング、人員、財務ごとの詳細な予算計画だった。ホールはビジネスプランが示す目標を見て、野心的過ぎるように思った。過去半年間で５００台を販売しただけの会社がこれから急成長し、向こう2年間で１３５０万ドルの売り上げを達成するというのだ。このようなシナリオはどう考えても信じられなかった。当時を思い返し、「パソコンが何であり、これからどんな市場になるのか、まったく想像できませんでした。人々がこれを買って一体何をするのだろう、と不思議に思うばかりでした」と語っている。

そんなこともあり、ホールはマークラに向かって次のように提言した。「もっと保守的になるべきだと思います。現在の売り上げ予想の70%くらいにしておくのが落としどころではないでしょうか」

マークラは首を縦に振らなかった。ホールによれば、野心的な数字をあえて出して社内全体を奮い立たせたかったようだ。[6] ただし妥協案も示した。野心的な売り上げ予想を残したまま、保守的な予想も別のシナリオとして書き加えるというのだ。結果的に保守的な予想を書き加えたのは正解だった。アップルの1978年の売り上げは780万ドルとなり、野心的な数字の60%にとどまったのである。

詳細なビジネスプランの完成後、ホールはマークラから「アップルの最高財務責任者（CFO）にならないか」と誘われた。だが、提示された給与とストックオプションの内容に不満であったうえ、長期的にスコットとはうまくやれないのではとの不安を抱き、断った。4千ドルのコンサルティング料をアップル株で支給してほしいと打診したところ、「アップル株は社員用」と言われ、諦めざるを得なかった。「マイクから代替案は用意してもらえなかった。なぜだろうといつも不思議に思っていました」

ホールは円満にアップルの仕事を終え、すぐにインテルで新たな職を得た。その後、コロラド州へ引っ越して、キャドネティックスというスタートアップのCFOに就任した。以来、マークラとは2度会っただけで、個人的にアップル株に投資することもなかった。ただ、アップルの成長をずっと追っていた。「アップルの成長に個人的に関わっている」と誇りに思いながら。

教育ソフト市場で圧倒的な地位を築く

ビジネスプランはアップルに対し、いったんホビイスト市場に足場を築いたら教育市場に狙いを定めるよう求めていた。マークラは1977年時点で早くも教育市場への参入を真剣に考えていた。12年前にすでにヒントを得ていたからだ。ヒューズで若手エンジニア――20代だった――として働いていたときのことだ。社内のオシロスコープはすべてテクトロニクス製だということに気付いた。不思議に思って聞き回ったところ、理由が判明した。社内の科学者とエンジニアの大半が大学在籍時にテクトロニクス製オシロスコープになじんでおり、他社製を使いたがらなかったのだ。アップルもこのようにして忠誠心の高い顧客を育てるべきだ、とマークラは判断した。

1979年になってアップルは教育市場への参入を開始した。25万ドル（後に大幅増額）の「アップル教育基金」を設立し、小型コンピューターを利用した新学習法の支援・拡充に乗り出したのだ。その後も何年にもわたり、教育基金を通じて学生を対象にしたコンピューター教育を支えることになった。もちろん売り上げ増につながるとの期待を込めていた。実際、社外秘文書には「将来性のある学生は在学中に慣れ親しんだブランドを卒業後も使い続けると予想される」と書いていた。

教育基金設立から2年間で、パソコン向け教育ソフトウエア市場でアップルⅡ向け製品のシェアは最大になっていた。1982年にはスティーブ・ジョブズ主導の下、「子どもたちは待てない」プログラムを始め、カリフォルニア州の学校に9千台のアップルⅡ（金額にして2100万ドル相当）を寄付した。[7] 利点は大きく三つあった。第一に、学校への寄付は税務上、経費として認められる。第二に、より多くの業者がアップルⅡ向け教育ソフトウエアを開発するようになる。第三に、多くの大学生が卒業後にアップルⅡを指名買いするようになる。

教育基金の助成金が75万ドル以上に達した1983年までにはアップルは教育市場で圧倒的な地位を築いていた。コンピューターを導入した学校の中でアップルの利用率を見てみよう。高校で73％、大学では84％を記録しており、二番手（高校で43％、大学で48％）に大差を付けていた。

市場予測の達人マークラであっても、1977年時点では教育基金の大成功を予期できなかった。それでも、長期的視野に立って最終到達地点をイメージする必要性はすでに感じていた。日々の業務をスコットに一任できるようになれば、アップルが必要とする長期的な戦略を練ることも可能になる、と考えていた。

スコットはジョブズとウォズニアックによる面接を経て、正式にアップルに加わった。入社に際してはマークラと風変わりな取り決めを交わした。マークラは会長として社長のスコットを指揮下に置くものの、マーケティング担当副社長としては社長のスコットの指揮下に入る——という仕組みで合意したのである。このようにしておけば「アップルでは表面的な命令系統や肩書はあまり意味をなさない」という重要なメッセージを発する形になる、とマークラは思った。もっとも、誰が誰を採用し、誰がどれだけ自社株を保有しているかを見れば、マークラが最終的な意思決定者であるのは一目瞭然だった（マークラの自社株保有額はスコットの4倍に上った）。

マッケンナがアップルのマーケティングを指南する

マークラはアップル入り後、優先課題の一つとしてアップルⅠの回収を挙げていた。「アップルⅠには信頼性の点で問題があり、悪い評判を引きずったままでスタートするのは避けたかった。だから手当たり次第にアップルⅠを回収した」と述べている。

アップルⅠの回収はより大きなイメージ戦略の一環でもあった。「非常に洗練された大企業であるようにアップルを見せるべきだ」と信じていたマークラにとって、アップルⅠは邪魔でしかなかったのだ。テキサス・インスツルメンツのような巨大企業がいきなりパソコン市場に参入してきたら、経営基盤の弱いアップルはひとたまりもない――こんな不安が背景にあった。弱さを見せるわけにはいかなかった。「十分に大きくなければすぐにつぶされると認識していました。だから全力疾走して市場を圧倒しようと必死でした。そうしなければ即刻退場ですからね」とマークラは語る。

そんななか、マークラはレジス・マッケンナに助けを求めた。自分の名前を冠したマーケティング・PR会社レジス・マッケンナ・インク（RMI）を率いて、インテルのマイクロプロセッサー投入を成功に導いた立役者でもあった。

ジョブズは以前にアップルIのプロモーションを依頼しようと思い、RMIを訪ねたことがあった。ところが門前払いとなり、代わりに印刷業者を紹介された。自分で書いた広告コピーを印刷業者に渡して印刷してもらい、アップル最初の広告にすればいい、と言われたのだ。もっと経験を積んで出直してこい、というメッセージともいえた。

今度は違った。アップルの財務も安定しており、ジョブズとウォズニアックの2人はRMIで正式にプレゼンする機会を得た。

2人は携帯用小型テレビやカセットテープレコーダー、木箱――ワイヤと回路基板が詰まっていた――を抱え、RMIのオフィスに現れた。RMI側役員はキツネにつままれたような表情を見せた。RMI営業担当の一人はこのときの光景を思い出し、「2人は見るからに頭が切れそうな青年でした。このマシンを使って世界に革命を起こすんだ――このように確信していました」と語る。

マッケンナは早い段階から2人に注目していた。彼がアップルについて書いた最初のメモ――法人登記の前――はアップル創業物語の魅力に触れ、「ウォズニアックは電卓を売り、ジョブズはミニバンを売ってシードマネーにした」と記していた。さらには「どこにも業界基準がない。アップルが自ら業界基準を決めるチャンスがある」とし、アップルに将来性があると匂わせていた。

マッケンナはインテル製マイクロプロセッサーのマーケティングで大きな実績を残している。今度はアップル製パソコンのマーケティングを引き受ける。アップルが自社ブランドを育てつつ、パソコンとは何かを世の中に伝えるのを支援するのだ。

ＲＭＩはその後、アップル用に虹色のリンゴをデザインし、そこには大きさが分かるようにかじり跡も加えた（こうしておけば明らかにサクランボではなくリンゴだと分かる）。さらに、光沢のある厚紙を使ってパンフレットも作成。表紙には「シンプルは究極の洗練」というメッセージを載せ、その下に大きくリンゴのレッドデリシャスをプリントした。ＲＭＩへの支払いは1万830ドルに上り、高くついた。しかし、マークラは第一印象を何よりも重視し、高いハードルを設定した。ジョブズは後になって「高いハードルを設定して経営するやり方を教えてくれたのはマークラ」と語るのだった。

世界最大のコンピューター見本市でデビュー

アップルが世界で飛躍する舞台として選んだのは、1977年4月の「第1回ウエストコースト・コンピューター・フェア（WCCF）」だった。世界最大級のコンピューター産業見本市であり、サンフランシスコの公会堂を会場にして1週間にわたって開催される予定になっていた。マスタードイエロー色のチラシには手書きのイラストが入り、「すべての始まりのサンフランシスコ・ベイエリア——やっと準備完了」との見出しが躍っていた。見本市の主催者は最大で1万人の参加者を見込んでいた。アップルは出展を決め、大枚をはたいて「正面に位置する大きくて目立つブース」（参加者の一人）を確保した。見本市では「会社のアップル」と「製品のアップルⅡ」が同時デビューするのだから、できるだけ目立つ必要がある、とマークラは判断した。競合するマシン「コモドールPET」も初お目見えする予定になっていたため、用意周到に準備しておかなければならなかった。

見本市に先立って、マークラはジョブズとウォズニアックの2人にアドバイスした。まずは服装とひげ。プロフェッショナルらしくきちんとした服装を選び、ひげを整えておくよう念押しした。[8]次にリハーサル。アップルⅡの最も魅力的な機能を再確認し、効果的な営業トークを心掛けるよう注意喚起した。とにかく2人には真面目なビジネスマンらしく振る舞ってほしかったのだ。

にもかかわらず、見本市が始まるとウォズニアックは悪ふざけに熱を上げた。偽コンピューターに関するチラシを8千枚も印刷して、会場でばらまいたのだ。マークラが真相を知ったのは何年も後になってからだった。ウォズニアックは「スティーブとマイクに気付かれなくて本当に良かった。もし気付かれたら、少なくともマイクには『会社に悪いイメージを与えてしまうから、悪ふざけも冗談も一切駄目』と言われたでしょうね」と回想する。

週末までに1万2千人が見本市を訪れた。この中にはホビイストのほか、「コンピューターって何？」と思ってふらっとやって来た見物人も大勢含まれていた。このような見物人はアップルⅡにとって理想的な潜在顧客だった。というのも、現場を取材していた記者の言葉を借りれば、アップルⅡは「スイッチを入れるだけで立ち上がるから、詳しいことは何も知らなくても使えるマシン」だったからだ。実際、会場の中で使いやすさの点でアップルⅡに匹敵するマシンは見当たらなかった。ちなみに、競合マシンと見なされたコモドールＰＥＴは大型の電卓のように見えた。キーボードの代わりに電卓式ボタンが使われ、プリンターやドライブと接続するための拡張機能も備えていなかった。

日曜日の朝、ブースの中に立っていたマークラは記者から質問された。「アップルが目指している市場は何ですか？　プログラミングをしたい人？　それともゲームをやりたい人？」。これに対してはきっぱりと「すべてです。われわれは中小企業とか特定の顧客層を狙ったコンピューター会社ではありません。パーソナルコンピューター会社なのです！」と答えた。「アップルⅡは数週間で出荷になります。価格は１２９８ドル（２０１６年価格で５１００ドル）。二つのピンポンゲームとパッド入り携帯用ケース付きです」

営業責任者にマークラ人脈のジーン・カーター

見本市終了後のある朝のこと。ジーン・カーターがアップルの新本社ビル（クパチーノ市スティーブンスクリーク大通り２０８６３番地）のロビーに現れた。アップルを訪れたのは2度目だった。1度目はマークラとスコットに面積１１１平方メートルの小オフィスを案内してもらった。２度目はまるで違った。中央のオープンスペースをいくつものオフィスがリング状に取り囲む空間を目にしたのだ。スコット、ジョブズ、ウォズニアックの各オフィスを通り過ぎ、マークラの角部屋オフィスにたどり着いた。

小さなオフィス内は滑稽に感じるほど何も置いてなかった。ラミネート加工を施してある金属机、４台のファイルキャビネット、小さな本棚――。金属机の後ろの壁にはマークラのコートが掛けられており、その上にはアップルⅡの見本市用パンフレットが開かれた状態で画びょうで留められていた。安定しているようには見えないテーブルの上にはコーヒーメーカーが置かれていた。

カーターは単刀直入に言った。「ここで働きたい」。見本市でアップルⅡの現物とマーケティング用の資料を見て感銘を受けたのだ。

「いきなりどういうこと？」とマークラは聞き返した。カーターはナショナルでうまくやっていたのだからスタートアップで働く必要はない、とマークラは思った。しかも、アップルでマークラが担当しているマーケティングはカーターの専門領域とかぶる。「ここではマーケティング担当者は不要なんだ」

カーターは引き下がらなかった。かねて小型コンピューターの潜在力に関心を抱いていたからだ。1976年、勤務先のナショナルに対して小型コンピューターの開発を提案したところ、聞き入れてもらえなかった。そこで退社して、フェアチャイルドとナショナル時代の上司ドン・バレンタインを訪ね、「起業したいので資金援助してほしい」と打診した。すると資金援助の代わりにこう助言された。「君の友人であるスコットとマークラが何をやっているのか知っているかい？　会いに行ってみるといい」

カーターはマークラに1枚の提案書を手渡した。自分が希望する職域と報酬を書いておいたのだ。「アップルでは営業を担当したい。マーケティングでも必要なことがあれば、何でもやります」

カーターはそれまで営業部門を指揮したことがなかったばかりか、自ら営業を経験したこともなかった。それでも営業を自ら手掛けてみたいという気持ちはあった。マーケティング担当として企画や資料を用意しても営業部門に無視され、がっかりすることが多かったからだ。そのうえ、フェアチャイルドでは営業チームと一緒に研修を受けたことがあり、顧客への電話や顧客アカウントの管理について一通り学んでいた。営業で押さえておくべき七つのポイントも理解している。営業担当も務まると自負していた。

「アップル株の10%も欲しい」と付け加えた。

マークラは険しい表情を見せた。「社長に8%しか与えていないのに、営業担当に10%も?」[9]

「営業は大変な仕事になるのは間違いありません。10%は必要です」

マークラは10%を大きく下回る数字を提示した。

カーターは歩み寄りを拒否した。「10%をもらうか、アップルを諦めるか、そのどちらかしかありません」

マークラはカーターの顔を見つめながら、彼から受け取った提案書をまるめて、オフィスの片隅にあるゴミ箱に放り込んだ。

「マイクはふざけていたわけじゃなかった。でも、私も本気でした」とカーターは後年語る。マークラのオフィスを後にし、肩を落として帰途に就いた。

自宅に戻ると、カーターはキッチンテーブルで昼食を取りながら、妻に向かって言った。「本当にこの仕事をやりたいんだ。たとえ希望していたほどアップル株をもらえなくても」

妻は言った。「それならば、今からもう一度マイクに会って、やっぱりアップルで働きたいと言うべきじゃないかしら」

カーターはその通りにした。車に乗り込んでアップル本社へ行き、再びマークラのオフィスに足を踏み入れた。

「いいですよ。その条件でやります」

「分かった。今は現金が足りないから、8月から来てくれ」

それに対してカーターは「無休でいいからすぐに働きたい」と返した。「8月まで待っていたら、私のポストは誰かに取られてしまうと不安になったからです。そんなわけですぐに働き始めました。テープを複製したり、システムを点検したり、データー表を書いたり……何でもやりました」と振り返る。3カ月間無給で働き、8月になって社員証と初給与を受け取った。

若い起業家と半導体業界ベテランがタッグを組む

スコット、カーター、マークラ――。30代半ばから後半の3人は過去12年間にわたって半導体メーカーの中間管理職として経験を積んできた。これからはアップル創業期の経営を担う中核的存在になる。3人を側面支援するもう一人の経営幹部は、半導体メーカーのアメリカン・マイクロシステムズから来たケン・ザーブで、CFOに就いた。

アップル史を記した文献をひもとくと、表舞台に登場する人物の大半はジョブズとウォズニアックと一緒に働いた若手エンジニアであり、長い髪の毛とリーバイスのジーンズをトレードマークにしている。1970年代のテクノロジー業界を象徴する典型的IBM社員――きちっとしたビジネススーツに身を固めている――とは似ても似つかない[10]。

マークラが目標にしていたのは、「典型例」な基準でお手本となるようなテクノロジー企業をつくることだった。言い換えれば、アップルは①十分に利益を出す、②計画通りに信頼性の高い製品を大量生産する、③安定的な流通チャネルで製品を確実に届ける――といった基準を満たさなければならないのだ。その意味でマークラ、スコット、カーターの3人組経営チームは完璧といえた。生産計画の狂い、サプライチェーンの混乱、作業工程のミス、設計上の欠陥――。すべて経験済みであり、マークラいわく「半導体業界の裏表を知り尽くしていた」のである。

3人はお互いの感情を傷つけないようにしたり、自分の意見を控えめに言ったりすることはなかった。会社を軌道に乗せるために全力投球するという一点に集中していたからだ。カーターは当時についてこう語る。「職場には常に緊張感がありました。でも、われわれは同じ体験を共有していたし、すでに仕事上の信頼関係も築いていました。だから怒鳴り合いになっても全然平気でした。部屋から出てドアを閉めた後でも、壁越しになおも怒鳴り合っていました」

ただし、マークラが数カ月で集めた経営チームは豊富な経験を持つとはいっても、アップルでは未体験ゾーンに足を踏み入れる格好になっていた。与えられた役割に必ずしも精通しているわけではなかったのだ。例えば、取締役会会長のマークラは取締役会を経験したことは一度もなかったし、社長のスコットは会社の経営に関わったことは一度もなかった。スコットは後年「賭けのようなものでした。それまでに経営について学んだ知識が実際に通用するのかどうか、アップルで実際に試してみようなどと思っていたんですから」と述べている。営業責任者のカーターは営業経験ゼロだった。

総務担当副社長に就いた共同創業者スティーブ・ジョブズも似たようなものだった。以前に総務責任者として働いたことがあるとはいっても、社員数5人に満たないスタートアップ（アップルのこと）での話だ。唯一の例外はエンジニアリング部長のスティーブ・ウォズニアックと生産部長（社長ではない）のマイク・スコットだった。

それでも組織としてはきちんと機能した。若い起業家2人と半導体業界のベテラン3人が全身全霊を傾けながら力を合わせ、最大限に相乗効果を発揮したからだ。アップル史が語られるときにはジョブズのはだしやウォズニアックの悪ふざけが注目され、2人とベテラン勢との協調関係は見過ごされがちだ。しかし、ここにこそ草創期アップルの成功のカギがある。

一般消費者を取り込むには一にも二にもソフトウエア

そのような協調関係を見事に裏付けているのが、アップル製フロッピーディスクドライブの開発だ。マークラの力添えがあったからこそ、アップルの法人登記からちょうど1年後（アップルⅡ出荷からちょうど半年後）に、ディスクドライブの開発が始まったのである。

マークラはアップルⅡの好調を見ても、決して安心できなかった。一般消費者市場へ本格進出するにはなお力不足だと分かっていたからだ。一般消費者を広く取り込む決定打は一にも二にもソフトウエアであると認識していた。アップル創業から10カ月後にはすでに対策も打ち出した。「ソフトウエアバンク」を結成し、ユーザーにソフトウエア開発を促す仕組みを導入していたのだ。具体的には、アップルⅡ向けソフトウエアを開発したユーザーに対してはアップル製品の商品券を無料で提供するという内容にしていた。使いやすいソフトウエアを欠いていればアップルⅡは一般消費者にとって無用の長物になる、という懸念が背景にあった。

ソフトウエアをマシンに素早く読み込む機能も不可欠だった。読み込みに時間がかかり過ぎるとソフトウエアの魅力が半減してしまう。１９７７年秋までにアップル向けで20種類以上のソフトウエア（ゲーム中心で一部教育ソフト）が開発中になっていた。ところが、〈ハングマン〉のような単純なゲームを読み込むだけでも、何分もかかる状況だった。マニアならともかく、一般消費者にとってはとても我慢できない遅さだった。

そこでマークラは高速で動くフロッピーディスクに目を付けた。１９７７年12月になってウォズニアックとジョブズを呼び、アップルⅡ用フロッピーディスクドライブを開発する必要があると伝えた。フロッピーディスクドライブのパイオニアはＩＢＭであり、6年前にサンノゼの研究拠点でディスクドライブの開発を終えていた。ＩＢＭ製ディスクドライブは8インチのフロッピーディスクを使い、アップル製カセットドライブよりも100倍も速かった。すでに一部のIBM製品やアルテア型マシンに導入されていた。

ウォズニアックはフロッピーディスクを使ったことがなかった。それでも自力でディスクドライブを組み立てる自信はあった。そこでマークラに取引を持ち掛けた。予定通りにディスクドライブを開発できたら、翌年1月にラスベガスで開かれる家電見本市CESへの旅費を出してほしい、と要求したのである。コンピューターは真新しい製品カテゴリーであったため、CESの主催者はコンピューター用のスペースを設けていなかった。そのため、アップルはデジタル腕時計メーカー用ブースを使わなければならなかった。それでもウォズニアックは気にしていなかった。とにかくラスベガスを一度でいいから見てみたかったのだ。マークラは旅費を払うと約束した。

アップルⅡに匹敵する快挙のディスクドライブ

目標を設定するのはマークラの役割だったが、ウォズニアックからやる気を引き出すのはジョブズの役割だった。アタリでノーラン・ブッシュネルがアル・アルコーンを鼓舞したように、アップルではジョブズがウォズニアックを鼓舞するわけだ。ジョブズに背中を押されてウォズニアックは才能を開花させ、広く消費者にアピールできる製品を開発するのである。

ウォズニアックはアップルとは別のスタートアップに参画したことがあった。何年も前に地元起業家のアレックス・カムラットと組んでパートナーシップ「コンピューター・コンバーサー」を結成し、割安なテレタイプ端末を組み立てている。ミニコンピューターにログインしてアーパネットに接続するためだ。しかし事業継続に興味はなかった。端末の自作に成功した段階でアーパネットへの接続という目的を達成していたからだ。品質が悪くて壊れても、すぐに直せるから気にしなかった。

一方、カムラットは端末が壊れなくなるまで品質改良を続け、事業拡大を目指したかった。ところが、ウォズニアックを説得できず、店をたたまざるを得なかった。「どんな天才でも何かを生み出さなければ価値ゼロです。私は天才ウォズニアックから何も引き出せず、失敗しました」と語っている。

ジョブズは違った。天才ウォズニアックを説得できたのだ。アップルⅡの改良に向けてさまざまな技術的提案を行い、ウォズニアックのためには何でもやった。「こんな改良はカネが掛かり過ぎて無理」と言われれば、チップ流通業者と交渉して少量のチップを無料で入手した。[11]ディスクドライブの開発でも、ジョブズは全力でウォズニアックを側面支援した。例えば、ディスクドライブメーカーのシュガート・アソシエイツから最新モデルを入手するとともに、マニュアルや概念図も取り寄せた。[12]ウォズニアックはディスクドライブについて細部まで何でも知りたがると思ったからだ。

ウォズニアックはたったの2週間で成果を出した。高校生のランディ・ウィギントンの協力も得て、アップルⅡ用に機能的な5・25インチ型ディスクドライブの試作品を作ったのだ。試作品はアップルⅡに匹敵するほどのエンジニアリング上の快挙であり、ウォズニアックに言わせれば「アップル在籍時で最も驚くべき傑作」であった。何しろ、ディスクドライブ用コントローラー（制御装置）に使われているチップ数が従来の10分の1にまで減っていたのだ。

要するに、ウォズニアックは数行のソフトウエアコードを書くだけで、数十個に上るチップを不要にしたのだ。この結果、約束通りにラスベガス行きの権利を手に入れて、ウィギントンと一緒にCESに向けて飛び立った。

その後、ジョブズはウォズニアックの試作品をシュガートへ持参し、生産委託を打診した。シュガート側の担当役員は当時を思い出し、「この男と交渉するのかと思ってびっくりしました。両膝に穴が空いたジーンズをはき、黒い目をぎらぎらさせていたんですから」と語る。シュガートはジョブズの誘いを受け入れ、OEM（相手先ブランドによる生産）を引き受けた。

販売を控え、マークラはディスクドライブの価格を目いっぱい低めに設定した。マージン率を10％に抑え、競合製品を大幅に下回るようにしたのだ。最初のビジネスプランの中では「周辺機器事業をアップルの主要収益源にする」と書いていたにもかかわらず、である。

「利益を出せるかどうかは、もうどうでもよかった。ディスクドライブはパソコン作業に不可欠であるから、どんなユーザーも1台持っているべきだと考えたんです」とマークラは回想する。

「ディスクⅡ（アップル製ディスクドライブのこと）なしではアップルⅡは無用の長物だと思いました」

ディスクⅡの出荷前日、マークラの掛け声の下でアップルの社員全員が倉庫に集合した。これから出荷に備えて箱詰め作業に取り掛かるのだ。一部社員の家族も助っ人として加わり、深夜まで倉庫の明かりは消えなかった。

ウォズニアックが発明家であるのに対して、ジョブズはウォズニアックの発明を世の中へ広める先導役であった。アップルの法人登記から1年足らずの1977年11月のことだ。数百社が出展する家電見本市で、ジョブズは有力誌ニューヨーカーの取材を受けた。同誌記者に対して「コンピューターとステレオ上位機種の値段が同じになりました。一般消費者が史上初めて実際にコンピューターを買えるようになったんです。コンピューターでいろいろ作業してみて、これが何であるのか理解するようになるでしょう。パソコンメーカーとしてはアップルは世界最大です」と語っている。

ジョブズとウォズニアックにないスキルを備えていたのがマークラだ。大きな市場動向を読み、どうやってマーケティングしたらいいのか熟知していた（このようなスキルをジョブズは後に自ら取り入れ、進化させている）。

アップル販売代理店オーナーの多くは起業家

そんななか、カーターは営業部隊と販売ネットワークの構築に取り掛かった。殿様商売にあぐらをかいているＩＢＭの営業マンには興味はなく、「逆境をはね返してはい上がってくるような営業マン」を探していた。

１９７８年時点で１８０店に上ったアップル正規代理店――全店がコンピューターの販売だけでなくアフターサービスも手掛けていた――のオーナーの多くはエレクトロニクス業界出身の起業家であり、小売りビジネスには疎かった。対策としてカーターは代理店向けにニュースレターを配布するとともに、営業ノウハウを分かりやすく解説した手引書「ディーラー・スタートアップ・クックブック」を作成した。[13]

手引書は模範的ビジネスプランや在庫確認書などを取り上げているほか、「顧客向けデモは白黒ではなくてカラーで行うこと」といった初歩的なアドバイスも列挙していた（営業の基本「ステーキを売るな、シズルを売れ」も紹介していた。顧客が魅力的に感じるのはステーキそのものよりもステーキを焼くときのジュージューいう音という意味）。細かなアドバイスとしては「壁にポスターをベタッと張るのではなく、両面テープを使ってテープが見えないようにすること」などもあった。

カーターはアップル代理店に向けて次のようなメッセージを発している。

「営業でためらいは禁物です。顧客にははっきりと『買ってください』『注文お願いします』と言いましょう。技術オタクになってもいけません。マシンの利点を浮き彫りにするのを忘れて、マシンの限界を指摘してしまうからです。自動車ディーラーを訪ねて『あなたの車は欠陥があるからリコールされるかもしれない』と言われたら？　あるいは『停止状態から5、6秒で時速60マイル（約100キロ）に達しないかもしれない』と言われたら？　もちろん買う気を失ってしまいます」

そのうえでこう結論している。「一般論で言えば、顧客は自分自身の判断基準を持っていません。だから、営業マンから批判的発言を聞けば、買わない理由にしてしまいます。ここは重要な点ですから肝に銘じてください。そもそも営業マンの批判が、顧客が使いたくない機能（あるいは使えない機能）にまつわることだとしたら、どうでしょうか？　顧客にとってはどうでもいい話になります。顧客が求めているのはプロフェッショナルなアドバイスです」

当時、全米でコンピューター専売店は400店近く誕生していた。めぼしいところではバイトショップやマイクロストア、コンピューターマート、デジタルデリなどがあった。ステレオ・テレビ修理店や小型百貨店など非専売店も忘れてはならない。このうち400店前後が家電製品の一部として小型コンピューター（アップルやコモドール、タンディ、IMSAI製マシン）を取り扱っていたのだ。

起業家がオーナーの販売店はコンピューターの販売に前向きだった。対照的に小売り大手は手探り状態だった。シアーズはコンピューターを取り扱うと発表しながらすぐに販売計画を白紙に戻した。メイシーズは1977年のクリスマス商戦にコンピューターを投入しようと計画していたのに、デモ製品の不調に尻込みして計画を変更した。

小型コンピューターが人気を博すなかで、コンピューター科学者コミュニティーも無関心でいられなくなった。小型コンピューター――コミュニティー内で「小さなおもちゃ」（あるいは「超小型物体」）と呼ばれていた――が何らかの形で大学や研究機関にも影響を及ぼすかもしれない、と思い始めていたのだ。

ベル研究所の科学者V・A・ヴィソツキーは1978年に次のように語っている。「今起きている現象は、私の研究領域であるコンピューターサイエンスやコンピューター技術とうまくかみ合っていません。正直なところよく分かりません。けれども重要だとは思います。放っておいたら勝手に大きくなり、新技術として独り立ちしているかもしれません。われわれはこれが何であるのかきちんと理解し、対応を考えておかなければなりません」。スタンフォード大教授のエド・ファイゲンバウムも不安を隠せず、「パソコンメーカーはアカデミアと同じ過ちを犯すかもしれない。ホビイストは何もかも悪い方向へ作り直してしまう。いいこともたくさんやっているというのに」と述べている。

若手社員にとって父親のような存在

アップルではカーターが営業部門を指揮するなか、マイク・スコットは生産部門を統括していた。スコットは優先事項を三つに絞って実行した。第一に、急成長を予期し、経営情報・注文処理システムを再構築した（マークラは大いに喜んだ）。コンピューター化によって同システムを大組織対応型にしたのだ。第二に、モジュラー型生産システムを築いた。標準的な生産モジュールを同じ工場内（あるいは異なる工場間）で移動・複製することで、生産ラインの修正・拡大がそれまでよりも容易にできるようになった（アップルは外部のサプライヤーからチップや基板、ケースなどの部品を調達してコンピューターを組み立てていた。個々の部品はアップル仕様になっていた）。第三に、アップルⅡの社内用レファレンスマニュアルを作成した。消防車のように真っ赤な表紙にちなんで「レッドブック」と呼んだ。[14]

同時並行で2度の引っ越しを立て続けに行った。最初は小オフィス（スティーブンスクラーク大通り）へ、その数カ月後には面積1860平方メートルの大オフィス（クパチーノ市バンドレー通り10260番地）へ引っ越した。バンドレー通りの本社ビルはアップルの自社ビルであり、フロアは四分円状に分割されていた。このうち三つはエンジニアリング部、総務・マーケティング部、生産管理部が使い、残りの一つは空きスペースのままになっていた。1978年1月作成のフロア計画には空きスペースについて冗談で「テニスコート?」と書かれていた。2カ月後に空きスペースは倉庫になった。倉庫完成から4カ月後、アップルは追加でオフィスビル2棟を賃借しなければならなくなった。

引っ越しのドタバタのなか、アップル製の小切手ソフト「チェックブック1977」が1本20ドルの価格で登場した。開発者はマークラであり、アップルが開発した初期ソフトウエア製品群の一つになった(製品の開発者名はジョニー・アップルシードだった。目立つのを嫌うマークラが使った仮名である)。

マークラはソフトウエアのコードを書く傍らで、若手育成にも取り組んでいた。若手の何人かにとってはほとんど父親のような存在になっていた。ゲームソフト大手エレクトロニック・アーツの創業者トリップ・ホーキンスもマークラに育てられた若手の一人だ。1978年にアップル入りし、ジョブズと同様に「ダイヤモンドの原石」と見なされていた。「スコッティ(スコットの愛称)は『邪魔だからどけ!』という表現がぴったりの経営者で、現場重視の攻撃的スタイルを貫いていました。対照的にマイクは社員を励ますのが上手でした。スティーブの邪魔が入らないようにするなど、働きやすい職場環境づくりに一生懸命。われわれ社員に全幅の信頼を寄せ、自信を与えてくれました」

こんなこともあった。アップル入りから数カ月後、ホーキンスはベンチャーキャピタリストとのミーティングに臨み、コンピューター会社創業に向けて資金支援を求めた。ミーティング後にアップルに戻ると、入り口でマークラに呼び止められた。

「トリップ、調子はどうだい？」とマークラは言った。「きょうやったことはあまり評価できないね。アップルで素晴らしいキャリアが待っているということを忘れないでほしい。さあ、仕事に戻って」

ホーキンスは啞然としたまま自分のオフィスに戻った。マークラは一体どうやってきょうのミーティングのことを知ったのだろう？　独立の動きを見た後だというのに、ここで素晴らしいキャリアを用意してくれるというのか？

数十年後、ホーキンスは当時を振り返って修辞疑問文を使った。「こんな行動を見せられてやる気が高まらないことなんてあるでしょうか？」

マークラ人脈で取締役会メンバーが選ばれる

アップルが設立1年目を終えようとしているころ、マークラは追加資金調達と並行して取締役会設置に動いていた。取締役会には経営の専門家を呼び込む必要があり、そのためにはアップルへの投資機会を与えなくてはならないと考えていた。言い換えれば、マークラが見込んだ専門家（投資家）を割当先にして増資を実施するということだ。

1977年秋時点でアップルはもはや「怪しい若者2人がガレージで営む訳の分からない会

社」ではなかった。5月にはアップルⅡの出荷を始めており、会社として黒字化。1977年に通年で売り上げ75万6千ドル、純利益4万9千ドルを計上する見通しだった（利益全体の25％近くを好調なヨーロッパ市場でたたき出す勢いだった）。ほかにもいろいろと投資家にアピールできる材料をそろえていた。①これまでに社員24人を採用、②当初の事業計画を基に70ページに上る発行目論見書を完成、③翌年度には売り上げを10倍に増やす見込み、④1980年までに2億9千万ドル市場に急成長すると予想されるパソコン市場で先行者利益を得る――などである（実際にはパソコン市場の規模は予想の2倍になった）。もちろん、経験豊かなマークラが経営のかじ取りを担っている点も大きな売りにできた。

初期投資家の一人はピーター・O・クリスプ。ロックフェラー財閥のベンチャーキャピタル部門ベンロックのマネージングパートナーであり、インテルの第1回投資ラウンドにも参加していた。アップルになぜ出資を決めたのか？「アップルは正直な会社であり、マークラが投資を勧めてくれたから」と後年答えている。

1977年秋、アップルは第三者割当増資に成功した。1株3ドルで15万株を新規発行し、マークラが自ら選んだ半導体業界のベテラン（アップル取締役候補）に割り当てた。そのうちの一人はアーサー・ロック。マークラの力量については以前から高く評価していた（インテル取締役会でマークラのプレゼンを何度か聞いていたため）。アップルへの出資を機に非公式な立場で3年間にわたってアドバイザーを務めた後、正式に取締役に就任した。

ロックと共にアップル取締役会を構成するのはドン・バレンタインとハンク・スミスだ。バレンタインは過去にジョブズの出資要請を断ったことがあったのに、今回は増資に応じて取締役会に加わった。スミスは増資に応じたベンロックを代表して取締役ポストを引き受けた。インテル時代からマークラのことをよく知っているエンジニアだ（マークラに誘われてインテル入りし、同社製マイクロプロセッサーのマニュアルを作成したことがあった）。経営側からはジョブズとスコットが取締役会入りした。

取締役会の議事進行もマークラ流だった。こんなことがあった。取締役会になじめないジョブズはあるとき、取締役会開催中に靴を脱いだ。マークラから強い調子で「取締役のように振る舞えないなら出て行ってくれ」と言われ、しぶしぶと靴を履き直した。アタリではホットタブでのミーティングが標準であったのに対し、マークラが経営するアップルでは「ロバート議事規則（会議の進行規則）」が標準になっていた。

1977年の第三者割当増資に伴って作成された発行目論見書を見ると、アップルが急成長軌道に乗り始めるなかで、マークラが何を考えていたのかが浮き彫りになる。初期の草稿は「消費者が家庭で個人的なコンピューターを所有する利点」として、全部で15項目を列挙していた。①個人的喜びと楽しみ、②公害の抑制、③家計のやりくり改善、④自由時間の増大（レジャーや小遣い稼ぎなど目的は問わない）、⑤教育機会の拡大、⑥エンターテインメント、⑦火事・窃盗予防、⑧個人的安心感、⑨生活水準の向上――などである。同時にリスク要因にも触れていた。

アップルⅡの3分の1の価格で売られている競合製品（コモドールやタンディ・ラジオシャック製の小型コンピューター）に言及していたほか、アタリやテキサス・インスツルメンツ、RCAが強力なライバルとして1年以内にパソコン市場へ参入する可能性を指摘していた。草稿段階で削除された部分には「アップルがパソコン市場を攻撃（育成？）する全体的戦略」という一文も含まれていた。

1977年末時点でアップルが抱えていた大きな課題とは何だったのだろうか。マークラはマーケティングとみていた。発行目論見書の中で次のように書いている。「アップルは既存製品の取り扱いで限られた経験しか積んでいない。そのため、営業の際には1対1の面談に最低2時間投じなければ、平均的なアメリカ人に『あなたにはコンピューターが必要』と納得してもらえない。1980年の潜在顧客の大半はコンピューターの利点について何も分かっておらず、まったく購入意欲を持ち合わせていない」

1　ウォズニアックの記憶によれば、マークラは「自分のアイデアをカネに変えたいのならば、アップルを選ぶべきだ」と言った。ウォズニアックが最終的にアップル創業に参画する決定打になったのは友人からの一言だった。「共同創業者であれば経営入りを拒否して、いつまでもエンジニアをやり続けることも可能じゃないかな」

2　マークラはルイジアナ州の油井オーナーからノーススター（北カリフォルニアのタホ湖にあるスキーリゾート地）の高級マンションを譲り受けていた。同オーナーからの誘いを受けて掘削前の油井にも投資していた（持ち分は4分の1）。油井投資が大当たりして大金を手に入れ、持ち分を引き下げたうえで別の油井にも投資していた。

3　もともとのパートナーシップには、アタリ時代にジョブズの同僚だったロン・ウェインも加わっていた（持ち株比率はジョブズとウォズニアックがそれぞれ45%、ウェインが10%だった）。ジョブズとウォズニアックの2人よりも20歳前後年上であり、事務処理を得意にしていた。アタリでは「設計変更通知に番号を振る方法」や「プリント回路基板を識別する方法」を記した文書を書いている。アップルではパートナーシップ結成関連書類を用意し、サンタクララ法務局へ提出。10日後、持ち株を売ってパートナーシップから抜けている。アップルに出会うよりも何年も前のことだが、自分でスロットマシンを設計して販売する事業を始めた。ところが、販売を請け負ってくれた会社がつぶれてしまい、失敗に終わった。「卑劣でどん欲な企業社会で起きる醜い争い」を目の当たりにしたという。結局、そのときの苦い思い出が後遺症になり、「同じことが起きるかもしれない」と考えてパートナーシップから抜けたのだった。ジョブズとウォズニアックを信頼していなかったのではなく、バイトショップに不安を抱いていた。

4　ハイブリッド回路とは、デジタルとアナログを統合した回路のこと。

5　スコットはジョブズについてこう説明している。「どちらがより頑固でいられるか――これがスティーブと私の関係でした。この点では私はうまくやっていたと思います。嫌がるスティーブを無理やり座らせたんですから」。一方、ジョブズは「私は誰に対しても強く怒鳴ったことはない。スコッティを除けば」と語っている。

6　アップル在籍中、マークラは「とんでもないほど野心的な目標」を出し続けたと社員の一人は言う。そのため、社内では「マイクは予想を立てる前にマリファナを吸っているんだろう」といった冗談も交わされていた（厳格なマークラはマリファナのことを「おかしな紙巻きたばこ」と呼んでいた）。1978～82年にアップルに在籍したトリップ・ホーキンスはこう語る。「マイクの目標は度を越していました。音速を超えていないときに光速を超える乗り物を造ろう、と言っているようなものでしたから。マイクは楽観主義者で、みんなを鼓舞したかったのでしょう」

7　社外秘文書の中で、アップルは販売代理店に対して「子どもたちは待てない」プログラムについてこう説明している。「アップルがカリフォルニアの学校にパソコンを寄付すれば、代理店は顧客層の拡大とアフターサービスを狙える」。この寄付活動は本来の計画からは後退していた。ジョブズは当初、税務上の優遇措置と引き換えにアメリカ全国の学校を対象に1校当たり1台を寄付するつもりだった。だが、関連法案が連邦議会の上院を通過できず、廃案となった。

8　WCCFから1年後になっても、アップルは見本市でブースに立つ社員に向けて、次のような社内メモを書いていた。「ドレスコードはビジネススーツとネクタイです。忘れないでください。あなたはアップルを代表しているのであり、プロフェッショナルなイメージを伝えるよう心掛けてください。大舞台で正しいイメージを出すのは当然の義務です」

9　アップルがIPO用に作成した発行目論見書によると、スコットはアップル入りから数カ月後に1株当たり1セントで128万株を取得している(その後、追加的に1株9セントで192万株を取得)。一方、ジーン・カーターは入社から数カ月後に1株9セントで16万株を取得(IPO時には62万株を保有していた)。

10　その中の一人は、ジョブズに採用されてスイッチング電源担当になったロッド・ホルト。ジョブズとウォズニアックの2人よりも年上であり、より多くの経験を積んでいた。アタリ出身の一流エンジニアであり、ゆくゆくは「アップルフェロー」になる。

11　ウォズニアックは当時のジョブズについてこう語っている。「ある日、こう聞かれたんです。『新型の16ピンDRAMがあるのに、なぜ使わないの?』。HPで働いていたとき、16ピンDRAMを見たことがあったけれども、新型だからとても買えなかった。もちろんタダでは手に入らなかった。しかも私は気が弱かったし、知り合いの営業担当もいなかったからお手上げでした。でも、スティーブが営業担当に電話をかけまくって説得してしまったんです。いくつか見本を送ってもらえたから、すぐに作業に取り掛かれました。新型は素晴らしかったです。回路基板のチップ数を32個から8個へ一気に減らせたんですからね」

12　シュガート・アソシエイツの創業者アル・シュガートはIBM時代にフロッピーディスクドライブを発明している。シュガートは1977年にゼロックスに買収された。

13　カーターはCFOのケン・ザーブと組んで販売代理店の信用力を調べ、問題のある代理店に対しては条件付きで製品の納入にゴーサインを出した。カーターの推測によれば、純資産5万ドル以下の代理店オーナーが多かった。

14　当時大学1年生でアップル社員のクリス・エスピノーザは、間もなくしてアップルの公式技術マニュアル第1号を完成させた。このマニュアルの土台として使用したのが「レッドブック」だった。

第4部

勝利

1979〜81

フォーチュン誌に「パーソナルコンピューター業界の影の実力者で偉大なビジョナリー」と呼ばれたアナリスト、ベン・ローゼン。[1] 1979年の講演で「1980年代はエレクトロニクスの黄金時代になる」と予言した。彼の見立てでは、1980年代に活気に満ちあふれて、わくわくするエレクトロニクス産業が出現し、第二の産業革命を引き起こすのだった。技術的なブレークスルーをテコにして生産性が向上し、ひいては生活水準も上昇する。新たに登場するハイテク産業は「スモークレス（煙を出さない）」であり、公害とは無縁であるとの見方にも説得力があった（後に誤りであることが判明して悲惨な結果を引き起こすのだが……）。

エレクトロニクスがもたらす明るい未来という構図は、1979年当時のアメリカが直面していた現状とは対照的だった。まず、イランでアメリカ市民が人質になり、目隠しをされたままテレビカメラの前で行進させられた。次に、アメリカは2ケタのインフレに苦しんでいた。さらには、過去10年間に製造業で150万人に上るアメリカ人が失職していたし、鉄鋼や自動車、テレビ産業は日本メーカーとの競争に敗れて苦境に陥っていた。

エレクトロニクスがけん引するシリコンバレーは、アメリカが再び輝く時代の到来を告げていた。3年連続で毎年5万人の雇用を新たに生み出し、新規雇用数で見ればアメリカ全体の5分の1を占めた。サンフランシスコ・ベイエリアのハイテク雇用は1974～80年に77％拡大し、サンタクララ郡の1人当たり個人所得の伸び率はカリフォルニア州全体を10ポイント以上も上回った。シリコンバレーの失業率が4％にとどまっているなか、地元のサンノゼ・マーキユリー・ニュース紙上では求人広告が増え続け、三行広告欄は93ページに達した。ウォールストリート・ジャーナル紙の表現を借りれば「現代版ゴールドラッシュ」の様相を示していた。

シリコンバレーには新たな業界団体が生まれ、ワシントンの政界とのパイプづくりに乗り出した。1973年設立の全米ベンチャーキャピタル協会と1977年設立の半導体工業会（SIA）はシリコンバレーの著名起業家で代表団を結成し、ワシントンへ送り込んだ。代表団の使命はベンチャーキャピタルやマイクロチップ、バイオテクノロジー、パソコン、ソフトウエアの重要性を訴えることだった。[2]

成果はあった。1978年に入って議会は規制緩和に踏み切った。具体的には、株式などの値上がり益に対するキャピタルゲイン課税の最高税率を49％から28％へ引き下げるとともに、年金運用者の行動基準を定めた「プルーデントマンルール」を改正して年金基金によるベンチャーキャピタル投資に道を開いた。[3] 1年以内にベンチャーキャピタル業界には合計で5億ドルの新規投資が流れ込んだ。全米各地の年金基金や大学基金をはじめとする機関投資家が運用資産の一部を代替資産にカテゴリー化し、実験的にベンチャーキャピタル投資に回し始めたのだ。

ウォールストリート・ジャーナル紙は「アメリカ政界で伝統的な大企業の存在感が低下している。シリコンバレーによる運動が成功しているからだ」と社説で書いた。カリフォルニア州のジェリー・ブラウン知事はカリフォルニア産業イノベーション委員会を設置し、自ら委員長に就任した。委員会メンバーにはデビッド・パッカード、スティーブ・ジョブズ、ナショナル・

セミコンダクターのチャーリー・スポークのほか、スタンフォード大学ビジネススクールの学長が加わった。州は1982年度に複数のコンピューターセンターやソフトウエア情報センターの設置を打ち出すと同時に、数学・科学・技術教育拡充に向けて2500万ドルの予算を計上した。

ワシントン内部でも、起業家が主導するハイテク産業を熱烈に応援する勢力が現れた。中心はゲーリー・ハートやティム・ワース、マイケル・デュカキスを筆頭にした民主党政治家であり、ひとまとめにして「アタリ民主党員」と呼ばれた。一方、ホワイトハウスは中小企業をテーマにした会議を数十年ぶりに開催し、レーガン大統領はヒューレット・パッカード（HP）会長のジョン・ヤングを委員長にして産業競争力諮問委員会を設置した。

シリコンバレーとワシントンを結ぶ強固な土台が築かれたのだ。原動力になったのが「果敢にリスクを取って挑戦する成り上がり者が新境地を切り開き、イノベーションと莫大な富を生み出す」というシリコンバレー物語だ。これこそアメリカ人が好む成功物語であり、ハイテク版アメリカンドリームだった。

サンフランシスコ在住のベンチャーキャピタリストの一人は1980年にこう語っている。「毎朝の通勤ドライブで高速道路を南下しながら、シリコンバレーで何が起きているのかを考えると、オーガズムを感じる」

1　ローゼンはすぐに自分の楽観主義的信条に従って行動した。1981年にベンチャーキャピタルのセビン・ローゼン・ファンドの共同創設者になり、シトリックスやコンパックコンピュータ、サイプレスセミコンダクタ、エレクトロニック・アーツ、ロータス・デベロップメント、シリコングラフィックスに投資した。

2　ロビイストの代わりに起業家をワシントンに送り込むよう提案したのはレジス・マッケンナだった。ワシントンを訪問した代表団に加わったのはアンディ・グローブ、スティーブ・ジョブズ、ロバート・ノイス、トム・パーキンス、ボブ・スワンソン。アメリカ初のエレクトロニクス業界団体は全米エレクトロニクス協会であり、前身は1943年にデビッド・パッカードが設立した西部エレクトロニクス製造業者協会。

3　キャピタルゲイン課税の引き下げとプルーデントマンルールの改正に向けて水面下で積極的に動いたのは、ベックマン・インスツルメンツのウィリアム・F・ボールハウス、フォード財団のロジャー・ケネディ、ベンチャーキャピタリストのデビッド・モーゲンソーラー、同じくベンチャーキャピタリストのリード・デニスだった。起業家エド・シャウはキャピタルゲイン課税引き下げを目指し、全米エレクロニクス協会を代表してロビー活動を展開。その延長線上で共和党から連邦下院選挙に出馬し、1983～87年にカリフォルニア州第12選挙区選出の議員としてワシントンで活動した。1986年にはシリコンバレーは改めて政治力を発揮した。連邦政府は3億ドル相当の日本製マイクロチップに対して100%の輸入関税を課したのだ。

第19章 1億ドルに見えるよ！——ニルス・ライマースとボブ・スワンソン

ジェネンテック、わずかの黒字でIPOへ

ベンチャーキャピタリストのトム・パーキンスは、ジェネンテックの新規株式公開（IPO）を目指し、共同創業者のボブ・スワンソンとハーブ・ボイヤーの説得を試みていた。同社は設立3年で経営を軌道に乗せつつあったからだ。すでに遺伝子組み換え技術を使ってヒトインスリンを合成し、生産・販売の委託先（イーライリリーのような製薬大手）向けに小ロットで供給していた。

とはいっても、ジェネンテックは100人以上のフルタイム社員（3分の1以上は博士号所有者）を雇用しながら、辛うじて黒字化しているにすぎなかった。同社が南サンフランシスコにある倉庫をオフィスにしていたのにも訳があった。賃料が安いうえに、自称「工業都市」一帯は抗議デモとは無縁だったのだ。倉庫の隣では一時期ソフトポルノ流通業者が事務所を構えていた。

ジェネンテックは将来的に自前の製造設備を必要としており、そのためには外部から追加的に資金調達しなければならない、とパーキンス、スワンソン、ボイヤーの3人は考えていた。その一環として、イーライリリーやジョンソン・エンド・ジョンソン（J＆J）といった製薬大手に対して出資を打診。しかし、腰が引けていたからか、前向きな返事を得られなかった。

そんなことから、パーキンスはIPOに期待を寄せ始めた。IPOが成功すれば、ジェネンテックは新産業「バイオテクノロジー」の担い手として鮮烈なデビューを飾れるし[1]、大株主のクライナー＆パーキンス（K＆P）は多額の売却益を確定できる。

世論の風向きも変わり始めていた。バイオテクノロジーは以前ほど敵対視されなくなっていたのだ。実際、「マッドサイエンティストの巣窟」という悪評にさらされながらも、徐々に支持者を増やしていた。

支持者拡大という点ではレジス・マッケンナの存在が大きかった。ジェネンテックはマッケンナと契約して、遺伝子組み換えの啓発活動を展開するなどでPRを強化した。その後、タイム誌、ビジネスウィーク誌、ウォールストリート・ジャーナル紙、ニューヨーク・タイムズ紙などの有力メディア上で好意的に取り上げられるようになった。特集記事には「遺伝子研究についての驚くべき報告」「遺伝子組み換えは急ピッチで商業化段階に近づく」「遺伝子工学をリードする大胆な起業家」といった見出しが躍った。一部の大企業は自社製品に遺伝子工学を応用できるとみて、設立間もないバイオベンチャーへの出資に乗り出した。[2]

パーキンスの見解では、ジェネンテックはすでにＩＰＯに必要な要素をすべて備えていた。利益を出し、製品を完成させ、有力な顧客を見つけ、世間の支持を得ていたのである。もたもたしている場合ではなかった。経営的に見劣りする競争相手に先を越され、「バイオベンチャーのＩＰＯ第１号」と名乗れなくなれば、その後の展開で不利になりかねなかったのだ。素早く行動してＩＰＯを成功させ、バイオ企業とは何かを世の中に向けて広くアピールする必要があった。

最高経営責任者（ＣＥＯ）のスワンソンはパーキンスと異なり、ＩＰＯは時期尚早と考えていた。実際、ジェネンテックは確かに黒字化していたものの、３００万ドルの売り上げで10万ドルを上回る利益をやっと出しているという状況だった。しかも、患者や病院に製品を直接売っているのではなく、大手製薬会社に生産・販売を委託してロイヤリティー（特許使用料）を得ていた。

自社工場で製品を生産せず、わずかに黒字のバイオベンチャーではＩＰＯは無理——これがスワンソンの考えだった。ほかにも二つ懸念材料があった。まず、カリフォルニア大学（ＵＣ）は遺伝子研究用の実験材料を盗んだとして、ジェネンテックを相手取って訴訟を起こしていた。[3]次に、遺伝子組み換えによる生命体——ジェネンテックの知的財産・製品の核心部分——が特許の対象になるのかどうか、連邦最高裁はまだ判断を示していなかった。[4]不確定要素があり過ぎた。

ＩＰＯで上場企業になれば、ジェネンテックはいやが上にも世間の注目を集めるし、情報公開義務も負うことになる。ジェネンテックの経営でこれ以上に懸念材料を増やしたくない、とスワンソンは思った。ＩＰＯ前であっても頭の中が常に心配事でいっぱいであり、「ストレスで神経をすり減らすような日々」を送っていたのだ。

「あと1年待ちたいです」とスワンソンは言った。

パーキンスは怒りを抑え切れず、手にしていた鉛筆を机の上に放り投げた。「こんなにばかげた意見を聞いたのは初めてだ！　1年も待つのなら、すぐにでも持ち株を全部売って取締役も辞任する！」

ボイヤーはパーキンスから賛同を求められた。だが、首を縦に振らず、言葉少なに言った。

「私はいつも友人の味方です」

その後も、会長（パーキンス）とＣＥＯ（スワンソン）の攻防が続いた。最後にパーキンスはスワンソンの競争心に訴えた。「シータスが先にＩＰＯに出たらどうするんだ？」

スワンソンはＫ＆Ｐ在籍時の１９７４年、シータスの経営に参画して自ら遺伝子組み換え事業を立ち上げようとしたことがあった。しかし、シータス経営陣から冷たい反応しか得られず、失敗している。

「分かりました。やりましょう」

シリコンバレーの世代間コラボ

IPOが決まったら、まずは引受主幹事となる投資銀行を探さなければならない。ユージン・クライナーは「バド」ことアルフレッド・コイルに声を掛けた。ニューヨークの投資銀行ブライス・イーストマン・ペイン・ウェバーのパートナーであったコイルは引退生活を送っていた。しかし、クライナーの依頼を受けて現役に復帰し、ジェネンテックのIPOを手伝うことになった。

これこそシリコンバレーの世代間コラボだ。旧世代に属する起業家が連携して新世代を支援するのだ。30年前、コイルは若い部下アーサー・ロックの力を借りて、フェアチャイルド・セミコンダクター誕生を後押ししている。若手の科学者とエンジニア8人——このうちの一人はクライナー——がショックレーの下を離れ、フェアチャイルド創業するのに手を貸したのだ。画期的な出来事といえた。こんな経緯もあり、クライナーはリスクを恐れずに行動するコイルのことを評価していた。

フェアチャイルド誕生と同様にジェネンテックIPOも画期的といえた。著名ベンチャーキャピタリストのブルック・バイヤーズは「ジェネンテックには遺伝子組み換えというサイエンスしか資産がありませんでした。利益はわずかでしたし、売り上げも実質的にゼロ。にもかかわらずＩＰＯに成功したんですからね」と語る。

バイヤーズはスワンソンの元ルームメートで、1972年にＫ＆Ｐ入りしている。「当時の製薬業界には何年にもわたって新規参入がなく、巨大製薬会社が君臨していました。ジェネンテックは完全な新参者。こんな構図を見たら、普通ならニューヨークの投資銀行家は尻込みして、決して主幹事を引き受けないでしょう。コイルがいたからこそＩＰＯの道が開けたんです」

パーキンスは西海岸の投資銀行ハンブレクト＆クイスト（Ｈ＆Ｑ）を主幹事に加えるよう提案した。Ｈ＆Ｑのことをよく知っていたからだ。パーキンスにしてみたら、Ｈ＆Ｑ共同創業者のビル・ハンブレクトとジョージ・クイストの２人は「ボーイスカウト」のように純粋なバンカーだった。東海岸で活動するシニカルなバンカーとは違うのだった。

ハンブレクトとクイストがパートナーシップを結成したのは12年前の1968年のことだった。西海岸のベンチャーキャピタリストはハイテク企業のＩＰＯをどうやって手掛けたらいいのか理解しておらず、東海岸の投資銀行家はＩＰＯには詳しいけれどもリスクを取りたがらない――このように当時の２人は考えていた。そこで斬新なビジネスモデルをひらめいた。高リスクの新興企業に出資するベンチャーキャピタル業務と同時に、新興企業のＩＰＯを引き受ける投資銀行業務も手掛ければいい。

東海岸ロングアイランド出身のハンブレクトは、起業しやすい西海岸文化に驚かされた。新会社Ｈ＆Ｑの創業に向けて奔走していたところ、ある日の午後に一気に資金問題を解決できた。

サンフランシスコに住む著名4家族から合計100万ドルの出資を約束してもらえたのである。後に「カリフォルニア特有の開拓者精神のおかげ」と語っている。「われわれはただ『起業できます！』と言っただけ。誰からも『どうして起業できると思うの？』なんて聞かれませんでした。実際に会社を興してみて分かりました。本当に顧客が存在したのです」

大成功したバンカーの中でハンブレクトは異例の存在だ。ノーマン・トーマスが卒業生だという理由でプリンストン大学に進学したからだ。トーマスはアメリカ社会党から計6回も大統領選挙へ出馬した牧師であり、ハンブレクトの祖父にとっての英雄だった。

主幹事は西海岸の投資銀行H&Q

2004年になってビル・ハンブレクトは大きな注目を集めた。グーグルのIPOで「オークションモデル」の採用を主導したからだ。同モデルの採用によって一般投資家であってもIPOへの参加が容易になった。実は、彼はキャリア初期から一般投資家の利益を代弁し、有望なIPOへの投資機会を広げる努力をしていた。

ジョージ・クイストとパートナーシップを結成する1年前のことだ。ハンブレクトは証券会社F・I・デュポンを代表して起業家ビル・ファリノンを訪ね、IPOの相談に乗った。[5]

ハンブレクトは単刀直入に言った。「あなたの会社は小さ過ぎる。IPOに出るには、最低でも利益100万ドル、売上高1千万ドル、黒字歴5年の3条件を満たす必要がある」と指摘した（スワンソンがIPOをためらった理由と同じだ）。

ファリノンは反発した。「誰が決めたルールですか？」

「知らない。ルールはルールだから」

「ルールなんてどうでもいい。だって、あなたたちが金儲けのために勝手に決めたルールなんだから。私には一切関係ない」とファリノンは怒りを爆発させた。そのうえで尋ねた。「あなたはどう思うのですか？　私の会社はいい会社だと思いますか？　自分のお金を投じて私の会社の株を買いたいですか？」

「買いたいですね」

ファリノンは勝ち誇って言った。「自分で買いたいと思う株ならば、一般投資家に向けても売り出すべきでしょう」

結局、これがH&Qの経営理念になるのだった。

パーキンスがハンブレクトに電話し、「ジェネンテックのIPOに興味がありますか？」と聞いたときには、H&Qは数年間の苦境を抜け出して経営の安定化に成功していた（シニアパートナー4人とゼネラルパートナー12人で経営に当たっていた）。ハンブレクトは前向きに反応した。ジェネンテックの財務諸表を調べたうえで、本社を視察することで合意したのだ。

ジェネンテック本社では、ハンブレクトは設備についてレクチャーを受け、白衣姿の科学者が作業中のウェットラボを訪ねた。無数のダイヤルのほか色とりどりのバルブやパイプが際立つ最新型発酵槽ものぞき見した。視察終了後、歴史学専攻のハンブレクトはパーキンスから感想を聞かれた。一瞬黙り込んで辺りを見回した。「そうだね、1億ドルに見えるよ！」

これによってH&QがジェネンテックのIPOを手掛けることが決まった。H&Qは主幹事業務を引き受けるだけでなく、ベンチャーキャピタル部門を通じて次回の投資ラウンドでジェネンテックに出資することでも合意した。

ヨーロッパで強行軍のロードショー

1980年9月、スワンソンは4日間の予定でヨーロッパに出張し、翌月のIPOに向けたロードショー（機関投資家向け会社説明会）に繰り出した。共同創業者のボイヤー、会長（取締役会議長）のパーキンス、最高財務責任者（CFO）のフレッド・ミドルトン、3人のバンカーと共にチームを組み、パリ、ジュネーブ、チューリッヒ、エジンバラ、グラスゴー、ロンドンの6都市を順番に訪問した。各都市では早朝からフル回転した。空港で黒塗りの車に乗り込む、年金基金ファンドマネジャーとの朝食会でプレゼンする、大手信託基金の代表者との1対1ミーティングに臨む、大手保険会社ファンドマネジャーとの昼食会でプレゼンする、午後にもミーティングやプレゼンをこなす、夕食を終えて空港に戻る——といった具合だ。

同じプレゼンを何度も繰り返しているうちに、チームメンバーの誰もがどんなパートでも担当できるほどのプレゼンの達人になっていた。それでも当初決めた役割を変えなかった。まずはCFOのミドルトンが登場し、財務内容を説明する。その中で彼がジェネンテックについて必ず強調するポイントが二つあった。一つは世界で最初にヒトインスリンの合成に成功しこと、もう一つはすでに黒字化していること。

ミドルトンに続いて語るのはボイヤーだ。役割は遺伝子組み換えの背後にあるサイエンスを理解してもらうこと。分かりやすくするために、ボイヤーは子ども用のプラスチック製ポップビーズ――カラフルに色付けされている――を使った。数珠つなぎのリング状にして「これがプラスミドです」と言い、ビーズの一部を取り除いて新しいビーズを入れた。新しいビーズを外来DNAとして示したのだ。プラスミドを大腸菌に導入して外来DNAを大量培養するプロセスを視覚化するために、新しいビーズを入れたリング状のビーズを透明なプラスチックケースの中に入れてみせた。

ミドルトンはロードショーを振り返り、「投資家側は大抵、口をぽかんと開けて聞いているだけでした」と語る。「質問がないかどうか問われても、誰も手を挙げませんでした。何を聞いたらいいのか分からなかったのでしょう。専門家は一人もいなかったから、仕方ないですね。そもそもバイオテクノロジーのアナリストなんて存在しなかったのです。だから、彼らはただただ圧倒されていました」

ボイヤーからサイエンスについて聞かされたファンドマネジャーは例外なく同じ思いを抱いた。遺伝子組み換えが何なのかよく分からないけれども、とんでもなくすごいことのようだ！　すでにジェネンテックは生命維持に欠かせないヒトインスリンの合成方法を見つけ出した。次は何なのか？

スワンソンはジェネンテックの歴史と経営哲学を担当した。肩肘張らずに落ち着いて話しながらも、とても情熱的にプレゼンした。32歳にして、企業経営者のお手本のように振る舞っていた。過去3年間で計3回の投資ラウンドを経て、合計100万ドル以上の外部資金調達に成功していたのだ。会社を売り込むという意味では十分な実績を積んでいたといえる。

社内でもスワンソンは経営者として成長していた。科学者チームの力を最大限引き出すために、どのようにしておだてたり困らせたりしたらいいのか、よく分かっていたのだ。社内の科学者の一人によれば「必要最低限の科学的知識も備えていたからあれこれうるさかった」という。スワンソンからハッパを掛けられなくても、科学者チームは高い士気を持っていた。「世界に先駆けてヒトインスリンの合成に成功」という栄冠を勝ち取るうえで主導的役割を担ったデイブ・ゲッデルは、「一等になるかビリっけつになるか、そのどちらかしかなかった」と語る。彼がデザインしたTシャツにはハーレーダビッドソンのロゴと共に、DNAの二重らせんと「クローンか死か」がプリントされていた。

「私の知人の中では君が一番の金持ちだよ」

強行軍のロードショーでスワンソンはへとへとになり、「まるで濡れ雑巾のように疲れ果てた」。一日が終わると、チームメンバーの多くは疲れを癒やすためにホテルのバーやロビーで一杯やったり、豪華なソファに沈んで葉巻をくゆらせたりしていた。だがスワンソンは違った。彼にとってヨーロッパ出張はバンカーや投資家、バランスシート（貸借対照表）とは比べものにならないほど重要だったのだ。

それもそのはず、スワンソンはロードショーの間ずっと、大切な人ジュディと一緒にいたからだ。ジェネンテックの社員でもない彼女には謝らなければならなかった。ハネムーンとロードショーの日程がかぶってしまい、本当に申し訳なかった！[6]

ロードショーが始まる数日前、スワンソンとジュディは結婚した。ヨーロッパに飛び立って週末を一緒に過ごしたところで、早くもほかのチームメンバー6人と合流。スワンソンいわく「これで『白雪姫と七人のこびと』になった」。

ジュディは夫がプレゼンで忙しくしているなか、2時間の市内観光ツアーに細切れに参加するなど単独で行動するしかなかった。数日間のロンドン滞在中には、レンタカーでイングランド北西部の湖水地方へドライブした。旅行中、「こんなにきれいなアメリカ人の女の子が一人で何をしているの？」と聞かれることもあった（彼女の返事は「ハネムーン中なんです」だった）。

1980年10月14日、ジェネンテックは米店頭株式市場ナスダックに上場し、ティッカーシンボル「ＧＥＮＥ」で取引が始まった。株価は取引開始から20分後には初値35ドルから89ドルへはね上がり、ウォール街史上で最速の上昇を記録した。ベンチャーキャピタリストのブルック・バイヤーズに言わせれば、原因はジョージ・クイストだった。「彼はニューヨーク中の知り合いに片っ端から電話して『これを買うべきだ』と言っていたんです」

取引終了のベルが鳴ったとき、株価はやや下げたものの、ジェネンテックの株式時価総額は5億3200万ドル（2015年価格で16億ドル）を記録した。スワンソンとボイヤーはそれぞれ500ドル出資したにすぎなかったのに、それぞれの持ち株の時価は6500万ドル（2015年価格で1億9900万ドル）に達した。Ｋ＆Ｐも第1回投資ラウンドで10万ドル、その後の投資ラウンドでさらに10万ドルを出資しており、ＩＰＯによって多額の含み益を得た。[7]

アカデミアの中には「ボイヤーは裏切り者であってパイオニアではない」と断じ、「ＩＰＯで大金を手に入れたのは彼のキャリアにとってマイナス。遺伝子工学は科学者の間ではまだ評判が良くないから」と言う科学者もいた。しかし多くは肯定的に捉えた。実際、ジェネンテックのＩＰＯから2年以内に、科学者を主要ポストに据えたバイオ企業12社がＩＰＯに踏み切っている。シリコンバレー史に詳しい専門家の一人は「組み換えＤＮＡによって遺伝子工学はサイエンスの領域からテクノロジーの領域へ脱皮できた」と指摘する。テクノロジーの領域であれば、ベンチャーキャピタリストが新たな企業を立ち上げるのも可能だった。

IPOの朝、カリフォルニアで熟睡中のボブ・スワンソンは電話の音で起こされた。寝ぼけた状態で電話に出た。「ボブ、私の知人の中では君が一番の金持ちだよ」。電話の主はかつてスワンソンをクビにした男、パーキンスだった。

ノーベル化学賞の受賞を逃すコーエンとボイヤー

ジェネンテックIPOの日、スタンフォード大の生化学者ポール・バーグがノーベル化学賞を受賞したとのニュースが流れた。遺伝子組み換えの安全性に疑問を投げ掛けたアシロマ会議を主催し、特許請求の範囲が広過ぎるとしてコーエン・ボイヤー特許を批判したのがバーグだ。

ノーベル委員会は「組み換えDNAを中心に核酸に関する基礎的生化学研究を行ったこと」を授与理由に挙げた。バーグと共に化学賞を受賞したのはフレデリック・サンガーとウォルター・ギルバートの2人だった。サンガーはイギリス国立研究所・MRC分子生物学研究所の出身である一方で、ギルバートは遺伝子工学研究禁止中のケンブリッジ市からイギリスの生物兵器研究施設へ研究室を移したハーバード大学研究者だ。

ノーベル委員会は審査プロセスの中で、スタン・コーエンとハーブ・ボイヤーの業績に一切言及していなかった。アカデミアの中では「コーエンとボイヤーは先駆者の研究を実用化したにすぎない」との批判が出ていたからだろうか。先駆者とはサンガーとギルバートの2人のほか、ジャネット・メルツやピーター・ロバンといった研究者のことだ。

コーエンとボイヤーの2人はライマースに説得されて、遺伝子組み換え技術の特許を出願していた。これが原因で2人がノーベル賞を逃した可能性は確かにあった。特許を取得できれば、「発明者」として公式に認定されるだけでなく、莫大な金銭的報酬も得られる。先駆者の研究に依拠しているというのに（ノーベル賞受賞者も含めてどんな科学者も先駆者の研究からヒントを得ている）。

コーエンは後になって「正直に言って、ノーベル賞を受賞できずに随分と長い間悶々としていました。でも、今では折り合いをつけています」と語る（ボイヤーも「想像もできなかったことを成し遂げてとても幸せ」としながらも「ノーベル賞にはがっかりさせられた」と話す）。ノーベル化学賞が発表された日に、共同創業者になるのを拒否したジェネンテックのIPOが行われてどう思ったのか？　ノーベル賞を逃したと知ると同時に、ジェネンテック共同創業者2人が何千万ドルにも上る富を手に入れたと知り、悔しい思いをしなかったのか？　コーエンは次のように語る。

「遺伝子組み換え技術に特化している企業がこれだけの評価を市場で得たことは、うれしい驚きでした。私の関心は研究にあります。進化によって結核やマラリア、がんが出現しました。進化にあらがう——これが医学のすべてです。私は正しいと思うことをやってきました」

もちろんコーエンも発明者として、1986年以降に遺伝子組み換えの特許収入を得るようになる。ただ、特許収入のすべてを寄付に回すのだった。彼にとってカネは成功を測る物差しではなかったのだ。

特許出願から6年、ようやく許可が下りる

ノーベル化学賞発表から2カ月後の1980年12月2日、弁護士のバート・ローランドはスタンフォード大技術移転室（OTL）のニルス・ライマースに電話を入れた。遺伝子組み換えの特許出願から6年が経過し、ようやく特許が認められる見通しになったと伝えた。ライマースは意気揚々として「方法特許が認められた！」とメモを書き、ファイルに加えた（そのころにはファイルは複数の引き出しをいっぱいにするほどになっていた）。メモの最後には「特許第4237224号」と記すのも忘れなかった。遺伝子組み換え特許を取得したことで、スタンフォードとUCの両大学はその後の累計で2億5500万ドル近い収入を得ることになるのだった。

ライマースは特許が下りるのを何カ月も心待ちにしていた。OTLのようなライセンス事務所にとって、公式な許可に匹敵するほどうれしいニュースはない。お祝いをする最高の口実になる。[8] 金曜日のビールパーティー「ヘンリーズ」はいつになくにぎやかになった。

スタンフォード大の副学長は嬉々として地元のサンノゼ・マーキュリー紙の取材に応じた。

「私が記憶する限り、科学の一分野が丸ごと商業化の対象になったのは初めてのことです。商業化の方法は明確であり、特許は大学に必ず利益をもたらすでしょう」

同じころ、連邦議会はバイ・ドール法を成立させた。ライマースが5年にわたって働き掛けてきた法改正がやっと実現したのだ。これによって、連邦政府の研究助成金によって生まれた発明の所有権は連邦政府ではなく大学にあることが明確になった。ライマースは同法成立を優先課題に掲げ、上院議員やカリフォルニア州選出下院議員に精力的に会うなどして東奔西走してきた。これからはスタンフォード大に限らずすべての大学に発明の所有権が認められるのだ。

特許を手に入れたライマースは、遺伝子組み換え技術をライセンス供与する際の条件を詰める作業に入った。コーエン・ボイヤー法の美しさはシンプルな点にあった。そのため、6年間の特許審査期間中に、世界中の科学者がコーエン・ボイヤー法を使って遺伝子組み換えの研究に乗り出していた。

特許が下りた時点では、国立衛生研究所が9150万ドルを投じて合計717件のプロジェクト、国立科学財団が1500万ドルを投じて合計184件のプロジェクトを支援していたほか、農務省は500万ドルのプロジェクトを手掛けていた。純粋な研究機関はライセンスなしで遺伝子組み換えの研究を継続できる。しかし民間企業は異なる。コーエン・ボイヤー法を使っているならば、これからはスタンフォード大ОＴＬからライセンスを取得しなければならない。ホルモン開発のためにコーエン・ボイヤー法に依存していたジェネンテックも例外ではなかった。

大々的な広告キャンペーンを打つ

ライセンスの条件を決める作業は一筋縄ではいかなかった。というのも、ライマースは相反する二つの目的を同時に達成する必要があったからだ。一つは、スタンフォード大とUCに十分な収入をもたらすようにするため、ロイヤリティーをできるだけ高めに設定すること。もう一つは、「特許の有効性をめぐる法廷闘争に入るよりもライセンスを取得したほうが得」と企業に思わせるようにするため、ロイヤリティーをできるだけ低めに設定すること。

ライマースはそれまで何年もいろいろなモデルを試していた。最終的に彼が行き着いたのは、本能的に不確実性を嫌う企業の特性に着目した賢い手法だった。これに従えば、4カ月以内に契約した場合に限って、企業は低めのロイヤリティーでライセンスを取得できる。4カ月を超える場合には？　ここでライマースは工夫を施した。ライセンスの条件がどうなるかについて企業側に一切教えなかったのだ。言い換えれば、「すぐに契約しなければ、後になってどうなっても知りませんよ」と言っているようなものだった。後年「どこから出てきたアイデアなのか、よく覚えていません。おそらくここからでしょう」と自分の頭を指さしながら語るのだった。

ライマースは条件を記したライセンス契約書の草案を書き、ジェネンテックを含めて6社に宛てて送付した。潜在的なライセンス供与先に内容を見てもらい、フィードバックを得られれば、条件面で何が重要なのか把握できると考えたのだ。[9] 間もなくしてジェネンテック共同創業者のボブ・スワンソンから反応を得られた。ライマースとスワンソンはジェネンテック創業時からお互いに連絡を取り合う間柄にあった。

「企業の事情に合わせてライセンスをカスタマイズできるようにしてほしい」とスワンソンは提案した。

ライマースはスワンソンの提案を拒否した。「それは駄目です。ライセンスの条件は個別企業の事情にかかわらず一律にします」

同時に、ライマースは特許のライセンス供与を説明する小冊子の最終版を見せた。小冊子は法的書類というよりも一冊の完成本のように見えた。内容を修正できる法的書類と違い、完成本は修正不可能だ。新たな提案をのむわけにはいかない、とライマースは暗に主張したのだ。

1981年8月、ライマースはライセンスの販売と宣伝を狙い、大々的な広告キャンペーンに出た。一流科学誌サイエンスとネイチャーのほか、有力経済紙ウォールストリート・ジャーナル上に広告を出したのだ。広告はまるで出産報告のようだった。「スタンフォード大学とカリフォルニア大学からの重大発表です。大学内の特許を外部にライセンス供与できるようになりました」と高らかにうたっていた。続いて関係機関に感謝し、ライセンスの条件を列挙したうえで、遠回しに「12月15日を過ぎるとライセンスの条件が変わり、利用者にとって少し不利になります」と指摘。最後は次のように締めくくっていた。「ロイヤリティー収入は教育上・研究上の目的に充てられます。つまり、新たな科学上の発展を可能にするなど、公益にかなうように使われるのです」

スタンフォード大キャンパス内では、ライマースの長年の助手サリー・ハインズが自分の机の正面に大きな紙をテープで張り付けた。ここにライセンス契約を交わした企業名を書き込み、集計用紙として使うのだ。一方、1年契約で雇われていたビジネススクールの学生アンディ・バーンズはライマースの指示を受けて、アメリカ各地に加えてヨーロッパと日本へ出張した。多くの企業を訪ね、ライセンス取得を促す役割を担っていた。[10]

バーンズは日本ではさまざまなメディアに登場したほか、パパラッチ集団にも追い掛け回され、「まるでロックスターのような扱いを受けた」（バーンズ）。日本では政府が遺伝子組み換えの技術開発を国家目標に掲げていたうえ、シリコンバレーが広く尊敬のまなざしで見られていたからだ。対照的に、日本以外では訪問先の企業担当者からそれほど歓迎されなかった。ニューヨークとシカゴでは「特許の範囲が広過ぎて現実的ではない」と指摘され、ヨーロッパでは「長期にわたって高額のロイヤリティーを支払わされそうだ」と警戒された。

バーンズは次のように当時を回想する。「大学特許のライセンス化は少し無謀だったのかもしれません。どこに行っても『発明は公有財産であるのに、スタンフォード大が特許で独占しようとするのはおかしいのではないか』という批判を聞かされました」

期限日までに73社がライセンス契約を結ぶ

ライマースはライセンス取得第1号としてジェネンテックに期待を寄せていた。「知名度がありながらも、スミスクラインやブリストル・マイヤーズのような古い老舗ではない。だから遺伝子組み換えという新分野に光を当てるうえで最高ではないかと思った」と語る。

実際にはより好みしている場合ではなかった。第1号は日本企業に決まり、ハインズは集計用紙上に誇らしげに大きく「1」と書き込んだ。ところが、その後1カ月以上にわたって「1」だけの状況が続いた。4カ月間の期限終了まで3カ月余りの9月中旬時点で、契約を済ませていたのは日本企業1社だけだった。

スタンフォード大学長のドナルド・ケネディはやきもきし始めた。キャンパス全体をつなぐ新型電子メールシステム経由で大学執行部に宛ててメールを書き、「コーエン・ボイヤー特許をライセンス化する最終段階でわれわれは判断を誤ったのではないかと懸念している。期限終了後にどのようにロイヤリティーを設定するのか、ニルスは明確な戦略を描いていないのではないか」と指摘した。

ケネディにはもう一つ懸念材料があった。ライマースは上司に相談せずに独断で、20万ドル——OTLが前年に得た全収入の半分以上——を特別勘定に入れていたのだ。20万ドルは、特許の有効性をめぐって訴えられた際にＯＴＬが使う法廷闘争費用と考えられていた。

ライマースは「30社にライセンス供与できれば満足」と内心思いながらも、ライセンス取得に動く企業が殺到する状況を想定して手を打っていた。具体的には、ハインズの最新コンピューター上にデータベースシステムを組み込んで、ライセンス供与の状況を常に把握できるようにしたのだ。7年前にはタイプライター上で特許出願書をタイプしていたというのに、今では特許の価値もコンピューター上で計算できる体制を整えていた。

その後、幸いにも新たなライセンス契約が少しずつ成立し始め、ハインズの集計用紙は2ケタの契約件数を表示していた。

そして期限終了日である12月15日を迎えた。ハインズはエンシナホール前の様子がいつもと違うのにすぐに気付いた。車寄せに次々と配達トラックが停まったのだ。配達トラックから降りてくる運転手は例外なくＯＴＬへやって来て、封筒を届けてくれた。「私たちはまるで子どものように目を丸くして喜んでいました」とハインズは語る。「こんなにたくさんの配達トラックが現れて、ＯＴＬへ届け物を持ってきてくれたんですよ」

夕方になると、ハインズの机の正面に張り付けてある集計用紙は数字やバツ印でいっぱいになり、大混乱していた。合計で72社がライセンス契約を取り結んだ。ライマースは当初ターゲットに定めた企業のリストを取り出し、実際にライセンス契約を結んだ企業と比べてみた。1社を除いてライセンスを取得していた。その1社とはジェネンテックだった。

そのうち最終便が届いた。中に入っていたのはジェネンテックの契約書だった。最終的に73社がライセンスを取得したわけだ。これによって直ちに73万ドルの収入が生まれるだけでなく、将来にわたって継続的に収入が見込まれるのだ。

ライマースはホッと一息ついた。すぐにスタンフォード大学長のドナルド・ケネディに報告した。

1　フレッド・ミドルトンによれば、「バイオテクノロジー」という言葉を初めて使ったのは、1979年10月の業界会議に参加した証券会社E・F・ハットンのアナリスト、ネルソン・シュナイダーだった。それ以前、業界関係者はバイオテクノロジーの代わりに「遺伝子工学」や「遺伝子組み換え」といった表現を使っていた。

2　1979年秋、化学大手ルーブリゾールは1千万ドルでジェネンテック株の15%を取得。1977年にはスタンダード石油(インディアナ)が1千万ドルでシータス株の23%、翌年にスタンダード石油(カリフォルニア)が新たに1300万ドルでシータス株の26%を取得している。

3　IPOの有価証券届出書を提出する直前に、ジェネンテックはUCに対して35万ドルを支払っている。

4　ジェネンテックのIPO直前に判決が下された、歴史的な「ダイヤモンド対チャクラバティ裁判」で連邦最高裁は生命体が特許の対象になるとの判断を示した。

5　ファリノンの会社は偶然にも、ASKのソフトウエアMANMANを利用する最初の企業だった。

6　スワンソンのハネムーンとロードショーが重なったのは、証券取引委員会(SEC)の指導のせいだった。IPO前には業績見通しなどについてコメントすることを禁じたルール「沈黙期間」がある。それを根拠に、SECはジェネンテックに対してロードショーの時期を変えるように指導してきた。おかげでハネムーンとかぶってしまった。

7　K&Pはジェネンテック株の15%を保有しており、持ち株比率ではスワンソンとボイヤーと同じだった。

8　3月にローランドはライマースに電話し、「95%の確率で年末までに特許が下りる」と伝えていた。6月になってライマースは「特許取得は間違いない」と確信し、ボブ・バイヤーズに宛てて一筆書いた。そもそも、バイヤーズから届いたニューヨーク・タイムズ紙の記事「動物遺伝子からバクテリアへ」を読み、遺伝子組み換えに興味を持ち始めた経緯があったからだ。バイヤーズ宛ての手紙の中で次のように書いている。「スタンフォード大にとって、ついでにUCにとっても、これまでにないほど価値のある特許が得られそうです。チャンスを与えてくれてありがとう」

9　ライマースがライセンス契約書の草案を送付した相手はイーライリリー、ジェネンテック、ホフマン・ラ・ロシュ、シェリング・プラウ、スミスクライン&フレンチ、アップジョンだった。シータスとモンサントも草案を見た可能性がある。

10　スタンフォード大は国際特許を有していなかったものの、外国企業の多くはロイヤリティーを支払った。

第20章　車のチャイルドシートに座らされている
――アル・アルコーン

ホテルのバーで「解雇されるかもしれない」と聞かされる

1978年、クリスマスの数週間前、ニューヨーク市内にあるホテルのバー。ノーラン・ブッシュネルは旧友アル・アルコーンと一杯やりながら、「今度こそ本当に駄目かもしれない」と言った。高価なお酒、マホガニー材と真鍮が美しいバー、24時間のルームサービス、寝心地が最高のベッド――。これらすべてがブッシュネルにとって当たり前になっているんだな、とアルコーンは思った。

ブッシュネルはもともとユタ州の小村出身で、プライベートジェット機に乗るだけで目を丸くして大喜びするような若者だった。今ではそんな片りんも見せない。事実、今では自分のプライベートジェット機を持っている（アルコーンやキーナンらアタリ初期メンバーの多くもプライベートジェット機を購入していた）。彼が購入した豪邸もこのホテルと同じくらいにきらびやかで美しい。

アタリはニューヨークのイベントに参加し、新製品発表を行っていた。新型ゲームや確定申告ソフト、家計簿ソフトなどの自社製ソフトウエアとともに、アップルの顧客に狙いを定めて自社製パソコン「アタリ400」と「アタリ800」も発表。アップルをまねてパンフレットに虹をモチーフにしたデザインを採用したほか、「普通の人たちのためのコンピューター」というキャッチコピーを使っていた。プレスリリースには「アタリは技術的ノウハウを高め、計画を練り、消費者動向を研究することで進化しました。その結果としてアタリ400とアタリ800は生まれました」と書いていた。

イベント開催中、ブッシュネルはワーナー・コミュニケーションズの予算会議に顔を出し、マニー・ジェラードら同社幹部と会っていた。目まぐるしい一日が終わり、ホテルのバーでアルコーンと合流してやっと一息つけたのである。

ブッシュネルは手にしていたお酒をごくりと飲んで言った。「予算会議でいろいろあったから、僕は解雇されると思う」

経営コンサルタントによる「大人の監視」始まる

予算会議の議題はありきたりの「アタリの1979年度予算案」だった。それまでの3週間、アタリも含めてワーナーの各部門長はマニー・ジェラードら社長室メンバーと会い、新年度予算の最終案を詰める作業を進めていた。社長室メンバーには会長兼CEOのスティーブ・ロスも含まれた。

予算会議の場所はニューヨークのど真ん中にあるロックフェラーセンタービル内のワーナー本社。取締役会議室内のテーブルに社長室メンバーが座り、部門長が提出した予算案をめぐって議論するのだ。波乱はめったに起きない。通常、予算案について個々の部門のスタッフが事前に合意を取り付けているからだ。そのため、実際の予算会議では社長室側は部門長の説明に耳を傾け、形式的に質問するだけだ。

しかし、今回の予算会議はいつもと違った。会議中、身長193センチのブッシュネルは革張りの椅子から立ち上がり、社長室メンバーを罵倒したのだ。ホテルのバーでアルコーンが聞いたところによれば、「間抜け!」と言い放った。

アタリとワーナーの対立は、ワーナーによるアタリ買収成立直後から始まった。契約締結から間もなくして、ブッシュネルは待ちに待った長期休暇を取得した。1度ならず2度までも。続いて再婚し、豪邸を購入して大掛かりなリフォームを始めた。豪邸の敷地はサンタクルーズ山脈の麓にあり、広さは6エーカー(東京ドームの半分ほど)に及び、部屋数は37室に上った。過去の家主には有名コーヒーブランド「フォルジャーズ」のフォルジャー家も含まれた。[1] ブッシュネルの不在があまりにも常態化したことから、社員の間ではトップ不在をめぐって冗談が飛び交うようになった。社長のジョー・キーナンさえも不在がちになった。キーナンは後になって「会社を売却した後、われわれはすっかりやる気を失ってしまった」と語っている。

そんななか、新ビデオゲーム機「VCS（ビデオ・コンピューター・システム）」が振るわなかった。ワーナーのジェラードは「とんでもないほどの大成功」を夢見ていたのに、である。かつて「ステラ」と呼ばれたVCSはマイクロプロセッサーを内蔵し、ゲームカートリッジを採用した点で画期的だった。しかし、初年度にはチップ供給が狂うなどサプライチェーンの問題が発生し、次年度にはその問題が解消されたのに30万台も売れ残った。そのころ、ライバル会社はアタリに追い付き、アタリと同じようなカートリッジ式のゲーム機販売に乗り出していた。ワーナーはアタリに1億2千万ドルを投じていながらも、なおも赤字を垂れ流していた。

局面打開策としてジェラードは経営コンサルタントを雇い入れ、アタリへ派遣した。「大人による監視が必要」と判断したのだ。コンサルタントは6カ月間アタリに常駐し、経営改革案を提言する役割を負った。これによってもっと深刻な問題が表面化することになる。

ワーナーから送り込まれた経営コンサルタント

コンサルタントに指名されたのはレイ・カサール。アメリカ大企業上位50社に入る繊維大手バーリントン・インダストリーズ出身のビジネスマンだ。バーリントンに28年間在籍するなか、比較的大きな家具・インテリア部門――彼の表現を借りれば「ホームファッション」部門――

を率いて頭角を現した。会長レースに敗れたところ、ワーナーから声が掛かり、確実な報酬が見込めると判断してアタリのコンサルタントを引き受けたのだ。ただし、一度もビデオゲームをやったことはなかった。しかも、生粋の東海岸人であるため、カリフォルニアに長期滞在するという勤務形態には拒否反応を示していた。

カサールのスキルはビデオゲームとまったく無関係というわけでもなかった。ワーナーが描いていたのは、全家庭のリビングルームにＶＣＳシステムが入り込んでテレビとつながるという世界だ。一方、カサールはリビングルームに関しては詳しかった。バーリントン時代には全米各地のマイホーム所有者に対して「定期的なリフォームで自宅を常に最新の状態に保ちましょう」と提案し、成果を出していた。

コンサルティング期間が終わりに近づくと、カサールはワーナーに戻って「アタリは大混乱状態です」と報告した。「ブッシュネルとキーナンの経営体制下で、事業、品質、投資リターン、広告、マーケティングのすべてがないがしろにされています。アタリはビジネスの基本に立ち返らなければなりません。例えば、ＶＣＳの販促に向けて正しいマーケティング・広告戦略を採用するのです。そうすれば期待通りの成果を出せます」

カサールの提言は、ブッシュネルのビジョンとかけ離れていた。ブッシュネルはたったの数カ月で人気を失うアーケードゲームをいくつも見てきた。だから「アタリの存在意義はイノベーション」と信じていた。類似製品を出す競争相手を出し抜き、利益を出し続けるためには、エンジニアを鼓舞激励して常に新しいアイデアを引き出すしかない、と考えていたのだ。「まともな会話もできないエンジニアは多いけれども、ばかにしてはいけません。『君の言っていることは分からない。でもここにカネがある。何か作って見せてみろ』と言い、信頼してあげるのです」

実例はたくさんある。エンジニアから「カートリッジ式VCSの改良版『スーパーステラ』を開発できます」と言われれば、ブッシュネルは喜んでゴーサインを出した。たとえ初代ステラシステムの販売が芳しくなくても。エンジニアから「現行のパソコンよりも強力な新モデルを開発できます」と言われれば、やはりゴーサインを出した。エンジニアのやる気を最大限に高めるのがブッシュネル流経営なのだ。「最高のアイデアに全力投球」とうたうアルコーンとブリストウのエンジニア魂と化学反応を起こすと、抜群の威力を発揮した。

ブッシュネルはアタリの多角化戦略も温めていた。アーケードゲームを置いたレストランを開店し、ディズニーワールドのアトラクション「ホール・オブ・プレジデンツ」をまねて店内に子どもを楽しませるロボットを設置するのだ。すでにレストラン用マスコットとして大きなネズミ「リッキー」も用意し、コスチュームを自分のオフィスに保管していた。

カサールはブッシュネルとはまったく違う経営哲学を持っていた。家具・インテリア業界でキャリアを積んでいたから、ゲーム業界のように新年度ごとに新製品を発表する発想を持ち合わせていなかった(タオルやベッドは年度が変わってもほとんど同じ)。言い換えれば、毎年同じ製品を新しい方法で販売するのを得意にしていた。ブッシュネルのように新しいアイデアを一心不乱に追い求めるやり方には意味を見いだせなかったといえる。必然的に、すでに存在するVCSのマーケティングにカネを投じればいいという結論に至った。

新製品開発にこだわり解任されるブッシュネル

ブッシュネルはカサール（あるいはワーナー幹部）から「昨年のようにほどほどにイノベーションすればいい。新製品は要らない」と念を押された。それでも旧製品のマーケティングよりも新製品の開発にこだわった。金銭的な理由もあった。ブッシュネルやアルコーンらアタリの経営幹部は特別ボーナスプランに入っていた。アタリの利益が一定の水準を超えると、超えた部分の15％をまるまるボーナスとして受け取り、山分けできたのだ。[2]

ブッシュネルとカサールの対立は、新しい業界（半導体）と古い業界（繊維）の世代間衝突であると同時に、アメリカ西海岸（ブッシュネルはカリフォルニア）と東海岸（カサールはニューヨーク、ロードアイランド、マサチューセッツ）の地域間衝突ともいえた。カサールが「東海岸ではみんな真面目。職を得て頑張る。職場は遊び場ではない」と語るのに対し、ブッシュネルは「職場では誰も法律を気にしなかった。そういえばお酒も飲んでいた。だから仕事を終えると、みんな誰かの車に乗せてもらって帰宅していたね。飲酒運転できないから。セクハラまがいの言動も問題にならなかった」と回想する。

実際、職場でブッシュネルは裸でホットタブに入ってパーティーを楽しみ、喜んで権力に反発し、「ファックするのが好き」とプリントしたTシャツを着てオフィスに現れたこともあった（カサールの証言による）。対照的に、カサールはアンティークを趣味にしていた。ある連休中にバーリントンとハーバード大ビジネススクールのトップを魅了し、バーリントン入社とハーバード大ビジネススクール奨学金を同時に勝ち取ったこともある。[3] 一族がシリアで絹糸業を営んでいたからか、美しい仕立てのスーツを好んで着ていた。

こうした経緯をたどって今回の予算会議では、カサールの意向をくみ取って議論が進んでいた。というのも、ワーナーがVCSの広告宣伝費に何百万ドルも投じる方向になっていたからだ。これに反発してブッシュネルは社長室メンバーを「間抜け！」とののしったのである。ただ、ブッシュネルが本当に「間抜け！」という言葉を使ったのかどうかも含めて、会議の詳細は分かっていない。ジェラードの記憶によれば、ブッシュネルはロスに向かってこう提案した。「とにかく在庫を一掃しましょう。アタリ2600は大量に売れ残っています。廃棄処分するのではなくて、価格を下げて売り切るんです」。売り上げ予想が外れ、社内で「アタリ2600」と呼ばれていたVCSの在庫が積み上がっていた。

キーナンによれば、ブッシュネルは会議中にパソコンプロジェクトもやり玉に挙げ、「6億ドルの投資がなければパソコン事業に未来はありません」と言い張った（このようなやり取りについてジェラードは何も記憶していない)。ピンボール部門の予算をめぐっても社長室メンバーと対立し、小規模なピンボール部門ではなく新製品開発体制の強化に予算を優先配分するべきと主張した。ちなみに、パソコンプロジェクトについての警告は予言的であり、後になって的中するのだった。

予算会議の詳細はどうであれ、誰がアタリを経営するのかという問題は解決されないままだった。これまで通りにブッシュネルが経営のかじ取りを担うのか、それともワーナーから送り込まれたカサール(あるいはカサールのような経営者)が新たなトップになるのか——。

予算会議から3日後、ワーナーはアタリのトップ人事刷新を決めた。ブッシュネルはアタリ内の別ポストに異動となり、事実上解任された。さらに1週間後、アタリの新CEO兼社長が決まった。レイ・カサールだ。

〈スペースインベーダー〉などゲームソフトが収益拡大をけん引

アタリCEO就任時からの数年間、カサールはウォール街の基準で見れば見事な実績を残している。彼がコンサルタントに就いた1978年、アタリは赤字を垂れ流していた。それから3年後、ワーナーの利益2億2700万ドルの3分の2近くをたたき出すようになっていた。[4] 広告費を大幅に増額するとともに、クリスマス商戦に限らずに一年中ビデオゲームを売る戦略が功を奏したのだ。1980〜81年、カサールは1千万ドルのボーナスを得たうえ、ニューヨーク市内にある高級タワーマンション「トランプタワー」の一室を与えられた（家賃は全額会社負担）。

収益源は何だったのか。一つはアタリ伝統のコイン式アーケードゲームだ。人気ゲーム〈アステロイド〉のおかげで1980年の出荷台数は7万台を記録した。もう一つはカートリッジ式のVCSシステムであり、アーケードゲーム部門を圧倒するほど急成長していた。VCSの本体だけでなく、〈スペースインベーダー〉を中心としたゲームソフト（合計27タイトル）が収益拡大をけん引していた。

ゲームソフトの利益率は極めて高かった。ジェラードによれば、ゲームソフトのカートリッジは1本当たり30ドル、粗利益率は89％に達していた。1981年にはVCS部門は全体で2億5千万ドル近い売り上げを記録した。マテルなど競合他社も同様のカートリッジ式システムを発売したものの、アタリの牙城を崩せなかった。同年にアメリカ国内で普及した家庭用ゲーム機400万台のうち80％がアタリ製だった。

シリコンバレーではアタリは一流テクノロジー企業の仲間入りを果たした。1万人近くを雇用し、ビル50棟に入居する大企業に成長し、コンピュータープログラマーやゲームデザイナーからは憧れのまなざしを向けられる存在になっていた。「アタリ向けにゲームソフトを書いていると言っても、女の子と寝られるわけではないけれども、カッコいいと見られた」と言うプログラマーもいた。

アタリ内では、プログラマーはゲームのあらゆる側面で完全な権限を握っていた。デザインやグラフィックス、音響などについて、一切外部から口出しされずにすべて自分で決定できた。プログラミングは大変な作業だった。一部のプログラマーは原始的に紙の上でゲーム開発に着手。紙の上である程度めどを付けたうえでコンピューターへ切り替え、16進数のプログラミング言語——VCSシステムが理解できる言語——を使ってコードを書き始めたものだ。

通常、プログラマーは自分のゲームを完成させると、テストのために8インチのフロッピーディスクに書き込んで中央ラボへ持っていく。中央ラボに置かれている開発システム——全プログラマーが共同利用できる——を使って、デバッグ（バグ取り）作業に取り掛かるのだ。

デバッグ作業はゲームの人気を測る物差しとして大いに役立った。良く出来たゲームであれば多くのプログラマーをとりこにするからだ。実際、ゲームの出来が良いと中央ラボのスクリーン周辺に人だかりができて、ゲームに熱中したものだ。そのうち「ああすればもっと良くなる」「こうすれば簡単になる」などといろいろな提案が相次ぐようになる。

飛びっきり良く出来たゲームを見極めるのは簡単だった。ゲームオーバーすると直ちに「再起動してもう一度やろう」という声が聞こえてくれば、大きな可能性がある証しだった。何度も繰り返しプレーされていくうちにさまざまな改善案が取り込まれていく「自己調節型フィードバック」と形容するプログラマーもいた。個々のゲームは一個人の成果物であるものの、チームプレーによって完成度が高められているというわけだ。

オフィスで寝泊まりするクリエイティブ集団

ゲーム開発という仕事にはクリエイティブな才覚が求められた。プログラマーはオリジナルなアイデアをひらめくこともあれば、コイン式アーケードゲームをやっている最中にインスピレーションを得ることもあった（人気カートリッジの一部はアーケードタイトルからの移植だった）。例えばプログラマーのウォーレン・ロビネット。大ヒットゲーム〈アドベンチャー〉の開発にあたって、スタンフォード人工知能研究所（ＳＡＩＬ）で開発されたテキストゲームからヒントを得ている。ちなみに、ボブ・テイラーのラボ（ゼロックス・パロアルト研究所内のコンピューター科学ラボ）の何人かはＳＡＩＬで働いたことがある。

ゲーム開発は非常に骨の折れる仕事でもあった。ゲーム開発部門には一つの不文律があった。コンセプトが生まれてから6カ月以内に生産が始まらなければならなかったのだ。アタリ製ＶＣＳの開発システムが抱えていた技術的制約を考慮すれば、６カ月という縛りは非常に厳しかった。

ゲーム〈レイダース／失われたアーク〉や〈E.T.〉の開発者として知られるハワード・スコット・ウォーショウは「ソフトを書くうえでこんなにやりにくいシステムは見たこともあり

ませんでした。プログラミング自体がゲームといえるほどでした」と語る。例えば、スクリーン上で何かを修正して再表示するとしよう。その場合、プログラマーはすべてのコードを書き直すよう求められた。要するに、技術的制約のせいで、画像処理に手間取ったり、複雑な作業を諦めたりしなければならなかったのだ。プログラミングに創意工夫が求められたということでもある。

だからなのか、オフィス内で明かりが消えることはなかった。〈ドッジエム〉や〈ウォーローズ〉の開発者カーラ・メニンスキーは「誰もがオフィスで寝泊まりしていました。どこで寝るのかといえば、机の上やコンピューターの下、床の上。みんな一緒に生活していたから、同僚と言うよりも友人でしたね」と回想する。彼女はアタリでは数少ない女性プログラマーだった。「オフィスの外は昼夜があるけれども、オフィスの中はいつも昼間。明かりがつきっ放しだったから」

重圧のなか、悪ふざけをしてストレスを発散させるプログラマーが多かった。カエルの形をしたゴム風船をビルの上に掲げたり、アップルが構えるオフィスから看板を盗み出したり。ウォーショウは〈レイダース〉用カートリッジを開発中、映画『インディ・ジョーンズ』の主人公をまねてぼろぼろの帽子をかぶり、むちを持ってオフィス内を歩いていた。プログラマーの標準服はジーンズとTシャツであり、勤務時間は不規則で長かった。

オフィス内で邪魔されずに睡眠を取るために、一部のプログラマーは部屋の内側からドアにストッパーを挟んでいた。「マリファナ検閲局」の頭文字を取って命名したMRB委員会も発足。「クリエイティブな仕事にマリファナは不可欠」と考えるグループであり、ハイになりたいときには屋上に集合した。狭い廊下の壁をよじ登るデザイナーもいた。片足を壁に引っ掛けて床から数フィートの地点へひょいと上がると、廊下の端に向けて横方向に移動するのだ。天井に取り付けてある煙探知器に頭をぶつけたこともあった。

新CEOに反発してトッププログラマーが流出

ゲーム開発部門は昔ながらのアタリ気質を保っていたものの、同部門以外のアタリはレイ・カサールのCEO就任に伴って様変わりした。カサールはニューヨークからサンフランシスコへ移住し、運転手付きの車に乗ってシリコンバレーへ毎日通勤。本社には正式な役員専用ダイニングルームを設け、ブラックタイ姿のウエイターを雇い入れた。

新CEOと取り巻き連中を小ばかにするプログラマーが増えるのも時間の問題だった。事実、間もなくして「外見だけきれいで頭の中は空っぽ」「ビデオゲームを一度もプレーしていないし、ましてや好きでもない」といった批判が渦巻くようになった。社外からも「ピンストライプのスーツ男が増えて、フランネルシャツと長髪男が減っているけれども、大丈夫なの?」といった不安が出た。

エンジニア（プログラマー）の一人は「マーケティングチームはエンジニアチームを怠け者と見なし、エンジニアチームはマーケティングチームを間抜けと見なしていました。われわれは彼らを毛嫌いし、彼らはわれわれを毛嫌いしていたということです」と話す。1981年にアタリに採用された製品マネジャーは、カサールの経営チームがビデオゲームに興味を持っていなかったことを認めている。「私も含めて多くはビデオゲームをやったことが一度もなかったのは確かです。プログラマー連中とはあまり関わらないようにしていました」。そんな状況下で社内の緊張は高まる一方で、面と向かって話をすることを拒否する社員も現れた。どうしてもやり取りが必要なときには、メモを書いて翌日配達の社内郵便で相手に送付するのだ。たとえ相手がすぐ近くのキュービクル（パーテーションで仕切った仕事スペース）で仕事をしていても。

アル・アルコーンは不安を募らせるばかりだった。「エンジニア組vsマーケティング組」「テックオタク組vsスーツ組」という対立構図が鮮明化するなか、核となる古参社員が会社を飛び出す事態にまで発展していたからだ。アタリ社内の3部門のうち2部門のトップが辞めると、カサールが一本釣りした2人がアタリ入りし、一人はアタリのコンピューター部門責任者に、もう一人は家庭用ビデオゲーム部門責任者に就いた。2人とも他業界出身であり、前者は製缶大手アメリカン・キャンの紙製品マーケティング役員、後者は香水メーカーの副社長だった。ブッシュネルが社長職を解任されてから数カ月後、かつてブッシュネルと共同CEOを務めたジョー・キーナンが去った。[5]

ブッシュネルはキーナンの助言とドン・バレンタインの資金援助を受け、新規事業を始めた。ワーナーから「アーケードゲーム付きのレストラン」というアイデアの権利を買い取り、ピザタイムシアターというレストランチェーンを立ち上げたのだ。マスコットとしてネズミの「リッキー」――今では「チャッキーチーズ」――を使った。数カ月後、アタリのエンジニアチームに所属し、ＶＣＳとコンピューター両部門で欠かせない存在だったジョー・デキュアが辞めた。独立して自分のエンジニアリング会社を設立するのだ。

人材流出はなおも止まらなかった。カサール就任から数カ月しか経過していなかったというのに、ＶＣＳ部門のトッププログラマーのうち、デビッド・クレイン、ラリー・カプライン、アル・ミラー、ボブ・ホワイトヘッドの「４人組」が一斉に辞めたのだ。カートリッジ式ＶＣＳの人気タイトルの多くは４人組の作品であり、クレインの推定によれば１９７９年のカートリッジ販売の60％、アタリの全売上高の少なくとも5千万ドルを占めていた。４人組はアタリ製コンピューターが搭載するオペレーティングシステム（ＯＳ）の開発にも関わっていた。ちなみに、これだけ貢献していたのに、４人組合計の年間給与は20万ドルに満たなかった。

そんななか、エンジニアチームはカサールに対する要求を強めた。大きく二つあった。一つは給与を引き上げること（あるいはボーナスを払うこと）、もう一つは開発者名をゲームに明記すること。後者については一部のプログラマーはすでに水面下でゲリラ的に行動していた。ゲームの中に秘密の部屋を設け、そこに「イースターエッグ」と称して自分のイニシャルを隠したのである。（イースターエッグが見つかると、開発者のイニシャルが分かる仕組みになっていた）。これに対してカサールは「ゲームのプログラマーを特別視するわけにはいかない」と反論した。「カートリッジを箱詰めする生産ラインの作業員もプログラマーと同じくらいにアタリの成功に貢献している」

アタリの4人組が創業したアクティビジョン

アタリを飛び出した4人組は、起業について何の知識も持ち合わせていなかった。そこでジョー・デキュアに連絡を入れ、どのようにしてエンジニアリング会社を設立したのかを尋ねた。するとラリー・ソンシーニを紹介された。ソンシーニはティムシェアのIPOを担当し、近くジェネンテックの仕事も引き受けることになる若手弁護士だ。4人組の相談に乗ると同時に、サッター・ヒル・ベンチャーズに所属するベンチャーキャピタリストのビル・ドレイパーに4人を引き合わせた。[6] 幸いにも、ドレイパーはアタリからブリッジゲームをもらって自宅でプレーしたところ、「魔法のような体験」に感動していた。4人組のスタートアップに出資することで合意した。

ソンシーニとドレイパーの後押しを受け、4人組はアクティビジョンという会社を創業した。そしてすぐにVCSと互換性のあるゲームカートリッジの開発・販売に着手した（後にVCS

以外のシステムと互換性のあるカートリッジの開発・販売も始めた）。同時に、サードパーティー製カートリッジを認めず、「企業秘密の不正利用」と主張するアタリとの法廷闘争にも放り込まれた。

アクティビジョンはアタリと違い、ゲームの作者に敬意を払っていた。自社製カートリッジに付属するマニュアルの中で開発者をきちんと紹介していたのだ。その後、〈カブーム！〉〈ピットフォール！〉〈リバーレイド〉などの大ヒットゲームを次々と生み出し、快進撃を続けるのだった。[7] 現在では異次元の会社に生まれ変わり、〈コール・オブ・デューティ〉シリーズや〈ワールド・オブ・ウォークラフト〉シリーズで知られるトップクラスのゲームソフト開発会社の一つに成長した。２０１６年の株式時価総額はざっと３００億ドルに達する。

１９８１年には再びアタリから流出した人材が新会社を設立した。アタリのマーケティング担当副社長とプログラマー一団によるゲームソフト会社イマジックだ。プログラマー一団の中には名作〈アステロイド〉と〈スペースインベーダー〉の開発者も含まれていた。

カートリッジがＶＣＳ部門の利益のほとんどをたたき出している点を踏まえれば、アタリとしてはプログラマーの流出を放っておくわけにはいかなかった。４人組が飛び出してから数週間後、アタリはプログラマーに対して１タイトル当たり１万ドルのボーナスを払うようになった。１万ドルのボーナスは年２万ドルの初任給に上乗せされる。プログラマーのカーラ・メニンスキーはアタリのプログラマー職に応募したとき、２万ドルは非常に高額に見えた。そのため、面接時に緊張せずに2万ドルと口に出して言えるように、寝室の鏡の前で「2万ドル」と復唱したほどだった。4人組流出のショックをきっかけに、トッププログラマーの給与とボーナスはさらに上昇する見通しになった。それでも痛手はあまりにも大きく、カートリッジの年間販売本数は翌年度には半減してしまった。

金銭的な待遇が改善しても、エンジニアチームは「カサールと取り巻き連中はプログラマーのアイデアも仕事も評価していない」と感じていた。カサールはメディアとのインタビューの中で、ゲーム開発のエンジニアについて「スーパースター」と持ち上げる一方で「神経過敏なプリマドンナ」とも形容した。多くのプログラマーは「神経過敏なプリマドンナ」がカサールの本心だと解釈した。

「アイデア殺し」リストを作成して説得工作

アルコーンは優秀な人材が流出するのを見て「起こるべくして起きた」と思った。それまで毎週のように古参エンジニア数人と一緒にカサールに会い、ミーティングを重ねていた。当初こそ期待を抱いたものの、数回のミーティングを終えて「これは無意味だ」と悟った。カサールはミーティングのたびに同意を示し、新たなプロジェクトにゴーサインも出した。ところが、プロジェクトはいつも試作品段階で立ち止まり、そこからまったく前へ進まなくなってしまうのだった。

アルコーンは当時を思い出し、「車のチャイルドシートに座らされ、おもちゃのハンドルを持たされていたような気分でした」と語る。つまり、経験豊かで知識も豊富なベテランエンジニアはカサールから裁量権を与えられたと錯覚していたにすぎず、実際にはチャイルドシート上で遊ばされていたのだ。真実に目覚めると、仲間内でカサールとのミーティングを「役立たずミーティング」と呼ぶようになった。

ブッシュネルがいれば、強引にでもカサールを説得して新プロジェクトを認めさせたかもしれない。だが、ブッシュネルが去った以上、アルコーンは自力でカサールの信認を勝ち取らなければならなかった。そこで独自の戦術を編み出した。「アイデア殺し」リストをまとめて複写し、最重要書類と一緒にして常に手元に置いておくのである。「革新的過ぎる」「社内方針に反する」「うまくいかない」「ボスが承認しない」「潜在的利益はどのくらい？」「うまくいくと保証できるか？」――。カサールが好む「アイデア殺し」フレーズは枚挙にいとまがない。

要は、「アイデア殺し」回避がカギを握るのだ。アルコーンはリストの最上部に神経外科の草分けであるウィルフレッド・トロッターの警告を書き込んだ。「試す前から新しいアイデアに反対する――これが人間の習性である」

1980年のミーティングで、アルコーンは「VCSのようなカートリッジ式システムを新たに開発しましょう。今度は3次元で立体感のあるホログラムゲームです」とカサールに提案した。当時、ホログラムは大きな可能性を秘めていた。大ヒットしたハリウッド映画『スター・ウォーズ』の中でホログラムの3次元映像が使われていたからだ。ドロイドのR2‐D2が助けを求めるレイア姫のホログラムを映し出すシーンのほか、ホログラムチェスをプレーするシーンが斬新だった（円形のチェス盤上で立体的な駒が動いていた）。

もちろんアルコーンは『スター・ウォーズ』のファンタジーに興味があったわけではない。ホログラムプロジェクトを始める口実を探していたのだ。当時を振り返り、「ホログラムゲームの開発は高度な技術的ハードルを伴うから、やりがいがあると同時にとても楽しいと思えた」と言う。

ただし、アルコーンは「アイデア殺し」リストに留意して、カサールに対しては本心を隠して別の理由を挙げた。「技術」ではなく「金銭」を成功の物差しにするカサールにアピールするうえで、「やりがい」や「楽しい」は禁句と判断したのだ。「ホログラムを導入したゲームシステムはVCSシステムの半値で売れるはずです。これによって新しい市場を開拓できます[8]」

画期的なホログラムゲーム「コスモス」に懸ける

結果はどうだったか。アルコーンはカサールから「マーケティングマネジャーに会ってくれ」と言われ、マーケティングマネジャーに会うと「ビジネスプランを書いてくれ」と言われた。それに対してはこう反論した。「ゲームの〈ポン〉やゲーム機のVCSにはビジネスプランは不要でしたけれども……」。結局、ビジネスプランを書かざるを得なかった。

マーケティング部門にビジネスプランを承認してもらうと、アルコーンはチーム編成に取り掛かった。チームメンバーの中では不安が広がった。どんなに良い製品を開発しても、カサールは決して発売にゴーサインを出さないのではないか？　VCS以外には一切関心を寄せていないのではないか？

それでもアルコーンはひるまなかった。「僕はアル・アルコーンだよ」とチームメンバーに向かって言った。1972年にアタリ創設に参画して、1975年にはアタリを危機から救った実績を思い出してくれ、という意味を込めていた。

チームがホログラムシステムの試作品を開発するまでに数カ月を要した。「コスモス」と名付けられたシステムは分厚いペーパーバック本の大きさで、小さなスクリーンを備えていた。ゲームソフトは8タイトルあり、それぞれ背景にホログラムを使って立体的な3次元空間のイメージを映し出せた。実際、ゲーム〈スーパーマン〉では、スーパーマンがビルの合間を飛ぶイメージはわずかにスクリーンから飛び出しているように見えた。コスモスは『スター・ウォーズ』のホログラムチェスにはまったく及ばないながらも、業界関係者を驚かせるには十分だった。広告業界誌アドウィークはコスモスを取り上げ、「ビデオ技術という点ではカラーテレビ以来の劇的な進化」と伝えている。

アルコーンはコスモスの試作品を1981年の家電見本市（CES）で展示し、8千台の注文を取り付けた。アタリのマーケティング担当副社長はマスコミを前にして「コスモスの発表に向けて100万ドル以上の広告宣伝費を用意している」と宣言した。

アルコーンはアタリ本社に戻るとカサールに会い、CESでコスモスが高く評価され、すでに大量の受注が入っている状況を説明した。ところが、CEOはまるで上の空だった。アルコーンによれば、「椅子に座り、口を閉じたまま。1分ほどたって首を横に振った」。それで終わりだったという。

結局、コスモスは日の目を見ることはなかった。[9] カサールがコスモスの発売を認めなかったのはアタリ文化が激変したことの証し、とアルコーンはみた。アルコーンに言わせればすべては4語に集約できた。「すべての創造性が停止した！（All creativity had ceased!）」

実際、初代VCSシステムの開発チームは改良版をデザインしたというのに、1982年末まで待たなければ発売できなかった。エンジニアチームの多くが不満を強めた。VCSに限らずパソコンも同様で、次世代モデルの開発・販売計画が頓挫した。[10]

最も経験豊かで有能なエンジニアの一人、スティーブ・ブリストウも苦渋を味わった。何年もかけてネットワークプロジェクトに取り組み、ついに新システム「アタリテル」の完成にこぎ着けた。アタリテルはビデオ機能付きの高度電話システムを備え、音声とデータを融合していた。ゲーマー同士が電話回線でつながってプレーするオンラインゲームの可能性さえも秘めていた。にもかかわらず、アタリは製品発表を行っただけで販売を見送った。

リスク回避の経営陣に幻滅してついに辞める決断

どうしてなのか。カサールはエンジニアチームに対して最初からノーと言うのを嫌がっていた。同時に新製品を発売するのも嫌がっていた。VCSと同じくらいに大ヒットするという保証を得られない限り、怖くて新製品を投入できなかったのだろう。そんなことから、エンジニアチームは新しいアイデア実現に向けて開発に着手しても、最後には必ずはしごを外される格好になった。

すべての問題はリスク回避志向にあった、とアルコーンはみている。「アタリの創業初期、われわれは毎年のように大きなリスクを取っていました。会社全体が傾くほどのリスクに直面していても平気でした。例えばVCSに失敗したら？　あるいは〈ホームポン〉に失敗したら？　きっとアタリはつぶれていたでしょう」。ブリストウも同意見であり、「最初のころは『何だか分からないけれどもとにかくやってみよう』というメンタリティーだったのに、いつのまにか『この製品を開発・発売する必要性を証明しなければならない』というメンタリティーになってしまった」と語る。

それから数十年たってもなお、アルコーンはコスモスをリリースできなかった理由をうまくのみ込めないでいる。当時、アタリの売り上げは非常に大きく、仮にコスモスのホログラムシステムが市場で受け入れられなかったとしても、最終的な利益への打撃は最小限にとどまっていたはずなのだ。

それなのにカサールが発売に二の足を踏んだのはなぜなのか？　結局のところ、カサールとワーナー経営陣は失敗を恐れるあまりにまともな経営判断ができなくなっていたのではないか、とアルコーンは推測している。「彼らはシリコンバレーに属していなかったし、スタートアップも経験していなかった。だからリスクを取れなかったのでしょう。リスクを取らなければ何も新しいことは生み出せない。だから新製品は出てこなかったんです！」

カサールは東海岸出身であり、シリコンバレーの西海岸文化になじめなかった。そのうえ、エンジニアリングとは無関係のキャリアを積んできた。だからアタリのエンジニアチームとうまくやれなかったのだ。カサールはマーケティングの専門家であり、正しくマーケティングを展開した結果としてVCSを成功に導けたと信じていた。その点では間違っていない。では、マーケティングするに値する製品があったのはなぜなのか？　エンジニアに自由が与えられていたからではないのか？　ここが彼にとっては盲点になっていた。

新しいアイデアを評価する際に、カサールはおそらく「VCSと同じくらいに利益を生み出せるかどうか」という物差ししか使っていなかった。こんな物差しに頼っていたら必然的に判断を誤る。なぜなら、リリース直後からVCSに匹敵する成功を収める新製品は存在しえないからだ。ＶＣＳは過去10年間で最も成功した家電製品の一つだった。

永遠にヒットし続ける製品も存在しない。アタリから直線距離で数キロメートルも車で走れば、すぐに証拠を見つけられた。ＨＰだ。アルコーンがコスモスのリリース実現に向けて奔走していたころ、ＨＰの総売り上げのうち75％は新製品――5年前には存在しなかった製品――によってもたらされていた。ヒット商品に安住して新しいアイデアを受け入れない会社はいつかは駄目になる。アルコーンは「新製品を出さなくても自社の人気製品が時代遅れになるのは避けられない。ライバル会社がいつか新製品を出すから」と言う。

最終的にコスモス・プロジェクトが頓挫した後、アルコーンは非公式にカサールと意見交換しようと試みた。だがうまくいかなかった。「数日間にわたって彼に電話し続けたけれども、ほとんど何の反応も得られなかった」とメモに記した。反応がないということ自体が反応だったのだ。「もう私は不要ということだったのでしょう」

用心深い冒険家であったアルコーン。キャリアチェンジするのにもはやブッシュネルの助けを必要としなかった。自分で辞める決断をした[11]。

1　フォルジャー家が豪邸を手放したのは、25歳のアビゲイル・フォルジャーが1969年にカルト集団「マンソン・ファミリー」のメンバーによって殺害されたため。アビゲイルはコーヒーブランド「フォルジャーズ」創業者の孫娘だった。

2　ブッシュネルは「ワーナーは『われわれは同じ家族の一員』と言うけれども、とんだたわ言です。われわれのボーナスは利益に連動していたんだから」と話す。

3　カサールはスペンサー・ラブがフロリダ州パームビーチに所有する別荘で連休を過ごした。ラブはバーリントンの創業者であると同時に、ブラウン大学でカサールが部屋をシェアしていたルームメートの父親でもあった。ハーバード大ビジネススクールの学長もゲストで来ていた。カサールが大学に戻るころには、ラブからバーリントンの仕事を約束され、学長から奨学金を約束されていた。

4　これは家電部門の数字であり、家電部門はほぼすべてアタリといってよかった。1982年ではワーナーは売り上げの50％、利益の62％をアタリに依存していた。

5　ブッシュネルとキーナンは法的にはワーナーの社員であり続けた。ワーナーはアタリ買収時に幹部解任の権利を得たものの、買収から7年間（1983年まで）は幹部の雇用を維持する取り決め――ワーナー社内では「オンザビーチ」と呼ばれた――を交わしていた。ワーナーから給与の支払いを受けている間、ブッシュネルとキーナンはアタリと競合する会社で働くことは認められなかった。

6　ドレイパーの父親はドレイパー・ガイサー&アンダーソンの共同創業者だ。同社はリミテッドパートナー制度を取り入れたベンチャーキャピタル第1号として知られている。ドレイパーの息子ティム・ドレイパーはベンチャーキャピタル、ドレイパー・フィッシャー・ジャーベストンの共同創業者。

7　アクティビジョン製ゲームの一部はアタリ製ゲームと競合していた。例えば、アクティビジョンもアタリもチェッカーゲーム〈チェッカーズ〉を販売していた。両社のプログラマー（アクティビジョンはアル・ミラー、アタリはキャロル・ショー）はお互いに気付くことなく、同じ大学教授（スタンフォード大教授のアーサー・サミュエル）から助言を得ていた。サミュエルはチェッカーゲームのコンピューター版を研究していた。

8　アルコーンはゲーム機本体にゲームソフトを組み込むことで、新ゲーム機（コスモス）の価格を下げようと考えていた。カートリッジ内にゲームソフトを入れていたVCSと違い、新ゲーム機用のカートリッジ内にはゲームソフトの代わりにホログラムとキーが入っていた。どのゲームをやるかゲーム機に伝える役割を担っていたのがキーだ。

9　コスモス・プロジェクトの中止が決まった段階で、少なくとも250～千台のコスモスシステムが生産され、出荷待ちの状態にあった。1台も売られることはなかった。

10　ビデオゲーム市場でアタリが抜群のブランド力を誇っていたことから、アタリ製コンピューターは最初のうち比較的よく売れた。しかし徐々に人気を失っていった。拡張スロットを備えていなかったうえ、ソフトウエア製品を十分にそろえていなかったためだ。マーケティングも失敗していた。「ハイブリッド型ゲームシステム」と呼んだり、「パーソナルコンピューター」と呼んだりして、消費者を混乱させていたのだ。

11　ブッシュネルとキーナンが1979年に辞めたときと同じように、アルコーンもワーナーと「オンザビーチ」の取り決めを結んでいた。もう会社に行って働くことはないものの、形式的にはアタリの社員であり続けるということだ。

第21章　マシンを使いこなす祖母の姿を想像できる？——ボブ・テイラー

古参研究者がアップルへ転職

１９８０年初め、ゼロックス・パロアルト研究所（ＰＡＲＣ）内のオフィス。机の上にはアルトコンピューター、その横にはパイプを乗せたスタンド。ボブ・テイラーが仕事をしていると、ラリー・テスラーがやって来た。

厳密にはテスラーはシステム科学ラボ所属であり、テイラーのコンピューター科学ラボとは無関係だ。だが、アルト・プロジェクトの重要な一員であり、オフィスにやって来ても特に不自然ではなかった。そんなわけで、テイラーはテスラーの顔を見ても驚かなかった。

テスラーはオフィスのドアを閉めると、前触れなしに言った。「ゼロックスを辞めて、アップルへ転職する」

アップル？　小さなコンピューターを作っている会社のこと？　テイラーはにわかには理解できなかった。テスラーが小型コンピューターに興味を持っていることは知っていた。けれどもＰＡＲＣを辞めてアップルへ行くというのは想定外だった。ＰＡＲＣには無限のリソースがあるからだ。研究者は強力なコンピューターへのアクセス権を持ち、スタンフォード大コンピューターサイエンス学科とつながり、業界平均以上の高給をもらい、世界最高レベルの頭脳を持つ同僚と机を並べ、自由にプロジェクトを選べるのだ。コンピューター科学者にとってＰＡＲＣを超える研究環境はほかにない、とテイラーは確信していた。

それと比べてアップルは……何だろう？　アップルへ転職したら、売り上げと顧客を気にしながら研究しなければならない。製品化のプレッシャーにもさらされる。しかも、同社のエンジニアチームは正式なコンピューターサイエンス教育を受けていない。アマチュアがマシンを組み立てているだけだ。大学を中退した共同創業者もいる。常に注目を浴びたがり、エンジニアチームにいつも横やりを入れているそうじゃないか。

どうしてゼロックスＰＡＲＣ以上にアップルが魅力的なのか？　テイラーは理由を知りたいと思った。「アップルのどこがいいんだ？」

Ｆ１のメカニックがゴーカートをいじり回すかのように

実は、何年も前から「どこがいいんだ？」という質問にテスラーは慣れっこになっていた。厳密には言えば、質問はアップルという会社ではなく、アップルが主戦場にする小型コンピューターに関係していた。テスラーが小型コンピューターの誕生期から小型コンピューターに関心を寄せてきたからだろう。

そもそものきっかけはホームブリュー・コンピュータ・クラブだった。ホームブリューの第1回会合を控えて、テスラーは共同創設者で隣人のフレッド・ムーアから「参加しないか」と声を掛けられた。しかし、「誰もが自分のコンピューターを自作するようになる」という見方に賛同できなかった。そこで「大抵の人はソファを組み立てられないですよ」と言い、参加を見送った。

ところが、ひょんなことからホームブリューと再び接点を持つことになった。第2回会合はヒッピー文化に染まった進歩的な保育園で開かれた。偶然にもテスラーはここに娘を預けていたばかりか、理事も務めていた。あるとき、保育園を後にして帰宅しようとしたところ、駐車場から続々と現れる若者の集団を目撃した。彼らはたくさんの箱を抱え、中にワイヤや基板など電子部品を詰めていた。

集団は保育園の講堂として使われていた木造の小屋の中へ消えていった。テスラーも興味津々になり、後を追って中に入った。だがすぐに興味を失った。「中で彼らは画面をチカチカと点滅させているだけ。使いやすいマシンを作ろうとしているわけではなかった」

1年後、次の会合が開かれたときにはホームブリューの様子は違った。参加者が増え、会場はスタンフォード線形加速センター（SLAC）に移っていた。テスラーも参加し、夕方までには大いに好奇心をそそられた。コンピューターそのものというよりも、進歩の速さに驚かされた。コンピューターは1年前に画面をチカチカと点滅させていただけだったのに、今では文字と数字を表示していたのである。参加者はソフトウエアが入ったカセットテープを交換し、プログラミングをめぐる話に花を咲かせていた。

テスラーは自ら小型コンピューターで実験してみたくなった。試しに「プロセッサー・テクノロジー」と名乗るホビイスト２人組からコンピューター「ソル（Ｓｏｌ）」を手に入れた。続いてコモドール製のコンピューター「ＰＥＴ」も購入。[1] ２台のマシンを前にしていろいろやってみた。まるでフォーミュラ・ワン（Ｆ１）のメカニックがゴーカートをいじり回しているかのように、「普通の人なら何をしたいだろうか？」と自問自答しながら。コードを書いて遊んでいるうちに二つのプログラムを完成させた。一つは自分用の家計簿ソフト、もう一つは娘が通う学校用のお絵描きソフトだ。

テスラーはＰＡＲＣにも２台のマシンを持参して同僚に見せた。「実は僕もホビイストマシンが大好きなんだ」と打ち明ける同僚もいたが、大半は違った。関心をまったく示さないか、さもなければ軽蔑のまなざしを向けた。これがコンピューターと言えるの？　マウスなし、ネットワークなし、プリンターなし？　誰かに何かを送ろうとしても無理では？

確かに、電子メールシステムを備えるＰＡＲＣと違って、小型コンピューターのユーザーは不便を強いられた。ユーザーＡがユーザーＢにメモを送るとしよう。メモをタイプする、スクリーンの写真を撮る、写真を現像する、写真を封筒に入れる、封筒をB宛てに郵送する、というプロセスを踏まなければならない。[2] PARCをはじめとした一流研究所で働く研究者の間で小型コンピューターはどう評価されていたのか？　答えは一言に集約できた。おもちゃである。これを聞いたら「アップルⅡは強力なツール」と信じていたマイク・マークラは怒り心頭に発したことだろう。

コンピューター科学者の一人はこう回想する。「小型コンピューターで本物のプログラミングは無理だし、ネットワークなしだから共同作業も無理。アプリケーションはほとんどなく、FORTRANもCコンパイラーもない。ユーザーは一度に一つの作業しかこなせないし、大きなデータも保存できない。これでは何もできないも同然です」

テイラーも同意見だった。アップル製マシンのような小型コンピューターは、プログラミング学習のために格安マシンを探している学生にとって有用かもしれない。けれども、一般消費者にとってはハードルが高過ぎるのではないか。だからテスラーにこう聞いた。「マシンを使いこなす祖母の姿を想像できる？」

高評価なのに購入不可能のアルト

もちろんテスラーはすべてを理解していた。PARCに持ち込んだ2台のマシンがアルトに匹敵するとはつゆほども思っていなかった。小型コンピューターは使いやすさや見た目の美しさ、ネットワーク性などさまざまな点で、明らかにアルトに見劣りしていたのだ。ただし、一般消費者がこぞって小型コンピューターを買っているという事実も見過ごせなかった。過去3年で見れば、アップルやアタリ、コモドール、ラジオシャック、テキサス・インスツルメンツがパソコン市場に参入し、合計で20万台近くも売っていた。

対照的に、アルトコンピューターは1980年時点でまだ売り出されていなかった。アルトシステム開発が始まって8年、ゼロックス世界会議の「フューチャーズデー」――テイラーはバルコニー上のスポットライトの陰に隠れてのぞき見した――から3年も経過していたというのに、である。

アップルのトリップ・ホーキンスは、1979年にゼロックスのやる気のなさを目の当たりにしている。同年に全米事務機器ディーラー協会が開催した見本市に参加したときに、ゼロックスのブースを目指した。多くのアップル社員と同様に、すでにアルトについてはいろいろと聞いていたからだ(そのころまでにゼロックスは何度もアルトのデモを行っていた)。ブースに着いてゼロックス製ワープロ専用機に目をやると、ディスプレーの背後に隠れている1台のアルトに気付いた。電源プラグが抜かれたままになっていた。

ホーキンスは年配のゼロックス社員にあいさつし、「アルトを商業化する計画はあるのですか?」と尋ねた。

「いいえ、商業化の予定はありません」とゼロックス社員は答えた。彼の名札には「事務機器担当上級副社長」と書かれていた。

「アルトにはマウスが付いていませんね。どうしてですか？」

「マウスは嫌いだからです」

「どうして？」

「テーブルから滑って落ちるからです」

1970年代終わりの時点では、ゼロックス社内では1200台のアルトが使われていた。だが、社外ではほんの一握りしか流通していなかった。一部は首都ワシントン。連邦議会内ではアルトとプリンターがそれぞれ数台置かれ、各種委員会の報告書作成に利用されていた。ホワイトハウスではジミー・カーター大統領補佐官（情報担当）が自分用に1台、助手用に1台導入。「これほど強力なマシンを使ったのは初めて」とアルトをべた褒めしていた。ワシントン以外では一部の大学と企業が限定的にアルトを使っていた。

以上はいずれもゼロックスが試験的に貸し出していたアルトだ。ユーザーの大半からアルトは高い評価を得ていた。にもかかわらず、ゼロックスはアルトの商業化に踏み切らなかった。貸し出しプログラムが開始してから1年以上経過すると、連邦議会上院の技術サービス担当者は本格導入に期待を寄せ始めた。「ゼロックスはいつになったらアルトの生産を拡大してわれわれ利用者のニーズに応えてくれるのだろう？」

アルトを購入するのは不可能だった。テスラーがテイラーのオフィスを訪ねたとき、ゼロックスはアルトとは別のコンピューター「スター」の発売を決定していた。1台1万6千ドル（2016年価格で4万5千ドル）のスターは印象的で美しい上位マシンであり、「エグゼクティブワークステーション」として位置付けられていた。コンピューター科学者が望む機能を漏れなく盛り込んだマシンといえた。開発を主導したのはPARC出身の研究者チームであり、ゼロックス本社のマーケティング・販売部門は蚊帳（かや）の外に置かれていた。

ゼロックスはスターのような上位マシンをすぐに発売できずにタイミングを逸する、とテスラーはみていた。実際にその通りになり、スターが実際に発売されたころには小型コンピューターが市場を席巻していた。スターはパワーの点でも価格の点でも一般消費者のニーズからかけ離れていたのだ。

アップル訪問団の前でPARCがアルトのデモ

テスラーはPARCの現状をますます憂えるようになった。1980年までにアップルのエンジニアチームと接する機会を得てからはなおさらだった。

テスラーが最初にアップルと接点を持ったのは1979年12月。PARCはエンジニアを中心にしたアップル訪問団をオフィス内に招き入れ、2回にわたってアルトのデモを行ったのだ。

デモを仕切ったのはシステム科学ラボの2人であり、一人はテスラー、もう一人はアデル・ゴールドバーグだった。訪問団にはスティーブ・ジョブズも含まれていた。PARCがジョブズの前でアルトのデモを行ったのには訳があった。デモの半年前——1979年6月——ゼロックスはアップルの第2回投資ラウンドに参加して出資に応じていたのである。具体的には、105万ドルを投じてアップル株10万株を購入していた。[3]

なぜゼロックスは出資したのか。アップルがどう転んでも損しないと読んだからだ。アップルが成功したら、株価の値上がりで利益を得られる。ではアップルが失敗したら？　安値でアップル株を追加取得して、まるごと買収できる。[4]

そのころまでに投資対象としてアップルの潜在的魅力は増していた。そのため、マイク・マークラは自分の人脈を通じて投資家に声を掛ければ、自在に出資を引き出せるようになっていた。彼がゼロックスに接触したのは、ゼロックス製プリンターや複写機を売る家電販売網に価値を見いだしたからだ。ゼロックスと資本関係を結べば、アップルは同じ販売ネットワークを通じてアップル製コンピューターも売れるのではないか、との読みがあった。

そんな背景があったことから、アップルのエンジニア数人がアルトのデモを見たいと申し出たところ、ゼロックスは喜んで許可を与えた。もっとも、ゴールドバーグとテスラーはデモを行ったとはいえ、プレゼンからアルトの潜在力を示す最重要部分を外していた。そのことが後で判明するとジョブズは怒り、デモのやり直しを要求した。

ゴールドバーグはジョブズの要求を拒否した。ゼロックス本社首脳陣から直接命令されない限り、企業秘密を外部に見せるわけにはいかないと主張した。しかしすぐに首脳陣からデモのやり直しを命じられた。ジョブズが首脳陣に直接電話を入れて文句を言ったのだ。

2回目のデモでアップル訪問団はアルトの真の姿を初めて見た。グラフィカル・ユーザー・インターフェース（GUI）やマウス、アイコン、メニューはもちろんのこと、異なるユーザーのニーズを満たせるように簡単に設定変更できる点も斬新だった。デモの間、ジョブズはあちこち飛び回ったり、興奮して大声を出したり、体が触れるほどテスラーに近づいたりした（テスラーは首にジョブズの息遣いを感じた）。

一方、テスラーはアップル訪問団に好印象を抱いた。デモの最中に訪問団が投げ掛ける質問はすべて的確だった。アルトがどれだけ魅惑的で美しいマシンなのか、彼らは明らかに理解していた。PARCの研究者のように博士号などきらびやかな経歴を持っていないものの——テスラー自身も博士号を取得していなかった——コンピューターの構造や機能に関しては豊富な知識を備えていた。

2回目のデモが終わった後、テスラーはジョブズから電話をもらった。「アップルへ来てくれないか？　リサコンピューターを担当してほしい」。リサとは、アップルが開発中の新型パソコンのことだ。テスラーは二つ返事でイエスと答えた。

PARCからハイテク業界への人材流出

ＰＡＲＣがアップル訪問団の前でアルトのデモを行ったとき、ボブ・テイラーは不在だった。後になってデモについて知り、怒りを覚えた。当時を振り返り、「不在でなかったら、決してジョブズをオフィス内に入れませんでした。すでにオフィス内に入っているジョブズを見つけたら、追い出しました」と語る。しかし、システム科学ラボを管轄していたわけではなく、デモを中止できたとは考えにくい。ゴールドバーグがすでにできる限りの抵抗をしていた点を踏まえれば、なおさらだ。

実は、ＰＡＲＣから飛び出した研究者第1号はテスラーではなかった。シリコンバレーでハイテク産業が勃興しつつあるなか、テスラー退社前から人材流出は不可避の状況になっていたのだ。

テスラーよりも1年先にＰＡＲＣを辞めていたのがイーサネットの共同発明者ボブ・メトカーフだ。彼はＰＡＲＣを飛び出してネットワーク機器のスリーコムを創業した。[5] テスラー退社から2年以内にチャック・ゲシキとジョン・ワーノックが起業し、チャールズ・シモニーも転職した。具体的には、ゲシキとワーノックはソフトウエア開発のアドビシステムズを創業し、シモニーは40番目のマイクロソフト社員として文書作成ソフトウェアの開発責任者に就任し「マイクロソフトワード」を開発した。このほか、デビッド・リドルとドン・サマロはワークステーション開発のメタファー・コンピューター・システムズを立ち上げた。

退社組のほとんどはテスラーと同じ理由でＰＡＲＣに見切りをつけている。むなしさから生まれるフラストレーションに我慢できなくなったのだ。ゲシキは「エンジニアの生きがいは一つだけ。何かを創造して何百万人に届けること。目的はおカネじゃない」と言う（テスラーはアップルへ転職する際にストックオプションの付与を提示され、「ストックオプションとは何？」と聞いている）。自分のアイデアが誰にも使ってもらえないとしたら、世界トップクラスのエンジニアである意味は一体何なのだ？

結局、ＰＡＲＣのコンピューター科学ラボとシステム科学ラボで生まれたイノベーションの多くを商業化したのは、アップルやＩＢＭ、アドビ、マイクロソフトといった企業だった。「ゼロックスはＰＡＲＣをきちんと生かしていたら、パソコン業界を完全支配し、ソフトウエア業界で圧倒的なシェアを築けたはず」とみる専門家もいる。これに対してゼロックスは「ＰＡＲＣで開発されたレーザープリンターがもたらした利益は大きく、ゼロックスがＰＡＲＣに投じた資金を上回る」と反論する。確かに数字だけを見れば、ゼロックスにとってＰＡＲＣへの投資は「勝利」に値し、どんな否定論も打ち消してしまう。

だが、コンピューターの世界で勝敗を測る物差しは数字ではない。勝利とは金銭的・商業的な成功ではなく、高尚な夢の実現を意味するのだ。テイラーにとっては、リックライダーと共に描いたビジョンの実現、すなわちコミュニケーションを容易にする真の対話型コンピューターの構築こそが勝利である。

その意味でPARCは1970年代終わりまでにすでに勝利を収めていた。そのころにはアルトはゼロックス内のさまざまな場所で利用されており、テイラーのラボは次世代コンピューター開発に取り掛かっていた。次世代コンピューターは一段と高速化・小型化するばかりか、ユーザーの音声まで理解するほどの対話型マシンだった。

テイラーの勝利は、世界トップクラスのコンピューター科学者の間では共通認識だった（ベンチャーキャピタリストや株主、一般消費者、マスメディアはテイラーの勝利を理解できなかった）。実際、マサチューセッツ工科大学（MIT）やスタンフォード大学、カーネギーメロン大学はPARCの研究成果に目を見張り、特にテイラーのコンピューター科学ラボの力量に驚いていた。1983年、スタンフォード大コンピューターサイエンス学科教授のドナルド・クヌースはテイラーのラボに言及して「一組織に超一流のコンピューター科学者が結集したという意味で史上最強のチーム」と評している。

ゼロックス首脳陣はあまりにも近視眼的であったから、PARCの研究成果を商業化しようとさえしなかった。一般消費者はあまりにも無知であったから、おもちゃとコンピューターの区別さえできなかった。だからといってテイラーは敗北したわけではなかった。彼らがアルトの何を理解していたというのだろうか？

起業のハウツー本を購入するアドビ共同創業者

テイラーのコンピュータ科学ラボに所属していた研究者のものの考え方は、伝統的なシリコンバレー流思考形態とは根本的に異なっていた。アップルの新型コンピューター「マッキントッシュ」がデビューした1984年のこと。ラボの技術的指導者であったバトラー・ランプソンは、マッキントッシュを目にしてもまったく怒りを覚えなかった。

マッキントッシュが部分的にせよ、アルトからインスピレーションを得ているのは明らかだった。アップルのエンジニアは5年前にPARCのデモを見てヒントを得たのだ。にもかかわらず、ランプソンはマッキントッシュを見て「アルトがコピーされた」「PARCのイノベーションで誰かが金儲けしている」などとは思わなかった。十数年後に当時を思い起こし、「マックは素晴らしく、製品化できて良かったと思った」と述べている。

ラボから一流研究者が飛び出したことでテイラーは深く傷ついた。テスラーの見立てでは被害者意識さえ抱いていた。人材流出が止まらずに——退社理由はほとんどいつも同じだった——最後には怒りを抑えられなくなっていた。ただし怒りの対象は退社組ではなくゼロックスだった。研究者が辞める理由は個人的なエゴではなくゼロックスの無理解・無反応にあったからだ。ゲシキは「ボブは彼らが辞めるのも仕方がないと思っていた」と言う。

テイラーは不満をためていたこともあり、退社組の憤りに理解を示していた。だが諦めるつもりはなかった。コンピューター科学ラボの生みの親を自負し、ラボの研究成果に誇りを持ち、ラボメンバーを尊敬していたのである。それに背を向けてしまっては、個人的にもキャリア的にも大きな喪失感を覚えるのは確実だった。

実は、テイラーは一度転職を検討したことがある。1980年にHPから声が掛かり、PARC以上の報酬と肩書を提示されるとともに「ラボメンバー数人も一緒に連れてきていい」と言われたのだ。しかし、HPの上司となる人物に好感を持てず、誘いを断ってしまった。数十年後になって「現実が見えなくなっていた」と話す。

シリコンバレーのアントレプレナー（起業家）文化からPARCが見事に遮断されていたという事実は、今から振り返ってみると理解し難い。PARCとシリコンバレーは多くの点で同じ目的に向かって進んでいた。「個人にも使いやすい」「カジュアルな作業環境に適している」といった特徴を持つ小型・高速マシンを開発しようとしていた点で同じだったのだ。それでも両者が直接交わることはなかった。PARCはアカデミアを出発点にしていたのに対して、シリコンバレーはカウンターカルチャー文化の影響下にあったからだろう。

PARCの研究員がどれだけアントレプレナー文化に無知であったのかを象徴しているのがゲシキとワーノックの2人だ。1982年にPARCを辞めてアドビシステムズを創業しようとしたとき、2人はシリコンバレーの起業エコシステムについて何も分からず途方に暮れてしまった。そこでワーノックの博士論文を指導したユタ大学教授デイブ・エバンスに助けを求めた。エバンスが2人に紹介したのは、ベンチャーキャピタリストのビル・ハンブレクトであり、ハンブレクトのオフィスはPARCのすぐ近くにあった。

ハンブレクトから出資の約束を取り付け、2人は車に乗って帰途に就いた。車中、ゲシキはワーノックに聞いた。

「われわれはこれから起業するんだよね？　ところで、君はビジネススクールで講義を受けたことある？」

「いいや、全然」

2人は途中でメンローパーク市内のケプラー書店に立ち寄り、起業に関するハウツー本を購入した。[6]

1970年代が終わりに近づくと、PARCとシリコンバレーを隔てる「バーチャル跳ね橋」が下がり始めた。テイラーにとってつらかったのは、跳ね橋上の往来は双方向ではなくPARCからシリコンバレーへの一方向だったということ。ベンチャーキャピタリストのドン・バレンタインは比喩を使ってこう語る。「われわれシリコンバレーの民はゼロックスPARCの井戸でよく水を飲んだものです。たっぷりとね」

1　テスラーは小文字を使いたかったため、アップルⅡを購入することはなかった。初期のアップルⅡは大文字しか扱えなかった。

2　インテル共同創業者ロバート・ノイスの息子は10代のころからコンピューターになじんでおり、祖母にメッセージを送るためにまさに同じことをやっていた。アップルが受け取った最初のファンレターもスクリーンの写真だった。

3　第2回投資ラウンドでアップルは1株当たり10・5セントで72万株を新規発行している。同投資ラウンドに参加した投資家の中で最高額を投じたのがゼロックスだった。株式分割を考慮すると、アップルのIPO時点でゼロックスは80万株のアップル株を保有していた(持ち株比率は1・6%)。IPOに合わせて持ち株の10%を売却している。

4　テスラーの推測では、社員の組合員化が進むゼロックスは労働組合とは無縁のアップルを使い、ゼロックス製コンピューターを低コストで大量生産しようと考えていた。彼の記憶によれば、ゼロックス本社の開発責任者ロイ・ラーは「ゼロックスがコンピューター用プラスチックケースの製造に掛けるコストは、アップルがコンピューターの製造に掛けるコストを上回る」と冗談を飛ばしていた。

5　HPは2010年に270億ドルを投じてスリーコムを買収している。メトカーフは1979年よりも前にもPARCを辞めたことがあるが、その後復帰していた。

6　ゲシキはハウツー本のタイトルを思い出せない。ただ、こう語っている。「本の中に『市場ギャップ分析』という章があったのは覚えています。そこには『新規事業を始めるならば、需要があり、競争相手がいない市場を選べ』『解決策を考え出して商品化すれば、市場シェア100%を達成できる』『シェア100%を維持できないなら、恥を知れ』などと書いてありました。われわれはアドビ創業に際しては基本的にその通りに行動しました。(中略)あの章は千金に値します」

第22章　若いマニアたち　──マイク・マークラ

取締役会の顔触れにマークラのイメージ戦略

アップルに出資した瞬間から、マイク・マークラは「信頼できてプロフェッショナルな企業を目指す」と決心していた。最高のマーケティング・PR・広告戦略を打ち出し、「アップルはスタイリッシュでクリエイティブ」「おもちゃではなくツールを売っている」と訴えるのである。マークラは1979年12月にこう書いている。「人は表紙を見て本を判断するように、社長の姿を見て企業を判断し、マーケティング資料の質を見て製品の質を判断する。顧客はアップルについて見たり、聞いたり、感じたりする。これらすべてが統合されてアップルのイメージが出来上がる[1]」

マークラが主要企業と次々と提携したのもイメージ戦略の一環だった。アップルは通信大手ITTにアップルⅡの技術をライセンス供与し、ヨーロッパ市場でクローン機を販売した。一方で、メディア機器を扱うベル＆ハウウェルと提携し、教育向けアップルⅡを開発して教育機関に投入した。教育向けは黒い外観で覆われ、不正防止機能を備えていた。

マークラが採用したイメージ戦略は、スティーブ・ジョブズとレジス・マッケンナの支持を得て大きな痕跡を残している。象徴的なのは、１９８０年12月12日のＩＰＯに合わせてマークラが選んだ取締役会の顔ぶれだ。ロックフェラー財閥のベンチャーキャピタル部門ベンロックのＣＥＯ、名門百貨店メイシーズのＣＥＯ、フェアチャイルド・セミコンダクターやサイエンティフィック・データ・システムズ（ＳＤＳ）やインテル創業を後押ししたベンチャーキャピタリスト――[2]。社歴の浅い新興企業の基準では信じられないほどの豪華な顔ぶれだった。

ＩＰＯの引受主幹事もピカ一だった。西海岸のハンブレクト＆クイスト（Ｈ＆Ｑ）と東海岸のモルガン・スタンレーだ。特にモルガンは世界有数の投資銀行。アップルの取締役になった有力ベンチャーキャピタリスト、アーサー・ロックの言葉を借りれば「名門中の名門であり、普通は新興テック企業のＩＰＯは手掛けない」。Ｈ＆Ｑとモルガン以外の引受幹事団も当時としてはウォール街の有力事業者ばかりだった。ベアー・スタンーズ、ブライス・イーストマン・ペイン・ウェバー、アレックス・ブラウン＆サンズ、ドレクセル・バーナム・ランバート、ゴールドマン・サックス、Ｅ・Ｆ・ハットン、キダー・ピーボディ、リーマン・ブラザーズ・クーン・ローブ――。

ＩＰＯによる資金調達額も突出していた。２カ月前のジェネンテックＩＰＯが３５００万ドルだったのに対してアップルのＩＰＯは１億１２０万ドルに上った。30年後、アップルは株式時価総額で世界最大に踊り出る一方で、ＩＰＯの引受幹事団に加わった有力事業者の多くは消え去った（つぶれたり、売却されたりしたため）。

アップルに出資する投資家リストから抜け落ちていた名前が一つあった。ドン・バレンタインのベンチャーキャピタル、セコイア・キャピタルだ。第２回投資ラウンドに合わせて保有する14万８株をすべて売却していた。何年も後になってバレンタインは「個人的にはアップル株売却には不満でした」と語る。アフリカ出張と第２回投資ラウンドが重なり、売却決定に関与できなかったという。結局、アップル株を手放したことでセコイアは多大な機会損失を被った。１９７９年夏時点で１４７万ドルと評価されていたアップル株の時価は、16カ月後のＩＰＯ時点では２４６４万ドルへ実に17倍近くにはね上がっていたのだ。

初期のアップルは、半導体業界のベテランに大きく依存していた。実際、株式未公開だった３年間を見ると、アップルの主要ポストを握っていたのは半導体業界出身者ばかりだった。会長（取締役会議長）、社長、最高財務責任者（ＣＦＯ）のほか、生産、販売、マーケティング、人事、広報各部門の担当副社長ポストもすべて半導体業界からの転職組。半導体業界以外でキャリアを積んだ幹部は法務室長１人と上級技術職２人に限られていた。初期アップルを支えた有力投資家も半導体業界出身で占められた。例えば、バレンタイン、ロック、ベンロック代表者の３人はいずれもマークラの半導体人脈でアップルとつながっている。アップルのイメージ戦略を担ったレジス・マッケンナも半導体業界の重鎮の一人だ。

アップルⅡの人気を支えた表計算ソフト「ビジカルク」

アップルの成長速度は驚異的だった。法人登記後の最初の会計年度である1977年を見ると、売上高はたったの77万4千ドル。それが翌年の1978年に10倍になり、1979年に4千万ドル、1980年度に1億1700万ドルへ急拡大している。同じ期間に利益は4万2千ドルから1170万ドルへと数百倍になった。社員数も劇的に増えており、1976年末に3人（ジョブズ、ウォズニアック、マークラ）だった社員数はIPO時には千人に達している。

原動力はアップルⅡだ。ジーン・カーターが陣頭指揮するなか、アップルは1800店の販売ネットワークを構築して累計13万1千台を売った。IPOの1カ月前には高級モデルの「アップルⅢ」もリリース。アップルⅢはフロッピーディスクドライブを内蔵するほか、最新型の部品を導入し、メモリーを増強していた。

アップルは「リサ」と「マッキントッシュ」という新型パソコンも開発中だった。両マシンともゼロックスPARCからインスピレーションを得ており、それぞれGUI、マウス、メニュー、アイコンを備えていた（リサ開発には元PARC研究員のテスラーが関わっていた）。多くの新型マシンを同時開発する状況は、遠くない将来に混乱のもとになる。だが、1980年時点では、「開発中の新型モデルは多ければ多いほど良い」としか思われていなかった。

アップルⅡ向けに書かれたソフトウエアは数百タイトルに上っていた。人気タイトルの大半はゲームであったものの、「キラーアプリ」は一般ユーザーにとっても使いやすい表計算ソフト「ビジカルク」だった。ビジカルクは1年間にわたってアップルⅡ専用ソフトであったことから、アップルの発行目論見書の中でまるまる1ページを割いて紹介されていた（「財務モデルシステム」として言及され製品の正式名は伏せられたままだった）。ビジカルクの人気はすさまじく、「アップルⅡはビジカルクの付属製品」という冗談まで飛び出した。

ビジカルクを使えば、ユーザーは数字を一つ変えるだけで関連した数字を一気に再計算できる。個々の数字をすべて再計算しなければならなかった時代と比べて画期的な進歩といえた。ジーン・カーターは表計算ソフトなしの経営がどれだけ大変だったのか、身をもって体験している。大掛かりな計算が必要なときには床に包装紙を広げ、その上に大きなマス目を縦横に描いて対応していたのだ。そうしなければ取り消しや修正を書き込むスペースを確保できなかった。用意周到なマークラにとってビジカルクは力強い味方だった。彼に言わせれば「こうしたらあなるプログラム」だった。ユーザーはモデル中の変数を一つ変えるだけで何が起きるのかを瞬時に表示できたからだ。

ビジカルクがアップルⅡ専用ソフトになったことで、初期のアップルは大いに助けられた。例に漏れず、マークラ、ジョブズ、ウォズニアックの3人が一致協力して、正しい判断を下した結果である。

ビジカルクの開発者がアップルⅡを選んだ理由は大きく二つあった。一つは、ビジカルクの創業者がジョブズに好感を抱いていたこと。ジョブズは割引価格でアップルⅡを創業者に譲り渡したことがあった。もう一つは、アップルⅡ用のフロッピーディスクドライブが登場する見通しであったこと。マークラの指令を受けてウォズニアックが開発を担当し、ディスクドライブが完成したのだ。

熱狂のうちに終わったIPO

IPOまでにパソコン市場ではアップルの競争相手が出現していた。タンディ・ラジオシャック製「TRS－80」はアップルⅡよりも高い市場シェアを誇り、コモドール製「PET」はアップルⅡに次ぐ三番手に位置していた。アップルは発行目論見書の中で、膨大な経営リソースを持つテクノロジー企業の参入も予測していた。主にIBMを念頭に置いていた。

しかし、アップルは急成長するパソコン市場で台風の目だった。革新的な新興企業であり、一般には「セクシー」というイメージを得ていた。IPOを数週間後に控えて投資家の間では期待が膨らむ一方だった。メディアは「同規模の企業の中でアップルは最高の経営チームを擁している」「アップルが1977年以降に起こしたイノベーションはお見事。過去100年間の民間イノベーションの大半を凌駕している」などとはやし立てた。IPOへの期待が過熱するなか、マサチューセッツ州は「一般投資家にとってアップル株は危険過ぎる」と判断して、州内でのアップル株売買を禁止した。イリノイ州も規制を設けて州内投資家の新株購入に制限をかけた。

12月12日のIPOは熱狂のうちに終わった。資金調達額は9千万ドルに上り、アメリカ史上最も成功したIPOの一つになった。取引終了時点で株価は28・50ドル。マークラが持つアップル株（持ち株比率は14％で、ジョブズの15％に次ぐ）の時価は2億ドル（2016年価格で5億4千万ドル）以上に膨らんだ。言い換えると、4年前にマークラが投じた1ドルは2200ドル近くになったのだ。ウォズニアックの持ち株比率はジョブズ（あるいはマークラ）の半分程度だった。ウォズニアックは前妻に100株以上を贈与していたうえ、自分の持ち株を優秀な社員に無償で与えたり安く売り渡したりしていたからだ。

どんな物差しで見てもガレージからの成長物語は驚嘆に値した。当然ながら盛大な祝賀会が用意された。

IPOから1週間後、アメリカ西部をテーマにしたパーティーが催された。マークラはスーツにヘビ柄模様のネクタイを着け、大きなスウェード製カウボーイハットをかぶっていた。マークラ、ジョブズ、経営チームメンバー、IPOを主導したラリー・ソンシーニ――。ディナーの間、関係者が次々と立ち上がってスピーチをしたり、思わず笑ってしまうような贈り物をもらったり。モルガン・スタンレーのバンカー組は翌年のベイ・ツー・ブレイカーズ（サンフランシスコの有名な市民マラソン）に出て、アップルのチームと勝負すると宣言した。

アップルの巨大な虹色ロゴがプリントしてあるTシャツを着たH＆Qの社員2人（キュイア・シェイファーとギャレット・C・ダロイア）は、カントリー歌手ケニー・ロジャースのヒット曲「ルシール」を歌った。「お前は絶好のタイミングで出て行った」を「お前は絶好のタイミングでディールを持ってきた」に置き換えて。2人はミュージカル映画『オズの魔法使い』の劇中歌「虹の彼方に」の替え歌も作った。

店頭市場のどこかに
私の手が届くところに
株があると聞いたわ
私がずっと待っていた株が
店頭市場のどこかに
私が落ち込んでいるとき
1ドルで買える株がある
あなたに10ドルで売れる株が

数カ月前、アップルは社員の資産運用を支援するためにファイナンシャルプランナーと会計士を雇い入れていた。IPO後に社員の多くが多額の資産を手に入れる見通しだったからだ。しかし、パーティーは百万長者の誕生を祝うのではなく、ジョブズが言う「マニアックな若者たち」の健闘を祝うのを目的にしていた。パソコン市場を創り出す原動力になったのが「マニアックな若者たち」なのだ。

とりとめのない冗談、おかしな帽子、それ以上におかしな贈り物、笑顔が絶えない弁護士・バンカー・アップル社員——。パーティーの浮かれ気分は永遠に続くかのように思われた。だが、現実にはすぐに暗雲が垂れ込み始めるのだった。

IPO後に急ピッチで進む新規採用、社内で広がる分断

1981年2月、IPOから2カ月半後のことだ。操縦士免許を持つウォズニアックは小さな空港で大事故を起こした。軽飛行機ビーチクラフト・ボナンザを自ら操縦して離陸したところ、墜落してしまったのだ。事故当時を含めて5週間の記憶を失い、記憶障害を患うようになった。

ウォズニアックは事故以前からアップルの職場環境に不満を持ち、自分が消えていなくなっても誰も寂しがらないのではないかと疑心暗鬼になっていた。アップルでは100人以上のエンジニアが雇われていただけに、自分は不要なのではないかとも感じていた。そのため、退院

するとアップルを辞め、カリフォルニア大学バークレー校（UCバークレー）に復学した。本名ではなく「ロッキー・クラーク」という名前を使って。ロッキーは愛犬ロッキー・ラクーンのファーストネームで、クラークは妻キャンディスの姓だった。1年後にアップルに復帰した。

その間、新たに発売された「アップルⅢ」が深刻な問題に直面していた。製造上および技術上の欠陥を抱えていたため、販売店に出荷された段階で全体の20％が動かず、ユーザーの手元に届いた段階でそれ以上が動かなかった。結局、アップルは販売店からアップルⅢを回収せざるを得なくなった。マークラは「アップルⅢ」を最初に見たときに高く評価していただけに、腹を立てると同時にきまりの悪さを覚えた。「何をしてはいけないのか、いい教訓になった」と話す。

アップルは急ピッチで人材拡充を進めていたので、全社員の半分近くがIPO以降の新規採用組で占められるようになった。こうした状況を受けて、インテル出身の人事担当副社長アン・バウアーズは懸念を強めた。経営幹部宛てに緊急メモを配布し、その中で「社員数がほぼ倍増するなかで、社員1人当たり売上高で見た生産性は40％低下しています」と警告した。「われわれは人海戦術で問題を解決しようとしているように見えます。ですが、果たして新規採用組は何をしたらいいのか分かっているのでしょうか？　正しいやり方で問題に対処しているのでしょうか？　このまま社員数が増え続けたらアップルは駄目になります」

1981年時点でアップルが生産中（あるいは開発中）のマシンは4種類に上った。アップル

Ⅱ、アップルⅢ、リサ、マッキントッシュである。それぞれに独立した部門があり、独自のスタッフと独自の文化を持っていた。組織内はマシンの種類ばかりか、入社の時期でも分断されていた。IPO以前の入社組とIPO以後の入社組であり、全体として前者が後者よりも格段に金銭的に恵まれていた。持ち株が大幅に値上がりしたからだ。さらには新規入社組内でも分断があった。幹部陣は大量のストックオプションを付与されており、一般社員にとって不満のもとになっていたのだ。

もう一つ不確定要素があった。社内の権限争いに敗れ、スコットによる裁定でリサ部門から追い出されてしまったジョブズだ。自分の居場所として今度はマッキントッシュ部門に狙いを定めていた。高級路線のリサに対し、マッキントッシュは「低価格」「ユーザーフレンドリー」を特徴にするマシンと位置付けられていた。

社員の不満は多方面に及んだ。設計変更指示をめぐる新ガイドラインの場合もあれば、採用方針や意思決定プロセスの場合もあった。社員の間で広がる燃え尽き症候群も表面化していた。元アップル社員の一人は当時の状況について、「1日12時間労働、週末も出社していました。水飲み場で喉の渇きを癒やすのもためらいました。リズムが崩れて作業に狂いが生じるかもしれないと不安になったのです」と説明する。

人生で最もつらい決断の一つ

社外ではアップルをめぐる熱狂はなおも続いていた。メディアはアップルⅡのすごさを象徴する事例として、ルーカスフィルム傘下のインダストリアル・ライト&マジック（ＩＬＭ）を取り上げた。ＩＬＭのクリエイターチームは職場でアップルⅡを愛用し、映画『スター・ウォーズ』の特殊効果を生み出している、と指摘したのである。ジョブズはＩＬＭの記事を切り抜き、アップル広報部へ送った（ジョブズは後年ＩＬＭのコンピューター部門ピクサーを買収する）。

アップルⅡで結婚式を行う教会の牧師を記事にする新聞もあった。スクリーン上にまず「こんにちは。私はアップル牧師、世界最初のコンピューター牧師です」というメッセージを出す。次にカリール・ジブランの詩集『予言者』から一節を引用し、最後に新郎新婦に「Ｙ」を入力するよう促すのだ。「Ｙ」は「はい、誓います」という意味だ。アップルⅡを使って顧客管理する売春宿もマスコミに登場し、「こんなすごいことやっているよ」という驚きのトーンで紹介されていた。

そんななか、アップルもついに否定的な報道にもさらされるようになった。一部記者がアップルⅢの問題を嗅ぎ回り、社内の士気低下を指摘したり新製品開発能力に疑問を呈したりしたのだ。フォーブス誌の記事は「アップルはかつての輝きを失った」と伝え、ウォールストリート・ジャーナル紙の記事は「傷ついたアップル」との見出しで、「輝きはなくなるどころか増す一方」というマークラの反論を紹介していた。

妻リンダと合意した4年計画に従えば、マークラは1981年いっぱいでアップルを辞めなければならなかった。しかしトラブル続きのなか、4年を超えてアップルにとどまらざるを得ない状況に置かれていた。

ウォズニアックの墜落事故から1カ月後の3月16日。マークラは「人生で最もつらい決断の一つ」を行った。友人でアップル社長のマイク・スコットに辞任を求め、代わりに副会長ポストを用意したのだ。副会長は日々の経営にタッチしない名誉的なポストであり、明らかに降格人事であった。これよりも3週間前、スコットは大量解雇に踏み切っていた。たったの1日で40人の社員をクビにしたのだ。衝撃的な解雇劇であったことから、アップルの公式試料の中でも「暗黒の水曜日」と記録されたほどだ。

マークラは「大量解雇は正当化できる」とする一方で、「アップルⅢの失敗は辞任要求とは無関係」と主張する。数十年後になってもスコットの社長解任の理由を明らかにするのを拒否している。

アップルを去る初代社長マイク・スコット

ＩＰＯ以降、スコットは「社員は甘やかされ過ぎではないか」と思っていた。そう思うのも無理はなかった。例えば、アップル社員は最低60日間勤務し、ソフトウエアプログラムを使う基本スキルを持っていれば、自宅にコンピューター1台を持ち帰れた。出張の際にはファーストクラスに乗り、高級車をレンタルできた。新しいファッションブランド「アップルコレクション」も利用できた。アップルコレクションは社員向けにアップルのロゴ入り衣服や生活用品を扱っていた。

ある社外研修会ではこんなこともあった。アップルの幹部スタッフが集まり、「会社は社員にレギュラーコーヒーと共にデカフェコーヒーも提供するべきか」をテーマに30分間も話し合っていたのだ。マークラの考えでは、このような話し合いは大切であり、社員を重視している証しであった（当時はカフェインは健康に悪いという懸念があった）。だが、スコットにしてみたら時間の無駄遣いにすぎなかった。

スコットは副会長職に数カ月だけとどまり、1981年7月に会社を去ると二度とアップルには戻らなかった。その際に手紙を書き、「アップルは肩書と高給にこだわり、節度を失った」と批判した。「私は他社に転職するわけでもないし、個人的な趣味を追求するわけでもない。私の意見や経営スタイルを怖がる人に配慮しているわけでもない。誤った希望を抱いているかもしれない真面目な社員のことを思って辞めるのです」

これで初代社長はアップル史から消え去った。アップル株の6%を持ったままで。めったにマスコミに登場しないのに、辞任に際して自宅でインタビューに応じている。風通しがよく、天井が高いリビングルーム——床には2匹の猫の姿も——に記者とカメラマンを招き入れ、「エレクトロニクス企業数社に出資し、世界中を旅行し、不動産を買う」という人生計画を明らかにしていた。

実際、スコットは近年になって世界旅行に出掛け、水中発射ロケットプロジェクトに出資し、「トライコーダー」研究を資金支援している。トライコーダーはSFテレビドラマ『スタートレック』シリーズに出てくる分析デバイスのことだ。目の前にある石の情報を必要としているユーザーであれば、トライコーダーを石に向けるだけで目的を達成できる。

スコットはアップルの社長でありながらも、決して表舞台に出ることはなかった。一般の目に触れることがない生産部門を指揮していたからだ。黒子としてマニュアルを書いたり、生産ラインを設計したりするなど、徹底して現場を重視していた。彼の采配があったからこそ、アップルは自在に拡張できる生産システムを築き上げ、急成長中にも大きな問題を起こさずに済んだのだ。トリップ・ホーキンスは「スコッティ(スコットの愛称)は心臓の鼓動と同じで、会社全体のリズムを保つ存在だった」と賛辞を送り、ウォズニアックは「マイク・スコットがどれだけ重要なのかを世界は理解していなかった」と残念がる。

夢にも思わなかった社長に任命されるマークラ

スコットは後継者を育てていなかった。26歳のジョブズは経験不足だった。1四半期で8千万ドルの売り上げを出す企業の社長にはふさわしくないとみられていた。アップルが驚異的成長を続けるなか、競争相手は攻勢を強めるばかりだった。コンピューターの巨人IBMがパソコン市場に参入するといううわさも浮上していた。このような状況を踏まえれば、外部から社長を招き入れるのも論外だった。

人事責任者のアン・バウアーズは「アップルという組織を熟知している人が社長にふさわしい」とマークラに提言した。彼女の見立てでは、スコットの後任として社長を務められる人材はマークラ以外に存在しなかった。マークラが時価1億ドル以上のアップル株を保有している点も重要だった。

マークラはアップルの社長を夢見たことは一度もなかった。社長になれば広範な責任を負い、日々の経営に深く関与しなければならない。そのうえ、アナリストやマスコミと頻繁に会わなければならず、プライバシーも犠牲にせざるを得ない。ソフトウエアのコードを書いても開発者名の欄に偽名を書き込むほどなのに。アップルの顔となるのはまっぴらだ！　とはいっても、ほかに誰がいるだろうか？

その後、スコットの後任人事を議論する取締役会が開催された。議論の最中にマークラは秘書から呼び出された。退席して電話に出ると、義母につながった。「夫が心臓発作で亡くなった。でも娘と連絡が取れない」。かけがえのない友人である義父が急逝し、妻リンダはまだ何も知らない！　事は急を要した。

マークラは取締役会に急いで戻った。「申し訳ないけれども行かなければなりません。後は皆さんで決めてください。私に会社を経営してほしいというのであれば、それでも構いません。とにかく今は個人的な事情があるので、失礼させていただきます」。すぐに車に乗り込んで、妻の友人宅を次々と訪ねた。「リンダを見掛けませんでしたか？」。数時間後、電話で取締役会の決定を知った。新社長に任命されたのだ。

陽気なスポーツマンだった義父。マークラは喪失感を覚え、アップルが大変な時期だというのに大きな心の傷を抱えることになった。妻を慰めつつ葬式の手配に奔走する一方で、自分自身の悲しみに耐えながらアップル――アメリカ史上最速で成長する企業の一つ――の社長職を引き受けた。当時を思い出してこう語っている。「独りになると『一体どうやってこの場をしのげばいいんだ？』と途方に暮れていました。本当に大変でしたからね。すべてが終わってから振り返ってみて、意外な自分に気付きました。思っていた以上にタフだったんです」

スコットが去った後、ジョブズは会長に就任した。記者になぜ会長なのか質問されると、「アップルは多くの部門を抱えた多元的多国籍企業。こんな企業を経営する社長にはマイク・マークラのような経験者が適任」と回答している。

一方、マークラは地元サンノゼ・マーキュリー紙に「数年内には社長を卒業していたい」と語っている。取締役会の前でも「ほかに適任者が現れたら社長ポストを譲る」として、あくまで暫定的に社長を引き受けたのだと念を押した。「6カ月後か1年後か数年後か分からないけれども、そんなに遠くない将来に新社長を見つけたい。社長をやるというのは私の人生目標ではなかったので」

冷静な社長と情熱的な会長はいい組み合わせ

マークラとジョブズは、アップル創業のために引き入れた良きパートナーを同時に失った（マークラはスコット、ジョブズはウォズニアック）。それでも2人はうまくやれた。冷静な社長（マークラ）と情熱的な会長（ジョブズ）はちょうどいい組み合わせだったようだ。マークラは「スポンジのように職場のストレスを吸収する存在」（ホーキンス）であり、感情の起伏の激しいジョブズの緩衝材になっていた。

マークラは消費者ニーズを読むジョブズの眼識を高く評価していた。聡明なクリエーターが大勢いる中でもジョブズは際立っており、経験を積んで成長すれば素晴らしいリーダーになれるとみていた。一方で、ジョブズは優れたビジネスセンスを持つ経営者としてマークラを尊敬していた。だから持ち株を売るときには売却株数をマークラと同じにしていた（ＩＰＯ前の投資ラウンドで大株主には持ち株を売る機会があった）。会社のイメージ戦略の一環としてディテールにこだわる経営哲学についてもマークラから学んでいる。その結果、「消費者はさまざまなディテールから企業に感情移入する」との信念を持つようになった。

ジョブズは後にマークラについて「マイクは私と価値観を共有していました。金持ちになろうとして会社を立ち上げてはいけない、と強調していました。自分が信じるものを創り、会社を永続させることを目標にするべきだ――これが彼の信条でした」と語る。ＩＰＯ時にアップルの新任取締役になったベンチャーキャピタリストのドン・バレンタインによれば「マイクはスティーブのパーソナルトレーナーだった」。

アップルは対外的な公式資料の中でマークラとジョブズをチームとして描くようになった。四半期決算報告の最後に署名する責任者はそれまでのスコット1人からマークラとジョブズの2人へ変わった。１９８2年度の年次報告書はまるまる1ページを割いて、2人が一緒に並んで照明を浴びるツーショットを掲載していた。ひげをきれいに整えてネクタイを着けたジョブズが何か語り掛け、両手をポケットに突っ込んだマークラが熱心に話を聞いている。写真の下には次の一文が書かれていた。「パソコンを通じて個人にテクノロジーを届けるというビジネスは素晴らしく、向こう10年間を決定付ける」

マークラはジョブズと役割分担し、経営全般を見ていた。まずは組織再編成に着手し、3カ月間で新たに副社長を4人雇い入れた。持ち前の計画性を発揮して全社員を集めた会議も開催し、次年度の予算や優先プロジェクトを議論する場として位置付けた。「社員全員に自分自身の役割を認識してほしかったし、会社がどこにカネを投じているのか知ってほしかった」とマークラは語る。「全社一丸となるためには、社員同士がお互いに何をしているのかつかんでおくのも大事でした」

マークラは「経営者が最も犯しやすい過ちの一つは行き過ぎた監視」と考えていたため、極力現場に口出ししないようにしていた。ホーキンスいわく「通常は自分のオフィス内で沈思黙考して計画を練り、オフィスの外にあまり出なかった」。つまり、「歩き回るマネジメント（MBWA）」とは縁がなかったのだ。実際、社員に対しては徹底的に議論するよう促しながらも——議論の場所は廊下でも会議室でもどこでもよかった——自ら議論をけしかけることはなかった。

例えば、クリスマス商戦に向けてアップルⅡを何台生産するべきかという問題をめぐり、部下2人の意見が大きく食い違ったときのことだ。マークラは仲裁に入り、「もし君たち2人で決められないなら、私が決めなければならない。でも、私の知識は君たち2人の半分にも及ばない。それでも私に決めてほしい？」と聞いた。これでも最大限の脅し文句だった。個々の社員は自分で意思決定し、間違ったら責任を負う——これがマークラ流だった。

マークラは、リサ部門から追い出されたジョブズの居場所も用意した。「忙しければトラブルを起こせない」との読みから、マッキントッシュ部門の責任者にジョブズを指名したのだ。これに喝采を送る社員もいれば、ショックを受ける社員もいた。

ジョブズが加わると、マッキントッシュ部門が入居するビルに海賊旗が掲げられた。社員の多くは海賊旗を見て抵抗の証しと受け取った。マークラは違った。「スティーブ（ジョブズのこと）にマッキントッシュを任せ、リサの技術をできるだけ取り入れてもらいたかった。海賊旗を抵抗の証しと解釈する社員がいたとしても、私としては何の問題もなかったです」。その後、リサ部門はＧＵＩに関してマッキントッシュチームと情報共有するようになった。

マッケンナが選んだ「アップルのメディアマン」

レジス・マッケンナは引き続きアップルの広告・ＰＲを担当していた。複雑なテクノロジー企業が一般消費者にとって親しみやすい存在になるためにはどうしたらいいのか？　魅力的な個人と関連付ければいい。彼に言わせれば「無味乾燥なビジネスに愛着を抱かせるカギは人間であり、「パーソナリティーを使う戦略は非常に古い」という。

実際、マッケンナはインテルの広告・ＰＲを担当した際に共同創業者ロバート・ノイスを全面活用した。マイクロチップの生みの親、控えめな百万長者、中西部の牧師の下に生まれて大成功した実業家——。インテルばかりかマイクロチップ産業を象徴する顔としてマッケンナはノイスに白羽の矢を立てたのだ。では、アップルでは誰が適任なのか？　答えは自明だった。若くてハンサム、そして情熱的なスティーブ・ジョブズ以外に存在しなかった。ジョブズはマッケンナの言葉を借りれば「アップルのメディアマン」になるのだ。

もちろんマークラは必要に応じてメディアに登場し、日々の経営についてアナリストの前で説明会を開いている。私的な会話をしているときには魅力的な夢を語り、マークラ支持者いわく「魅力的で親しみやすく、まるでベッドサイドで優しく語り掛けてくれているようだった」。しかしアップルの顔、そしてパソコン業界の顔は、間違いなくジョブズだった。若き「哲人王」であり、誰に対しても魔法のようなカリスマ性を見せた。相手が友人であろうと、赤の他人であろうと、新聞記者であろうと関係ない。少人数か大人数かも関係ない。アップル製品が神秘的なオーラをまとい、革新的な力を備えているように思わせてしまうのだ。アップル製コンピューターを買うと特別な体験ができる！　希望に満ちた未来を見せてくれるクリエイティブ集団——お手本は若い会長——の一部になるのだから！

マッケンナの提案に従い、アップルはウォールストリート・ジャーナル紙上で3回にわたって全面広告を打った。内容はジョブズとの長時間インタビューで、連載形式になっていた。そこにはさまざまなアングルで撮った顔写真4枚が載り、「パソコンは小さな〝大型〟コンピューター以上のマシン」をはじめインパクトのある引用が散りばめられていた。ジョブズお気に入りのエピソードも豊富に入っていた。アップルⅡのおかげで倒産を免れた在英ミシン修理業者、アップルⅡを使って救急外来報告を処理するメディカルセンター、アップルⅡのグラフィックスによって生徒に「学ぶ楽しさ」を教えた学校教師――。

連載広告の中でジョブズは「われわれはパーソナルコンピューター（パソコン）を発明しました。これによって生まれたのが人間とマシンのパートナーシップです」と語っている。1963年にボブ・テイラーに決定的影響を及ぼしたリックライダー論文「人間とコンピューターの共生」を引用しているかのようだった。「パソコンを発明した」というジョブズ発言を聞いたら、テイラーをはじめPARC研究者の多くは怒りを覚えたことだろう。

ジョブズはボストン出張でアップルユーザーの前で講演し、次のように語っている。「無料で手に入る新エネルギー源が見つかるたびに文明は一歩ずつ前へ進んできました。石油化学も新エネルギー源だったし、農耕用すきも新エネルギー源でした。[3] 人間は機械エネルギーのほか、言語や数学のような知的エネルギーをテコにして文明を築いてきたのです。ですが、知的エネルギーの無料利用を示す歴史的痕跡はそれほど多くありません。アップルⅡは無料の知的エネルギーです。何しろ、アップルⅡのおかげで私は1日当たり2時間節約できているのですから」。ロサンゼルス・タイムズ紙上では「パソコンの誕生で個人主義が一段と進むでしょう。個々の人間が孤立化するという意味ではありません。職場と家庭の間で板挟みになっている人間にとってパソコンが救世主になるという意味です」と指摘している。

大企業の会長ではなく26歳の青年のように語ることもあった。「アップルを創業したとき、ビジネスの世界に入るのが非常に怖かった。でも5年たって気付きました。ビジネスはこの世で最もよく守られている秘密ではないかということに。外側からビジネスを眺めていると否定的になりがちですが、内側から眺めるとまったく違う景色が見えてきます。本当に素晴らしい景色です。何よりもわくわくするのは新しい市場を定義することです。まるで鋭い剃刀の刃のように」

1981年、アップルは広告費に1千万ドルを投じている。新聞・雑誌などの印刷媒体に加えてテレビのゴールデンタイムにもスポット広告を何度も出した。テレビ広告で起用されたのは人気トークショー番組の司会者ディック・キャベット。アップルⅡの使いやすさをアピールし、マッケンナいわく「ハイテク業界のセレブ広告塔第1号」になった[4]。同年半ばまでにアップルは15万台のコンピューターを売り、消費者意識調査で同社ブランドの認知度は調査対象者の80%に達した。

コンピューターの巨人IBMがパソコン市場に参入

それでもマークラには一息つく暇はなかった。1981年8月12日、彼がアップル社長に就任して5カ月後のこと。コンピューターの巨人IBMがニューヨークの高級ホテル、ウォルドーフ・アストリアで記者会見を開き、同社初のパソコン「IBM PC」を発表したのだ。IBMマシンは16ビットのインテル製マイクロプロセッサーを採用し、アップル製マシンと比べて速さの点でもメモリー容量の点でも勝っていた。しかも、アップル製マシン以上に複雑な作業をこなせるという。IBMはフロリダ州ボカラトンに極秘開発チームを設け、たったの1年でマシン開発を完了していた。

アップルはウォールストリート・ジャーナル紙上の全面広告で対抗した。大胆にも巨大な太字で「ようこそ、IBM。冗談抜きで」と宣言し、その下に少し小さく「責任ある大人として競争できることを楽しみにしています。あなたはアメリカ発のテクノロジーを世界へ届ける大々的な計画を打ち出しました。ここまでコミットしてくれたことに対してわれわれは感謝します」と書いていた。1年後、PARCの口ひげオルガン奏者アラン・ケイ――近い将来アップルに「フェロー」として加わる――はこう言うのだった。「アップルがIBMにようこそと言うのは、洞穴の原始人がサーベルタイガー(剣歯虎)を洞穴内に招き入れるようなものだ」

IBMの参入を予期していたマークラは「IBM参入前に圧倒的市場シェアを確保して攻勢をはね返す」という作戦を思い描いていた。彼にとってIBMの登場は「ビタースウィート(うれしくもあり、つらくもある)」な出来事だった。コンピューター業界の巨人がパソコンを認めたという意味で「うれしい」ものの、強大な競争相手が出現したという意味で「つらい」のだ。

IBM PC発表から5日後、業界担当記者は「アップル社長のアーマス・クリフォード・マークラは落ち着いた言動で知られているというのに、ウィンストンの紙巻きたばこを吸って誇らしげに大うそをついた」と書いた。マークラは反論した。「われわれはパソコン市場の王者であり、リング上でノックアウトされるとは思いません。第三次世界大戦でも起きない限り。IBM製パソコンの攻勢に耐えるのはもちろんのこと、最後には打ち勝って王者のタイトルを維持します」

現在のアップルは、既存秩序を破壊するアウトサイダー的なイメージで語られることが多い。このようなイメージの元をたどると、1984年にアップルがマッキントッシュ用に制作した伝説的広告に行き着く。広告の中でIBMはジョージ・オーウェルの小説『1984年』に登場する独裁者ビッグブラザーとして、アップルは勇気ある女性反抗者として描かれている（1997年の広告キャンペーン「シンク・ディファレント（Think Different）」も同じ）。

ただし、1981年時点でアップルはパソコン業界の覇者であったということを忘れてはならない。マークラは「市場に一番乗りして業界標準になる」を基本戦略として掲げ、成功していた。つまり、同年時点ではIBMが既存秩序を破壊する挑戦者の立場にあったのだ。

マークラは当時ウォールストリート・ジャーナル紙の取材に応えて「IBMは圧倒的シェアを築いた企業の力をよく分かっています。今回はいつもと立場が逆になっていますけれども」と語っている。彼にしてみればIBMが新興ハンバーガーチェーンだとすれば、アップルは業界の覇者マクドナルドなのだった。IBMは広告の中で①女性を起用する、②心地良い約束をする（「自分のＩＢＭ ＰＣを買うのは素晴らしいことです。それが本当にあなたのものになるからです」）、③チャールズ・チャップリンの映画『モダン・タイムス』に出てくるリトルトランプ（小さな放浪者）を使う――などしていた。ちなみにリトルトランプは官僚的な大企業や技術至上主義と闘う男である。

ＩＢＭ互換機の脅威にさらされ、正念場迎える

ＩＢＭ ＰＣは瞬く間に大人気となり、ＩＢＭは発売から数日後には生産量を4倍にしなければならなかった。１９８２年末までには、平日であれば1分間に1台のペースでＩＢＭ ＰＣが売れるようになっていた。結局、同年中に合計15万台が生産された（アップルの22万5千台に次いで二番手に付けていた）。翌年の１９８３年にはパソコン市場のシェアでＩＢＭはアップルを抜いて首位に躍り出た。１９８５年にはＩＢＭのパソコン部門はあまりにも巨大になり、独立企業と見なせばディジタル・イクイップメント（ＤＥＣ）とＩＢＭ自身に次ぐ業界第3位のコンピューターメーカーになっていた。

また、ＩＢＭ ＰＣ発売直後から、世界中のソフトウエア業者がこぞってＩＢＭ ＰＣ用プログラムの開発に乗り出した。発売から1年間でサードパーティー製ソフトウエアは合計７５３タイトルに達した。アップルⅡ飛躍の原動力になったビジカルクの親会社はＩＢＭ ＰＣ用の表

計算ソフトを用意した。一方、マイクロソフトはＩＢＭとの提携で大躍進するきっかけをつかんだ。ＩＢＭ ＰＣ用ＯＳとしてマイクロソフト製システムが採用されたのだ。新しいソフトウエア製品が洪水のように登場したことで好循環が生まれた。ソフトウエアの種類が増えるとＩＢＭ ＰＣの売り上げが増え、ＩＢＭ ＰＣの売り上げが増えると「急成長マシン向けにプログラムを書きたい」と思うソフトウエア業者が増えたのだ。

アップルにとっての脅威は、豊富なソフトウエアに支えられたＩＢＭ ＰＣにとどまらなかった。いわゆる「ＩＢＭ互換機」がパソコン市場に大量に出回るようになったのだ。ＩＢＭ以外のコンピューターメーカーもマイクロソフト製ＯＳのライセンスを取得し、ＩＢＭと同じインテル製マイクロプロセッサーを導入した結果である。

マークラは「ＩＢＭの参入でパソコン市場の認知度がぐんと高まったのは良かった。けれどもアップルにとっては逆風でした。それまで競争相手は1社だったのに一気に20社に増えたのだから」と言う。実際、１９８０年末時点でパソコンメーカーは二十数社だったのに、ＩＢＭ ＰＣ発売年の１９８１年末には44社へ急増していた。ＩＢＭ ＰＣ発売から1カ月後、株式アナリストはＩＢＭ互換機メーカーとの競争をマイナス材料と見なし、アップルの第４四半期業績予想を一斉に引き下げた。そのあおりを受けてアップル株は13％急落した。

ＩＢＭとアップルが覇権を競い合っていたパソコン市場は急拡大していたとはいえ、なおも発展途上にあった。テレビと比較してみると分かりやすい。１９８１年のアメリカ国内で見ると、パソコンを保有する世帯数は10万世帯、事業所に導入されているパソコン台数は27万5千台だった。それに対して同年の国内テレビ設置台数は8100万台にも上っていた。大半の一般消費者にとってコンピューターは依然としてなじみが薄く、ともすれば怖い存在だったのだ。

高級ライフスタイル誌タウン&カントリーのライターは1981年末にこう書いている。「現在のコンピューターは気の合う友人のような存在で、仕事や教育、娯楽の点でいろいろと助けてくれる。しかし、われわれの大半は今でもコンピューターを恐れたり、あからさまな敵意を抱いたりしている。コンピューターは何度でも間違った請求書を送り付けてくるような、まったく理解不能な怪物なのだ」

IPOを行った1980年がアップルにとって驚異的成長と祝福の年だとすれば、1981年はマークラとアップルにとって正念場の年といえた。マークラは1981年の年次報告書の中で「成長しているからといって内的・外的な問題を覆い隠せるわけではない」と厳しい現状を認めている。地元記者とのインタビューの中ではより踏み込んで「外から見ればアップルは奇跡を起こしているように見えるかもしれませんが、実態は違います。奇跡なんて起こしていませんん」と語っている。

1　マークラは1979年12月に「アップルのマーケティング哲学――共感、フォーカス、知識伝達」と題したメモを書いている。この中でアップルのマーケティングチームに対して大きく三つの原則に従うよう促している。一つ目は共感。「もし顧客とディーラーに共感できたら、彼らのニーズを誰よりも深く理解できる」。二つ目はフォーカス。「本当にやるべきプロジェクトにフォーカスしなければならない。そのためには余計なプロジェクトを排除し、残ったプロジェクトの中から経営リソースを踏まえて実行可能なプロジェクトを選ぶ。後はそこに集中するだけ」。三つ目は知識伝達。「われわれは最高の製品、抜群の品質、最も役立つソフトウエアを持っているかもしれない。しかし、いい加減にプレゼンしたら、いい加減な製品・品質・ソフトウエアと思われてしまう。だからクリエイティブかつプロフェッショナルにプレゼンするのは極めて重要なこと。そうすることによって、正しい知識をきちんと消費者へ伝達できる」

2　アップル取締役会にベンチャーキャピタルのベンロック代表として当初加わっていたのはハンク・スミスだった。しかし、IPO直前になってベンロックCEOのピーター・クリスプと入れ替わった(クリスプは「ベンロック代表はマネージングパートナーにしてほしいと言われた」と語る)。クリスプは2008年に全米ベンチャーキャピタル業界とのインタビューに応じ、ロックフェラー財閥のデビッド・ロックフェラーにまつわるエピソードを披露している。IPO前夜にロックフェラーはマンハッタンのタウンハウスでカクテルパーティーを開き、ジョブズやウォズニアックらアップル関係者を招いた。翌日にクリスプに会って感謝されると、「どういたしまして。アップル関係者に会えて楽しかったよ。でも、今度アップル関係者を招くときには一つ警告してほしい。鏡にステッカーを貼らないでとね」と言ったという。パーティーの間、誰かが洗面台の鏡に虹色のアップルステッカーを貼ったらしい。

3　その1年以上前に、当時モルガン・スタンレーに所属していたアナリストのベン・ローゼンも「エレクトロニクスが無料のエネルギーと無料の知識を生み出す」と似たような発言をしている。

4　テレビコマーシャルは楽しくも自嘲的なトーンで制作されており、明らかにフェミニスト的でもあった。コマーシャルの中でディック・キャベットは一般女性と向き合い、アップルⅡの汎用性やメモリーを説明して「料理のレシピを保存していますね?」と尋ねる。すると、女性はほほ笑んでうなずきつつも、「鉄工所経営や金先物取引でもアップルⅡを使っています」と答えている。

フィスを訪ねた。机の…

く意味不明。こんな言葉…

と分かりやすく教えてく…

一方、エンジニアはア…ブを交換す

ればいい」「部品同士をつ…教えて」などと具体的に説明。次に、

アルバレスが横で見守るな…きステップを列挙するなどして変更指示書を書き換えた。

このようなやり取りは少なくとも週数回に及んだため、アルバレスにとって大きな不満になっていた。

ロルムのエンジニアだったジェフ・スミスは40年後になって——その間にさまざまな上級経営ポストに就いて経験を積んでいる——当時を思い返し、「今だから彼女の不満が理解できます」と語る。「エンジニアチームは生産プロセスの実情を考慮しないで変更指示を出していました。それが不満のもとになったのでしょう。A部門がB部門の実情について何も知らないままにB部門に対して指令を出すのと同じですから」

上司に直訴して「机に座ってする仕事」をついにゲット

変更指示について不満を強めるアルバレスを見て、上司のビル・レイはついに「エンジニア

よりも上手に変更指示書を書けると思うならば、自分でやってみたらどうか」と提案した。「とりあえず変更指示書の草案を手に入れて、意味不明の個所について質問して書き直せばいい。エンジニアが君の変更指示書を承認するなら、まったく問題ない」。要するに、エンジニアから変更指示書が届くのを待つのではなく、自分に理解できるようなやり方で変更指示書を書いてみるべきだ、と助言したのだ。

もちろんアルバレスはレイの助言に従った。すぐに効果を実感できた。変更指示書の作成・修正にかける時間の短縮に成功したのだ。結果として、彼女自身にとってはもちろんのこと、エンジニアチームにとっても仕事がぐんと楽になった。

数週間後、アルバレスはレイに対して「もう工場主任はやりたくありません。違う仕事をやらせてください」と訴えた。「フルタイムで変更指示書を書きたいと思っています。そのためのポストを新設していただけないでしょうか」。変更指示書を専門にする新設ポストに異動できれば、名実共にホワイトカラーへの転身となる。そうなれば希望通りに生産現場から抜け出し、エンジニアチームに加われる。

幸いにも、レイは因習にとらわれずにリスクを取るタイプであり、変更指示ポストの新設にゴーサインを出した。「ロルムのブルーカラー労働者は報われない運命にある」(ジェフ・スミス)という状況を変えてみたくなったのだ。アルバレスは変更指示ポストへ異動し、ドア付きのオフィスを与えられた。オフィスはキュービクルとは違って専用電話を備えていた。

22歳のアルバレスは机に座って仕事をすることになった。長年の夢をついにかなえたのだ。とはいえ一筋縄ではいかなかった。エンジニアチームはそれまでアルバレスから質問攻めに遭っても、「かわいくて元気な女の子」と思うだけで親切に対応していた。ホワイトカラーとブルーカラーという組織上の壁で分断されていたから、何の脅威も感じなかった。ところが今度は違う思いを抱いた。大学も出ていない女性が突如として同じ職場にやって来て、同じ仕事――変更指示書の作成――をやっているではないか！　アルバレスは「エンジニアチームは尊厳を傷つけられたみたい」と振り返る。

間もなくしてアルバレスは、エンジニアチームから大量の変更指示書を受け取るようになった。すべて書き直すとなるとパンクしかねなかった。明らかに嫌がらせだと思い、レイのオフィスに行って直訴した。「女性を2人新規採用して、3人チームにしてくれませんか。3人はエンジニアと同じ仕事をします。でもエンジニアよりも低給です。こうなればエンジニアチームに余裕が生まれ、ほかの仕事を任せることも可能なのでは？」

3人目の女性が採用になってから数週間後、エンジニアチームは変更指示書の草案を書くのをやめた。代わりに女性チームに簡単なメモを送り付けるだけになった。「大学を出ていない若い娘が変更指示書を書いているのを見て、エンジニアチームはばかばかしく思ったのでしょうね」とアルバレスは推察する。その後、エンジニアチームは変更指示書を承認するだけで、自ら書かなくなった。変更指示は女性社員の仕事になったのだ。

母ビネータ、一財産を築いてついに引退

アルバレスが机に座って仕事をするようになったころ、ロルムは創業10周年を迎えて急成長中だった。売り上げが前年比128%増の1億1400万ドルへ増大するなか、利益は過去最高の1130万ドルを記録。社員数も2千人を突破し、3年前と比べて5倍になっていた。株価は大幅高になり、過去2年で2回の株式分割が実施されていた。

ロルムの驚異的成長に伴って、大株主の共同創業者に加えて、多額のストックオプションを付与されている経営幹部やエンジニアは莫大な富を手に入れた。一般社員も成長の恩恵にあずかれた。アルバレスの母ビネータもその中の一人。何年もかけて割引価格で自社株を購入し続けていたうえ、2千株相当のストックオプションを付与されていたことから、一財産を築いて1980年1月に引退した。

当初は想定通りに事は進まなかった。ロルムのロン・ディールに最初に誘われたとき、ビネータは「ロルムに転職すれば1株当たり50セントで自社株を購入できる」と聞かされていた。ところが入社してすぐにがっかりさせられた。「女性の未公開株購入を禁止する州法があるから自社株購入は認められない」と指摘されたのだ。

それでも最後には、ビネータは厳しい生活から抜け出すのに十分な財産を築けた。「足が大き

くなってきた」と不安顔で話す4人の娘――足が大きくなっても新しい靴を買う余裕がないという家計事情を知っていた――を養うためにフル回転して働き続けてきたのだ。高校も卒業せずに。43歳になり、ビネータ・アルバレス・ホールドリッジは「これで二度と働かないで済む」とホッと胸をなで下ろした。

同僚男性との給与格差に激怒する

エンジニアチームと肩を並べて働くようになったアルバレス。最大の思い出は別の部署への移動が決まった日だった。

2年間にわたって変更指示書を書いているうちに、アルバレスはホワイトカラー職場で働くほかの女性社員を頻繁に目にするようになった。本社キャンパス内のきれいな歩道を散策する女性社員もいれば、カフェテリアで食事をしている女性社員もいた。ある日、非常に印象的な女性を見掛けた。優雅なスーツで身をまとい、よく帽子をかぶっていた。帽子はとりわけ目立った。鮮やかな色のフェルト生地を使っていたり、羽飾りを付けていたりして、アルバレスにとっては初めて見る帽子だった。スーツと同様に高価であるのは間違いなかった。彼女はこんなにおしゃれをしているのだからロルムではかなり稼いでいるはずだ！

アルバレスはどうしてもおしゃれな女性社員のことを知りたくなり、あるときに出し抜けに話し掛けてみた。

「こんにちは。ロルムでは何をしているのですか?」

「マーケティングです」

アルバレスはお礼を言ってすぐにその場を立ち去った。あまりにも恥ずかしくて「マーケティングとは何ですか?」と聞けなかったからだ。

その後、図書館に駆け込んで1冊のビジネス本を借り、読んでみた。エンジニアリング、財務、生産、営業、マーケティング——。会社にはさまざまな部門があることが分かった。アルバレスの見立てでは、女性が男性と同じように稼げる唯一の分野は営業だった。というのも、営業部門は完全歩合制であり、どれだけ製品を売りさばけたかで報酬が決まるからだ。営業以外の部門では女性は単に「女性だから」という理由で低給に甘んじなければならなかった。

できるだけ早い段階で営業部門(あるいはマーケティング部門)へ異動するため、アルバレスはロルムの組織図を描いて作戦を練った。そのうち、エンジニアリングと営業(あるいはマーケティング)の両部門と接点を持つグループが一つ存在することが判明した。予測グループである。

予測グループは営業・マーケティング部門の予測数字に修正を加え、生産部門向けに利用可能な数字をはじき出す役割を負っていた。例えば、営業・マーケティング部門から「われわれはY機能付きCBXシステムをX台売る見込み」という予測数字を得たら、生産部門に対しては「われわれは当該部品をZ個調達しなければならない」などと伝えるわけだ。営業・マーケティング部門への近道は予測グループであるに違いない、と彼女は結論した。

図書館に駆け込んでから1年後の1981年、アルバレスは希望通りに予測グループへ異動できた。仕事自体は楽しかったものの、おなじみの差別の存在にすぐに気付いた。営業部門以外ではどんな仕事に就いても男性と同等に扱われることはないのだ。

ある日のこと、アルバレスは職場の同僚男性が自分の給与について自慢げに語っているのを耳にして驚いた。彼は彼女の2倍の給与を受け取っていたのだ！　彼女の仕事は大型CBXシステムの予測に絡んでおり、彼の仕事よりもはるかに複雑で、大きなリスクと隣り合わせだったというのに、である。[1]

怒り心頭に発したアルバレスはビル・レイのオフィスに直行した。レイは変更指示ポストの新設にゴーサインを出してくれた上司であり、友人でもある。それまでに何度か昇進を重ねて上司の上司になっていた。

「あの男よりも低い給与なんて納得できません！」とアルバレスは抗議した。

「彼には子どもがいるんだよ」とレイは答えた。扶養家族がいるから給与格差は正当化できるという理屈だった。

「それがどうしたというのですか？　給与は仕事で判断されるべきです！」

アルバレスは昇給を勝ち取った。

製造業主導から研究開発主導へ大転換するシリコンバレー

1981年までにロルムはシリコンバレー本社キャンパスを大幅に拡充していた。3万7千平方メートル（東京ドーム0・8個分）ほど敷地面積を増やしたうえ、70エーカー（東京ドーム6個分）の隣接地を購入していた。急成長を支えていたのは二つの製品ライン。一つは企業向けのCBX電話システムであり、もう一つはアメリカ軍向けの強化（ラギッド）コンピューターだった。

本社キャンパスの拡張は、主に経営管理とエンジニアリングの両部門の人員収容を目的にしていた。アルバレス母娘が所属していた生産部門はコロラド州コロラドスプリングスへ移転していたのだ。コロラドスプリングスでは土地と労働力が安いうえ、軍需産業が集結していたことから熟練労働者の採用が比較的容易だった。

1980年代初めまでに、ロルムをはじめ多くのシリコンバレー企業が生産部門の域外移転に乗り出していた。インテルはオレゴン、アリゾナ、ニューメキシコ各州に工場を新設した一方で、ナショナル・セミコンダクターはワシントンとアリゾナ両州で新工場を建設中だった。アジアなど海外生産も加速していた。人気だったフィリピンの魅力は時給13セントの低賃金だった。アップルはアイルランド南部のコークで工場建設に乗り出していた。

シリコンバレー脱出は生産部門に限られなかった。ロルムは製品開発と製品マーケティングよりも上手に変更指示書を書けると思うならば、自分でやってみたらどうか」と提案した。「とりあえず変更指示書の草案を手に入れて、意味不明の個所について質問して書き直せばいい。エンジニアが君の変更指示書を承認するなら、まったく問題ない」。要するに、エンジニアから変更指示書が届くのを待つのではなく、自分に理解できるようなやり方で変更指示書を書いてみるべきだ、と助言したのだ。

もちろんアルバレスはレイの助言に従った。すぐに効果を実感できた。変更指示書の作成・修正にかける時間の短縮に成功したのだ。結果として、彼女自身にとってはもちろんのこと、エンジニアチームにとっても仕事がぐんと楽になった。

数週間後、アルバレスはレイに対して「もう工場主任はやりたくありません。違う仕事をやらせてください」と訴えた。「フルタイムで変更指示書を書きたいと思っています。そのためのポストを新設していただけないでしょうか」。変更指示書を専門にする新設ポストに異動できれば、名実共にホワイトカラーへの転身となる。そうなれば希望通りに生産現場から抜け出し、エンジニアチームに加われる。

幸いにも、レイは因習にとらわれずにリスクを取るタイプであり、変更指示ポストの新設にゴーサインを出した。「ロルムのブルーカラー労働者は報われない運命にある」（ジェフ・スミス）という状況を変えてみたくなったのだ。アルバレスは変更指示ポストへ異動し、ドア付きのオフィスを与えられた。オフィスはキュービクルとは違って専用電話を備えていた。

フィスを訪ねた。机の上に変更指示書を広げ、「一体全体、何を言おうとしているの？　まったく意味不明。こんな言葉を知っている人なんて世の中にいません。どうしてほしいのか、もっと分かりやすく教えてください」と問いただした。

一方、エンジニアはアルバレスの歯に衣着せぬ物言いに慣れていた。まず、「チップを交換すればいい」「部品同士をつなぐワイヤを切断して新品と入れ替えて」などと具体的に説明。次に、アルバレスが横で見守るなか、踏むべきステップを列挙するなどして変更指示書を書き換えた。このようなやり取りは少なくとも週数回に及んだため、アルバレスにとって大きな不満になっていた。

ロルムのエンジニアだったジェフ・スミスは40年後になって――その間にさまざまな上級経営ポストに就いて経験を積んでいる――当時を思い返し、「今だから彼女の不満が理解できます」と語る。「エンジニアチームは生産プロセスの実情を考慮しないで変更指示を出していました。それが不満のもとになったのでしょう。A部門がB部門の実情について何も知らないままにB部門に対して指令を出すのと同じですから」

上司に直訴して「机に座ってする仕事」をついにゲット

変更指示について不満を強めるアルバレスを見て、上司のビル・レイはついに「エンジニアに対して1日に最低でも1件の設計変更指示を出していた。内容はさまざまだった。一部の部品を違う種類の部品と入れ替える、CBXシステムの人気バージョン量産のため生産ラインのレイアウトを変える、動力装置など最新の組み立てシステムを導入する――。アルバレスは工場主任に就任するや否や、毎日のように社内便経由で変更指示書を受け取るようになった。急ぎの場合には手渡しで。

通常、変更指示は1件当たりで10ページ以上に及んだ。アルバレスは変更指示書を受け取ると①件名を確認する、②さまざまな管理者・責任者の署名にさっと目を通す、③変更指示を読んで意味をくみ取る――というステップを踏んだ。大変なのは対応策だ。新たな業務に何人の作業員を割り当てるべきか? 新しい部品の形をどうやって把握するのか? 新しい手順書と製作図を使って部品の取り付け個所を分かりやすく示せるか? テーブルを動かすべきか? 生産ラインを止めないで変更を行えるか? それとも生産ラインを一時的に止めなければならないのか?

多くの場合、アルバレスは変更指示の意味を理解できなかった。無理もなかった。「U4の抵抗を妨害せよ」や「チャネルドライバーをスピードアップせよ」といった言葉を目にすれば、誰でも面食らう。しかも、変更指示は解決すべき問題を示しているだけであり、解決策を示しているわけではなかった。

そのため、アルバレスは変更指示書を受け取るたびに書類の束を抱え、担当エンジニアのオ

第23章　一体何を言おうとしているの？
――フォーン・アルバレス

100人の女性作業員を監督する工場主任に

　マイク・マークラがアップルのIPOを計画し始めたころ、フォーン・アルバレスはロルム――通信機器・軍事用コンピューターのパイオニア――の工場主任に任命された。組織上は引き続き生産現場に所属しながらも、電話システム「CBX」の生産ライン近くにあるキュービクルを使えるようになった。これによって自分専用の空間を確保できると思うと、うれしくて仕方がなかった。ただし、男性エンジニアと違って専用電話を与えられたわけではなかった。

　工場主任となると、アルバレスは生産ラインで働く100人前後の女性作業員を監督しなければならない。誰を採用して誰を解雇するのか、どんな研修プログラムを用意するのか――すべて彼女の責任になった。もう一つ重要な役割があった。エンジニアチームの指示に従って生産ラインに設計変更を施すのだ。

　アルバレスが所属する通信機器部門のエンジニアチームは総勢20人前後に上り、生産ラインを手掛けるグループをテキサス州オースティンへ移した。共同創業者のボブ・マックスフィールドは「移転は不可避でした。他社と同様にわれわれはエンジニアの新規採用に苦労していました。生活費の高騰も頭痛のタネでしたね」と振り返る。

HPは「今後はシリコンバレー域外で成長する」という方針を正式に決めた。サンタクララ郡の在住企業60社を対象にした調査によれば、新規採用予定者のうち41％はカリフォルニア域外で雇用される見通しになっていた。

HP社長のジョン・ヤングは１９８０年に次のように語っている。「シリコンバレー経済は製造業主導型から研究開発主導型へ大転換しつつあります。けん引役は高度なスキルを備えたプロフェッショナルです。高給取りだから生活費が高騰するシリコンバレーでもやっていけます。一方で、肉体労働者や低所得者層、高齢者ら社会的に恵まれない人たちが心配です」

数十年後、彼の懸念は的中するのだった。

1　ロルムはさまざまな大きさのCBXシステムを製造していた。アルバレスが担当していたCBXシステムは大型であり、処理できる内線番号数は最大で4千に上った。それに対して、自分の給与を自慢していた同僚男性のCBXシステムは最大でも144であり、使用部品点数も格段に少なかった。部品の費用を予測するのが仕事だったことを踏まえれば、同僚男性の作業はずっと楽だったはずである。彼女はこう語る。「本当に頭にきました。私は彼より90%も多く予測していました。全体の5%ミスするだけで会社に大損害を与えるほどのリスクを負っていたのです。彼は小型システム担当だったから、5%ミスしたところで全然平気。女性が搾取されていたんです」

第24章　おカネは要らない——サンドラ・カーツィッグ

ハイテクスタートアップにふさわしい取締役会

フォーン・アルバレスが変更指示の新設ポストに就いたころ、サンドラ・カーツィッグはＡＳＫの取締役候補と昼食を共にしていた。ほんの1年前がうそのように感じられた。ＡＳＫの未来に自信を持てず、ＡＳＫを売り払って給与のいい仕事を見つけようかとも思っていたのだ。１９８０年には売上高が前年の２８０万ドルから3倍増になるなか、最終利益は5倍増の１００万ドルを記録する見込みだった。

成長のエンジンになっていたのが爆発的に拡大中のミニコンピューター市場だった。ＨＰを見てみよう（ＡＳＫはＨＰ製ミニコンピューター用にＭＡＮＭＡＮシステムを開発していた）。１９７５年までにＨＰの旗艦ミニコンピューター「ＨＰ３０００」は累計で80台出荷されていたにすぎなかったのに、5年後には全世界で5千台が稼働中だった。ハードウエアの価格低下が需要を刺激していたため、ＡＳＫは大きな追い風を受けていた。ＭＡＮＭＡＮは主に経営幹部らプログラミングに無知なユーザーを念頭に置いて開発されていたものの、プログラミングに詳しい顧客層にも好評だった。広く普及していたプログラミング言語FORTRANで書かれ、ソースコードも付属していたため、顧客側で自在にカスタマイズできたからだ。

急成長企業を経営するのは刺激的でわくわくする。しかし、カーツィッグはエンジニアを振り出しにしていただけに実務には疎く、直感に頼ってASKを経営するしかなかった。会社が大きくなるにつれて直感依存の経営では限界を感じるようになり、いろいろと手を打ち始めた。

まず、ハーバード大ビジネススクールの夏期集中講座を受講した。具体的には、「中小企業経営プログラム（SCMP）」に入り、中小企業オーナーやCEOらと一緒に経営について集中的に学んだ。ちなみにSCMPでは、受講者は3年連続でハーバード大ビジネススクールに夏に集まり、3週間の研修を受ける。

次に、ASKナンバーツーとして35歳の元陸軍中尉トム・レイビーを引き抜いた。レイビーは営業マンとして経験を積んでおり、コンピューターリースを主力にするコングロマリット大手アイテルの社員だった。アイテルがASK買収に興味を持っていたことから、あるときアイテル代表としてASKを訪ねた。丸一日かけて買収交渉を行っているうちに、カーツィッグから逆提案された。「アイテルに買収されたくはないですね。でも、あなたを買収したい。値段はいくら？」。これでASK入りが決まった。

自宅のキッチンで生まれた個人商店のASK。カーツィッグの予測では、シリコンバレーのハイテクスタートアップの一つになれるかもしれなかった。だとすれば、取締役会の構成もハイテクスタートアップにふさわしい顔ぶれにしなければならない。当時の取締役会メンバーは彼女自身に父親と夫アリーを加えた3人だったのだ。

ASKにハイテクスタートアップの可能性を見いだす業界関係者もいた。その中の一人がHPのコンピューター担当幹部ポール・イーリーだった。カーツィッグから「取締役候補を紹介してほしい」と頼まれると、ベンチャーキャピタリストや起業家が縦横につながるシリコンバレーネットワークの中から有力者を数人挙げた。[1]

ベンチャーキャピタル業界のことを知らずに昼食

イーリーが推した一人がバート・マクマートリーだった。レストラン内のテーブルでカーツィッグと向き合って昼食中だ。地元ベンチャーキャピタルのインスティテューショナル・ベンチャー・アソシエーツ（IVA）を率い、旗艦ファンドの運用資産をたったの6年間で1900万ドルから2億ドルへ増やす実績を持っていた。

テキサス生まれの45歳で、四半世紀近く前にシリコンバレーへやって来たマクマートリーは、スタンフォード大で工学博士を取得し、ベンチャーキャピタル業界入りする前にはシルバニアで中核的ラボの責任者を務めていた。テキサス出身という点では、ロルムの創業者4人と深くつながっていた。4人をテキサスからシリコンバレーに呼び寄せ、シルバニアのエンジニアとして雇った張本人だったのだ。4人がシルバニアを飛び出してロルムを創業すると、当然のようにロルムの取締役会に加わった。

シリコンバレーでは珍しく、マクマートリーは控えめな性格を持ち味にしていた。自分が成功した理由については「しっかり技術的スキルを身に付けたから」とし、「人は基本的に何も知らないものです。前へ進むためには常に『分かりません』と言って、謙虚に学び続けなければなりません」と語っている。

カーツィッグはマクマートリーの経歴についてはほとんど何も知らなかった。イーリーからは「彼はトライアド・システムズの取締役を務めているから、ASKの取締役にいいのではないか。トライアドの顧客層はASKと似ている」と聞かされていた。トライアドはハンブレクト&クイスト（H&Q）とIVAの支援を受け、自動車部品流通業者向けに在庫管理システムを開発・販売していた。

ベンチャーキャピタリストは通常スタートアップへの出資と取締役就任をセットで考えている。そのため、マクマートリーはASKへの出資も同時に求められていると解釈し、「喜んで出資するし、取締役会にも入りますよ」とカーツィッグに伝えた。

カーツィッグは見るからに困惑顔になった。「どういうことですか？　ASKにお金を出したいということですか？　お金は要らないのですが……」

ハーバード大の夏期集中講座を受講して3年目を迎えていたカーツィッグは、すでにシリコンバレーでソフトウエア開発企業を8年にわたって経営し、実務経験を積んでいた。それなのに、ベンチャーキャピタリストのバート・マクマートリーを昼食に誘い出して、ベンチャーキャピタル業界に対する無知をさらけ出すとはどういうことなのか。

そもそもカーツィッグは、ハイテク起業家やベンチャーキャピタリストが形成する地元ネットワークに属しているとは思っていなかった。無理もなかった。夏期集中講座の運営主体は地元のスタンフォード大ビジネススクールではなく5千キロも離れたハーバード大ビジネススクール。同講座を受講するクラスメートの大半は家業を経営しており、ハイテクスタートアップとは縁がなかった。彼女を取り上げるメディアももっぱら製造業界の業界誌やニュースレターに限られていた。シリコンバレーのハイテク業界との接点が浮き上がるのは、HPが自社発表資料の中でASKに言及するときくらいだった。

日ごろの生活パターンを見ても、カーツィッグは地元のハイテクネットワークと切り離されていた。第一に、インテルやナショナル、アドバンスト・マイクロ・デバイセズ（AMD）関係者が連日集うバー「ワゴンホイール」に行かなかった。第二に、ホームブリュー・コンピュータ・クラブの会合に参加し、ホビイストを自任する口ひげ集団と交わらなかった。第三に、ハイテクネットワークの重要起点であるゼロックスPARCやスタンフォード大コンピューターサイエンス学科などとつながっていなかった。ネットワークという点で彼女が属していたのは、全米生産・在庫管理協会だった。

蹴っても直らないソフトウエア

さらには、カーツィッグはマイク・マークラのようなメンターに巡り合えなかったし、トム・パーキンスやドン・バレンタインのようなベンチャーキャピタリストからの後押しもなかった。基本的に独力で起業し、夫と父親が加わるＡＳＫ取締役会とＡＳＫの顧客で構成する諮問委員会からの助言に頼っていた。経営目標を設定する際にはＨＰの年次報告書からヒントを得ていた。年次報告書中の数字を分析してＨＰの粗利益率や純利益率を算出し、ＡＳＫが目指すべき指標としていたのだ。

カーツィッグがアウトサイダー的になった理由の一つは所属業界の特徴にあった。１９７０年代のシリコンバレーではハイテク企業の大半はハードウエアに特化していた。計測器、コンピューター、マイクロ波デバイス、チップ、ディスクドライブ――。１９８０年以前にベンチャーキャピタルがソフトウエア業界へ出資するような案件はほとんどなかった。ソフトウエア企業のＩＰＯ第１号は１９７８年であり、Ｈ＆Ｑが引受主幹事として手掛けたカリネイン・データ・システムズだった。同社は１９８３年にニューヨーク証券取引所に上場し、同証券取引所に上場するソフトウエア企業第１号にもなっている。

ソフトウエアは一般消費者にとってはより遠い存在だった。ビジネスウィーク誌は1980年にソフトウエア業界を特集したとき、ソフトウエアという用語についてわざわざ「コンピューターに処理を依頼する命令を列挙した長いリスト」と定義していた。パソコンが人気を集めても、パソコンを制御するソフトウエアの価値はあまり認識されていない、と起業家の多くは嘆いていた。そのうちの一人は言う。「蹴れば直る家電製品と違って、ソフトウエアは蹴ることもできない。人間は理解できないものは好きになれないんです」

カーツィッグがマクマートリーを昼食に誘った1980年の初頭時点で、ベンチャーキャピタルやIPO、ストックオプションは一般にはなじみが薄くて分かりにくく、バンカーや経営者の間だけで通用する概念だった（同年後半にジェネンテックとアップルのIPOが成功して世間の認知度は大きく高まる）。したがって、カーツィッグがベンチャーキャピタル業界に無知であると分かっても、マクマートリーは特に驚かなかった。それどころか「これまでの取締役経験を生かしてほしい」と言われて好感を抱いたほどだった。

マクマートリーは当時を思い返し、「サンディ（カーツィッグの愛称）は出資や流動性問題をまったく話題にしませんでした。偉大な会社を築くことに一生懸命だったんです。だから逆に出資したくなりました」と語る。食事が終わりに近づくと、ASKの取締役としてふさわしい人物の名前を挙げて会ってみるよう促した（彼自身は出資できないという理由で取締役就任を断った）。

「IPO」という言葉を初めて耳にする

食事中、カーツィッグはマクマートリーに聞いた。「ASKに出資するなら、どのくらいの資金を出して、どのくらいのリターンを期待しますか？」

「100万ドル出資します」とマクマートリーは回答した。「見返りはASK株の大量取得です。IPO前ならざっと2倍の株数を取得できるとみています」

彼女はこのとき「IPO」という言葉を初めて耳にした。「IPOとは何なのですか？　教えてください」

40年後になって第三者が2人の会話を振り返ってみたら、「カーツィッグは演技していたのではないか」と思っても不思議ではない。当時、若い女性が「何も分かりません」と言って困惑の表情を見せれば、富と権力を持つ「強い男性」から支援を引き出すのはそれほど難しくはなかったのだ。そのことをカーツィッグも認識していたはずであり、「強い男性」と接するときにはおそらく意識的に無知を装っていたのだろう。

時代背景を考えれば当然ともいえる。当時のビジネス社会は男性が牛耳っており、セクハラも横行していた。カーツィッグとマクマートリーの2人が昼食を共にしていたころ、フォーン・アルバレスは生産ラインの工場の現場責任者に近寄られ、胸にポストイットを貼られている。

「ポストイットを貼れる平らな場所を探していたんだ」

1970年代後半にキャリア志向の女性向けに出版されたベストセラー本には「男性からアバズレやレズと言われたらどうすべきか」という章が設けられていた。そこに書かれていたアドバイスは「うまくやり過ごすには『誘っていただいてうれしいです。でも……』と受け答えすること」だった。テクノロジー企業の女性CEOは事実上皆無であり、カーツィッグは一歩前へ進むごとにパイオニアとしての先例を作らなければならなかった。

マクマートリーの説明を注意深く聞いているうちに、カーツィッグは確信した。IPOこそASKが進むべき次のステージであり、新たな飛躍の起点になる！　自分にとっても大きな目標になる！　ASKを株式公開企業にすれば世間的な信用を勝ち取れる。会社のイメージと評価を高めて顧客に安心感を与え、同時に人材採用でも有利に立ち回れる。IPOで資金調達できれば海外市場への進出も可能になり、年商830万ドルをさらに拡大できる。加えて自分も社員も持ち株を自由に売れるようになる。

食事を終えてASK本社へ戻る帰途、カーツィッグは早くもIPOへ向けた布石を考え始めていた。まずはノーラン・ブッシュネル、チャック・ゲシキ、ジョン・ワーノック、フォーン・アルバレスと同じ方法を思い付いた。車のハンドルを切り、公立図書館へ向かった。ビジネス本を読むのだ。

オフィスに戻り、カーツィッグは借りた本を読みつつ、電話をかけて関連情報も集めた。すぐに判明した事実が一つあった。ＩＰＯ時点で見るとＡＳＫは売り上げ規模で大半の企業よりも見劣りしていたのだ。とはいえ、高い成長率を誇り、無借金経営を続けていた。しかもハイテク業界を取り巻く熱狂という追い風も受けていた。急成長中のハイテク企業はインフレ対策になるとして投資家の間で人気を集め、株式市場で高く評価される傾向があった。これなら売り上げ規模が小さくてもＡＳＫは十分にＩＰＯを行える、と彼女は読んだ。[2]

もう一つ判明した事実があった。ハイテクＩＰＯを行った女性起業家はそれまで一人も存在しなかったのだ。カーツィッグは「少し調べて分かったのは、ＩＰＯをやるのは男性と相場が決まっていたこと。本当にマッチョな世界で、男性同士がＩＰＯで張り合っていました」と回想する。「なぜ女性では駄目なのかと思い、やる気に火が付きました」

夕食会で新任取締役がＩＰＯにノー

数カ月後の１９８０年６月、新メンバーを加えた取締役会の初会合後にカーツィッグは夕食会を催した。数人のウエイターが周囲で見守るなか、テーブルに座る取締役会メンバーを見回した。マクマートリーの助言に従って彼女が選んだ新メンバーは投資銀行家のトミー・ウンターバーグ、ティムシェア役員のロン・ブラニフ、ロルムＣＥＯのケン・オシュマン。シリコンバレーのスター人材ばかりだった。

カーツィッグは夕食会を利用してＩＰＯの合意を取り付けようと考えていた。全会一致で取締役会の支持を得られれば、８カ月後の1981年3月をメドにＩＰＯを実施する。ＩＰＯについて何も知らなかった素人が今度はＩＰＯを主導しようとしているわけだ。

すでにカーツィッグはＩＰＯの引受主幹事も決めていた。地元のＨ＆Ｑを見送り、ニューヨークのＬ・Ｆ・ロスチャイルド・ウンターバーグ・トービンに白羽の矢を立てていた。彼女がＨ＆Ｑを外したのは、ＩＰＯ前にスタートアップに出資し、投資家としてだけでなく引受主幹事としても儲ける手法を「どん欲」と感じたからだ。ちなみにＨ＆Ｑは、１９８０年の３大ＩＰＯをすべて手掛けるほど勢いに乗っていた。[3]

カーツィッグは今後の展望に自信を持っていた。まず、ＡＳＫは数週間以内に「１日１００万ドル以上の売り上げ」を初めて達成する見通しだった。次に、ＭＡＮＭＡＮシステム用ミニコンピューターの仕入れ先をＨＰ以外にも拡大する計画だった。マサチューセッツ州のミニコンピューター大手ＤＥＣと交渉中であり、大手メーカー2社を取引先として確保できそうだった。

ＡＳＫがＤＥＣに声を掛けた一因はＨＰにあった。ＨＰはＭＡＮＭＡＮと競合するソフトウエアを販売する決定を下していたのだ。偶然なのか意図的なのか分からなかったが、製品名はＭＡＮＭＡＮを連想させる「ＭＭ／３０００」。当時のＨＰ幹部は「ＡＳＫはＨＰのハードウエアのおかげで成功したとわれわれは思っていました。ＨＰとＡＳＫは愛憎相半ばする関係でしたね」と語る。

夕食会はワイングラスで乾杯して始まり、コースメニューが順番に運ばれて無事に終わった。ここまではカーツィッグが事前に予想した通りだった。だが、デザートの皿が片付けられると、ロルムCEOのケン・オシュマンはナプキンをテーブルに置き、予想外の意見を述べた。

「IPOをしたいならどうぞ。誰も彼もIPOに浮かれていますからね」とオシュマンは切り出した。「でも、正直に言ってASKはまだIPOには早過ぎます」

カーツィッグと残りの取締役会メンバーが唖然とするなか、オシュマンはIPOに反対する理由を一つ一つ挙げて説明した。第一に、ASKは資金を必要としていない。必要ならば、IPOに頼らなくても投資家から資金調達できる。第二に、IPOは危険過ぎる。年商830万ドルはIPO企業の平均を大きく下回っている。第三に、カーツィッグが1978年に〝買収〟した営業担当トム・レイビーを除けば、ASKの経営陣はASK以外で十分な経験を積んでいない。

オシュマンは「ASKはもっと成長してもっと経営層を厚くするべきです。IPOはそれからです」と結論した。そのうえで、「全会一致を求められているのは承知しています。なので、必要ならば喜んで取締役を辞任します。私はIPO延期派ですから」と言い添えた。

カーツィッグは度肝を抜かれた。うろたえながらも、どうにかして残りの取締役会メンバーにオシュマンの意見について尋ねた。全員が同じような反応を示した。口ごもりながら「そうですね……その通りだと思います」という受け答えをしたのだ。彼女自身もオシュマンの意見に改めて思いを巡らせてみて気付かされた。その通りではないか！

おもむろに「少し失礼させていただきます」と言い、席を離れた。そして女性用化粧室――ほかの取締役会メンバーが入れない空間――に駆け込んで涙を流した。市場環境が神経質な動きを見せるなか、ＩＰＯ目前にまでこぎ着けたというのに……。活況なＩＰＯ市場を目の当たりにしており、「現在のペースが続けばＩＰＯ市場は前年の3倍以上になる」という予測も聞いていた。同時に、移り気が激しい株式市場の状況も理解していた。オシュマンの助言に従ってＩＰＯを延期した途端に相場急落に見舞われ、ＩＰＯのチャンスを逃してしまうかもしれない。そうしたらＡＳＫを次のステージに進めることも、持ち株を換金売りすることもままならなくなる……。

数分後、カーツィッグは涙を拭き取り、深呼吸した。テーブルに戻って勘定を済ませ、自宅に戻った。翌朝、正式にＩＰＯの延期を決めた。次の目標は１９８１年10月だ。

経営層を厚くしてASKNETを投入する

ＡＳＫのＩＰＯ延期決定後にＩＰＯ市場はますます過熱した。カーツィッグにはまるで嫌がらせのように思えた。運命的な取締役会から3カ月後にはジェネンテックが記録破りのＩＰＯ

を行い、ＩＰＯ市場に狂騒状態を引き起こしていた。１９８０年第4四半期にはアップルをはじめ実に50社がＩＰＯに踏み切っている。ハイテク銘柄が多いナスダック店頭市場の総合株価指数は同年2月から年末まで一本調子で上昇し、折れ線グラフはまるで垂直に描かれているように見えた。

アップルによる12月12日のＩＰＯを1週間後に控え、カーツィッグはサンタクララまで車を飛ばし、全米エレクトロニクス協会が開催中のセミナーに参加した。テーマはＩＰＯ。ざっと２００人の新進起業家に交じって会場内に座り、プレゼンに耳を傾けた。壇上の投資銀行家は「新興ハイテク企業をめぐって投資家がこれほど熱狂しているのは１９６９年のバブル以降では初めてのことです。１９６９年にＩＰＯを行った企業の半分は『データ』『コンピューター』『エレクトロン』といった言葉を社名の一部にしていました」としたうえで、冗談半分に「バブルがはじける前に早めに行動したほうがいいですよ」と警告していた。

ＩＰＯ熱が高まるなか、確かに警戒信号は出ていた。ビジネスウィーク誌によれば、ベンチャーキャピタリストは「十分なノウハウも人材も欠き、何の成果も出していないスタートアップ」に対してＩＰＯを働き掛け、ウォール街のアナリストは新興企業のＩＰＯを分析する科学的スキルを備えていないのに投資家に向けて買いを推奨していた。壇上の投資銀行家は会場内に座るカーツィッグら新進起業家——全員がセミナー参加費用１５５ドルを払っている——に対して「市場の喧騒はあと数カ月で終わりを告げるでしょう」と指摘した。

カーツィッグは数カ月ではなく1年近い時間を必要としていた。オシュマンの助言に従って経営層を厚くし、収益をさらに拡大させなければならないのだ。その一環としてＨＰから経験豊富な研究開発部長を迎え入れ、アドバンスト・エレクトロニック・デザインという会社から最高財務責任者（ＣＦＯ）を引き抜いていた。

一方で、トム・レイビーと夜通しのブレインストーミングを行い、潜在顧客の裾野を広げる方策を議論した。20万ドルの価格がネックになってＭＡＮＭＡＮ搭載コンピューターシステムの導入を見送る企業が多かったからだ。

2人が解決策として編み出したのが「ＡＳＫＮＥＴ（アースクネット）」だった。これによって、顧客企業は大金を払ってコンピューターを購入しなくても済む。代わりにコンピューター端末を導入し、一定の月額利用料を払ってＡＳＫ本社のＭＡＮＭＡＮ搭載コンピューターにアクセスするのだ。高価なコンピューターを購入しなくてもＭＡＮＭＡＮを利用できるわけだ。ある意味で昔のタイムシェアリングサービスへ戻った格好になる。

ＡＳＫＮＥＴは現在人気の「サービスとしてのソフトウエア（ＳａａＳ）」の先駆けともいえた。ＳａａＳとは、ユーザーが自分のコンピューターにソフトウエアをインストールするのではなく、ソフトウエアにアクセスするサービスのことを指す。クラウドサービス大手セールスフォース・ドットコムが代表例だ。

ＡＳＫＮＥＴが顧客企業として念頭に置いていたのは、資金力が乏しい中小企業・新興企業や多額のコンピューター投資を恐れる企業だった。ところが、顧客企業は成長して大きくなり、自前のコンピューターを持てるほどの資金力を持つようになってもなお、ASKNETを使い続けた。顧客であるコンピューターメーカー役員はレイビーにこう語っている。「割高だとしてもASKNETを使い続けたいです。コンピューターを買うとなると、HP製かDEC製を選ばなくてはならないからです。私はコンピューターを売る仕事をしています。自分のオフィス内に競争相手のコンピューターを置きたくありません」。1984年までにASKNETは顧客ベースの20%、売り上げの15%を占めるようになる。

IPOの体裁整う、女性CEOにメディアが注目

1981年7月までに——IPOは同年10月——ASKはIPOを目前にした典型的企業の体裁を手に入れていた。経験豊かな経営チーム、大手コンピューターメーカー2社との業務提携、複数の収益源、グラフィックスなどますます高機能化するMANMAN——。さらには、社員数は100人に近づき、ロスアルトス本社のほかニューヨーク、ボストン、シカゴ、南カリフォルニア各地に営業拠点が誕生し、売り上げは1300万ドルに達した。オシュマンが示した目標1千万ドルを大きく超えていた。

競争激化を考えればASKの成長は注目に値した。ソフトウエア開発業者や汎用コンピュー

ターメーカーなど合計70社以上がＡＳＫと同じ市場に新規参入し、ＭＡＮＭＡＮと競合するＭＲＰ（資材所要量計画）システムを販売し始めていたのだ。

そんななか、マスコミもこぞってＡＳＫを取り上げるようになった。カーツィッグが登場したメディアは枚挙にいとまがない。ビジネスウィーク、インフォマティクス、サンフランシスコ・ビジネスジャーナル、エグゼクティブＳＦ、サンノゼ・マーキュリー、コンピューター・システムズ・ニュース――。１ページで編集されるニュースレター「エグゼクティブ・ウーマン（女性経営者）」はカーツィッグについて「何事も恐れず、自信にあふれている。無理なく家庭と仕事を両立させているばかりか、男性が支配する世界で女性一人という状況に何の不安も抱いていない」と伝えている。

カーツィッグは記者の一人に対してこう語っている。「向こう5年間でＡＳＫを年商１億ドル企業にしたいと思っています。１億ドルが可能かどうかで賭けもしているんです。『私は女性なんだからハンディを頂戴』と言ったのですが、相手に断られました。でも構いません。賭けに勝つのは私ですから」

カーツィッグはＰＲ・マーケティングの専門家レジス・マッケンナにも協力を求めた。ＩＰＯに伴うロードショー（機関投資家向け会社説明会）に向けてどんなスライド資料とどんな物語を用意したらいいのか、助言を得たかったのだ。ただ、ジェネンテックやアップル、インテルを顧客にするマッケンナは有名人であり、協力してもらうためには大枚をはたかなければならない。カーツィッグいわく「そんな大金は用意できなかった」。そこで現金の代わりにＡＳＫ株を対価として使う案を思い付き、マッケンナに対して大幅な割引価格で千株を譲渡した。譲渡価格は公開価格の半値（1株6ドル）にした。

顧客開拓でも工夫を凝らした。例えば潜在顧客Ａ社が新規プロジェクトを開始し、参加企業を募ったところ、ＡＳＫに加えてライバル会社Ｂ社も応募したとしよう。このときＡＳＫは自主的に顧客リストをＡ社に差し出し、レファレンスチェック（身元照会）を行うよう促すのだ。顧客満足度に絶対の自信を持っていたので、Ａ社が顧客リストに従って電話を入れ「ＡＳＫはどうですか？」と聞き回る展開に何の不安も抱かなかった。一方、Ａ社はＢ社に対しても顧客リストの提出を求めた。つまり、もしＢ社が顧客満足度に自信を持てず、顧客リストの提出をためらえば、ＡＳＫにプロジェクトを持っていかれてしまうわけだ。

レファレンスチェックはＡＳＫにとって優位に働くだけでなく、ＡＳＫの顧客企業同士をつなげてコミュニティーを形成するのにも役立った。１９８０年にはＡＳＫは顧客を集めて大掛かりなユーザー会議を開いた。ユーザー会議とはいっても、実態はハリウッドをテーマに大型化した「金曜日午後の会社ビールパーティー」だった。俳優バート・レイノルズのそっくりさんが登場し、大量の酒が振る舞われるなか、参加者はＭＡＮＭＡＮの使い方やソースコードの書き換えについて活発に意見交換した（ＡＳＫはすべての顧客にソースコードを与えていた）。ＡＳＫの初期社員リズ・セックラーはユーザー会議を思い出し、「まるで同窓会のようでした」と語る。

経営規模の拡大に伴い社内で反発心も

ＡＳＫでは創業当初の精神はなお残っていたものの、経営規模の拡大に伴って多くが変わっていた。ＨＰに寝袋を持ち込んで寝泊まりしていた新卒社員チームは消え去り、代わりにレイビーのほか研究開発部長のケン・フォックスが加わった。レイビーは小ぎれいな身なりにちなんで「ザ・スーツ」と呼ばれ、フォックスとカーツィッグは高級車に乗っていた（前者はメルセデスベンツ、後者はジャガー）。ＡＳＫ本社は２年連続で陣容を３倍に増やし、大通りエルカミーノレアル沿いの平屋オフィスビル２棟を占有していた。内部には見事なガラス張りコンピュータールームも備えていた。ビル正面にある看板には「ＡＳＫコンピューター・システムズ」という社名と共に、カーツィッグが用意したロゴが描かれていた（ロゴはまとまりのない情報がＡＳＫ製ソフトウエアによって加工される様子を示していた）。

１９８０年にＡＳＫが開催したクリスマスパーティーでは、５番目の社員として入社したハワード・クラインがサイモン＆ガーファンクルの曲「アイ・アム・ア・ロック」の替え歌を歌った。

僕にはローンが必要だ
窓から下をのぞき、どうしてなのかと思う
新しいメルセデス、大金を払ったに違いない
うなぎ上りの売り上げ、カネは見えない
副社長を何人か雇うために、すべて使ったのさ

カーツィッグは替え歌の歌詞をコピーし、会社のスクラップブックに貼っておいた。目いっぱい皮肉を込めた歌詞を聞いても、ユーモアと解釈して受け入れたのだ。きつい冗談も言い合える関係を社員との間に築いていたからこそなのだろう。

ただし、社内の変化を嫌う古株社員がいるのには気付いていた。例えば、社員第1号マーティー・ブラウンのチームに属する数人（ブラウンではない）。新しい研究開発部長が初出社した日に「邪魔しないでくれ（ASK ME IF I CARE）」とプリントしたTシャツを着ていた（社名ASKに引っ掛けていた）。彼女にしてみれば、このような反発心が出てくるのは不可避であり、耐えなければならない痛みだった。

荒れ模様の市場環境下でIPOに成功

8月になり、ASKは証券取引委員会（SEC）に対して「レッド[illegible]グ」と呼ばれる暫定的な仮発行目論見書を提出した。[4] 1カ月後、カーツィッグはマーティー[illegible]ンと一緒にヨーロッパへ主張した。IPO前のロードショーを行うためだ。ジェネンテック[illegible]ルと同様に「毎晩違うホテルで違う豪華な夕食」を繰り返し、機関投資家巡りを続けた。

ただ、ASKのロードショーは少し趣（おもむき）を異にしていた。ブラウンは当時を思い返し、「プ[illegible]ンを聞きに来るファンドマネジャーは女性CEOのサンディを目当てにしていました」と語る。

現に、引受主幹事のL・F・ロスチャイルド・ウンターバーグ副社長はカーツィッグに対して「みんなあなたに関心を持っているから参加するのですよ。ロードショーをやる女性を見たことが一度もないからです。だから心の準備だけはしておくように」と警告すると、「赤いマニキュアを塗った長い爪を短く切って、薄くて自然な色を使ってください。そのほうがプロフェッショナルらしいです」と助言した。カーツィッグは同意し、爪を切ってネイルカラーを変えた。女性CEOという立場に関心を抱かれているだけであって侮辱されているわけではない、と判断した。

ロードショー終了からIPO（10月8日）まではカーツィッグにとってつらい数週間だった。

S&P500種株価指数は過去9カ月間で17%下げており、「荒模様の市場環境下で見えるわずかな光明が今にも消えてしまう」という不安がますます高まったのだ。アナリストの多くは相場暴落を予想していた。

IPOを目前にしてASKもL・F・ロスチャイルド・ウンターバーグも沈黙していた。しかし、心の奥底では懸念を強めており、公開価格を1株当たり11ドルに設定した。仮発行目論見書の中で示した幅（11～13ドル）の下限にしたのだ。13ドルに設定できれば270万ドルの追加資金を調達できたのに、である。市場環境の悪化を考えれば安全策を取るしかなかった。

ウンターバーグから電話をもらったとき、カーツィッグは自宅で睡眠中だった。「IPOはうまくいきましたよ」。ASK株はティッカーシンボル「ASKI」で株式市場にデビューし、株式時価総額は5千万ドル近くに達した。

カーツィッグはIPOに合わせて持ち株54万6550株（560万ドル相当）を売り、3[illegible]万株（3300万ドル相当、2016年価格で9200万ドル相当）の保有を続けた。持[illegible]はIPO前の87%からIPO後に66%へ低下したものの、IPO後の創業者持[illegible]としては極めて高い水準にあった。IPO前に彼女が外部投資家の出資を仰がな[illegible]たからだ。ASK以前にIPOを行った企業を見ると、株主資本の規模がASKよりも3～12倍に達しているケースが大半だった。IPO前の投資ラウンドで企業側が外部から多額の出資を受け入れた結果だ。

ASKのIPOは、女性がハイテク業界で男性と同じように成功できることを裏付けた。ASKのIPOから2週間後、もう一つの「女性起業家のハイテク企業」がIPOに踏み切った。ロサンゼルスに本拠を置くコンピューターメーカー、ベクター・グラフィックだった。

IPO成功でもアップサイドにあずかれなかった初期社員

ASK本社ではIPOが成功したというのに、社内はいつもと何も変わらなかった。カーツィッグは「数百万ドルで1ドル紙幣の山を築いて、その中に裸で飛び込んで大騒ぎしたい気持ちもありました。幼いころに読んだディズニー漫画に出てくるスクルージ・マクダック［ドナルド・ダックの伯父のこと］みたいに」と語る。だが、実際には大騒ぎしなかった。ショッピングモール内の宝石店で4万ドルを使ったものの、ASKの経営チームに贈る腕時計を買ったにすぎなかった。あとは幹部数人を招待して昼食会を開き、本社内のカフェテリアで質素なパーティーを開催しただけだった。パーティーで用意されたケーキには「おめでとう、ASKI」とデコレーションが施されていた。

すべてが控えめだった主因は社員の自社株保有状況にあった。ASKは1974年にストックオプション制度を導入し、事実上全社員が株主になれる体制を整えていた。リズ・セックラーは「ASKが小チームだったころ、毎月50ドルの昇給と毎月50株の支給のどちらがいいか聞かれたんです。50ドルを選びました」と言う。カーツィッグの父親もＡＳＫ株での支払いに拒絶反応を見せた。１９７９年にカーツィッグから「借金を返済するけれども、現金の代わりにＡＳＫ株でもいい？」と聞かれると、冗談半分に「株券をもらってどうするんだ？　トイレの壁紙にでもすればいいのか？」と言い返している。後になって「本当に壁紙にしていたら今ごろトイレの価値は１２５０万ドルになっていたね」と皮肉られている。

ＡＳＫ社員の多くはストックオプションを持っていたかもしれない。しかし、創業期入社組も含めて、自社株を大量保有している社員はほとんど存在しなかった。ＡＳＫのＩＰＯ時点で、カーツィッグが保有する自社株の時価は４千万ドルに達していた。持ち株数は３６０万株に上り、彼女以外の全社員が保有する株数の７倍に相当した。

ＩＰＯ時点ではＡＳＫは典型的なシリコンバレー企業の特徴を多く備えていた。第一に、無秩序な職場環境。そこでは日常的に冗談が飛び交い、社員はお互いをファーストネームで呼び合い、権限は分散していた。第二に、取締役会の顔ぶれ。シリコンバレーで最も成功した企業の一つロルムのＣＥＯ、有力投資銀行の最高幹部、有力法律事務所ウィルソン・ソンシーニ・グッドリッチ＆ロサティの弁護士がそろっていたのだ。このころにはラリー・ソンシーニ主導の下で同法律事務所は「起業家向けのワンストップショッピング」体制を完成させていた。第三に、プログラマー文化。ＡＳＫ本社が入居する低層ビル内では若いプログラマーがジーンズ姿で一心不乱に働いていた。

にもかかわらず、社員の自社株保有に関する限り、ASKは一昔前の大企業や典型的な中小企業と似ていた。中小企業であれば、創業者兼CEOが一人で発行済み株式の大半を握り、初期社員であってもほとんど自社株を持てない。クリスマスパーティーのときにクラインがからかい半分で用意した替え歌には次の歌詞も含まれていた。

労働に見合ったストックオプションをすべて手に入れます
これで私は数十万ドルの金持ち、いやもっとかもしれない

社員に幅広くストックオプションを付与するような慣行は、当時からシリコンバレーでは珍しくなかった。とはいえ、現在ほど一般化していなかった。カーツィッグにとってなじみ深い製造業界はとりわけそうだった。彼女はIPO時点でシリコンバレーのハイテクネットワークにつながり、有力CEOやバンカー、弁護士を取締役会に招き入れていた。しかし、ASK創業当初にはそのようなネットワークから切り離されており、シリコンバレー流ストックオプションの文化を目の当たりにすることもなかった。

では、カーツィッグがロールモデルにしていた企業はどこなのか？ HPである。彼女が分析し始めたころにはすでに成熟した大企業であり、株式公開企業として15年の歴史を刻んでいた。ただ、寛大な社員持ち株制度を設けつつも、ストックオプションの付与対象を最上層部の

社員に限定していた。[6] 例えば、研究開発部長としてASK入りしたケン・フォックス。HPに12年間在籍しながらストックオプションを一度も付与されなかった（ASKでは1株1・67ドルで4万5千株を取得するストックオプションを得ている）。HPのコンピューター担当役員だったチャック・ハウスは「転職して1年目に大量の自社株を得ました。29年間のHP在籍時を上回るほどの自社株を手に入れたのです」と語る。

ASKの初期社員にとってストックオプションはセンシティブな問題だ。初期社員のうち数人はASKへの愛情を語り、ASK成功物語を誇りに思いながらも、IPO後のアップサイド（株価上昇）にあずかれずに傷つくと同時に当惑したと証言している。

露骨な性差別も4千万ドルの富で埋め合わせ

カーツィッグはIPOのロードショー中に露骨に性差別的なTシャツを手渡された唯一のCEOだ。証拠写真がある。彼女は移動のために呼び出したリムジンの前に立ち、鮮やかな黄色のTシャツを掲げて写真に収まっている。そこには「ASK me if I go down（オーラルセックスしたいかどうか聞いて）」とプリントしてあった（ここでも社名ASKと引っ掛けてある）。

しかしIPOで得た4千万ドルの富は、性差別的な嫌がらせに伴う苦痛を埋め合わせるには十分だっただろう。何しろ、1981年中にIPOを行った448社の創業者や社員（全体で数千人）のうち、ＩＰＯ時点での持ち株時価でカーツィッグの4千万ドルを上回ったのは8人にすぎなかったのだ（ＡＳＫよりも半年先にＩＰＯに出たピザタイムシアターの場合、創業者ノーラン・ブッシュネルの持ち株時価は２８５０万ドルだった）。

カーツィッグは多額の富に溺れることは決してなかった。ただし、一つだけシリコンバレー流に従った。真っ赤なスポーツカー「フェラーリ３０８ＧＴＳｉ」を購入したのだ。購入に際しては複数のディーラーに問い合わせて相見積もりを取り、最高価格を引き出している。ＩＰＯから数年後には離婚し、報道によれば２３００万ドルの解決金を支払っている。彼女に言わせれば「妻から夫へ支払われた株式・現金の合計額で見れば、アメリカ史上最大の和解金の一つ」である。

カーツィッグがフェラーリに乗って初出社した日のことだ。ＡＳＫのプログラマー第1号マーティー・ブラウンがフェラーリに近づき、「運転させて」と声を掛けた。彼女はＯＫと言ってキーを放り投げた。

1　イーリーはカーツィッグからＡＳＫの取締役会入りを要請されたが、断っている。代わりに取締役候補としてふさわしい人物を紹介した経緯がある。ただ、後に取締役会に加わっている。

2　ＡＳＫは収入の大半をＨＰ製コンピューターの購入に充てていた。ＨＰ製コンピューターにＭＡＮＭＡＮシステムを組み込み、顧客に販売するためだ。当時コンピューターは高価だった。ＡＳＫが売上高８３０万ドルを達成するために、何台のＭＡＮＭＡＮ搭載コンピューターを売らなければならなかったのか？　たったの40台である（1台当たりの値段は20万ドル）。

3　１９８０年の3大ＩＰＯはアップル、ジェネンテック、モノリシック・メモリーズ。

4　仮発行目論見書が「レッドヘリング」と呼ばれるのは、表紙に赤インクで「ここに書かれている情報は暫定的であり修正の可能性あり」というただし書きがあるため。

5　カーツィッグはこう語っている。「私にとっては現金ではなく自社株を払うほうがずっと楽でした。でも、当時はみんな自社株ではなくて現金を好みました。自社株が価値ある資産になると思う社員はいなかったのでしょう。株をもらっても何も食べられない、女性用下着メーカーの株はとりわけ不要――こんな受け止め方でしたね」

6　ＨＰはストックオプションを１９６４年、１９６６年、１９６９年に導入したものの、付与対象を一部の社員に限定していた。具体的には「突出した能力を持つ人材」と「会社の持続的成長のためには長期雇用が不可欠な中核人材」だ。ＨＰはほかに利益配分（プロフィットシェアリング）制度や社員持ち株制度を用意していた。社員持ち株制度を利用すると、社員は市場価格を25％下回る値段で自社株を購入できた。ＡＳＫはＨＰの社員持ち株制度をまねたが、割引率を15％にしていた。

第5部

移行期

1983〜84

ジェネンテックとアップルによる記録的な新規株式公開（ＩＰＯ）から3年後の１９８３年、シリコンバレーはなおも全国的な注目を集めていた。環境汚染や超過密化、離婚率上昇、住宅価格急騰をはじめ、悪いニュースに事欠かなかったのに、である。最初に観光客が増えた。それに伴って、ハリウッドスターの豪邸巡りをするバスツアーをまねて、ヒューレット・パッカード（ＨＰ）やアップルの生誕地であるガレージ巡りをするツアーが始まった。続いて起業家志望が増えた。ここに注目した地元業者は多数のガレージを建設し、シリコンバレーの伝統に従って起業しようと夢見る若者たちに貸し出し始めた。

アメリカ経済全体で見てもシリコンバレーの影響力は明らかだった。民間設備投資に占める情報技術（ＩＴ）の割合は38％を記録し、15年前の22％から大きく上昇。雑誌や新聞はハイテクスタートアップに無関心だったのに、こぞって「小規模ビジネス」「新進気鋭の起業家」をテーマにしたコラムやページを設けるようになった。１９８３年の一般教書演説でレーガン大統領は「未来の開拓者」としてシリコンバレーをたたえ、次のように強調している。「開拓者精神があったからこそアメリカは20世紀をリードする工業大国になれました。同じような開拓者精神が再び生まれ、広大なフロンティアが姿を現しつつあります。ハイテクフロンティアです」

シリコンバレー住民の多くにとって１９８０年代半ばは移行期に相当した。現役を引退する創業者もいれば、英雄のように祭り上げられる創業者もいた。衰退化する技術分野もあれば、成熟化する技術分野もあった。一方で、共通の通信プロトコル「ＴＣＰ／ＩＰ」の採用が広がり、近代的なインターネットが現実になりつつあった。[1]

そんななか、シリコンバレー企業3千社で構成する地元エコシステムが一段と進化し、起業家新世代にスタートアップのノウハウと知識を伝承するようになっていた。3千社を率いる集団は多種多様だった。ベンチャーキャピタリスト、半導体デザイナー、ガラス加工業者、ファブリケーション業者、ダイ切断業者、装置サプライヤー、ビジネス弁護士、ヘッドハンター、PR専門家——。彼らは一様に起業家精神を持ち合わせており、起業家新世代の誕生を積極的に後押しした。実際、起業家新世代の多くは前世代のブレークスルーや先駆的実績に大きく依存していた。前世代とはトラブルメーカー（問題児）世代のことである。[2]

1　プロトコル「TCP／IP」は異なるネットワーク間の通信を可能にした。異なるネットワークとはアーパネット（ARPANET）や衛星ネットワーク、データネットワークなどのこと。

2　1980年代半ばに誕生した有力企業には、アドビシステムズ、シスコシステムズ、サイプレスセミコンダクタ、エレクトロニック・アーツ、シリコングラフィックス、サン・マイクロシステムズ、サイベースなどが含まれる。

第25章　ウサギが逃げ出した
――ボブ・テイラー

アップルのリサに追い越されるPARC

　1983年5月、ボブ・テイラーはパニック状態の社員ブルース・ハミルトンから電子メールを受け取った。テーマは「スター」。ゼロックスがアルトの代わりに発表した高額コンピューターシステムのことだ。[1]
「きょうの午後、UCLA（カリフォルニア大学ロサンゼルス校）でアップル製リサのデモを見たんです。われわれは腰を抜かしてしまいました！」とハミルトンは書いていた。4カ月前に発売されたリサはいくつか問題を抱えていた。アプリケーションの起動が遅く、電子メールなどネットワーク機能が未導入だった（導入は数カ月後といわれていた）。
　それでもリサが大きな進化を遂げているのは明らかだった。マウスとグラフィカル・ユーザー・インターフェイス（GUI）を備えていたうえ、アルトやスターと同じ対話型マシンになっていたのだ。しかもリサ用ソフトウエアが豊富にそろっていた。アップルがサードパーティー製ソフトウエアを認めていたためだ。リサの利点は問題点を補って余りあるほどだった。

電子メールの中でハミルトンは「向こう12～18カ月でスターの優位性はすべてなくなるでしょう。そのころにはリサがスターと同じ機能をすべて手に入れているからです。ゼロックスはスターを投入して、市場で独占的な地位を確保するつもりでした。今でもそう思っているとしたら大きな間違いです」と指摘した。「相手はひげ面の男2人がガレージで立ち上げた会社。そんな会社があっと言う間に新型マシンを開発して、製品化してしまったのです。ゼロックスが新機能のスペックを書くよりも速く」

ハミルトンの懸念――二つの送信先リストを通じてゼロックス社内で共有された――は誇張気味でありながらも、事実によって裏付けられていた。例えば、実用的なネットワーク機能を備えたアルトシステムを製品化するまでに、ゼロックスは7年以上の歳月をかけていた。それに対してアップルはたったの数年で製品化にこぎ着けていた。このような展開をいち早く予想し、警鐘を鳴らしていた研究者がいた。1980年にゼロックス・パロアルト研究所（PARC）を飛び出し、アップルへ移籍したラリー・テスラーだ。テイラーに対してこう警告していた。「もたもたしていると、誰かがPARCのイノベーションに改良を加えて製品化しますよ。われわれを追い越して大成功するでしょう」

テイラーのラボ内でハミルトンのメールが共有されると、件名には「面白い話」と書き込まれていた。しかしテイラーはまったく面白いとは思わなかった。彼のラボチームが何年も前に完成させていた技術がアップルの手に渡ったのだ。確かに消費者市場にはさまざまな制約がある。それでもアップルではなくゼロックスが主導権を握り、消費者向けマシンを完成させるべきだった。

テイラーは研究と生産の両部門は明確に分離されるべきだとの考えを持っていた。PARC在籍時に「道路を建設する、地下鉄を敷設する、航空機を製造する、住宅を建築する――すべて研究者の仕事ではない」とメモに書いている。だからPARCでは研究に特化してきたのだ。とはいっても、リサにはいらいらさせられた。やる気さえあればゼロックスはパソコン市場の覇者になれたはず！　大学中退組（アップルの創業者2人）にすべてを明け渡さずに済んだのに！

PARCに衝撃をもたらしたのはリサだけではなかった。テイラーをはじめPARC研究者にとってはIBM PCとIBM互換機の大成功も想定外だった。アラン・ケイは「一般大衆があんなマシンにカネを投じるとはつゆほども思わなかった」と回想している。

長年の問題が噴出するコンピューター科学ラボ

過去数年、テイラーは悶々とした日々を送っていた。とりわけ過去数カ月はつらかった。離婚に伴って、パロアルト市内にあるクラフツマン様式の住居を出る羽目になった。近所にテニスコートがあり、風が吹き抜ける空間に別れを告げなければならないのだ。これからウッドサイド市の新居に引っ越す。くねくね曲がりくねった道をドライブして終点まで行き、シリコンバレーを見渡せる高台の一軒家で一人暮らしをすることになる。

そんななか、職場では長年放置されてきた問題が一気に噴出し始めていた。テイラーはPARCでほかのラボや管理部門と衝突を繰り返す一方で、不満をためた中核人材の流出を食い止められずにいた。予算については凍結どころか削減を強いられていた。自分自身の人事考課についても不満だった。年俸の上昇率を見ると、生活費の上昇率に追い付いていなかったのだ。ゼロックスでは生活費の上昇は半ば自動的に賃金に反映される仕組みになっていたというのに、である。原因ははっきりしていた。現在の年俸（11万8440ドル）がラボ部長職の上限に達していたのだ。

このような環境下にあって意外な味方も現れた。エンジニアのボブ・スピンラッドだ。5年前にジョージ・ペイク（ゼロックス本社の研究部長に昇格）の後任としてPARC所長に就任し、テイラーの直属の上司になっていた。テイラーの良き理解者であった。

もともとはサイエンティフィック・データ・システムズ（SDS）でコンピューターの設計を担当していたスピンラッド。ゼロックスが1970年にSDSを買収したのに伴ってゼロックスへ移籍し――SDSは後に8400万ドルの特別損失を出して閉鎖――PARCに関わるようになっていた。テイラーについては「両極端」と表現し、「自分のラボ内では抜きんでたリーダーシップを発揮しているというのに、ほかのラボとは衝突してばかりで混乱のもとになっている」と書いている。

あるときテイラーは自分のラボが厄介者扱いされている状況を把握するため、定規と方眼紙を使ってラボのリソースをグラフにしてみた。予算の推移を見て唖然とした。自分の在任期間中に、研究者1人当たりの予算は3万7千ドルから2千ドルへ激減しているではないか！　すぐにグラフをスピンラッドに送り付けた。抗議というよりも悲嘆の意味合いを込めて、「これで評価されていると言えますか？」という一言も添えた。どうにかしてペイクを説得して予算を増額してほしい、と要望したのだ。

スピンラッドはコンピューター科学ラボの重要性を認識していたし、それまでの実績も高く評価していた。1981年初めには「コンピューター科学ラボは多様で素晴らしい研究を行っている。十分な予算が手当されていない現状を憂いている」と指摘。同時に、ゼロックス本社のペイクに宛てて5カ年計画書を送り、PARCの予算をコンピューター科学ラボへ重点配分するよう提案した。

しかしスピンラッドは返り血を浴びることになった。ペイクは5カ年計画書を受け取った直後、PARCを2分割してコンピューター部門とそれ以外に切り分けたのだ。PARC所長のスピンラッドはどうなったのか？　PARCと比べて半分の規模に縮小したコンピューター部門の責任者に回された。事実上の降格人事だ。PARC内では「ペイクはテイラーの影響力拡

大を恐れて、スピンラッドをＰＡＲＣ所長の座から引きずり下ろした」とのうわさが広
翌年、スピンラッドはＰＡＲＣからゼロックス本社へ異動した。

ＰＡＲＣの新所長、テイラーと同じくらいに頑固

スピンラッドがＰＡＲＣを離れたことで、テイラーとペイクの間に立つ緩衝材役がいなくなった。スピンラッドの後任はカンザス州出身のビル・スペンサーで、長身でハンサムな物理学者だ。１９８１年にゼロックス入りし、ＰＡＲＣに新設された集積回路ラボの部長に就任した。ペイクとは相性が良く、スピンラッドが抜けた後にＰＡＲＣ所長に抜擢されている。

スペンサーはテイラーと同じくらいに頑固だった。ゼロックス入りする前に勤めていたサンディア国立研究所ではよく波風を立てていた。対立を恐れず、意図的に上司を挑発して楽しむほどだったのだ。40年後に当時を思い出し、「あまりにも上司を怒らせてしまい、ミーティングを中止せざるを得なくなったこともありましたね」と笑う。

似た者同士が一緒になれば、仲良くなるかもしれないし対立するかもしれない。テイラーとスペンサーの２人はどちらも経験した。

スペンサーが集積回路ラボの部長に就任してから数カ月間、２人はとても仲良くやれた。最初は、土曜日の午前中には一緒にテニスをやって汗を流すようになった。続いて、お互いの妻

同士も友達になるなど家族ぐるみの付き合いを楽しむようになった。スペンサー家で妻の50歳の誕生日パーティーが開かれると、テイラー家も招かれた。スペンサーは「両家はパーティーざんまいでした。いつもビールとドクターペッパーに囲まれていました」と振り返る。

しかし、ペイクの判断でスペンサーがPARC所長に就任し、テイラーの上司になると、2人の関係は終わりを告げた。テイラーにしてみたら、スペンサーは学歴の点でもキャリアの点でもPARC所長にふさわしくなかった。体育教育専攻で学士号を取得していたうえ、物理学者としては半導体研究に軸足を置いていたからだ。

テイラーはPARC内で公然と物理学者を毛嫌いしていたし、半導体研究も「退屈」と一蹴していた。半導体チップの集積密度上昇を予測する「ムーアの法則」があるのだから特別な研究は不要、という論理だった。彼の考えでは、半導体はデジタル革命の主役として持ち上げられ過ぎだった。必要不可欠の存在であるとはいえ、ソフトウエアが優雅で高度なダンスを踊れるよう支援する黒子にすぎず、テイラーいわく「ソフトウエアなしでは半導体のようなハードウエアは無用の長物」なのだった。

スペンサーはPARC所長に就任すると、各ラボの代表者を集めた全体会議を計画した。テイラーの申し出を受け入れ、コンピューター科学ラボの「ビーンバッグ会議室」を会場として使おうとした。ところがほかのラボから反対された。「テイラーのラボ内で開かれる会[illegible]らうちからは誰も参加しません」などと言われたのだ。ショックだった。「どうやら物

撃されると思ったようです。PARCでは暴力事件なんてなかったのに」とスペンサーは語る。「私はベル研究所やゼロックスで計25年間働くなかで、さまざまな職場を見てきました。その中でPARCは最悪でした」。結局、全体会議は開かれなかった。

対立がピークに達して最後通牒を突き付けられる

スペンサーの考えによると、PARCの運営上で大きな障害になっているのはテイラーだった。コンピューター科学ラボがゼロックス内の他部門と協力する環境づくりの妨げになっていたばかりか、PARC生まれの技術が商業化されない原因にもなっていた。テイラー主導下で研究部門と開発部門が明確に切り離される体制が出来上がっていたためだ。

スペンサーは「PARC生まれの技術がゼロックス全社で使われるようにすることが私の役割でした。そのためには、技術に詳しい専門家がゼロックス内のさまざまな部門に出向かなければなりません」としたうえで、テイラーに言及して「その点では彼はまったくやる気を見せませんでした」と語る。テイラーは違う見方をしていた。ラボで生まれた技術はすでにゼロックス内の各部門で採用されているし、ラボメンバーの一部はスターコンピューターの開発にも参加している――これが彼の認識だった。ラボの中核メンバーであるチャック・ゲシキもPARC技術の利用拡大に動いていた。ゼロックス内に映像ラボを新設する役割を担っていたのだ。

しかし、スペンサーは異なるビジネスモデルを思い描いていた。これに従えば、ＰＡＲＣの技術を導入するのはゼロックス社内ではなく外部企業になる。外部企業はゼロックスの研究チームから技術指導を受けながら自社製品を開発し、見返りにゼロックスによる出資を受け入れる形になる。ＰＡＲＣの技術を取り入れたスペクトラ・ダイオード・ラボラトリーズとシノプティクスの2社が誕生するなど、後になって実際に成果も出るのだった。

テイラーにしてみたら、スペンサーはコンピューター科学ラボと他部門との協力拡大を目指していたわけでもなかったし、ＰＡＲＣ技術の商業化を目指していたわけでもなかった。真の狙いはテイラーのラボの支配権奪取だった。スペンサーは40年後に当時を回想し、ため息をつきながらこう語っている。「サンディア国立研究所を辞めたいという気持ちが先行していたから、深く考えないでＰＡＲＣへ転職してしまいました。うかつでした。じっくり考える余裕があったら、ＰＡＲＣではなくＨＰを選んでいたと思います」

1983年8月末、スペンサーのオフィス内で2人の対立はピークに達した。激論の後、スペンサーは堪忍袋の緒を切らし、最後通牒を突き付けた。テイラーに宛てて次のメモを書いた。

「君の経営スタイルと個人的態度は非生産的です。改めてもらわなければ困ります。もしできないならば、私としては懲戒処分に踏み切らざるを得ません。解雇もあり得ます」

スペンサーはテイラーに対して、3週間以内にコンピューター科学ラボの組織再編を実施するよう求めた。具体的には、ラボメンバー全員がテイラーの直接指揮下に入る体制を改めて、ラ

ボを複数のグループに分割してそれぞれにグループ長を置く案を示した。これによって未来のゼロックス幹部を育てるとともに、ゼロックス内の他部門との意思疎通を図ろうと考えた。追加的に三つの指示も出した。一つ目は、ゼロックス社内のほかのプロジェクトや組織を侮辱しないこと。二つ目は、ゼロックス社員を引き抜いて新会社を立ち上げる構想を断念すること。三つ目は、毎週月曜日の午前9時にスペンサーのオフィスに来てコンプライアンス順守を報告すること。[2]

テイラーにとって、これほど専横的な態度を取る上司は初めてだった。対立を嫌うペイクはもちろんのこと、ジェリー・エルカインドも名目的にコンピューター科学ラボの部長に収まっているだけだった。事実、部長在任中、ラボ経営に関してテイラーに対して口を出したことは一度もなかった（テイラーはエルカインドの後任として1978年にラボ部長に就任している）。スペンサーのメモは、ＰＡＲＣ所長がテイラーを完全に管理下に置くという意思表示だった。

想像をはるかに超えて政治化するPARC

6日後、テイラーはメモへの返事を書いた。「何度もメモを読み返すうち、ショックは深まるばかりでした。やり方、トーン、内容――唖然としました。われに返ると、直ちに辞めようと思いました。でも思いとどまりました。長きにわたって心血を注いで働き、最高の人材と最高の技術をゼロックスに結集させました。自分の人生の中で最も生産的な一時期を過ごせたのです。メモにはがっかりさせられましたけれども、きちんと反論しないままで去るわけにはいきません」。以降、5ページにわたって行間なしでぎっしり反論を書いた。

第一に、一部のゼロックス社員を誘って新会社を立ち上げる計画はない（「メモのトーンから類推すると、新会社設立に向けて私が一部社員に声を掛けていると思っているようですが、事実無根です」と書いている）。第二に、スペンサーはテイラーのラボ会議に参加しようと思えば、いつでも参加できる。第三に、ラボを複数のグループに分割しても未来の幹部は育たない。なぜなら、PARCの研究者は経営スキルではなく、研究実績を評価されて採用されているから。

以上の反論に加えて、コンピューター科学ラボの成果を改めて強調した。PARCで生まれた技術のリスト（合計で10件）を作成し、「これらの技術の利用者はPARC内ばかりかゼロックス全社で数千人に上ります」と指摘。リストの中には①LAN（構内情報通信ネットワーク）、②4400人以上の電子メールボックスを結ぶ相互接続ネットワーク、③集積回路設計支援ツール、④レーザープリンター――などを入れていた。[3]「これらの技術が社会に広く普及せずにゼロックス社内にとどまっているからといって、ラボが非難されるいわれはありません。社会へ普及させるというのはラボが負う役割の範疇を大きく超えています」とも付け加えた。

ほかのプロジェクトや組織に対する侮辱的な態度についてはどう反論したのか。「私は本質的に前向きであり、楽観主義者です。他人を侮辱したり傷つけたりすることに興味はありません。

もちろん批判的になることはあります。ですが、研究という世界においては真実に目を向け、自由に語り合うというのが原則であるべきです。残念ながら、PARCはこのような原則をないがしろにし、私の想像をはるかに超えて政治化しています」

最後に、テイラーはお互いのメモを社内で共有したいとスペンサーに申し出た。上級研究者との共有は拒否されたものの、ゼロックス最高経営責任者（CEO）のデビッド・カーンズをはじめとした経営陣との共有は認めてもらえた。カーンズら最高首脳3人に対しては「一つはっきりさせてください。これからはスペンサー――ひいてはペイク――の下では働けません」という一言も添えた。

テイラーが知らないことが一つあった。テイラーとスペンサーの2人が交わしたメモの内容をカーンズはすでに知っていた。常にスペンサーから事前報告を受けていたためだ。スペンサーがテイラーに宛てて書いたメモを読んだときには、「テイラーは辞めるかもしれないよ」という警告も発していた。

ついに辞表を提出するテイラー

メモがゼロックス経営陣の間で共有されると、テイラーとスペンサーは東海岸本社に呼び出され、カーンズの代理であるナンバーツーとのミーティングに臨んだ。4時間に及ぶミーティング中にテイラーは悟った。ゼロックス経営陣は明らかにスペンサーの肩を持っているのだ。ミーティング後、2人は一緒にゼロックスの社用車に乗り込み、空港へ向かった。お互いに押し黙ったままで。

カリフォルニアに戻ったテイラーはすでに腹をくくっていた。PARC内のインナーサークル数人に対して本社での一部始終を伝え、翌朝にはラボ会議を開催した。会議室の背後で長身のスペンサーが見守るなか、ラボメンバーを前にして短いメッセージを読み上げた。メッセージはゼロックスのロゴ入りメモ用紙の上に走り書きされていた。

13年と19日前のことです。私はここでラボを立ち上げました。まったく新しい情報処理システムを創り上げ、何百万に上る人たちの役に立とうという夢を抱いて。皆さんのおかげでそんなシステムが完成しました。この恩は決して忘れません。

１９７０年代半ばまでに皆さんは素晴らしい研究成果を出していました。ゼロックス本社はＰＡＲＣの技術を土台にして飛躍できる体制を手に入れたのです。ですが、ゼロックスが飛躍する夢はかなわぬままで終わりました。今ではコンピューターシステムの研究は脇に追いやられ、ＰＡＲＣ予算の2割以下しか与えられていません。

だから私はＰＡＲＣを辞めます。次に何をするのか決めていません。9月30日まで有給休暇を消化しますが、その後は未定です。

これまで信じられないほど素晴らしい体験をさせてもらえました。皆さんと一緒に働けて本当に良かったです。

会議室全体に沈黙が訪れた。テイラーはメモ用紙をしまい、立ち去った。ラボメンバーが茫然とするなか、テイラーに代わってスペンサーが前に出た。「何か質問は？」。質問が出る代わりに罵声が飛び交った。

テイラーから事前に報告を受けていた数人を除けば、ラボメンバーにとってテイラーの解雇は寝耳に水だったからだ。テイラーが自ら辞任を申し出るようなタイプではないというのはラボ内の共通認識だった。それだけに、驚きを通り越して怒りが噴出したのだ。何が起きたのか？スペンサーは何をしでかしたのか？　ラボは解散するのか？　会議室内は騒然とし、まるでテイラー流「ディーラー会議」が再現されたかのような状況になった。

チャック・サッカーが立ち上がった。「ボブが辞めさせられるなら私も辞める」と宣言し、会議室を後にした。その日のうちにスペンサーのオフィスに行き、辞表を提出した。「解雇の判断は間違っているし、動機も怪しい」としたうえで、「ラボが解体されるのを見たくありません」と説明した。テイラーが去ればラボの解体は不可避とみていたのだ。

スペンサー自身も戸惑いを隠せなかった。テイラーに辞任を強いるつもりはなかったからだ。ただし心の奥底では、ラボが新部長と新中核メンバーを迎え入れて再始動するのも悪くないと考えていた。後にテイラー体制下のラボについて振り返り、こう語っている。「テイラーのラボは持てる力を出し切り、役割を終えていたのではないかと思っています。大きな成果は1971〜72年と1980年。後は過去の成果に手を加えていただけのような気がします」

スペンサーはテイラーの行動を予期できなかった。「突然辞めるとは想定外でした。じっくり座って話し合おうと思っていました。話し合っても妥協できなかったら……そのときはそのときです」。明らかにテイラーという人間をきちんと理解できていなかった。テイラーの辞書には「妥協」という文字はないということに気付かなかったのだ。

テイラー解任に世界の一流科学者が抗議の手紙

間もなくしてコンピューター科学ラボの電子メールシステム内で「スペンサーはラボの閉鎖を命じられた」といううわさが駆け巡った。数日内にスペンサーとテイラーの2人が交わしたメモのコピーも電子ネットワーク上で出回った（誰が投稿したのかは不明）。すぐに水面下で削除されたものの、多くのラボメンバーの目に触れた。

その後、上級研究者数名で構成されるラボの代表団が、ゼロックス本社でCEOのデビッド・カーンズに会い、テイラーを引き留めるよう直訴した。「テイラーが辞めれば多くのラボメンバーも辞めます」「中核メンバーが抜ければラボは実質的な解体です」「そうならなくてもスペンサーではラボ経営は無理です」——。テイラーがラボにとって欠かせない理由を二つ挙げた。一つは、ラボがテイラーに仕えているのではなく、テイラーがラボに仕えているということ。もう一つは、テイラーが外部からの介入をはねつけて防波堤になっているから、ラボメンバーは最高の環境下で研究に集中できているということ。

対照的にスペンサーは異なる経営スタイルを持ち、研究環境の向上にまったく寄与していない、と代表団は指摘した。具体的には①技術移転について先入観を持っている、②システム研究を理解していない、③ラボの過去の研究実績を考慮していない、④相談なしで勝手に研究プロジェクトを決める——といった問題点を挙げた。

ラボメンバーにしてみれば、テイラーは扱いやすい上司であり、いろいろと欠点を抱えていながらも、ラボ全体をチームとしてまとめるすべを心得ていた。代表団はその点を強調したうえで、カーンズに対してテイラーを説得してラボに引き戻すよう提案。その場合、テイラー直属の上司をスペンサー以外の人物にするとともに、ラボの予算を増額しなければならない、とも付け加えた。もちろん、このような提案を行ったところで大勢に影響を与えられないだろうと思っていた。何しろ、テイラー自身が従来よりも大きな予算と大きな権限を与えられてPARCに復帰する案を示していたのだ。こんな形でテイラーがPARCに戻れば問題がさらに悪化するだけ、とゼロックス経営陣は思うはずなのだ。

代表団がカーンズとのミーティングに臨むなか、残りのラボメンバーはテイラー復帰に向けて運動を起こしていた。世界的な一流コンピューター科学者に接触し、カーンズに手紙を書くよう働き掛けていたのだ。数日内にたくさんの手紙がカーンズの手元に届いた。

めぼしいところではスタンフォード大学の著名コンピューター科学者であるドナルド・クヌースだ。カーンズ宛ての手紙の中でテイラーの辞任について「唖然としました」としたうえで、「ボブは奇跡と呼べるほどの実績を残しています。だからゼロックスにとっては最重要人材の一人だといつも思っていました。ボブが去れば、世界の超一流科学者が結集したラボの解体も避けられそうにありません。こうなると、ゼロックスはコンピューターシステム分野で築いた指導的地位を失うでしょう」

同様の内容の手紙は枚挙にいとまがなかった。「コンピューターサイエンスの未来に大きな影響を及ぼします。ひとこと言わずにはいられませんでした」（カーネギーメロン大学のディナ・S・スコット）、「コンピューター科学者のコミュニティーで私と同様の懸念を抱く人は無数に存在します」（カリフォルニア大学バークレー校のリチャード・カープ）、「私の意見を言わせてもらえるならば、ゼロックスが企業として生き残れるかどうかはテイラーのラボにかかっています。このことをあなたは明らかに理解していませんね。もし理解していれば、全力でテイラーを説得して引き留めていたはずです」（スタンフォード大学のブライアン・K・リード）――。

テイラーのメンターであるJ・C・R・リックライダーも黙っていなかった。マサチューセッツ工科大学（MIT）のラボから長い手紙を書き、カーンズに送っている。「テイラーのラボは世界最高のコンピューター科学ラボです。私も含めて世界中のコンピューター科学者がそう思っています。もし辞任が現実となれば、ラボが混乱するのは必至です。混乱どころか解体もあり得ます」。続けてテイラーの功績に言及している。「雰囲気、チーム精神、クリティカルマス（臨界質量）、良好な対人関係――。テイラーが育んだラボはチームとしてしっかりまとまっています。だからこそ、一人一人の研究者を単純合計するよりもはるかに大きな力を発揮しているのです。テイラーがいなくなっても、現在のラボチームをどうにかして維持できるかもしれません。しかし、その場合には別のテイラーが必要でしょう。別のテイラーは存在しないと思いますが……」

楽観的に見れば、仮にラボが解体しても、ラボメンバーは各地に散らばったり、どこかで再結集したりして研究を続けるはずである。影響が出るにしても、コンピューターサイエンスの発展が多少遅れる程度だ。悲観的に見たらどうか。ラボ内で生まれた勢いは失われる。日本メーカーの台頭によってアメリカの技術的優位性が揺らいでいるなか、コンピューター分野でのイノベーションが後退するかもしれない。

批判的な手紙を大量に受け取ったカーンズは、驚くと同時に怒りを覚えた。「こうなることが分かっていたら、君の提案を受け入れなかった」とスペンサーに抗議した。

スペンサーはやんわりと反論した。「こうなるかもしれないと予想していましたよ。そのようにお伝えしていたはずですが……」

時すでに遅し。カーンズはスペンサーの意見に賛同していた手前、手のひら返しをするわけにはいかなかった。結局、ボブ・テイラーは去り、戻ることはなかった。

ボスを追い掛けてラボメンバーの多くが脱出

それから1カ月足らずでテイラーは新たな職場を見つけた。ディジタル・イクイップメント（DEC）のためにパロアルトにシステム研究センター（SRC）を創設したのだ。「DECにコンサルティングをやりたいと申し出たのです。そうしたらすぐに反応があり、『どこにラボを設けたい？』と聞かれました。これで決まりでした」。報酬面でも十分だった。PARC時代よりも22％増の年俸（14万5080ドル）を約束されたうえ、2500個のストックオプション（株式購入権）を支給された。それ以上にうれしかったのは魅力的な上司に恵まれたことだった。上司は、大きな実績を残しているコンピューター科学者のサム・フラーで、DECの研究・アーキテクチャー担当副社長だった。「私にとっては尊敬できる最高のボスでした」（テイラー）

一方、PARCのコンピューター科学ラボ内では匿名の研究者がふざけて『ウサギの寓話』を書き、PARCのプリンターできれいに印刷した。物語の中に出てくるのはウサギの一団（一部はソフトウエア、一部はハードウエア）だ。リーダーの黄金ウサギはチームをまとめるのが非常に上手で、素晴らしい物をたくさん作っている。それなのに、あるとき一団から抜け出し、

「他社」に行ってしまった。残されたウサギはみんな心の中で同じ思いを抱いた。黄金ウサギの下へ駆け付けて「あなたの下で働きたいので私も他社に加えてください」とお願いするのだ。

ゼロックスで年末ボーナスが支払われると、ウサギの一団はさっと逃げ出した。テイラー辞任から8カ月以内で、コンピューター科学ラボの研究者28人――技術職の半数以上――が一斉に辞めたのだ。このうち15人がテイラーを追い掛ける形でDECへ転職した。再びテイラーの下に一流の科学者が結集したわけだ。

DECでテイラーの下に再結集したチームは、使いやすい分散型コンピューターシステムを土台にして新たな技術イノベーションのタネをまくのだった。具体的には、信頼性の高いコンピューターネットワークやマルチプロセッサーシステム、電子書籍などの開発に大きく貢献した。チームメンバーの一人であるマイク・バローズは世界初の高速検索エンジン「アルタビスタ」の開発で中核的役割を担った。アルタビスタが商業化されたのはグーグル創業の3年前のことだった。

1　スターコンピューターは1981年4月27日にお披露目された。1台当たり1万7千ドルで発売されたものの、実質的には3万ドル前後だった。というのも、レーザープリンターとイーサネットも含んだシステムとして売られていたからだ。対照的にアップルのリサはずっと安かった。1983年1月19日にリリースされた時点で9995ドルだった。

2　テイラーはほかにもいろいろと制約を課された。例えば、スペンサーに対してスタッフミーティングや企画会議の予定をすべて知らせるよう求められた。必要に応じてスペンサーも同席できるようにするためだ。さらには、解散したばかりの画像ラボのメンバーに会い、コンピューター科学ラボへの異動を希望するかどうか確認しなければならなかった。テイラーの意向に関係なく、希望者については全員をラボで受け入れる必要があった。

3　テイラーのリストには①最適化マシンアーキテクチャー付きのシステム実装言語、②プログラミング環境、③個人用ワークステーション、④対話型テキスト書式適用ツール、⑤印刷・ファイル・メール用サーバーステーション、⑥ビットマップ画像表示、⑦識別処理・認証機能付き電子メール、⑦以上をすべて統合した完全な分散型システムアーキテクチャー――が含まれていた。

第26章 ビデオ王国——アル・アルコーン

突如としてすべてが逆回転

1983年までに、アタリを筆頭にビデオゲーム産業はアメリカ全体を席巻していた。毎週50店のペースでゲームセンターが新規開店し、コンビニ5店のうち少なくとも1店は店内に1台のアーケードゲームを設置していた。17歳未満の青少年を対象にしたビデオゲーム規制論議は法廷に持ち込まれ、最高裁で争われるまでになった。

医学雑誌ニューイングランド・ジャーナル・オブ・メディシンは新型腱鞘炎「スペースインベーダー手首」についての記事を掲載した。〈スペースインベーダー〉はタイトーが開発したアーケードゲームのことだ。プログラマーのリック・マウラーによってアタリのカートリッジ式家庭用ゲーム機へ移植されて、大人気のゲームソフトになっていた。

映画監督のスティーブン・スピルバーグはニューズウィーク誌の取材に応じて、「自宅にはアーケードゲームを8台も置いているんだ。職業を間違えたかな」とコメントしている。そんななか、アタリは「ビデオゲーム中毒の国」をコンセプトにした広告キャンペーンを展開。同時に、ゲーム依存症のゲーマーのために「アタリ・アノニマス（匿名）」と名付けた無料ホットラインも設置した。

ワーナーはアタリ部門に大いに助けられた。ワーナーの株価はアタリ買収からの6年間で何と300％の上昇を記録していた。アタリ部門があまりにも高収益であったため、ワーナー全体で見て他部門の影がすっかり薄くなっていた。他部門は全体として黒字だったというのに。

そしてあるとき、突如としてすべてが逆回転し始めた。6月に入って、ワーナーは「過去3カ月間で3億1千万ドルの損失を計上した」と発表した。1日当たり300万ドル以上の赤字を垂れ流していたわけだ。CEOのスティーブ・ロスも驚きを隠せず、「赤字は覚悟していたけれども、これほど深刻な状況に置かれるとは予期していなかった」と認めざるを得なかった。アタリは1982年末から収益予想を下方修正するようになり、1983年第2四半期（4〜6月）にはどん底に陥った。結局、1983年にはざっと5億ドルの赤字を計上した（前年は3億2300万ドルの黒字）。

スティーブ・ロスとマニー・ジェラードは赤字転落の主因として競争激化を挙げた。家庭用ゲーム機市場では、マテルなどの競合会社からグラフィックスに優れる高性能モデルが登場していた。そのうえ、最も利益率が高いゲームカートリッジ市場では新規参入が相次ぎ、アタリの優位性は失われつつあった。

弱り目にたたり目だったのが、アタリが投入した新作ゲームの失敗だ。例えば〈パックマン〉と〈E.T.〉。どちらもグラフィックスとデザインの面で問題含みだった。後者はユニバーサル映画とのタイアップゲームであるというのに、とりわけひどい評価を受けていた。「これはゲームではない。スクリーン上で何かがよたよた歩いているだけ」と断じる批評家もいた。〈E.T.〉はロスがスピルバーグと直接交渉してライセンスを取得し、アタリの開発チームに相談なしでトップダウンで決めたプロジェクトだった。ロスはスピルバーグに対して、総額2300万ドルのロイヤリティー（著作権使用料）を支払うと約束したといわれている。[1]

過当競争で「アタリショック」

1982年末までに、アタリ製VCS（ビデオ・コンピューター・システム）向けのゲームカートリッジ市場は群雄割拠の状態になっていた。合計で20社前後がVCS用ゲームソフトを競って開発するなか、サードパーティー製ゲームカートリッジのシェアが急激に上昇していた。市場全体に出回った300タイトルのうち、アタリのシェアは3分の1にまで低下し、アタリは自ら創造した市場で失墜したのだ。

競合ゲームはアクティビジョンのような本格的ゲームメーカーの製品にとどまらなかった。ペットフード会社ピュリナの〈チェイス・ザ・チャックワゴン（炊事用幌馬車を追え）〉やポルノゲームの〈カスターズ・リベンジ（カスターの逆襲）〉もアタリ製マシンでプレーできた。なかでも〈カスターズ・リベンジ〉は厄介だった。欲情したカスター将軍が飛んでくる弓矢をよけながら、柱に縛り付けられた裸のアメリカ先住民の娘に向かっていく内容もさることながら、「娘をモノにできれば得点できる！」をキャッチフレーズにしていたからだ。女性やアメリカ先住民の間で物議を醸し、「レイプを煽っている」といった非難の声が広がった。アタリは発売元を相手取って訴訟を起こした。

不祥事も起きた。ワーナーが1982年12月に多額の損失計上を発表する数時間前のことだ。アタリ社長のレイ・カサールは持ち株5千株を換金売りしたのだ。当然ながらインサイダー取引の疑惑を持たれ、証券取引委員会（SEC）の調査対象になった。売却益を返還しなければならなくなり、結局解雇された。ワーナーCEOのスティーブ・ロスも当局からにらまれてもおかしくなかった。数カ月間にわたって合計2100万ドル相当の持ち株を売り続けてきたからだ。だが、おとがめなしだった。

赤字転落を受け、アタリは大掛かりなリストラに乗り出した。1983年に入って合計3千人の人員削減を実施したのだ。労使の対立はピークに達し、労働組合結成の動きも広がった（最終的に組合結成は失敗）。「精神的に非常につらい」と役員の一人は当時マスコミに語っている。「シリコンバレーで最高の職場といわれていたんですからね。なぜこんな状態になってしまったのか、みんな頭を抱えています」

ワーナーのマニー・ジェラードは当時を振り返り「まるでビデオゲーム産業が忽然と消え去ったかのようでした」と語る。実際、ピンボール大手のバリーは85％減益に見舞われ、家庭用ゲーム機「インテレビジョン」を販売するマテルは社員の37％を解雇した。１９８３年１～９月には合計で２千店に上るゲームセンターが閉店した。ビデオゲームは一時的な流行にすぎなかったのかもしれない――こんな見方が広がった。

「アタリショック」によって、ビデオゲーム業界をけん引してきた新興企業の多くは回復不能なほどの大打撃を受けた。アタリを飛び出した４人組が創業したアクティビジョンは１９８３年にどうにかしてＩＰＯを成功させたものの、その後何百万ドルにも上る損失を計上した。同様にアタリ脱出組が創業したイマジックは閉鎖に追い込まれた。

アップル脱出組が創業したエレクトロニック・アーツも影響を免れなかった。創業者トリップ・ホーキンスは「アタリの失速をきっかけに業界全体が津波にのみ込まれ、ゲーム人気は一気に冷え込みました。大きな傷が残り、癒えるまでに10年かかりました」と語る。

アップルで「ダイヤモンドの原石」と言われたホーキンス。１９８２年にアップルを辞めてエレクトロニック・アーツを創業している。創業初期にはベンチャーキャピタリストのドン・バレンタインのほか、楽観主義的テクノロジーアナリストのベン・ローゼンからの資金支援に頼っていた。ちなみに、アタリ創業を資金支援したのも、マイク・マークラをアップルの共同創業者２人に紹介したのもバレンタインだ。[2]

エレクトロニック・アーツ初のヒット作は、1983年10月発売の〈ドクターJとラリー・バードの1対1対決〉だった。これはバスケットボール界の二大スターを使ったゲームであり、アップルII用としては最も人気の高いゲームソフトの一つになった。アスリートの肖像権を活用したスポーツゲーム市場の将来性を裏付ける格好になった（エレクトロニック・アーツは5年後にアメフトゲーム〈ジョン・マッデン・フットボール〉を発売し、大成功を収めている）[3]。

エレクトロニック・アーツはパソコン用ゲームソフトに特化し、家庭用ゲーム機やアーケードゲーム機を手掛けていなかった。それでも1983年のアタリショックとは無縁でいられず、リストラを強いられた。ホーキンスはSF小説『砂の惑星』に言及しながら「まるで惑星デューンのフレーメン人になった気分でした」と回想する。「フレーメン人は自分の唾液をリサイクルしながら必死で生き延びていました。われわれも同じように必死でした。何年もかけて問題を一つ一つ解決し、業界を立て直していくしかなかったのです」

アタリは立ち直れないまま解体へ

アタリは二度とアタリショックから立ち直れなかった。アルコーンが心配していた通り、自社製ゲームソフトの売り上げ急減に見舞われた途端、白旗を揚げざるを得なくなっていた。有効な新製品を何も用意していなかったからだ。1982年末発売の高級ゲームシステムは空振りに終わっていた。第一に、プレーできるゲームが限られていた。アタリ２６００用のＶＣＳカートリッジと互換性がなかったためだ。第二に、値段が一部のパソコンと同じくらいに高かった。同じ値段であれば多機能なパソコンが断然に有利だった。[4] ゲーム部門に加えて、コイン式アーケードゲームとパソコンの両部門も赤字に転落していた。

アルコーンが１９８１年に去った後、遅ればせながらカサールはようやく研究開発に目を向け始めた。まずはゼロックスＰＡＲＣからアラン・ケイを引き抜き、長期研究の責任者に指名した。ケイいわく「事実上青天井の予算」も約束した。１９８３年初めにはマイクロプロセッサーの共同発明者テッド・ホフ――インテルの上級エンジニアの一人――をスカウトし、短期・中期研究の責任者に就けた。もっとも、ケイもホフも1年以内に辞めている。アタリの収益や技術開発力にほとんど何のインパクトも与えないままに。

１９８４年、ワーナーはアタリ部門の解体に踏み切った。アーケード部門のみを残して、パソコンとビデオゲームの両部門をコモドールの元ＣＥＯジャック・トラミエルに売却した。翌年にはアーケード部門もナムコへ売却した。業界アナリストはニューヨーク・タイムズ紙の取材に応じ、こうコメントを残している。「古いアタリは明らかに死にました。もう何の価値もありません」

１９８５年、任天堂による家庭用ゲーム機「ＮＥＳ（ファミコン）」のリリースをきっかけにビデオゲーム業界はよみがえった。２０１１年に「史上最高の家庭用ゲーム機」との評価を得たＮＥＳは閉鎖型システムを採用していた。つまり、プレーできるゲームは任天堂によって厳格に管理され、２種類に限定されていたのだ。一つは任天堂が自社開発したゲームカートリッジで、もう一つは任天堂が認可したサードパーティー製ゲームカートリッジ。任天堂はアタリの失敗から学んだのである。[5]

1　映画『E.T.』の利用をめぐるライセンス契約がアタリの終わりの始まり――こうみる関係者は多い。契約料が2300万ドルに上り、当時としては途方もない金額だったからだ。ビデオゲーム業界が映画利用のために支払ったライセンス契約料としては、それまでの最高額を2200万ドル以上も上回っていた。ただし、アタリの視点ではなくワーナーの視点で見れば、それほど悪くなかったのかもしれない。ユニバーサルの映画を手掛けてきたスピルバーグがワーナーへ鞍替えするきっかけになれば、2300万ドルでも割安ともいえた。

2　ホーキンスはエレクトロニック・アーツ創業時にバレンタインからいろいろ助けてもらっていた。バレンタインの力添えがあったから、セコイア・キャピタル本社内にあるオフィスを使えたし、新たな投資ラウンドを通じて200万ドルを調達できたのだ。エレクトロニック・アーツに出資したベンチャーキャピタルには、クライナー・パーキンス・コーフィールド&バイヤーズ（KPCB）やセビン・ローゼンが含まれた（セビン・ローゼンはベン・ローゼンが設立した投資ファンド）。エレクトロニック・アーツは当初アメージング・ソフトウエアと呼ばれていた。

3　2013年時点でエレクトロニック・アーツは累計で1億本以上の〈マッデン・フットボール（現マッデンNFL）〉を売っている。売り上げに換算すると40億ドル。

4　パソコン市場では一部の下位機種は1台200ドルで売られていた。新型の「アタリ5200」は269ドルだった。

5　任天堂の成功によってビデオゲーム業界は開放型（オープンプラットフォーム）から閉鎖型（クローズドプラットフォーム）へ大きく転換した。アップルも同時期に同じような転換を遂げている。アップルⅡでは開放型オペレーティングシステム（OS）を採用していたのに対し、マッキントッシュでは閉鎖型へ移行していた。

第27章　誰よりも早く気付いていた
——ニルス・ライマース

大学はスタートアップから株式を受け取るべき

1983年、スタンフォード大は特許のライセンス収入で見て全米ナンバーワンの大学に躍り出た。収入額は250万ドル（2016年価格で610万ドル）に達し、このうち遺伝子組み換え特許収入が60％近くを占めた。

ひとえにニルス・ライマースのおかげである。彼は独自の直感と粘り強さを全開にして、大学発のイノベーションから富を生み出す方法をいち早く見いだした。そればかりか、遺伝子組み換え技術の経済的価値についても、起業家やベンチャーキャピタリストよりも早く気付いていた。それなのに金銭的には何も得ていなかった。特別ボーナスも年俸アップも認めてもらえなかった。昇格にもあずかれなかった。遺伝子組み換え技術の特許取得で大活躍したというのに。それでも達成感を覚えていた。年間売上高2700億ドル（2013年）に上るバイオテクノロジー産業勃興に貢献するとともに、大学発イノベーションを再定義して世界各地の大学にも影響を与えたのだから。

遺伝子組み換え技術のライセンス化が一段落すると、ライマースは技術移転室（OTL）でいつも通りの日常業務に戻った。間もなくしてシリコンバレーで起きている大きな潮流を目の当たりにした。新世代のハイテク企業が続々と出現し、スタンフォード大生まれのイノベーションを取り入れて急成長していたのだ。ワークステーションのサン・マイクロシステムズや通信機器のシスコシステムズが代表例だ。再び何百万ドルに上るライセンス収入が見込める！　改めて大学執行部とやり合うときがきた！

ライマースは起業家支援の一環として、現金ではなく株式を支払い手段として使いたかった。若いスタートアップは大学から特許のライセンスを取得しようとしても、必要な現金を持ち合わせていない。だから現金の代わりに自社株を使えるならば大助かりなのだ。彼の構想では、スタンフォード大はライセンス供与先の企業から現金に代えて株式でロイヤリティー（特許使用料）を受け取る格好になる。

大学側に利点もある。というのも、若いスタートアップが足場にする市場では技術革新が激しく、競争環境があっと言う間に変わるからだ。大学が特許をスタートアップにライセンス供与しても、実際に製品が販売されて成功する前に技術が陳腐化してしまうリスクもある。そうなると、特許を使用した製品の売り上げが立たず、大学のライセンス収入はゼロになる（一般に、ライセンス収入は特許を使った製品の売り上げに連動する）。大学が一括で受け取る株式であればこうはならない。スタートアップが存続している限り、たとえ技術が陳腐化しても大学が保有する株式には価値がある。ライマースが計算してみたところ、OTLは株式を対価として受け取らなかったため、1980年代半ばまでに5千万ドルの機会損失を被っていた。

利益相反を懸念するスタンフォード大学長

スタンフォード大学長のドン・ケネディは違う見解を持っていた。対価として株式を認めれば、大学がライセンス供与先の株主になり、利益相反問題が発生しかねない、とみていたのだ。スタンフォード大が毎年の寄付金のうち18％を民間企業に頼っていた点を踏まえれば、あり得ない話ではなかった。大学から特許のライセンスを受ける企業をA社、大学に多額の寄付をする企業をB社としよう。大学がロイヤリティーとしてA社から株式を受け取れば、A社の株主になる。A社がB社と競合関係にあれば、大学は意図せずしてB社のライバルになってしまう。

このような状況を懸念してケネディは株式の受け取りに反対していた。スタンフォード大が寄付金を頼るハイテク業界の中に「大学が業界団体に加わってくれればうれしいです。ただし、業界団体に加わってくれたからといって大学に寄付するわけではありません」という声があることも気にしていた。ハイテク企業がそもそも大学への寄付に及び腰であるなかで、大学がライバル企業の株主になるわけにはいかない、と考えていたようだ。

それ以上に厄介だったのが大学の教員やスタッフ、学生が創業したスタートアップだった。ケネディはこう語っている。「一部の教員が立ち上げたスタートアップの株主に大学がなったとしましょう。この場合、ほかの教員はどう思うでしょうか？　研究の面でも資源配分の面でも大学は公平だと思うでしょうか？　はなはだ疑問です」

スタンフォード大は過去何十年にもわたって地元の起業家コミュニティーを支えてきた。公開講座や遠隔授業を行ったり、教員によるコンサルティングを後押ししたりしてきた。リミテッドパートナーとして地元ベンチャーキャピタルとも二人三脚で歩んできた。1983年だけでも地元ベンチャーキャピタルに総額6400万ドルを預けて、資金運用を委託していた。

だが、ベンチャーキャピタルに資金を預けても、リミテッドパートナーの立場ではいろいろ制約を課されたままだった。例えば、投資先企業の選定に口を挟めなかったし、投資先企業の株式を大量取得できなかった。このような制約を取り払ってスタンフォード大はスタートアップ経営に積極的に関わり、大学発のイノベーションを社会還元する責務を果たすべきだ、とライマースは大学内で提言していた。

グーグル株で3億ドル以上も稼ぐ大学

ライマースにしてみたらケネディは心配し過ぎだった。大学が株式を受け取ったからといって、商業化可能な製品を生み出す研究――つまり大学に利益をもたらす研究――を研究者が優先するはずがなかった。研究者にとって最大の動機は金銭的利益ではなく科学上のブレークスルーなのだ。ケネディはこのような意見をライマースから聞かされても、なかなか消極的な姿勢を改めなかった。

その後、大学内で何年も議論が続き、最終的にライマースの意見が通った。１９８９年、ＯＴＬはライセンス供与先のスタートアップから株式で支払いを受けるようになったのだ。それから20年間でスタンフォード大はライセンス供与の見返りに合計１３６社から株式を受け取った（２０１５年時点で１２１社の株式を保有）。その中にはＶＭウエアとグーグルが含まれた。前者は２００７年にＩＰＯを行い、株式市場で鮮烈なデビューを飾った。後者はスタンフォード大に多大な利益をもたらした。同大が保有するグーグル株の時価は３億３６００万ドルに達したのだ。

スタンフォード大はどんな経緯でグーグルの株主になったのか。同社共同創業者のセルゲイ・ブリンとラリー・ペイジは同大大学院に在学中、国立科学財団から助成金を得て検索アルゴリズムを開発。グーグル創業後に同大から検索アルゴリズムのライセンスを取得し、対価として合計１８００万株に上るグーグル株を支払ったのである。

スタンフォード大はライマースによる先駆的努力を踏み台にして、シリコンバレーに根を張る起業エコシステムの中心に位置するようになった。あまりにも深く起業家活動と関わっていることから、ニューヨーカー誌からは皮肉を込めて「金持ち大学（Get Rich U.）」というニックネームも付けられた。

ライマースは１９９１年までＯＴＬ室長を務め、早期退職した。株式の受け取りをめぐって大学執行部と対立したうえ、大学内で行われた組織再編の影響も受けて研究学部長（あるいは学長）の指揮下から外れたためだ。退職に際しては自分で選んだ後任者を強く推薦したものの、大学側には聞き入れてもらえなかった。

ライマースが去った後もＯＴＬは大学に引き続き大きな利益をもたらし、彼が描いたビジョンの正しさを裏付けた。代表的な三つの発明――遺伝子組み換え技術、ＦＭ音源の合成、ＭＲＩ（磁気共鳴画像）装置の基本技術――は、それぞれで毎年１００万ドル以上のロイヤリティーが大学に支払われていた。

ライマースが去った時点では、21年前にパイロットプロジェクトとして始まった小組織ＯＴＬは、累計で８７００万ドル（２０１６年価格で1億７７００万ドル）の収入を得ていた。言うまでもなくＯＴＬは金銭だけでは評価されるべきではない。アントレプレナーシップ（起業家精神）にあふれた一流人材（教員、学生、スタッフ）を大学に引き寄せるためのツールであり、その意味では８７００万ドルをはるかに上回る価値を生み出している。

第28章　売るとは誰も思っていなかった
——フォーン・アルバレス

予測グループで重要な役割を与えられる

1982年、ロルムは画期的なイノベーションを起こした。ボイスメールを開発したのだ。これによって電話をかけた人はメッセージを録音して残せるようになった。ボイスメールは大人気となり、ロルム製CBXシステムの売り上げを大きく伸ばす原動力になった。

ボイスメールを導入した企業では、社員が使い方に慣れるまでにしばらく時間がかかった。当初、社員の多くは「私です。後で電話してください」といった内容のメッセージを残していた。そのうち「メッセージの中に要件を入れてしまえば後で電話してもらう必要はない」と気付き、ボイスメールの利用価値を認識するようになった。

予測グループに異動したフォーン・アルバレスは過去2年間、ますます充実した日々を送るようになっていた。上司のデイブ・リング——後にシスコシステムズの生産担当副社長になる——のおかげで、グループ内で重要な役割を与えられていたからだ。

きっかけはリングによる予測プロセス改革だった。これによって予測グループは営業、マーケティング、生産の各部門に加えて、財務と製品の両部門の協力も得て予測を立てなければならなくなった。ここでリングが頼りにしたのがアルバレスだった。ロルムの古参社員であり、各部門を熟知していたため、影響力のある社員を見つけ出して協力を引き出す担当としては最適と見なされたのだ。

予測グループはアルバレスを除けば、大卒以上の高学歴社員で構成されていた。リングはハーバードとスタンフォードの両大学を卒業していたし、生産分野の専門家として新たに予測グループに加わったアン・マグニー・キーファーバーはイェール大学ビジネススクールを卒業していた（キーファーバーの加入で予測グループ内の女性は2人になった）。キーファーバーはアルバレスについてこう語る。「フォーンは大卒の資格を持っていないから不安だったみたい。でもまったく大丈夫でしたよ。自信家で頭は切れるし、社内人脈の広さでは誰にも負けなかったから。キーパーソンは誰で、何を考えているのか、全部把握していました」

一方、アルバレスは次のように振り返る。「自信家に見えたのかもしれませんが、心の奥底では『賢いふりをしているだけで、みんなをだます格好になっているのでは』と悶々としていました。大口をたたくだけの無礼者だったのかもしれません。周りは立派な学位を持つ同僚ばかりだったから、『何か言うときはきちんと準備してからにしよう』といつも肝に銘じていました。ばかなことを言ってしまわないかと気が気でなかったのです」

IBMへの身売りにショックを受ける

アタリショックがビデオゲーム業界を直撃した1983年、IBMがロルム株の23%を取得した。独占電話会社であるAT&T分割への対応策と位置付けていた。司法省の命令に従って、前年にAT&Tは地域ベル電話会社8社の分離を強いられ、長距離電話専業になることが決まっていた。業界関係者の間では「AT&Tは地域電話サービスの分離を穴埋めするために商業用コンピューター市場へ参入するのでは」との観測が広がっていた。[1] アメリカ最大の通信会社がコンピューターを売るならば、アメリカ最大のコンピューターメーカーは通信サービスを提供しなければならない――これがIBMの論理だった。通信サービス市場へ進出する足掛かりとしてロルムはもってこいだった。

1984年10月になり、IBMは18億ドル（2016年価格で43億ドル）を投じてロルムを完全買収すると発表した。大きな賭けだった。IBMにとって22年ぶりのM&A（企業の合併・買収）であると同時に、IBM史上最大のM&Aでもあったのだ。1976年にロルム入りした上級エンジニア、ロン・ラッフェンスパーガーはIBMによる買収発表を思い出し「社員全員が買収のことを覚えていますよ。『ケネディが死んだときにどこにいた?』と会話するのと同じくらいの衝撃がありましたからね」と語る［ケネディは1963年に暗殺されたジョン・F・ケネディ大統領のこと］。

アルバレスは何週間も前から「何かすごいことが起きる」とのうわさを耳にしていた。それでも買収発表には衝撃を受けた。ロルムは6億6千万ドルの売り上げと3700万ドルの利益を出し、大企業500社リスト「フォーチュン500」の仲間入りを果たしたばかりだったから、夢想だにしていなかったのだ。「ロルムの創業者が持ち株を売るとは誰も思っていませんでした」。

ただ、彼女が知らないことが一つあった。ロルムは売り上げを伸ばしながらも利益率低下に見舞われていたのだ。そんな状況下で創業者はやや戸惑いつつ「ロルムの身売りは不可避」と判断し、「高値で売るならば早ければ早いほどいい」と結論していた。

表面上はロルムとIBMは良い組み合わせだった。「フォーチュン500」の上位100社を見ると、ほとんど全社がコンピューター(大型コンピューターか、そうでなければ1年前に発売されたばかりのIBM PC)と共にロルム製電話システムを導入していた。電話交換機市場ではロルムのシェアは15%に達し、AT&Tに次いで二番手に付けていた。アナリストら専門家の間では何年も前から「未来のオフィスを支配するのはコンピューターシステムか電話システムのどちらか」と言われていた。[2] つまり「データ対音声」という図式になるわけだ。ロルムとIBMが組めばデータと音声が完璧に一体化し、「データ対音声」という問題は消え去る——こんな期待があった。実際、IBMによるロルム買収が明らかになると、株式市場では両社の株価はそろって上昇した。

社内は浮かれ気分、職場の先行きに不安

「ロルム社内は浮かれ気分でいっぱいでした。みんな『何てこった！　次は何だ？』という反応を見せていました」とロン・ラッフェンスパーガーは振り返る。

浮かれ気分の主因は、ロルム株主が手にする大金だった。1976年のIPO時にロルム株を取得した株主は8年間で40倍のリターンを手にしていた。自社株を持つ社員が「IBMはいったい1株当たりいくら払ってくれるのだろう」とやきもきするのも仕方がなかった。生産ラインで働く女性作業員までもロルムの株価と今後の見通しについて語り合っていた。フォーン・アルバレスの母ビネータは保有するロルム株を1株も売却していなかった。彼女がロルム勤務時代に累計7千ドルを払って買い続けたロルム株の時価は、36万ドル（2016年価格で83万ドル）に達していた。

浮かれ気分が一段落すると、今度はロルム社内で不安が広がった。社員35万人のIBMに対して社員9千人のロルム。IBMにのみ込まれてもアイデンティティーを維持できるだろうか？　今後も「偉大な職場」を守れるだろうか？　ロルム社員はジーンズをはいて出社し、金曜日午後のビールパーティーを何よりも重要で神聖なイベントと見なしていた。ハロウィンにはマーケティング担当副社長は「スーパーマン」ならぬ「スーパーマネジャー」に扮して、赤いパン

ツをはいて赤いマントを羽織って職場に来ていた。対照的にＩＢＭには不文律のドレスコード（白地のオックスフォードシャツとネクタイ）のほか、職場での飲酒を禁止する社内規定もあった。

ロルム社内には少し期待もあった。ＩＢＭは巨大企業でありながら、秘密裏に社内スタートアップを立ち上げてパソコン市場に参入し、大成功している。ならばロルムのイノベーション文化と起業家精神を理解してくれるかもしれない！　実際、ロルムを視察したＩＢＭ幹部３人はカジュアルないでたちで登場し、金曜日午後のビールパーティーにも顔を出した。とはいえ、「ＩＢＭは何かしでかすのではないか」という不安は決して消え去らなかった。

アルバレスも期待と不安の入り交じった感情を抱いた。ロルムではストックオプションを支給されたことは一度もなかった。「欲しいと主張すれば、ストックオプションはもらえたと思います。でも、どのように主張したらいいのか分かりませんでした」。しかし、「若くて間抜けな段階を卒業すると、過去５年間にわたってできるかぎり自社株を買い続けた。母ビネータをお手本にしていただけでなく、同僚のエンジニアや役員の大半も自社株購入に精を出しているのを知っていたからだ。

アルバレスは一部保有株を売却していた。旅行がしたかったからだ（１９８０年代前半に合計で25カ国を旅していた）。それでも大半を保有し続け、ＩＢＭによるロルム買収決定後にはさらに一部を換金して持ち家を購入した。「私は金持ちではなかったですけれども、女性でありながら自力で家を買ったんです。シリコンバレーに」

その後、アルバレスは職場の先行きに不安を覚えるようになった。「これから大変になると思いました」と当時を振り返る。「すごいことをやり遂げたと思ったら、世界で最も保守的な大企業に買収されることになったんです。不安になるのも当然」。買収後にＩＢＭが何をするのかなかなか読めなかった。ただ、やることは決めていた。「ＩＢＭ社員（ビーマー）を手助けし、いくつか教えてあげるんです。ロルムの企業文化を守るために」

予測グループは伝統的に社内で大きな影響力を発揮できる存在ではなかった。それでもアルバレスはまったく気にしなかった。前に進むことしか眼中になかったのだ。

1　1984年にコンピューターに特化したAT&Tインフォメーション・システムズが発足した。ベル研究所とウェスタン・エレクトリックはAT&T本体に残った。前者はOS「UNIX（ユニックス）」を開発し、何十年にもわたってコンピューターの設計を手掛けてきた研究部門であり、後者は長らく電話ネットワーク用のコンピューター開発を担ってきた製造部門だ。1982年にAT&Tが独禁法当局と和解したことによって、長距離電話市場にも影響が出た。長距離電話市場でMCIやスプリントといった競争相手が現れ、AT&Tのシェアを奪った。

2　「データ対音声」は少し単純化し過ぎた図式であった。ロルムのCBXシステムは音声メッセージをデータとして保存していたからだ。

第29章　世界は二度と元に戻らない
――マイク・マークラ

年商10億ドル達成でお祝い

1983年2月、晴れ渡った午後のこと。アップル本社の駐車場に張られた巨大テントから3千人以上の社員が続々と現れた。テント内の長テーブルの上には、リンゴをいっぱい載せた大きなフルーツバスケットやスナック菓子を入れた赤いグラス、虹色のナプキンが並べられていた。近くにはアップルカラーで鮮やかにペイントされたレーシングカーが置かれ、アップルのロゴをかたどった大型氷像がそびえていた。マウンテンビュー高校のジャズバンドが演奏を終えると、スタンフォード大のブラスバンドが演壇に向かって行進した。演壇に立つのはマイク・マークラだ。片手にワイングラスを持ち、ほほ笑んでいる。

1カ月前、タイム誌が恒例の「今年の人（マン・オブ・ザ・イヤー）」を発表した。60年の歴史を持つ同誌史上、「今年の人」に初めて無生物が選ばれた。コンピューターである。

タイム誌は特集記事の中でアップルⅡを取り上げ、斬新な使用法を列挙していた。ロックバンドのグレイトフル・デッドがコンピューターを使って会計やスケジュール管理を行ったり、疲れ切った父親がコンピューターを独自にプログラミングして赤ちゃんの揺り籠を動かしたりする様子を描き、新たな時代の到来を示唆。そのうえで、「コンピューターの誕生によって世界は一変した。二度と元に戻らない」と宣言した。自宅や職場でコンピューターにアクセスできるアメリカ人は3割にとどまっていたものの、「近い将来にコンピューターはテレビと同じくらいに普及する」と予測するアメリカ人は8割に上った。

ただ、アップルが祝っていたのは「今年の人」ではなく「売り上げ10億ドル突破」だった。新年度に入り、売り上げが初めて10億ドルの大台に乗るのが確実視されていたのだ。

ブラスバンドが演奏を終え、聴衆がおしゃべりをやめると、マークラは口を開いた。「12月の売り上げは8870万ドルでした。この調子でいけば通年で10億ドル達成は確実です。お祝いしないわけにはいきません！」

続いて会長兼マッキントッシュ部門責任者のスティーブ・ジョブズにつないだ。[1]

白いリネンシャツを着たジョブズは、暗殺された元司法長官ロバート・ケネディの言葉を引用した。「多くの人は現在起きていることを見て『なぜ起きているのか？』と考えます。私はまだ起きていないことを夢見て『なぜ起きていないんだ？』と考えます」。そして2人のエンジニアをたたえた。新型のリサコンピューター開発に貢献したビル・アトキンソンとリック・ペイジだ（巨大テント内にはリサをかたどった氷像も立てられていた）。2人はアップルに多大な貢献をしたとして初代「アップルフェロー」に選ばれ、それぞれジョブズからスーパーマンのマントと大きなメダルを手渡された。後に特別ボーナスももらった。

マークラはクリスタルワイングラスを手に持って演壇に戻った。「10億ドル達成のお祝いとして、アップルの社員一人一人に2個のクリスタルワイングラスをプレゼントします」。社員全員に感謝の意を示し、拍手喝采を浴びた。そして演壇から下りた。

後任社長としてジョン・スカリーに白羽の矢

マークラは個人的にもお祝いをしていた。アップル社長の任期2年をもうすぐ終えるからだ。数十年後に当時を振り返り、「社長が嫌だったわけではないんです。いい仕事をしたと思っています。でも、いい後任社長が見つかればいつでも辞めるつもりでした」と述べている。

1982年末にはアップルの後任社長にぴったりの人物が浮上した。IBMのパソコン事業を成功に導いた立役者ドン・エストリッジだ。だが、IBMを辞めたがらず、結局アップルの誘いを断った。DECやHP、データゼネラルなどでも有力候補が取り沙汰されながらも、相性の点でアップルとはいまひとつだった。そんななか、アップルはエレクトロニクスやコンピューター業界以外に後任候補の対象を広げた。最終的に同社が行き着いたのは飲料大手ペプシコの社長、ジョン・スカリーだった。

4月に入り、マークラはアップル社長を辞任した。ようやく責務を果たせてホッと一安心するとともに、これからの引退生活に胸を躍らせた。スカリーがアップル新社長を引き受けた一因はジョブズの一言だった。「これから一生砂糖水を売り続けたいですか？　それとも私と一緒に世界を変えたいですか？」

スカリーはコンピューターについてはほとんど何も知らなかった。しかし、1980年代半ばまでにテクノロジー業界では新たな潮流が生まれつつあった。実務経験を広く積んでいるリーダーであれば、たとえ技術面に精通していなくても経営を担える、という考え方が広がっていたのだ。実際、多様なバックグラウンドを持つCEOが相次ぎ誕生していた。アタリはレイ・カサール解雇後にたばこ大手フィリップ・モリス出身者を新CEOに選んでいたし、オズボーン・コンピュータは食品大手コンソリデーテッド・フーズ社長を引き抜いて経営トップに据えていた。

スカリーの採用は理にかなっていた。コンピューターに詳しくない一般消費者にアピールしなければならないときに、アップルは消費者向けマーケティングで経験を積んだ世界的経営者を手に入れたのだ。現在、アメリカ人の半数近くは「スマートフォンなしでは生活できない」と回答している。だが、1980年代半ばはまったく違った。消費者に製品リストを見せて「無いと困る製品はどれ？」と聞くアンケート調査を見てみよう。「家庭用コンピューター」と回答した消費者の割合はたったの2％だった。ちなみに、「家庭用コンピューター」は、「アルミホイル」の38％はもちろん、「自宅用ヘアカラーリング剤」の４％にも及ばなかった。

マークラなしではアップルは存在しない

１９８３年、コンピューターは使いやすいとはいえなかった。ニューズウィーク誌はコンピューター経験皆無の記者を一人選び、仕事でパソコンを使いこなせるようになるかどうかの実験を行った。すると、記者は合計70時間もパソコンと格闘したにもかかわらず——使用マシン３台にはアップルⅡとアップルⅢが含まれた——「仕事に必要なニーズをまったく満たせなかった」と結論せざるを得なかった。同年までにパソコン市場ではＩＢＭが26％のシェアを握り、アップルの24％を上回っていた。アップルはどうにかして一般大衆を顧客に取り込まなければならず、その方法を熟知しているのはスカリーではないかと思われた。

マークラはスカリーに社長職を譲った後もアップルの取締役会にとどまった。スカリーとジョブズの関係はどうなったのか？　アップル誕生時のマークラとマイク・スコットの関係をなぞっていた。つまり、スカリーは社長として会長（取締役会議長）ジョブズの指揮下に入る一方で、ジョブズはマッキントッシュ部門責任者として社長スカリーの指揮下に入るのだ。異例の取り決めはマークラとスコットの間ではうまく機能したが、ジョブズとスカリーにとっては問題含みだった。

マークラが退任して1カ月後の1983年5月のことだ。彼が予想していた通り、社歴6年のアップルは株式市場で最高値を更新し、大企業500社リスト「フォーチュン500」の仲間入りを果たした。これほど社歴の浅い新興企業が「フォーチュン500」入りしたのは初めてのことだった。

マークラがアップルに与えた影響については現在、広く理解されているとは言い難い。彼自身はそれでいいと思っている。

ここでマークラが何をしたのか振り返っておこう。第一に、ジョブズを除けば、ウォズニアックのアップルⅡに隠された商業的価値に最初に気付いていた。第二に、自らの人脈を駆使してアップル経営メンバーをそろえ、資金も提供した。第三に、アップルのビジネスプランを書き、技術上の目標を設定した。第四に、マーケティングの方向を定めるとともに、ディテールと第一印象を重視した。第五に、アップルが表舞台へ鮮烈デビューするのを主導した。第六に、「父親のようだ」と言われるほど親身になり、スティーブ・ジョブズのメンター役を引き受けた。第七に、望んでいないのにあえて社長を引き受けた。

社長辞任前の6カ月間でアップルの収益は下降局面にあったのは確かだ。マークラ体制下で投入された製品がIBMをはじめとしたライバルの攻勢に遭い、苦戦を強いられていたのだ。1983〜97年も無視できない。マークラは取締役会メンバーであり続け、一時的に会長（取締役会議長）も務めていた。にもかかわらず、アップルは経営破綻の瀬戸際に追い込まれるほどの危機に直面した。

とはいえ、彼がアップル史の草創期に決定的役割を果たしたのは疑いようがない。マイク・マークラなしでは現在のアップルは存在しない。

1　結局、1983年にアップルは10億ドル企業にはなれなかった。同年の売上高は9億8900万ドルにとどまった。IBM PCとの競争が本格化し、同年第3四半期までに収益が低下し始めていた。リサコンピューターが想定通りに売れなかったのも収益を圧迫した。

第30章　カネのために一生懸命働く
――サンドラ・カーツィッグ

スタートアップのコンパックも顧客に加わる

１９８３年までにＡＳＫはアメリカ企業としては最も成長率の高いソフトウエア会社になり、11番目に成長率の高い株式公開企業になっていた。[1]

１９８１年のＩＰＯ時点で社員は１００人に届かず、顧客企業は１５０社にとどまっていたのに、２年後に社員は３５０人へ、顧客企業は７００社へ急拡大。同じ期間に売上高は１３００万ドルから６５００万ドルへ、利益は１６０万ドルから６１０万ドルへ大きく伸びた。ＭＡＮＭＡＮは６モジュールを持つ独立型システム（製品数1種類）から、合計36モジュールで構成される統合型システム（製品数10種類）へ進化した。代表的表計算ソフト「ビジカルク」や「ロータス１－２－３」との互換性も備えていた。

ＡＳＫの成功に合わせ、カーツィッグはシリコンバレーのエリート集団の一員になっていた。アナリストを対象にしたアンケート調査で「ソフトウエア業界３巨頭」の一人に選ばれ、女性向けビジネス誌ワーキング・ウーマンでは「シリコンバレーの女王」と持ち上げられた。サンドヒルロード近くの丘陵地帯に購入した豪邸でパーティーを開き、スティーブ・ジョブズやドン・バレンタインら著名人を招いたものだ。カリフォルニア州知事のジェリー・ブラウンとの浮き名も流した。

カーツィッグはナンバーツーのトム・レイビーと二人三脚でASKを率い、ついにはシリコンバレーに出来上がったエコシステムのど真ん中に位置するようになった。起業家として歩んだキャリア初期にはエコシステムから完全に外れていたというのに。

そんななか、レイビーはエコシステムを最大限活用する方法を考えた。バンカーやベンチャーキャピタリストら金融業者とのネットワークづくりに専念する専任ポストを新設し、新世代の起業家を顧客として取り込もうと考えたのである。将来有望な新興企業を一番よく知っているのは、IPO案件を狙うバンカーやベンチャーキャピタリストであるからにほかならない。

このようなネットワークを築いたおかげで、ASKは将来大化けするスタートアップとの契約締結に成功するのだった。あるときレイビーは知り合いのバンカーから電話をもらった。「スタートアップとのミーティングを終えたところです。コンピューター生産を計画中だったので、『何か買う前にASKに連絡を入れるといいですよ』と言っておきました」。翌朝、早速営業担当をスタートアップへ派遣した。スタートアップとは、後にパソコン大手に成長するコンパック・コンピュータ・コーポレーションだった。[2]

コンパックは「ASKNET」の顧客になった。ASKNETはレイビーがカーツィッグと協力して構築した遠隔コンピューターサービスであり、ユーザーが高価なコンピューターを購入しなくてもMANMANを利用できる点に特徴がある。レイビーの試算によれば、コンパックとの契約だけで累計1億ドルの売り上げを生み出した。

カーツィッグはASKを創業したとき、真っ先にファイルキャピネットを購入した。スタートアップがベンチャーキャピタルからの出資に成功したら、真っ先に購入すべき物は何なのか？ファイルキャビネットではなくMANMANシステムである。コンパックがお手本を示したように。彼女はこれをビジネスモデルにしたのだ。それを分かりやすく説明するために、起業家の手から小切手をひょいと抜き取るまねをしてみせた。ベンチャーキャピタルが振り出したばかりで、表面のインクもまだ乾いていない小切手を奪い取ったのだ。「インクが乾く前に行動しなくちゃね！」

ストックオプションに頼らずとも強力なチーム

ASKの顧客リストを見ると、1980年代のハイテク業界の中でとりわけ勢いのある企業がずらりと並んでいた。コンパック以外でめぼしいところではシスコシステムズやシーゲイト・テクノロジー、サン・マイクロシステムズだ。

全米エレクトロニクス協会がカリフォルニア州モントレー市のハイアット，テルで投資家向け会議を開催したときのことだ。ASKの顧客企業が投資家とのミ用に確保した部屋には必ずバラの花束が置かれていた。送り主はASKだった。カーツィッグは当時を回想して「私が女性だからできたんです。花束は広告の意味合いもあったんですよ」と説明する。ASKの花束が置かれていない部屋でミーティングが行われると、投資家は企業側に「なぜASKの顧客ではないのですか？」と尋ねたからだ。

カーツィッグの指揮下でASKは何年にもわたって強力なチームとしてまとまっていた。社員の多くが多額のストックオプションを支給されていなかったにもかかわらず、である。シリコンバレーではIPO後に優秀な人材をつなぎ留める手段として、いわゆる「ゴールデンハンドカフ（黄金の手錠）」付きのストックオプションがよく使われる。これによって、たとえ資産家の社員であっても早期退職は難しくなる。ASKは十分に魅力的な職場を提供できたから、「ゴールデンハンドカフ」に頼る必要がなかったのだろう。

ただ、カーツィッグが創業者として得た巨富は、社内では常にからかいの対象になった。例えば、1983年にカーツィッグのオフィス内で撮られたビデオ。その中では女性の両手が大写しになっている。両手がハンドバッグを机の上で逆さにすると、中から大量の100ドル札が舞い落ちる。両手は100ドル札の山の中をまさぐり、マニキュアを探し出す。続いて一方の手がもう一方の手にマニキュアを塗る。甘皮にマニキュアがにじみ出ると、100ドル札できれいに拭き取る。あたかもティッシュで拭き取るかのように。爪が美しくなると、両手は机の上の100ドル札をわしづかみにして、ゴミ箱へ放り投げ始める。その間、ドナ・サマーのヒット曲「情熱物語」が激しく流れている［「情熱物語」の原題は「カネのために一生懸命働く」］。両手はカーツィッグの両手ではなかった。しかし、彼女は喜んでビデオ撮影に協力した。ビデオの最後では電話を取ってにっこり笑う彼女自身が登場する。撮影のために電話を取るふりをしたのは、手を見せるためだった。爪はマニキュアで完璧にカラーリングされていた。

1　成長率の高さで二番手はアルトス・コンピューター・システムズ（ゼロックスPARCのアルトコンピューターとは無関係）、三番手はノーラン・ブッシュネルのピザタイムシアター（店内はビデオゲームと歌う電子人形でいっぱい）。アップルは五番手だった。

2　アナリストからベンチャーキャピタリストに転身したベン・ローゼンは、創業初期のコンパックに出資して18
て同社会長を務めた。

おわりに——次から次と

フェイスブックの本社キャンパス出入口にある看板

フェイスブックのシリコンバレー本社はサンフランシスコ湾のすぐ近くに位置している。9棟のビルで構成され、延べ床面積は9万3千平方メートル（東京ドーム2個分に相当）以上に達する。複数の飲食店、ドライクリーニング店、自転車店、ゲームセンター、美容室——。社員にとってほとんどすべてがタダという点を除けば、まるで小さな町のようである。週末になると、農産物直販のファーマーズマーケットが出現し、社員に加えて近隣住民もやって来る。買い物をするだけでなく、「人間フーズボール（人間版テーブルサッカー）」などスポーツを楽しんだり、料理実演を見学したり、地元ミュージシャンの演奏を聴いたりする。

ハッカー通りに面するキャンパス出入口に行けば、有名な「いいね！」ロゴマークを掲げた看板が目に飛び込んでくる。だが、ロゴマークは見せ掛けにすぎない。頑丈なビニールクロス——表面が色鮮やかにプリント加工してある——が切り取られ、鉄製看板の表面にぴんと貼り付けられているだけなのだ。看板の裏面に目をやると、レコード盤を逆再生させている気分になる。そこにはサン・マイクロシステムズの社名とロゴが描かれている。

フェイスブックの本社キャンパスはかつてサンの所有地だった。サンは1982年に誕生し、ハードウエアとソフトウエアの両方を手掛けるコンピューター会社として急成長。シリコンバレーで最も成功した企業の一つであると同時に、最も有名な企業の一つでもあった。[1] 創業6年目には売上高10億ドルを達成し、経営不振のアップルを買収する救世主として浮上したこともあった。1985〜89年には成長率の高さで全米一になった。共同創業者のうちアンディ・ベクトルシャイムとビノッド・コースラの2人は、それぞれの母国ドイツとインドでセレブ扱いされるほど有名になった（ビル・ジョイとスコット・マクネリというアメリカ人共同創業者も2人いた）。同社の急成長に驚嘆した上院議員は1980年代半ばにCEOのマクネリを訪ね、不思議そうにこう質問している。「こんなことが可能だと誰から聞いたのですか？」

サンの驚異的成長を可能にしたのは、過去10年でシリコンバレーにしっかり根を張った起業エコシステムだった。どういうことなのか。第一に、サン製ワークステーションの基本デザインはゼロックスPARCの技術に基づいていた。ベクトルシャイムが大学院生のときにPARCで働いていたからだ。第二に、K&P──現クライナー・パーキンス・コーフィールド&バイヤーズ（KPCB）──が創業初期のサンに出資した。K&Pはジェネンテックの生みの親的な役割を果たし、K&Pの共同創業者はフェアチャイルド・セミコンダクターとHP出身だった。第三に、ベクトルシャイムはスタンフォード大学在学中にワークステーションを設計した。そんな経緯から同大OTLのニルス・ライマースに対して発明開示書を送っている。第四に、サンはASKと「ASKNET」の契約を結び、「MRP（資材所要量計画）」目的でMANMANシステムを利用していた。

2000年にピークを迎えたITバブル期には、サンは「ドットコム企業のドット」をスローガンに掲げた。しかし、バブルがはじけると一気に失速した。ドットコム企業が一斉にコンピューターやサーバーの購入をキャンセルしたため、受注急減に見舞われたのだ。加えて、価格競争力のあるリナックス（Linux）搭載サーバーやバークレーユニックス（UNIX）搭載サーバーに市場シェアを奪われた。

その後、サンは二度と回復することはなかった。結局、2010年にソフトウエア大手オラクルに74億ドルで買収されている。ちなみに、オラクルの共同創業者ラリー・エリソンはアンペックスに勤務し、ビデオファイル事業に関わったことがある。アル・アルコーン、ノーラン・ブッシュネル、テッド・ダブニーの3人もアンペックス時代に同じビデオファイル事業を担当している。

新世代のイノベーションを後押ししたサン・マイクロシステムズ

フェイスブック本社キャンパスの出入口から車で外に出る社員は、いや応なしに鉄製看板の裏面を目にする。つまり、サン・マイクロシステムズの社名とロゴを見るわけだ。ＣＥＯのマーク・ザッカーバーグは看板の角度をあえて変えないことで、社員に向けて一つのメッセージを発していた。フェイスブック社員であることによって得られる富や賞賛、無料ランチ、誇りを当たり前と思ってはいけない。どんなに大成功している著名企業であっても、永遠に安泰ということはない。警戒心を緩める、数期連続で業績悪化に見舞われる、意思決定で間違いを犯す、新しい競合相手にシェアを奪われる――。落とし穴はいくらでもある。有力企業がちょっとしたことでつまずき、あっと言う間に表舞台から消え去ることもある。

サンは旧世代のイノベーションに支えられて急成長すると同時に、新世代の誕生を後押しした。同社のレガシーは看板の裏側でかすれつつあるロゴマークにとどまらないのだ。例えば同社製プログラミング言語「Ｊａｖａ（ジャバ）」だ。①無数のウェブサイトやプログラム、②グーグルドキュメントをはじめとしたウェブアプリケーション、③金融市場向けトレーディングシステム、④〈マインクラフト〉といったビデオゲーム――などで今も広く使われている。25万人以上に上る同社出身者からグーグル、ヤフー、モトローラ各社のＣＥＯが誕生した。

一方で、サンの共同創業者はシリコンバレーの次世代テクノロジー企業の多くを資金支援した。ビノッド・コースラはベンチャーキャピタリストとして、数十社に上るスタートアップに出資。最初は有力ベンチャーキャピタルのＫＰＣＢに勤務し、続いて自らベンチャーキャピタルのコースラ・ベンチャーズを創業した。アンディ・ベクトルシャイムはシリコンバレーを代表する企業の創業に関わった。１９９８年、スタンフォード大でコンピューターサイエンスを専攻する大学院生２人に会い、ビジネスプランを聞いて興奮した。「これから会社を興します。まだ法人登録していないので社名も決めていません」と言われたのに、すぐに10万ドルの小切手を手渡した。小切手の支払先には、２人が最終的に選ぶと思われる社名を書いた。「グーグル」である。[2]

シリコンバレーでは技術や人間が世代を超えてつながり、旧いイノベーション世代が新イノベーション世代を支えている。このようなエコシステムはシリコンバレーの大きな強みであり、世界経済への貢献という点でも注目に値する。２００５年にスティーブ・ジョブズがスタンフォード大の卒業式で行ったスピーチを思い出してほしい。その中に出てくる「バトンを手渡す」という表現がシリコンバレーの本質を突いている。

シリコンバレーの「家系図」ゲーム

シリコンバレーで「家系図」ゲームをやるのは簡単だ。スタンフォード大とＰＡＲＣからサンが生まれ、サンから無数の企業や技術が生まれた。フェアチャイルドからインテルとナショナル・セミコンダクターが生まれ、フェアチャイルドでチームを組んだマークラ、スコット、カーターの３人からアップルが生まれた。アップル会長のマークラの下で働いたトリップ・ホーキンスからはエレクトロニック・アーツが生まれた。

スタンフォード大からは数えきれないほどのスタートアップが生まれている。めぼしいところではシスコシステムズ、グーグル、HP、アイディオ（IDEO）、インスタグラム、ミップス・コンピュータ・システムズ、ネットスケープ、エヌビディア（NVIDIA）、シリコングラフィックス、スナップチャット、サン・マイクロシステムズ、バリアン・アソシエイツ、VMウエア、ヤフー。これらのスタートアップの多くはドン・バレンタインのセコイア・キャピタル（あるいはKPCB）から出資を受け、〝孫〟も生んでいる（スタンフォード大はベンチャーキャピタルに資金運用を委託してリミテッドパートナーにもなっている）。

さらに続けよう。アンペックスからはアタリのほかにメモレックスとオラクルが生まれ、アタリからは〈コール・オブ・デューティ〉シリーズで知られるアクティビジョンなどのビデオゲームメーカーが生まれた。PARCのコンピューター科学ラボに所属した研究チームから検索エンジン「アルタビスタ」、イーサネット、スリーコム、アドビシステムズのほか、文書作成ソフトウエアの「マイクロソフトワード」が生まれた。直近で見ても、2016年時点でグーグルの研究チームを率いる上級メンバー数人はPARC出身者だ。「家系図」をたどってもシリコンバレーとは無縁の企業――例えばフェイスブック――もシリコンバレーにやって来た。ここにある特別なネットワークとリソースに価値を見いだしたためだ。

移民流入によって活気が生まれる

起業するにはそれなりの大胆さが求められる。新産業を創り出すとなればなおさらだ。時に大胆さは傲慢になって災いを招く。歴史を振り返ればすぐに分かる。シリコンバレーは過去60年にわたってイノベーションを起こし続けるなかで、深刻な不況や強烈な揺り戻しに何度も直面してきた。今では発展の裏返しでかつてないほどの大混雑と生活費高騰を引き起こし、数十年間域内に住み続けてきた住民を追い出す格好になっている。

ほかにも問題は枚挙にいとまがない。アルバレス一家を経済的に支えた製造業は域内から消え去り、労働力の安い海外へ移転した（あるいは完全自動化された）。それに伴って製造業で雇用されていた数万人が職を失った。デジタル社会の出現によって社会格差も一段と鮮明になっている。男性は同程度の教育を受けている女性よりも多く稼ぎ、人種的マイノリティーが多い低所得者層の稼ぎは高所得者層より70％も少ない。エレクトロニクス業界が生み出す産業廃棄物は環境破壊の大きな原因になっている。そんななか、ハイテク業界は連邦レベルでも地方自治体レベルでも何千万ドルも投じてロビー活動を強化している。「ハイテク業界はとんでもない政治力を持っている」と指摘する専門家もいる。

シリコンバレー史には明らかに汚点がある。それでもここで起きたイノベーションは世界中に比類なき影響を与えている。本書が網羅した時期に域内で誕生した5大産業は、①ビデオゲーム、②パソコン、③バイオテクノロジー、④近代的ベンチャーキャピタル、⑤高度半導体ロジック――である。それ以降、シリコンバレーは数十年かけて何度も大波にのみ込まれ、生まれ変わってきた。ビデオゲームとパソコンが第1波だとすれば、ソフトウエアとネットワーキングが第2波、インターネットと検索エンジンが第3波、クラウド、モバイル、ソーシャルメディアが第4波だ。

イノベーションの大波を率いているのは、シリコンバレーに続々と流入する移民である。外部からの移民流入によって常に新しいアイデアと価値観が域内にもたらされ、何十年にもわたって活気を生み出している。シリコンバレーの起点である1969年を見ると、東海岸などアメリカ国内からの人口流入が中心だった。それが1980年までに様変わりした。アメリカ国外で生まれた移民がシリコンバレーの全人口に占める割合は全米平均の2倍にもなった。

現在、30分に1人のペースで外国生まれの移民がシリコンバレーに流入している。結果として、シリコンバレー住民の37％は外国生まれであり、全米平均の3倍近い。6歳以上の住民に限ると、半分以上が自宅で英語以外の言語も話す。教育水準が高い住民に占める移民の割合はもっと高い。科学・工学分野の学士号保有者に限ると、住民の3分の2が外国生まれだ。

移民はスタートアップの経営や製品開発でも大きな役割を担っている。企業価値10億ドル以上のスタートアップを見てみよう。経営チーム（あるいは製品開発チーム）の主要メンバーが移民であるケースは全体の70％以上、創業者が移民であるケースは全体の半分以上に達している。これだけの多様性があるのだから、シリコンバレーは次の「偉大なイノベーション」を世界中のどこでも生み出せるし、世界中のどこにでも持っていけるのではないだろうか。

1　サンが開発したコンピューターは「強力・高度・ネットワーク」で特徴付けられ、「ワークステーション」と呼ばれた。価格はパソコンのざっと3倍。ユーザーは平均的なアメリカ人を意味する「ジョー・アベレージ」ではなかった（マークラはパソコンユーザーのことを「ジョー・アベレージ」と呼んだ）。ワークステーションの中心的ユーザーはコンピューターに依存する科学者やエンジニアであり、代表的な用途はCAD（コンピューター支援設計）だった。CADではスピードの速さと記憶容量の大きさが求められた。

2　2012年、ベクトルシャイムが持つグーグル株の価値は推定で15億ドル以上になっていた。

▼アル・アルコーン

1981年にアタリを辞めると、アル・アルコーンは新規プロジェクトに取り掛かった。ノーラン・ブッシュネルの技術インキュベーターから資金支援を受け、ゲームのダウンロード販売事業を立ち上げようと思ったのだ。消費者が自動販売機経由で空のカートリッジを入手し、そこにゲームをダウンロードする構想を描いていた。ゲームのダウンロード販売は、ユーザーがリアルタイムでソフトウエアをダウンロードするサービスの初期バージョンといえた。

1986年、アルコーンは「アップルフェロー」としてアップル入りした。アップルフェローは誰もが欲しがる称号であり、「産業の大転換」を使命にしているだけに、大いに興奮した。同社ではビデオ圧縮技術の開発に取り組んだほか、IBM PCにマッキントッシュのオペレーティングシステム（OS）を搭載するプロジェクトを担った。上司はラリー・テスラー。ゼロックスPARCでジョブズらアップル訪問団を前にして、アルトコンピューターのデモを行った技術者だ。

アルコーンはアップルで5年間働いた後、転々とした。最初は、マルチメディアスロットマシンを開発する会社へ転職。そこで4年間エンジニアリング担当副社長を務めた。続いて、インターバル・リサーチ・コーポレーション（ＩＲＣ）に加わった。ＩＲＣはパロアルトに本拠を置くラボ兼インキュベーターであり、創設者はポール・アレンとデビッド・リドルの２人。前者はマイクロソフト共同創業者であり、後者はＰＡＲＣ出身者だ。

アルコーンはＩＲＣに入ると、ＩＲＣ支援で誕生したスタートアップのエンジニアリング担当になった。そこで彼が開発したのが「スマート遊具セット」。スマート遊具セットとは、エレクトロニクスが埋め込まれたフィギュアやブロックなどのおもちゃのこと。ユーザーがフィギュアやブロックを手に取って遊ぶと、動きがパソコン画面上に投影される点に特徴があった。このスタートアップは後に「レゴブロック」で知られるレゴへ売却された。

その後、アルコーンは中学生・高校生向けのハックフェスト（アイデアやプログラムの優秀さを競う催し）団体ハック・ザ・フューチャーの創設に関わった。今もハックフェストには熱心に取り組んでいる。参加中はいつも片手にはんだごてを持ち、背中に大きく「メンター」と大文字でプリントされたＴシャツを着ている。

▼フォーン・アルバレス・タルボット

ＩＢＭによる買収後も、フォーン・アルバレスはロルムで順調に昇進した。１９８７年にはロルムＩＢＭ社長レイ・アブザヤドの助手に任命された。翌年にロルムがドイツのシーメンスの手に渡ると、今度はロルム・システムズＣＥＯピーター・プリビラの助手へ横滑りした。秘書ではなかった。ロルムに長く在籍し、生産、エンジニアリング、財務、マーケティングの各部門で広く経験を積んでいたのを買われ、「主席補佐官」のような役割を担っていた。事実、彼女自身が専用秘書を一人割り当てられていた。

アルバレスはその後、シーメンスでさまざまな仕事をこなし、１９９７年にはマーケティングコンサルタントになった。「優雅なスーツと派手な帽子の女性社員」を見掛けて以来ずっとマーケティングに憧れ、やっと念願のポストを手に入れたのだ。２００５年に結婚してフォーン・アルバレス・タルボットへ改名し、それから10年後に引退した。

彼女がロルムに在籍している間にシリコンバレーの生活環境は激変した。母ビネータが１９７０年にクパチーノ市内で2万2千ドル払って購入した住居は、今では１００万ドル以上の価値がある。近所の子どもたちが自転車を乗り回して遊んでいたスティーブンスクリーク大通りには昔の面影はもうない。道路は2車線から6車線へ大幅に拡幅され、両側にはハイテク企業のビルがずらりと並んでいる。果樹園は一つもない。

フォーン・アルバレス・タルボットはビネータと共にシリコンバレーを離れ、今ではシエラ山脈で暮らしている（2人の住居は離れており、車で1時間半ほどの距離）。ビネータは81歳になっても元気であり、引退後には株式投資に熱中。フォーンはボランティア活動とガーデニングに励んでいる。家庭菜園を営みつつプラムも摘んでいる。小遣い稼ぎのためにプラムを摘んでいた子ども時代を思い出しながら。

▼サンドラ・カーツィッグ

サンドラ・カーツィッグは１９８４年にＡＳＫの会長兼ＣＥＯになり、取締役のロン・ブラニフに社長ポストを譲った。前年にソフトウエア・ディメンションズを７５０万ドルで買収して大失敗していた。買収から１年後に１００万ドル以下の値段で転売しなければならなかったのである。それでも脱線せずに成長路線を歩み続けた。１９９１年にはＡＳＫを年商３億１５００万ドル企業にし、「世界で10番目に大きい独立系ソフトウエア会社」として胸を張れるようになった。

カーツィッグは社長辞任後の10年間、経営とは一定の距離を置いていた。後任社長に任せるようにしていた。しかし、必要に応じてＣＥＯとして経営に深く関与することもあった。

パソコン時代の到来に伴ってＡＳＫは最終的に行き詰まった。ビジネスモデルの中心にミニコンピューターを置き続けたことから、ミニコンピューターからパソコンへ一斉に乗り換える顧客企業のつなぎ留めに失敗したのだ。技術上の問題からパソコン用ＭＡＮＭＡＮをうまく開発できなかった。

１９９４年5月、ソフトウエア業界で大掛かりなＭ＆Ａ（企業の合併・買収）が起きると、ＡＳＫも無縁でいられなかった。独立系ソフトウエア業界の上位15社のうち、ＡＳＫも含めて6社がコンピュータ・アソシエイツ・インターナショナルにのみ込まれた。ニューヨーク・タイムズ紙上で「不振のソフトウエア業者」と見なされたＡＳＫは２千人の社員を抱え、株式市場では3億1千万ドルと評価されていた。

現在でも世界中で１００台のＭＡＮＭＡＮシステムが稼働中だ。ＡＳＫが独立企業として消え去っても、ＡＳＫのＤＮＡは業務用ソフトウエア業界でなお生きているのだ。ＭＡＮＭＡＮシステムだけでなくＡＳＫ出身者も、である。例えば、元ＡＳＫ社員はオラクルやワークデイ、ルートストック・ソフトウエアで重要ポストに就いている。

カーツィッグはどうしているのか。回顧録を書いたり、朝のニュース番組「グッド・モーニング・アメリカ」でリポーターを務めたりした後、２０１０年に再び起業家に転身。クラウドサービスを手掛けるケンアンディを設立した。ケンアンディに出資したのはクラウドサービス大手セールスフォース・ドットコムのほか、ＫＰＣＢとウィルソン・ソンシーニ・グッドリッチ&ロサティのベンチャーキャピタル部門だった（ウィルソン・ソンシーニ・グッドリッチ&ロサティはラリー・ソンシーニの法律事務所）。

カーツィッグは現在ケンアンディの会長を務めている。

▼マイク・マークラ

アップルの社長を辞任してから1年後の1984年、マイク・マークラは新会社ACMリサーチを立ち上げた。同社は「IoT（モノのインターネット）」の先駆けともいえる制御システムの開発を目的とし[1]、今ではエシュロンと呼ばれる株式公開企業だ〔同社は2018年に買収されている〕。

ACMリサーチ創業にはマークラのシリコンバレー人脈が存分に生かされている。初代CEOはロルム共同創業者の一人であり、ASK取締役として1980年にサンドラ・カーツィッグに「IPOは時期尚早」と直言したケン・オシュマン。初期の取締役会メンバーにはアップル取締役のアーサー・ロックとベンロックCEOのピーター・クリスプのほか、ラリー・ソンシーニも含まれた。

マークラは事業以外にも活動範囲を広げている。例えば、北カリフォルニアで1万4千エーカーの牧場・野草園を整備したり、自家用飛行機用の空港設備を建設したりしている。彼が特別な思いを寄せているのがサンタクララ大学の「マークラ応用倫理センター（MCAE）」だ。

1986年にマークラ夫妻のシードマネーで発足し、数年後に同夫妻から500万ドルの寄付を獲得。倫理上の意思決定フレームワークを設け、ビジネスマンや教員、学生、公務員、医療関係者を対象にさまざまなプログラムを提供している。

なぜMCAEなのか。2世代にわたってビジネス界で倫理欠如が蔓延している——このようにマークラは思ったからだ。「経営者は必ずしも意図的に倫理を無視しているわけではありませんが、金銭やエゴを優先し過ぎています。私の慈善活動の中で最も投資効果が高かったのがMCAEです」と語る。

1997年、マークラはアップル取締役を辞任した。この年、アップルによるネクスト（NeXT）買収に伴って、ジョブズは12年ぶりにアップルに戻ってきた（ジョブズはネクスト創業者）。復帰後にアップル共同創業者が直ちに実行したのが取締役会の刷新だった。結果として、取締役会メンバーは2人を除いて全員が辞任を求められた。初代会長マークラも含めて。

マークラとジョブズの関係は何年にもわたってこじれたままだった。1985年のアップル権力闘争時にマークラがCEOのジョン・スカリー側に付いて、ジョブズ追放に加担したからだ。ジョブズはマークラに裏切られたと思う一方で、マークラはジョブズの「非倫理的行動」を問題視した（ジョブズはアップル会長の立場にありながらネクスト創業に向けてアップル社員に声を掛けていた）。

しかし、アップルが4億2900万ドルを投じてネクストを買収し、ジョブズが古巣に復帰すると、2人は腹を割ってじっくり話し込んだ。ウッドサイド市にあるマークラ邸で合流し、アメリカスギが生い茂る小道を歩きながら。ジョブズは物思いにふけりながらも愛想よく振る舞った。「アメリカ資本主義版ジョン・マッケンロー」（ニューズウィーク誌）段階はとっくに卒業していたようだった。マークラは取締役辞任を承諾しながら、心の奥底で喜んでいた。何年も前から辞めたいと思っていたからだ。それまで彼が辞めずに踏みとどまっていたのは、「現在は経営不振の真っただ中。このタイミングで創業期と深く関わる最後の一人が辞めたら、アップルは持たない」という懸念があったためだ。

会話が終わるころ、マークラはジョブズに一つアドバイスした。計測器メーカーから計算機メーカー、さらにはコンピューター・プリンターメーカーへ生まれ変わったＨＰを例に挙げながら、アップルも時代の変化に合わせてチャンスをつかまなければならない、と指摘したのだ。具体案を持ち合わせていたわけではなかったものの、「そうしなければアップルはつぶれる」と警告した。

マークラにとってかねてジョブズは「ダイヤモンドの原石」だった。メンター（マークラ）からすべてを学び取り、独自に進化して立派なリーダーへ成長し、ひいては世界を変える——このように初代アップル会長は期待したのである。

もちろんジョブズは期待に応えた。破綻目前のアップルを救ったばかりか、株式時価総額で世界ナンバーワン企業を築き上げたのだ。主力事業をコンピューターから携帯音楽プレーヤー、さらにはスマートフォンへと移しながら、チャンスをつかんできたからだ。HPのように。その過程でコンピューター、音楽、電話という三つの産業で競争ルールを書き換え、大きなイノベーションを起こしている。

▼レジス・マッケンナ

一般消費者にとってハイテクを身近な存在と思わせることに成功した広告・PRの大家レジス・マッケンナ。1981年に広告ビジネスをシャイアット・デイに売却し、戦略コンサルティングとPRに特化するようになった。1980年代以降の顧客リストにはシリコンバレーを代表する企業がきら星のように並んでいた。アップル、インテル、タンデム、ロルムなどだ。業界団体であるアメリカ半導体工業会（SIA）もマッケンナに頼って、連邦議会でハイテク産業の重要性を訴えた。

マッケンナはアップルにとって特に重要な位置を占め、1980年代半ばには同社経営会議にも定期的に出席していた（社員でないのは彼一人だけだった）。1985年にジョン・スカリーとスティーブ・ジョブズが権力争いに走ると、2人の相談役を同時に務める格好になった。スカリーは取締役会で「私はこれまでの人生でリーダーとして一度も失敗していません。小学1年生時から今までずっとリーダーであり、誰にも文句を言わせませんでした」と怒りをぶちまけた。その後、マッケンナを自分のオフィスに呼んで尋ねた。「スティーブはこれから何をする？　会社を辞める？　自殺する？　インドに行って僧侶になる？　それとも私をやっつけるつもり？」

一方、ジョブズは同じ取締役会で正直に言った。「私は成長中の身分だから支援を必要としていました。でも誰も支援してくれませんでした。もしコダックに勤めていて、厄介者のように振る舞ったら、行動を改めるよう命令されていたでしょう。さもなければクビになっていたでしょう。でも私はアップルしか知りませんし、アップルでは誰からの指図も受けずにやってきました」

ジョブズは生涯にわたってマッケンナを信頼していた。良き相談相手であると同時に友人と思っていた。アップルから追い出されるとマッケンナの下へ駆け付け、予言的にこう言っている。「新会社を立ち上げて、アップルの魅力を高めるような新製品を開発します。そうしたらアップルに買収してもらえるかもしれないでしょう」。アップル復帰後、気に入ったアップル製品を見つけると見本をマッケンナに送った。「iPhone4」のアンテナ問題などでトラブルに見舞われたり、アップルのイメージが傷ついたりしたときには、必ずマークラに電話してアドバイスを求めた。

1995年、マッケンナはPRビジネスも売却した（売却先は社員）。2000年には自分の名前を冠した「レジス・マッケンナ」を辞めた。ただ、個人的な立場でコンサルティングを続け、数年間だけＫＰＣＢのコンサルティングパートナーも務めた。５冊の書籍や数十本の記事を書くなどライター業に精を出す一方で、複数の民間非営利団体（ＮＰＯ）で理事を務めたり、非公式にスタートアップのアドバイザーを引き受けたりしている。あちこちを旅行する傍ら、マーケティングや経営戦略、シリコンバレー史について講演も行っている。

▼ニルス・ライマース

スタンフォード大を辞めた後、ライマースはカリフォルニア大学サンフランシスコ校（ＵＣＳＦ）へ転職。そこでも技術移転室（ＯＴＬ）を開設し、１９９６年から2年間室長を務めた。その後、世界各地の大学向けにコンサルティングを引き受け、ＯＴＬの開設・運営を支援した。２００８年には「ＩＰ（知的財産）殿堂」入りを果たした。大学が特許を活用して研究成果を社会へ還元する仕組みをつくった功績をたたえられたのだ。

２０１６年、スタンフォード大ＯＴＬが得た収入は累計で20億ドル近くに達した。ライマースの影響力はスタンフォード大以外でも広く確認できる。彼がスタンフォード大にＯＴＬを設立する前のアカデミアを見ると、多くの大学にとって特許は学内技術を外部へ移転する手段でしかなかった。スタンフォード大と同様のＯＴＬが広く普及した現在、アカデミアは様変わりしている。大学は特許をどんどん外部にライセンスして収入源にする一方で、企業は大学が持つ知的財産権のライセンスを積極的に取得して製品開発に生かしている。

ライマースがスタンフォード大にＯＴＬを設けた時点で、同様の組織を学内に持つ大学はスタンフォード大以外では全米で９大学にとどまっていた。現在、どんな大学にもＯＴＬが設置されている。設置の経緯はほぼ例外なく同じ。スタンフォード大ＯＴＬの快挙——遺伝子組み換え技術の特許取得とライセンス化——に大学当局が刺激されたのだ。今ではアメリカの大学で生まれた研究成果は広く外部へ還元されている。製品の売り上げで見ると、２０１４年だけで２８０億ドルを記録。また、大学の特許を利用した新商品も多数開発されており、同年には合計で９６５品目に上っている。

ライマースは現在、カリフォルニア西海岸の故郷で引退生活を送っている。ビーチから徒歩圏にある小さな一軒家に住み、近くの郵便局や目の前の通りで旧友と毎日のように会っている。70年以上も付き合いのある旧友の間でも「ＯＴＬをつくって世界に変革を起こした男」とはまったく認識されていない。それで構わないと思っている。

▼ボブ・スワンソン

１９９０年、スイスの製薬大手ロッシュが21億ドルを投じてジェネンテック株の60％を取得した。ジェネンテック創業から14年が経過していた。これを機会にボブ・スワンソンはＣＥＯ

を辞任した。1999年になり――ジェネンテック取締役を辞任してから3年がたっていた――脳腫瘍を患って永眠した。52歳だった。

スワンソンは28歳にして「世界を変えたい」と夢見て起業した。85歳の誕生日を迎え、人生を振り返る自分を想像してみて、「ここでリスクを取らなかったら一生後悔することになる!」と思い、スタートアップに一生を懸ける決意を固めたのだ。それなのに85歳まで生きることはかなわなかった。

元ジェネンテックCEOのアーサー・D・レビンソンはこう語る(レビンソンはグーグルとアップルの取締役を務め、現在はアップル会長)。「遺伝子組み換え技術を駆使して一大改革を起こすことに人生をささげたのがボブです。実際に画期的新薬を開発し、無数の命を救いました。にもかかわらず彼自身は自分の命を救えなかった。何とも皮肉なことです」

ジェネンテックは文字通りブレークスルーを起こした。第一に、バクテリアに外来遺伝子を導入することでヒトのタンパク質を世界に先駆けて合成した。第二に、遺伝子工学による新薬開発に世界で初めて成功した。第三に、バイオテクノロジー企業によるIPO第1号になった。製薬業界に新たな潮流も吹き込んでいる。科学者は研究成果を学会誌に発表する自由を与えられ、製薬メーカーは社内で生まれた発明を企業秘密にしない――これが業界標準になったのだ。現在、生物学分野で発表される著名な研究論文を見ると、筆者の多くは民間企業で雇われている科学者である。

過去40年を振り返ると、ジェネンテックはヒトインスリン以外でも画期的業績を残している。代表例は①ヒト成長ホルモン、②がん治療薬「アバスチン」「ハーセプチン」、③抗不安薬「クロノピン（日本ではクロナゼパム）」、④抗炎症薬「ナプロシン」、⑤抗インフルエンザ薬「タミフル」——などだ。

２００９年、ロッシュは４６８億ドルでジェネンテックを完全買収した。１９８０年のＩＰＯでジェネンテックは１株35ドルで株式市場にデビューしている。当時の１株はロッシュによる完全買収時点で４５６０ドルになっていた。

▼ボブ・テイラー

ボブ・テイラーは１９９６年、ディジタル・イクイップメント（ＤＥＣ）を辞めて引退した。同社では１９８３年にシステム研究センター（ＳＲＣ）を創設し、所長を務めていた。

テイラー引退時点で見ると、世界中で合計7億２５００万台のパソコンが普及していた。多くは大型スクリーン、グラフィカル・ユーザー・インターフェース（ＧＵＩ）、マウス、ワープロソフト、電子メール、ネットワークプリンターを備えていた。アーパネット（ＡＲＰＡＮＥＴ）はインターネットへ進化し、最初のウェブサイトは開設から6年目を迎えていた。

テイラーは２０１７年4月13日、85歳で亡くなった。シリコンバレーを見渡せる高台の一軒家に数十年間住んでいた。毎年夏になると、質素な裏庭でトマトとカキのパーティーを開いたものだ。参加者は世界を代表する科学者ばかりであり、全員がかつてテイラーの下で働いたことがあった。

テクノロジーについてテイラーは複雑な思いを抱いていた。インターネットは民主主義にとって基本的にプラスに働くと考え、インターネットのどこが好きかと問われると「グーグルで情報検索すること」と答えていた。電子メールを好んで使ってウィットに富んだメッセージを書く傍らで、電子書籍リーダー「キンドル」を電子書籍でいっぱいにして常に持ち歩いていた。ただ、フェイスブックとツイッターについては「時間の無駄」と一蹴していた。

フェイスブックとツイッターは物理的な国境を取り払い、コミュニティーを形成するうえで効果的なアプリケーションだ。それを踏まえると皮肉なものだ。テイラーはコンピューターを通じて人と人がつながるネットワーク社会を夢見ていたのだから。今後訪れる新たなトレンドについて問われても、何も予測しようとはしなかった。

テイラーにとって大事なのは研究であって金銭ではなかった。だから弁護士やマーケティング専門家は目障りな存在でしかなかった。

そんなわけで、テイラーは株式投資とも距離を置いていた。自分のラボから有能なメンバーが飛び出して会社を立ち上げたり、ハイテク企業へ転職したりすれば、ポケットマネーで株式を買うこともあった。だからアドビシステムズやグーグル、スリーコムの株を持っていたのだ。

とはいっても、あまりにも少額であったためほとんど関心を持たなかったようだ。事実、株式投資について問われると、確定拠出年金「401k」で運用中の銘柄について語るのだった。

引退後のテイラーにとって重要だったのは「個人的な名誉」ではなく「チームの社会的評価」だった。

テイラーは実際の行動で自分の意思を示している。引退後に数々の賞をもらいながら授賞式参加を見合わせているのだ。1999年に大統領からアメリカ国家技術賞を受賞し、その5年後には全米技術アカデミーからドレイパー賞を受賞している。2013年にはコンピューター歴史博物館の「コンピューターの殿堂」とインターネットソサエティ（ISOC）の「インターネットの殿堂」に同時に選ばれている。大変な名誉であるのに、どの授賞式にも出席していない。

代わりにテイラーはメッセージを送り、代読してもらっている。「さまざまな組織が賞を授与するやり方にちょっと疑問を抱いています。通常、賞は個人に贈られます。ですが、コンピューター研究――特にコンピューターシステム研究――の分野で大きな成果を出しているのはチームであって個人ではありません。私はPARCとDECのチームのおかげでかっこ良く見えたのでしょう。だから受賞できたにすぎません」

テイラーはチームのクリエイティビティをたたえて賞を贈るべきだとかねて主張してきた。彼が好んで使う日本のことわざがある。集団は個人よりも賢いという意味の「三人寄れば文殊の知恵」だ。テイラーだけでなく世界のイノベーターにとってもぴったりの銘文ではないだろうか。

1 「IoT（モノのインターネット）」では、家庭用サーモスタットや照明器具から産業用ロボットまでネットワークにつながり、コンピューターの力が有効活用される

謝辞

　これまで書いてきたように、イノベーションはチームスポーツだ。それと同じように本書のアイデアを私の頭から引き出し、文字に起こす作業もチームスポーツと変わらなかった。ミスも含めて文責はすべて私にあるとはいえ、本書のために集まってくれた人たちは文句なしに最高のチームである。

　最初に「ノース・トゥエンティフォース・ライターズ」に感謝したい。アリソン・フーバー・バートレット、レスリー・クロフォード、フランシス・ディンケルシュピール、キャシー・エリソン、シャロン・エペル、スーザン・フリーンケル、キャサリン・ニーラン、リサ・ウォルグレン・オークン、ガブリエル・セルズ、ジュリア・フリン・サイラー、ジル・ストーリー。知恵とユーモアに加えて編集アドバイスをありがとう！

　個別インタビューに応じてくれた人々は、本書にとって非常に重要な情報源だ。自分自身の物語や論文、思い出、アイデアについて時間をかけて語ってくれた。そしてほかの情報源も紹介してくれた。

　博士論文を指導し、かけがえのないメンターになり、草稿を読んで叱咤激励してくれる人を何と呼んだらいいのだろうか？　デビッド・M・ケネディのことだ。ありがとう、デビッド！

　本書の草稿を最後まで読んで鋭いコメントをしてくれた。ジュリア・フリン・サイラーとランディ・ストロースも何時間もかけて草稿に目を通してくれた。ジュリアは私の自宅にやって来てソファに座りながらアドバイスし、ランディは草稿をめぐって議論した後になぜか私をランチに連れ出してくれた。改めて感謝したい。

専門家の視点で特定の章を読み、助言してくれた人たちにも感謝したい。おかげでバツの悪い思いをしないで済んだ。レイフォード・ギンズ、サリー・スミス・ヒューズ、マーク・サイデン、ドゥーガブ・イー、ヘンリー・ローウッドである。ヘンリーはスタンフォード大学で15年近くにわたって私の上司であり、本書のための取材・執筆活動を全面的に支えてくれた。ダンケ（ありがとう）、ヘンリー！

次に挙げる人たちにも深く感謝したい。スタンフォード大学「行動科学高等研究センター（CASBS）2012〜13年」フェロー、ジャネット・アベート、ボブ・アンドレアッタ、デビッド・ブロック、キャロリン・キャデス、マーティン・キャンベル・ケリー、キャサリン・デキュア、ベス・エッベン、ベンジ・エドワーズ、ブレット・フィールド、テリー・フロイド、ダニエル・ハートウィッグ、HP同窓会会員、ポーラ・ジャブロナー、キャシー・ジャービス、ローレンス・パウエル・ジョブズ、クリス・カシアノビッツ、マイク・ケラー、チグサ・キタ、グレッグ・コーバックス、スティーブン・レビー、サラ・ロット、アンナ・マンシーニ、ナタリー・ジーン・マリーン・ストリート、ジョン・マーコフ、パム・モアランド、メアリー・マニル、ティム・ノークス、ビル・オハンラン、マーガレット・オマラ、スー・ペローシ、ナディーン・ピネル、サラ・ライス、ポール・リースト、ノラ・リチャードソン、ジェームス・サブリー、ラリー・スコット、レニー・シーゲル、リサ・スレイター、カート・テイラー、ビル・テリー、フレッド・ターナー。

私の存在さえ知らない男性2人にも助けられた。ポッドキャスト番組「スクリプトノーツ」を運営するジョン・オーガストとクレイグ・メイジンだ。同番組の趣旨は「脚本の書き方と脚本家にとって興味あること」である。私は脚本家ではない。けれどもストーリーテリング（それに映画も！）についてたくさん学ばせてもらった。ジョンとクレイグ、それにゲストの方々にお礼を申し上げたい。

出版社サイモン&シュスターの素晴らしい編集者に出会えたのも幸運だった。ベン・ローネン、ジョン・カープ、キャット・ボイド、アマー・ディオルに感謝したい。私のエージェントであるクリスティ・フレッチャー、ドン・ラム、シルビー・グリーンバーグ、さらにはマーク・フォーティア、パメラ・ピーターソンにもお世話になった。

私の人生は家族に支えられている。以下に挙げる人たちを「自分の家族」と呼べて幸せだと思う。ドッド家のリック、コービン、リリーの3人は私にとってスターである。バーリン家のスティーブ、ベラ、ジェシカ、ローレンの4人、もう一つのドッド家のジム、リズ、ライアン、ロブの4人、さらにデビー、ブライアン、ジョン、オルガ、ケイティー、ルーカス、トレバー、セイディー、フィオーナ、ジェームズの10人――あなたたちは最高だ。

訳者あとがき――プロジェクトXのシリコンバレー版

アップルのスティーブ・ジョブズについては誰もが知っていても、マイク・マークラと聞いてピンとくる人はどれだけいるだろうか？

マークラはアップルの初代会長だ。アップルに創業資金を提供し、当初はジョブズと並ぶ大株主だった。新規株式公開（ＩＰＯ）に向けてビジネスプランを書いたほか、社長をはじめ経営幹部をスカウトするなど、初期のアップルで決定的な役割を果たしている。

本書を読むと、「マークラなしでは現在のアップルは存在しない」という構図が見えてくる。マークラを主人公にしたアップル創業物語も一冊の本になるのではないか、と思えるほどだ。世間的にはジョブズはアップルの顔だ。作家ウォルター・アイザクソン氏が書いた世界的ベストセラー『スティーブ・ジョブズ』（講談社）が決定打になり、シリコンバレーを代表するヒーローになっている。

本書はまったく異なる景色を描いている。ガレージで生まれたスタートアップが大企業へ成長する道筋を付けたのはマークラなのである。20歳を超えたばかりのジョブズにとっては父親のような存在であり、唯一無二のメンターだった。

にもかかわらず、マークラの物語が詳細に体系立てて語られることはこれまでなかった。

本書『TROUBLEMAKERS　トラブルメーカーズ（原題：Troublemakers——Silicon Valley's Coming of Age)』を一言で表現するとすれば、「プロジェクトXのシリコンバレー版」である。ご存じの通り、「プロジェクトX」はNHKのドキュメンタリー番組。熱い情熱を抱いて夢を実現した無名の日本人を描いて、大ヒットした。

本書の主人公も情熱あふれる無名のアメリカ人であり——全員で7人——シリコンバレーの事実上の生みの親だ。「シリコンバレーの見えざるヒーロー」と言い換えてもいい。マークラも「見えざるヒーロー」の一人である。

これまで語られてきたシリコンバレー物語は表層的であり、本質を突いているとは言い難い。基本的にヒーロー物語に終始していたからだ。

古い世代の代表的ヒーローがジョブズならば、新しい世代のヒーローは誰だろうか？　テスラのイーロン・マスク氏を挙げる人もいれば、グーグルのラリー・ペイジとセルゲイ・ブリンの両氏を挙げる人もいるだろう。

ジーンズをはいた若手起業家がエンジニア的才覚を発揮し、既存秩序を破壊して一大イノベーションを起こす——これがヒーローの典型的イメージだ。痛快なサクセスストーリーであり、確かに分かりやすい。

だが、ヒーロー物語はシリコンバレーの一面でしかない。シリコンバレーが世界の情報技術

（IT）ハブになれたのは、「見えざるヒーロー」の活躍によって起業エコシステムが出来上がっていたからだ。

本書の原題『トラブルメーカーズ（問題児たち）』も「見えざるヒーロー」をイメージしている。ちなみに「トラブルメーカーズ」は、ジョブズの復帰を受けてアップルが1997年に展開した伝説的広告キャンペーン「シンク・ディファレント（Think Different）」からの引用だ。

現在、日本を含めて世界各国が「シリコンバレーに追い付け・追い越せ」を合言葉にして、産学の連携をテコにイノベーションを起こそうとしている。アントレプレナーシップ（起業家精神）こそ競争力の決め手になると考えているのだ。

レースに喩えれば、シリコンバレーの背中は見えてきているのだろうか？　答えはノーだ。「アジアのシリコンバレー」と呼ばれる中国・深圳を除けば、周回遅れというのが現状である。

株式時価総額で世界のトップ企業の顔ぶれを見れば一目瞭然だ。2021年3月中旬時点では上位10社のうち実に4社がシリコンバレーのIT企業だ。1位のアップル、5位のアルファベット（グーグルの親会社）、6位のフェイスブック、8位のテスラ――。アップルの時価総額は唯一2兆ドル（200兆円以上）を突破している。

上位10社には、同じアメリカ西海岸企業であるシアトル勢も2社（3位のマイクロソフトと4位のアマゾン）、「アジアのシリコンバレー」を擁する中国勢も2社（7位のテンセントと9位のアリババ）が入っている。日本企業は上位10社に入り込めず、45位のトヨタ自動車が最高だ（トヨタの時価総額はアップルの10分の1）。

シリコンバレーが誕生してからおよそ半世紀たっている。なぜシリコンバレーに追い付き、追い越す勢力がなかなか出てこないのか。ひょっとしたらヒーロー物語をまねしようとして失敗しているのではないか。

この点でヒントになるのが著名経営学者ジム・コリンズ氏の言葉だ。『ビジョナリー・カンパニー』シリーズで知られる同氏は、かつてスタンフォード大学で起業論を教えていたこともある。何年も前に私とのインタビューで次のように語っている。

「シリコンバレーが大成功したのは起業家モデルを構築したこと。これによって偉大な起業家は偶然の産物ではなくなった」

起業家モデルとは、スタンフォード大を中心に形成された起業エコシステムのことだ。これによってシリコンバレーは天才起業家の誕生を待たなくても、イノベーションを起こせるようになった。運に左右される「ヒーローモデル」から脱却したと言ってもいい。

起業エコシステムを支えているのが「見えざるヒーロー」である。ベンチャーキャピタリスト、エンジェル投資家、ベテランビジネスマン、科学者、弁護士、ＰＲ専門家――。イノベーションの担い手は、ヒーロー物語に出てくるはだしの若手起業家とは限らない。

本書の中に登場する「見えざるヒーロー」はマークラも含めて7人だ。インターネットやパソコンの礎を築いたボブ・テイラーもいれば、世界初のバイオテクノロジー企業を立ち上げたボブ・スワンソンもいる。ソフトウエア業界の先駆者が女性起業家——サンドラ・カーツィッグ——だという事実にも驚かされる。

著者のレスリー・バーリン氏は7人についてそれぞれの人生も含めてカラフルに描いている。この点では同氏の取材力・文章力が光っている。2005年にはインテル共同創業者ロバート・ノイスの伝記を書き、高い評価を得ている。

バーリン氏はスタンフォード大で博士号を取得した歴史学者だ。本書執筆に際しても専門家らしい手法で体系的に情報収集している。①さまざまな関係者から未公開の私的資料やメモを入手、②文書保管所で大量の資料やインタビュー記録を精査、③6年かけて70人以上の当事者に個別インタビュー——である。

起業エコシステムという点ではスワンソンの物語はとりわけ興味深い。ここに産学連携の原点があるからだ。大学で生まれた研究シーズがスタートアップへライセンス供与され、社会へ広く還元される仕組みが出来上がったのである。スワンソンが目を付けた研究シーズは遺伝子組み換え技術だった。

産学連携のスケールは驚くばかりだ。例えば、スタンフォード大が保有するグーグル株の時価は3億3600万ドル（円換算で360億円以上）に上る。同大が検索アルゴリズムをグーグルへライセンス供与した見返りに、ロイヤリティー（特許使用料）としてグーグル株を受け取っていたからだ。補足しておくと、日本の大学にはロイヤリティーとして株式を受け取るという発想さえもない。

日本もかつてイノベーションの拠点として注目されていた。ソニーが生み出した「トランジスタラジオ」「CD（コンパクトディスク）」「ウォークマン」は日本発の代表的イノベーションだった（大学が蚊帳の外に置かれていたという点でシリコンバレーモデルと異なった）。

それなのに、今では「失われた30年」とも揶揄（やゆ）されるほど日本は長期低迷状態に置かれている。再び輝きを取り戻せるのだろうか。

変化の機運は出ている。好例は東京大学だ。長らく高級官僚と大企業幹部の養成機関として機能してきたのに、今では「本郷バレー」と呼ばれるほど大学発スタートアップの拠点としても注目されている。

大学が起業エコシステムの中心に位置しているという点で、シリコンバレーと「本郷バレー」は似ている。「最優秀のスタンフォード大生は起業する」といわれている。人工知能（AI）研究で先行する松尾研究室の動きなどを見ると、「最優秀の東大生は起業する」という時代もあり得るのではないかと思えてくる。

変化は東京に限らない。福岡市は2012年、改革派の高島宗一郎市長のイニシアチブで「スタートアップ都市」を宣言している。起業エコシステムの構築を目指して「スタートアップカフェ」を始めたり、能力ある外国人の流入促進に向けて「スタートアップビザ」制度を設けたりしている。

もちろん問題は山積している。起業エコシステムの一翼を担うベンチャーキャピタルを見てみよう。経産省のデータによれば、ベンチャーキャピタルによる投資額（2018年）は日本では2700億円強にとどまる。アメリカ（14兆円以上）の2％以下である。

なぜこれほどの差が付くのか。最大の原因はリスクマネーの欠如だ。それを象徴しているのがリスクマネーの代表格であるヘッジファンド。アメリカでは運用残高が2兆7千億ドル（300兆円弱）に上るほど巨大であるのに、日本では長らく「ハゲタカファンド」と毛嫌いされて存在しないも同然の状態だ。

ヘッジファンドの代わりに日本には何があるのか。実質的な国営金融機関である、ゆうちょ銀行（2020年3月末で約183兆円）とかんぽ生命保険（同約72兆円）だ。両社を合わせるだけでアメリカのヘッジファンドに匹敵する資金規模になる。

本書にも書いてあるように、1970年代にアメリカでは年金運用に関する規制が緩和され、ベンチャーキャピタル業界にどっとリスクマネーが流れるようになった。

そんな状況下で伝説的ベンチャーキャピタル「セコイア・キャピタル」が生まれた。セコイアのモットーは「株式非公開企業に投資してすごいアップサイドを狙う（あるいは悲惨なダウンサイドを覚悟する）」。これこそ高リスク・高リターンのリスクマネーだ。

私事になって恐縮だが、本書との出合いは福岡がきっかけだった。

２０１３年、私は5年間のカリフォルニア生活を終え、家族と一緒に福岡に移り住んだ。「福岡にもアメリカ西海岸のようなイノベーションのポテンシャルがある」と思っていたところ、出版社から「福岡の本を書きませんか？」と声を掛けてもらえた。

『福岡はすごい』（イースト新書）の取材・執筆を始めてすぐに思った。「スタートアップ都市」を宣言した福岡の未来を占うためには、シリコンバレーの歴史を振り返る必要があるのではないか——。そこで手にしたのが『トラブルメーカーズ』だった。

『福岡はすごい』の出版から1年たった２０１９年の夏のことだ。私の妻（牧野恵美）は「この本を読むといいよ」と言った。「めちゃくちゃ面白い。アップルのマイク・マークラとか、知らない話が山ほどある」

仕事の一環として『トラブルメーカーズ』を購入して読み、私に薦めていたのだ（私がすでに同書を購入して読んでいるとは知らずに）。妻が面白いと言うのならば、翻訳する価値があるのではないか、と私は思った。

妻は2013年から一貫して大学でアントレプレナーシップを教えており、現在は広島大学で起業エコシステムの構築に取り組んでいる。記者時代にはシリコンバレーを担当し、スタートアップ時代のアマゾン創業者ジェフ・ベゾス氏に単独インタビューしたこともあった。

私は本書の価値を再認識し、出版社を探し始めた。すると、「出版業界のイノベーター」との印象を抱いていたディスカヴァー・トゥエンティワンの編集者、藤田浩芳氏に出会えた。同氏のおかげで本書の翻訳企画にゴーサインが出た。この場を借りて感謝したい。

私は記者時代、シリコンバレーに何度も出張して大勢の起業家にインタビューしたことがある。本書に何度も登場する伝説的ベンチャーキャピタリスト、アーサー・ロック氏にも取材した。本書を翻訳しながら当時の高揚感を懐かしく思い出した。既存秩序に挑戦する起業家を取材するのはとりわけ楽しかったのだ。

バーリン氏も同じような気持ちで取材・執筆をしていたに違いない。本書は誰もが知っているヒーローを主人公にしているわけではない。それでもわくわくするような物語でいっぱいなのである。

2021年3月　広島にて

牧野洋

TROUBLEMAKERS トラブルメーカーズ
「異端児」たちはいかにしてシリコンバレーを創ったのか?

発行日 2021年4月20日 第1刷
Author レスリー・バーリン
Translator 牧野洋

Book Designer 秦 浩司
Publication 株式会社ディスカヴァー・トゥエンティワン
〒102-0093 東京都千代田区平河町2-16-1 平河町森タワー11F
TEL 03-3237-8321(代表) 03-3237-8345(営業)
FAX 03-3237-8323
http://www.d21.co.jp

Publisher 谷口奈緒美
Editor 藤田浩芳(編集協力:河本乃里香)

Store Sales Company
梅本翔太/飯田智樹/古矢 薫/佐藤昌幸/青木翔平/小木曽礼丈/小山怜那/川本寛子/佐竹祐哉/佐藤淳基/竹内大貴/直林実咲/野村美空/廣内悠理/高原未来子/井澤徳子/藤井かおり/藤井多穂子/町田加奈子

Online Sales Company
三輪真也/榊原 僚/磯部 隆/伊東佑真/川島 理/高橋雛乃/滝口景太郎/宮田有利子/石橋佐知子

Product Company
大山聡子/大竹朝子/岡本典子/小関勝則/千葉正幸/原 典宏/藤田浩芳/王 廳/小田木もも/倉田 華/佐々木玲奈/佐藤サラ圭/志摩麻衣/杉田彰子/辰巳佳衣/谷中 卓/橋本莉奈/牧野 類/三谷祐一/元木優子/安永姫菜/山中麻吏/渡辺基志/小石亜季/伊藤 香/葛目美枝子/鈴木洋子/畑野衣見

Business Solution Company
蛯原 昇/安永智洋/志摩晃司/早水真吾/野﨑竜海/野中保奈美/野村美紀/林 秀樹/三角真穂/南 健一/村尾純司

Ebook Company
松原史与志/中島俊平/越野志絵良/斎藤悠人/庄司知世/西川なつか/小田孝文/中澤泰宏/俵 敬子

Corporate Design Group
大星多聞/堀部直人/村松伸哉/岡村浩明/井筒 浩/井上竜之介/奥田千晶/田中亜紀/福永友紀/山田諭志/池田 望/石光まゆ子/齋藤朋子/福田章平/丸山香織/宮崎陽子/青木涼馬/岩城萌花/内堀瑞穂/大竹美和/越智佳奈子/北村明友/副島杏南/巽菜香/田中真悠/田山礼真/津野主揮/永尾祐人/中西 花/西方裕人/羽地夕夏/平池 輝/星 明里/松川実夏/松ノ下直輝/八木 眸

Proofreader 文字工房燦光
DTP アーティザンカンパニー株式会社
Printing 大日本印刷株式会社

ISBN978-4-7993-2728-9